KU-695-874

Das Buch

1981: Die beiden Jungen James und Callum ermorden kaltblütig den kleinen Brian Wilcox. Die übergewichtige Paddy Meehan ist anfangs nur für die Botengänge bei der Daily News zuständig, doch ihr Ziel ist es, Journalistin zu werden. Sie gibt sich alle Mühe, um dies zu erreichen und wird auf den Fall von Brian aufmerksam, weil Callum ein Cousin von ihrem Verlobten Sean ist. Doch ein großes Problem scheint alles zu vernichten: Eine Reporterfreundin veröffentlich die ganzen Informationen, die Paddy ihr im Vertrauen über Callum erzählt hat. Die ganze Familie ignoriert sie zur Strafe und Sean will sie auch nicht mehr sehen. Als dann auch die Reporterfreundin umgebracht wird und die Polizei bei der Daily News ermittelt, wird der Druck auf Paddy immer größer. Sie kann trotz Allem nicht glauben, dass die beiden Jungen diese Tat ganz alleine planten und ausführten. Sie ermittelt selbstständig in dem Fall und entdeckt einen acht Jahre zurückliegenden Mord, der diesem hier sehr ähnelt. Wird sie ohne Erfahrung und dem Status einer Journalistin den Fall lösen können?

Die Autorin

Denise Mina, geboren 1966 in Glasgow, studierte Jura und spezialisierte sich auf den Umgang mit psychisch gestörten Straftätern. 1998 erschien ihr erster Roman. Für ihr Werk wurde sie mit dem Dagger Award und dem Barry Award ausgezeichnet. 2012 und 2013 gewann sie den Theakstons Crime Novel of the Year Award. www.denisemina.com

Lieferbare Titel

In der Stille der Nacht
Blinde Wut
Der letzte Wille
Das Vergessen

Denise Mina

Der Hintermann

Kriminalroman

Aus dem Englischen von
Doris Styron

WILHELM HEYNE VERLAG
MÜNCHEN

Die englische Originalausgabe erschien 2005 unter dem Titel *The Field of Blood* bei Bantam Press, London.

Verlagsgruppe Random House FSC® N001967
Das für dieses Buch verwendete FSC®-zertifizierte Papier *Holmen Book Cream* liefert Holmen Paper, Hallstavik, Schweden.

Taschenbuchausgabe 08/2015

Printed in Germany
Redaktion: Maria Hochsieder
Umschlaggestaltung: Nele Schütz Design, München
unter Verwendung von shutterstock/Hirurg
Druck und Bindung: GGP Media GmbH, Pößneck

ISBN 978-3-453-43715-9
www.heyne.de

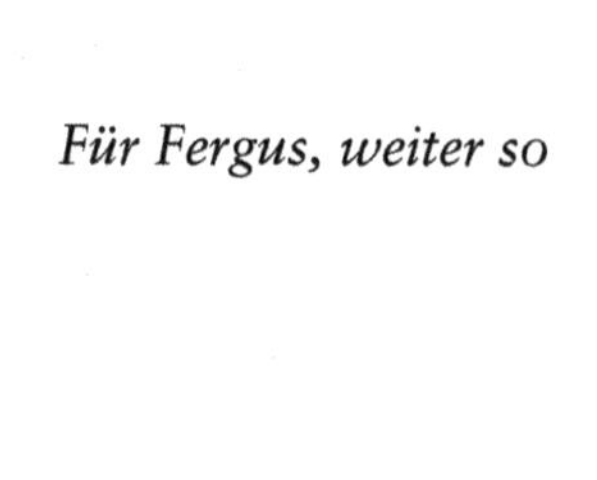

Für Fergus, weiter so

Judas … hat erworben den Acker um den ungerechten Lohn … Und ist kund geworden allen, die zu Jerusalem wohnen, also dass dieser Acker genannt wird … ein Blutacker.

Apostelgeschichte 1, 16–19

1
Kleine Wunder

1981

1

Sie fuhren immer weiter in die Dunkelheit hinein. Lange waren sie schon unterwegs, und Brian dachte nur daran, dass jeder kleine Schritt ihn weiter von seiner Mutter wegführte, wo er sich doch auf der ganzen Welt nichts sehnlicher wünschte, als bei ihr zu sein.
Er durfte nicht weinen. Wenn er weinte, würden sie ihn schlagen. Er dachte an seine Mutter, an ihre weichen Brüste, ihre Finger mit den Ringen, und dass in ihrer Gegenwart die ganze Welt wärmer wurde. Er rang nach Luft, wobei seine Zähne laut aufeinanderschlugen.
James, der Junge neben ihm, versetzte ihm einen kräftigen Schlag aufs Ohr.
Der scharfe Schmerz kam so überraschend für Brian, dass sein Mund von selbst aufging und er zu brüllen anfing. Callum, der Junge auf der anderen Seite, lachte ihn aus.
»Du alte Heulsuse«, sagte James.
»Ja«, sagte Callum, »hör auf zu schreien, verdammt noch mal.«

Beide lachten und kümmerten sich nicht weiter um ihn. Brian weinte nicht. Er spürte den Schmerz in seinem Bauch und an seinem verletzten Fuß, aber er weinte nicht. Nur wenn er an SIE dachte, musste er weinen, erst als er daran dachte, dass SIE nicht hier war, weinte er. Die Tränen liefen ihm über die Wangen, aber er schaffte es, geräuschlos einzuatmen und ruhig zu bleiben.
»Du bist einfach ein Baby«, sagte James laut.
»Ja«, sagte Callum und zeigte die Zähne, seine Augen funkelten. »Du bist eben einfach ein beschissenes großes Baby.«
Die Jungen wurden jetzt ganz aufgeregt und sagten immer wieder »Fotzenbaby« zu ihm. Brian mochte dieses Wort nicht. Er wusste nicht, was es bedeutete, aber es klang gemein. Da er wusste, dass er gleich zu schluchzen anfangen und dafür Schläge kriegen würde, bedeckte er sein Gesicht mit den Händen und hielt den Atem an, bis es in seinen Ohren dröhnte.
Da er die Jungen jetzt nicht mehr hören und nicht an sie denken musste, erinnerte er sich an IHRE Hände, die ihn wuschen, mit wohltuend warmem, zart duftendem Wasser übergossen, ihn hochhoben, obwohl er schon groß war, und ihn mit in heiße Fleischsoße getunkten Brotstückchen, Pommes oder Süßigkeiten vom Eiswagen fütterten. Sie steckte ihn ins Bett, deckte ihn zu, ließ das Licht im Flur an und die Tür einen Spaltbreit offen und kam in der Nacht, um nach ihm zu sehen, so dass er nie allein war. Immer war sie bei ihm oder gleich um die Ecke in einem anderen Raum.
Sie ließen jetzt die Lichter hinter sich. Draußen gab es keine Häuser mehr, nur noch Dunkelheit und Dreck. Die

Tür ging auf, und James stieß Brian in die schwarze Nacht hinaus, so dass er hinunterstürzte, sich überschlug und auf der Seite landete. Er versuchte aufzustehen, aber sein Fußgelenk knickte um. Im Gummistiefel fühlte sich sein Fuß schon ganz geschwollen an, und das rauhe Futter drückte gegen seine Haut. Er fiel auf die Schulter und lag jetzt ganz im Dunkeln außerhalb des aus der Tür fallenden gelben Lichtkegels.

Eine solche Finsternis hatte er noch nie erlebt, schwarz wie dicke Soße, wie der Rauch von verbranntem Toast oder wie bitterer Hustensaft. Der Boden war hart gefroren und mit kleinen Buckeln übersät. Er hörte den Wind, und wie sich etwas bewegte, das auf ihn zurannte oder kroch. Panische Angst stieg in ihm auf, als er versuchte, sich mit seinem gesunden Fuß und beiden Händen wieder in den Lichtkegel vom Lieferwagen zurückzuschleppen.

Als er die Schuhe der Jungen sah, war er plötzlich erleichtert, dass er nicht allein war. Sie hakten ihn unter und hoben ihn gemeinsam hoch, um ihn auf die Beine zu stellen. Aber er fiel zur Seite und versuchte jetzt, sich an die harte Erde zu klammern, damit er wenigstens mit dem Gesicht in der Nähe des Lichts blieb. Die Jungen zogen ihn noch einmal hoch, aber er fiel wieder hin.

Brian konnte nicht gehen, sein geschwollener Fuß versagte, und so zogen ihn die Jungs schnaufend und prustend rückwärts ans Ende der Welt und einen steilen Hügel hinab. Es war windig und dunkel und so schwarz da unten, dass Brian sich am Ärmel von James' Anorak festklammerte, weil er Angst hatte, sie würden ihn allein lassen. Er konnte nicht anders, als wieder zu weinen, was ganz laut klang, weil es hier weder Fernseher noch Radio gab, gar nichts, das wie in dem Haus des Fremden sein Weinen übertönt hätte. James ging um ihn herum, stellte sich breitbeinig vor ihn hin und hob die Arme. Callum hielt ihn zurück und sagte nein, nein, lieber drüben bei den Schienen.

Sie schleppten ihn den Hügel hinunter und stellten ihn hin. Er stürzte nach vorn und prallte mit den Zähnen auf Metall. Einer brach ab, und warme Flüssigkeit lief ihm übers Kinn. Er heulte laut auf, spuckte die Flüssigkeit aus, schnappte nach Luft und hustete zwischen den Schluchzern. James stellte sich wieder vor ihm auf, suchte Halt mit den Füßen, bückte sich und legte Brian die Hände um den Hals. Brian spürte, wie er hochgezogen wurde, bis er in James' Augen sah, die wie die eines wilden Tieres waren.

Brian hörte seine eigene Stimme nicht mehr, nur noch kleine Tiere auf der anderen Seite der Böschung, die wegrannten und Deckung suchten, und den Wind, der ihm leise durchs Haar fuhr. Dann wurde alles schwarz um ihn.

2

James erdrosselte ihn, und dann schlug Callum mit Steinen auf seinen Kopf ein. Der kleine Kinderkopf sah entsetzlich aus. Sie betrachteten ihn widerstrebend und voller Angst, aber zugleich auch von dem Anblick fasziniert. Sie hatten nicht erwartet, dass der Kleine sich mit einem Mal einfach nicht mehr bewegen und dabei so widerlich

in die Hose machen würde, davon hatte er ihnen nichts gesagt. Sie hatten nicht gedacht, dass er so plötzlich aufhören würde, lästig zu sein, hatten nicht erwartet, dass er einfach aufhören würde zu existieren.
Sein Fuß ragte ganz merkwürdig in die Luft. Seine Augen waren offen und quollen hervor, als könne er nicht aufhören, sie anzuschauen. Callum wollte anfangen zu weinen, aber James knuffte ihn in den Arm.
»Wir …«, fing Callum an, starrte auf das übel zugerichtete Kind und sah aus, als werde ihm gleich schlecht. »Wir …«, er verschluckte den Rest, rannte den steilen Hang hinauf und verschwand über den Rand der Böschung.
James blieb allein zurück. Überall war Blut am Kinn des Kindes und vorne an seinem Hemd, das wie ein blutiges Lätzchen aussah. Das Blut war warm gewesen an James' Händen, als er sie um den Hals des Kindes gelegt hatte. Er stellte sich vor, wie das Kind mit seinem kaputten Kopf und dem schwarzen Kinn aufstehen und immer größer werden würde, bis es sich in den unglaublichen Hulk verwandelt hätte und ihn mit langsamen Bewegungen wie in Zeitlupe zusammenschlüge.
Er legte den Kopf schief und sah das Kind an, lächelte ihm zu und stieß mit dem Fuß nach ihm, und es konnte nicht einmal versuchen, vor ihm davonzulaufen. Er hatte keine Angst, hier bei dem zerschlagenen Kind zu sein, es waren andere Gefühle, von denen er nicht wusste, wie man sie nannte. Und so hockte er sich einfach daneben.
Er konnte alles mit ihm machen, alles, was er wollte.

2
Die echte Paddy Meehan

1

Falls es noch einen anderen Aspekt der Brian-Wilcox-Story gab, so hatte ihn jedenfalls niemand bei der *Scottish Daily News* finden können. Interviews mit der Familie des vermissten Kindes und mit den Nachbarn waren gemacht, alle in Frage kommenden Wege abgegangen und Luftbilder des Gebiets in Auftrag gegeben worden. Sie hatten Beiträge zu früheren Fällen vermisster Kinder verfasst, unzählige Kolumnen über die Zukunft solcher Kinder gebracht, aber der kleine Scheißkerl war nicht aufgetaucht.
Paddy Meehan stand an der Bar, als sie hörte, wie Dr. Pete zu einer Gruppe angetrunkener Kollegen sagte, er würde den Dreijährigen eigenhändig erwürgen, wenn er nur damit die Geschichte zu Ende bringen könnte. Die Männer, die um ihn herumstanden, lachten, hielten kurz inne und brachen wieder in ein dröhnendes Gelächter aus. Dr. Pete saß still da, sah noch erschöpfter aus als sonst, und auf sein Gesicht mit den hoffnungslosen Augen trat ein schwaches Lächeln. Sie beobachtete ihn im

Spiegel hinter dem Tresen. Seine buschigen Augenbrauen sträubten sich, und seine Züge schienen von einem jahrzehntelangen Katzenjammer gezeichnet. Mit geschlossenen Augen führte er sein Glas zum Mund und tastete mit der grauen Zungenspitze nach dem Rand. Das Gerücht ging um, dass er Bigamist sei.

Paddy mochte die Männer nicht und war nicht gern in ihrer Gesellschaft, wollte aber doch zu ihnen gehören und lieber Journalistin als Mädchen für alles sein. In der Bar hätte sie sich wie ein Eindringling gefühlt, wenn sie nicht im Auftrag der *News* gekommen wäre, um den Maßkrug des Bildredakteurs füllen zu lassen. McGrade, der Mann an der Bar, spülte gerade die Leitungen zu den Bierhähnen durch und brauchte eine Ewigkeit, bis er das zischende Bier gezapft hatte. Gläser mit sirupdickem weißem Schaum standen vor ihm auf dem Tresen aufgereiht.

Die Press Bar war in einem praktischen Farbton gestrichen, einer Mischung aus Tabakbraun und dem Gelb verschütteter Bierlachen, und die Einrichtung bestand aus kleinen Stühlen und schäbigen Tischchen, auf denen Aschenbecher und Bierdeckel verstreut waren. An der Wand hingen Archivbilder, auf denen Zeitungsleute denkwürdige Ausgaben der *Chicago Tribune* und der *New York Times* hochhielten: Fotos vom VE-Day, dem Tag der Befreiung Europas vom Faschismus, von Pearl Harbor und Kennedys Ermordung. Sie stammten aus einer anderen Zeit und von einem anderen Ort und hatten eigentlich nichts mit Glasgow zu tun, waren aber doch Zeichen der Loyalität gegenüber der Hauptkundschaft der Bar, die die Sonderkonzession rechtfertigte. Als eines der wenigen

Pubs in Glasgow schloss man nicht um halb drei nachmittags, aber die Bar war zu weit vom Stadtkern entfernt, um Laufkundschaft anzuziehen, und zu sehr in der Stadtmitte, um als Stammkneipe in Frage zu kommen. Deshalb war man ausschließlich auf die Gäste von der *News* angewiesen. Pub und Zeitung waren nur durch eine Wand getrennt, und besonders im Winter wurde oft beklagt, dass es keinen direkten Durchgang gab.

Nur ein Tisch war besetzt, an dem die Männer ihren Frühschoppen unter einer dichten blauen Rauchwolke zu sich nahmen. Sie hatten Frühschicht, alles aufmüpfige, trinkfeste Kerle unbestimmbaren Alters, die wegen ihrer langen Zugehörigkeit zur Firma nicht entlassen werden konnten. Sie erledigten nur das absolute Muss an Arbeit, um so schnell wie möglich ins Pub, nach Hause oder zur nächsten Redaktionsparty zu kommen.

Heute stand der Vorsitzende der Gewerkschaft, Father Richards, mitten in der Menge, er sah müde aus und wurde von den Umstehenden angespornt. Selten gehörte er zu den Trinkern. Er war seiner Gewerkschaftsgruppe ein guter Hirte und hatte ihr durch Verhandlungen längere Pausen und das Recht erkämpft, überall im Gebäude zu rauchen, sogar in der Druckerei. Er hatte einen Bierbauch und die Gefangenenblässe eines Menschen, der den ganzen Tag in geschlossenen Räumen arbeitet. Normalerweise trug er eine Fliegerbrille mit dickem Stahlrand, nur heute nicht. Stattdessen sah man einen langen Schnitt diagonal unter seinem Auge verlaufen, der exakt den Rand des fehlenden Brillenglases nachzeichnete. Jemand hatte ihm eins auf die Brille gegeben.

Das Gelächter verstummte, und die Männer lehnten sich

zurück. Paddy nahm wahr, dass sie sich im Raum umsahen und jemanden oder etwas suchten, über das sie sich lustig machen konnten. Normalerweise war sie aufgrund ihrer Jugend und niedrigen Stellung vor ihnen sicher, aber wenn Alkohol mit im Spiel war, nahmen sie sich jeden vor. Sie machte sich darauf gefasst, drehte an ihrem billigen Verlobungsring mit dem Diamantensplitter und wünschte, der Barkeeper wäre endlich mit seinen Bierleitungen fertig und würde ihr einschenken. Drei unruhige Sekunden verstrichen. Böses ahnend spürte sie die Röte an ihrem Nacken hochsteigen. Ihr Ringfinger tat ihr langsam weh.

Einer der Männer am Tisch durchbrach die Stille mit dem Ruf: »Scheiß auf den Papst.«

Die Männer lachten und sahen zu, wie Richards nervös und ohne zu lächeln sein Glas hob. Als er aber das Bierglas ansetzte, erschien ein breites Grinsen auf seinem Gesicht, und er schüttete das goldgelbe Bier in sich hinein, wobei ihm zwei kleine Rinnsale über die Backen rannen. Die Männer stießen ein Freudengeschrei aus.

Bei Paddy meldete sich automatisch ein Solidaritätsgefühl; sie missbilligte Richards' Schweigen. Noch vor zehn Jahren war in Stellenanzeigen zu lesen gewesen: »Bitte keine Bewerbungen von Katholiken.« Man lebte getrennt, ging in rein protestantische oder rein katholische Schulen, und die Katholiken fühlten sich in gewissen Stadtteilen Glasgows auf der Straße nicht sicher. Und nun saß Richards hier mit Protestanten am Tisch und verleugnete seine eigenen Leute.

»Der Papst ist mir egal«, rief Richards. »Der ist mir schnurz. Er setzt sich nicht für die Arbeiter ein.«

Dr. Pete wartete, bis sich die Menge beruhigt hatte. »Wir haben nichts zu verlieren außer unseren Rosenkränzen.« Sie lachten wieder.

Richards zuckte mit den Schultern, um zu zeigen, dass ihn das nicht störte. Kein bisschen. Es war nicht von Bedeutung für ihn. Er nahm noch einen Schluck, und da er Paddys Ablehnung spürte, starrte er auf ihre Füße und zog damit den Blick der Männer und ihre Aufmerksamkeit auf sie.

»Du«, sagte er, »bist du katholisch oder Marxistin?«

»Lasst sie in Frieden«, sagte Dr. Pete.

Aber Richards ließ nicht locker. »Papst oder Marx?«

Sie wussten natürlich wegen ihres Namens, dass sie Katholikin war. Sie sah zudem durch und durch irisch aus, schwarze Haare und ganz helle Haut wie ein Papiermond. Sie wollte nicht darüber reden, aber Richards drängte sie.

»Bist du gläubig, Meehan?«

Die Männer sahen in ihre Gläser, sie waren verlegen, wollten sich aber nicht einmischen. Es war eine Sache zwischen zwei Katholiken und ging sie nichts an. Paddy meinte, es sei besser, etwas zu sagen, sonst würden sie ihre Angst spüren.

»Was geht Sie mein Gewissen an?« Ihre Stimme klang höher als beabsichtigt.

»Gehst du morgen zur Messe? Gehst du zur Kommunion, zur Beichte? Gibst du was bei der Kollekte jeden Sonntag und verknallst dich in den Priester?« Richards' Stimme wurde immer lauter. Er war etwas angetrunken und glaubte, viel zu reden sei das Gleiche wie gut zu reden. »Sparst du dich für deinen Mann auf? Betest du jeden Abend, dass du Kinder bekommst, die den Glauben unserer Väter hochhalten?« Er holte Luft und öffnete den Mund, um weiterzusprechen, aber Paddy unterbrach ihn.

»Und was ist mit Ihnen, Father Richards? Gehen Sie jede Woche zu Versammlungen und Demos? Geben Sie einen Teil Ihres Lohns für die Revolutionskasse und verknallen Sie sich in all die marxistischen Mädels?« Sie konnte sich nicht genau erinnern, was er als Nächstes gesagt hatte, deshalb kam sie direkt zur Sache. »Ihre Aufgabe ist es, sich beim Management für die Arbeiter zu verwenden. Sie sorgen dafür, dass die Vorschriften eingehalten werden, und Sie teilen Geld an die Bedürftigen aus. Sie sind ein Priester im Rollkragenpulli.«

Ohne dass sie den Sinn dessen, was Paddy gesagt hatte, richtig begriffen, lachten die Männer Richards aus, weil eine Frau über ihn herzog, noch dazu eine junge. Sie schlugen ihm auf den Arm und spornten ihn an, ihr Kontra zu geben. Richards lächelte in sein Glas, während Dr. Pete ganz still dasaß und Paddy anschaute, als hätte er gerade erst bemerkt, dass es sie überhaupt gab. McGrade lachte leutselig hinter der Bar und nahm Paddy den Krug des Bildredakteurs aus der Hand, füllte ihn zu drei Vierteln mit 80-Shilling-Bier und gab noch zwei Schuss Whisky dazu.

»Ihr Glaube ist gleich geblieben seit der Zeit, als Sie praktizierender Katholik waren«, fuhr Paddy fort. »Der einzige Unterschied ist, dass Sie den Grundwortschatz ausgetauscht haben. Der klassische Irrtum des abtrünnigen Katholiken. Sie sind wahrscheinlich gläubiger als ich.«

Hinter ihr ging plötzlich die Tür auf, rammte gegen die

Wand, und ein Schwall kalter Luft fegte in den Raum und wirbelte den grauen Rauch durcheinander. Terry Hewitts schwarzes Haar war ganz kurz geschnitten wie bei einem amerikanischen Soldaten, bis auf den Schädel rasiert, so dass die hellrosa Narben auf seiner Kopfhaut durchschimmerten. Dadurch sah er ein kleines bisschen gefährlich aus. Er war stämmig mit unverhältnismäßig kurzen Beinen, hatte aber etwas Anzügliches und Verwegenes an sich, das Paddy den Mund wässrig machte, wenn sie ihn anzublicken wagte. Sie stellte sich vor, wie er jeden Abend in sein gemütliches Zuhause bei den Eltern zurückkehrte, die Romane lasen und seine ehrgeizigen Pläne unterstützten. Er musste sich wohl nie Sorgen machen wegen einer verlorengegangenen Monatskarte oder billige Schuhe tragen, in denen man nasse Füße bekam.

»Hey, Hewitt«, rief Dr. Pete und fuchtelte vor seinem Gesicht herum. »Mach die Tür zu. Die gute Frau hier will Richards zur Kirche zurückführen.«

Die Männer lachten, als Paddy den Bierkrug zur Tür trug, und riefen ihr nach, sie solle doch bleiben und sie alle retten.

Sie wandte sich um. »Wisst ihr was, euch wird eines Tages allen gleichzeitig die Leber explodieren, und hier drin wird es aussehen wie beim Jonestown Massaker.«

Die Männer brüllten vor Begeisterung, als Paddy sich rückwärts durch die Tür schob. Sie war froh. Eine bescheidene Hilfskraft zu sein war ein unsicherer Zustand: Eine falsche Entscheidung hier oder ein schwacher Augenblick da konnte schon dazu führen, dass man für alle Zeiten von der ganzen Bagage schikaniert wurde.

Erst als die Tür schon hinter ihr zuschlug, hörte sie Terry Hewitt fragen: »Wer is 'n diese Dicke?«

2

Sie saß auf dem oberen Deck, aß ihr drittes hartes Ei und sah in das Gedränge auf der Straße hinunter. Es war eine abscheuliche Diät, und sie war nicht mal sicher, ob sie wirkte.

Die Fußgänger auf der Straße waren warm eingemummelt und versteckten die Gesichter vor dem nadelscharfen Wind, der durch Schals, Strumpfhosen und Knopflöcher drang. Auf freier Strecke prallte der Wind gegen die hohen Seiten des Doppeldeckerbusses, und die Fahrgäste hielten sich an der Rückenlehne ihres Vordermanns fest und lächelten verlegen, wenn der Schreck vorbei war.

Richards hatte sie geärgert. Immer wieder ging sie das Gespräch durch, dachte sich bessere, schlagfertigere Entgegnungen aus und formulierte ihre Antworten so um, dass sie seine Worte besser widerlegten. Sie fand, sie hatte ihre Argumente gut vorgebracht, obwohl Terry Hewitts Bemerkung die Wirkung völlig ruiniert hatte.

Der klassische Irrtum des abtrünnigen Katholiken.

Sie ließ sich den Satz durch den Kopf gehen, rollte ihn von hinten auf und wiederholte ihn im Rhythmus der rumpelnden Räder. Sie wusste sehr gut, wie man den Grundwortschatz austauschen konnte. Richards war durch den Austausch der Glaubensinhalte wenigstens von größerem Nutzen für die Menschheit. Sie konnte keinem der Menschen, die sie gern hatte, von der dunk-

len Leere im Inneren ihres Glaubens erzählen. Sie konnte weder mit Sean, ihrem Verlobten, noch mit ihrer Lieblingsschwester Mary Ann darüber sprechen, und ihre Eltern durften nie davon erfahren, es würde ihnen das Herz brechen.
Der Bus nahm die scharfe Kurve in die Rutherglen Main Street, und der Fahrer beeilte sich, sie noch bei Grün zu erwischen. Paddy stand auf und ging nach unten. Sie war unterwegs zum Rosenkranzgebet bei Seans verstorbener Großmutter, wieder einmal würde sie allen etwas vorheucheln.
Granny Annie war vierundachtzigjährig gestorben. Sie war keine warmherzige Frau gewesen, nicht einmal eine besonders nette. Als Sean um sie weinte, wusste Paddy, dass er eigentlich um seinen Vater trauerte, der vier Jahre zuvor an einem Herzanfall gestorben war. Trotz seiner breiten Schultern und der tiefen Stimme war er im Grunde ein achtzehnjähriger Junge, der zu Mittag die belegten Brote aß, die seine Mutter ihm gestrichen hatte, und die Unterhosen trug, die sie ihm abends hinlegte.
Der Tod der alten Frau war ein großes Ereignis in Rutherglen. An manchen Abenden kamen so viele zur Totenwache und den Gebeten, dass manche Trauergäste die Mäntel anbehalten und von der Straße aus mit Blick auf das Haus beten mussten. Die Stimmen der jungen Leute waren beim Sprechchor der Gebete für Annies Seele leise, aber die Älteren ließen ihren Klagen mit irischem Akzent, den sie von ihren Priestern übernommen hatten, freien Lauf.
Annie Ogilvy war am Ende des letzten Jahrhunderts auf einem Handkarren nach Eastfield gekommen. Paddys

Familie, die Meehans, waren im gleichen Jahr aus Donegal gekommen und seitdem immer in enger Verbindung mit den Ogilvys geblieben. Die religiösen Bräuche und wunderlichen Angewohnheiten der Einwanderer schweißten die beiden Familien zusammen, und wegen der eingeschränkten Arbeitsmöglichkeiten für Katholiken arbeiteten die meisten Männer zusammen in den Gruben oder in den Gießereien.

Annie war in Glasgow aufgewachsen, hatte sich aber einen irischen Akzent zugelegt, wie es unter den Mädchen ihrer Generation Sitte war. Mit den Jahren wurde ihr Akzent ausgeprägter und entfernte sich jedes Jahr ein paar Meilen weiter von dem weichen Dubliner Klang auf die härteren Kehllaute Ulsters zu. Als sie schon alt war, unternahmen ihre Kinder mit ihr eine Busreise nach Irland und mussten feststellen, dass sie auch dort niemand verstand. All ihre Vorlieben, die Lieder, die sie sang, und die Gerichte, die sie kochte, hatten zwar eine entfernte Ähnlichkeit mit denen in Irland, waren aber nirgends wiederzufinden. Annie hatte sich ihr ganzes Leben nach einer zärtlich geliebten Heimat gesehnt, die es niemals gegeben hatte.

Die im Haus aufgebahrte Leiche ließ Paddy schaudern, und sie blieb ihr so fern wie möglich. Wenn man sich zum Gebet versammelte, setzte sie sich im vorderen Zimmer der Couch gegenüber auf den Boden, von wo aus sie jeden Abend geschwollene Beine in Stützstrümpfen und dünne, fleckig bläuliche Haut, die von den Gummirändern der Söckchen abgeschnürt wurde, im Blick hatte.

Der Bus erreichte das Ende der Main Street. Paddy steckte das letzte Stück Ei in den Mund und ging nach unten.

Es war ein hinten offener Bus, und der kalte Nachtwind kämpfte gegen die Wärme des geheizten Innenraums an. Paddy hielt sich an der Stange, lehnte sich mit der Hüfte dagegen und schwang sich aus dem offenen Busende in den Wind hinaus. Der Seitenwind fegte durch ihr kurzes Haar und brachte es noch mehr durcheinander. Sie konnte schon die Menge sehen, die sich vor dem kleinen Häuschen aus dem sozialen Wohnungsbau versammelte.

Sie war kaum durchs Gartentor gegangen, als sie schon jemand am Arm fasste. Matt Sinclair war klein, um die fünfzig und trug eine dunkle Brille.

»Da kommt ja meine kleine Freundin«, sagte er hinter seinen großen Brillengläsern, die wie schwarze Bildschirme aussahen. Er nahm die Zigarette in die andere Hand und drückte Paddy fest die Hand. »Ich hab gerade über dich gesprochen.« Er drehte sich zu einem anderen kleinen, rauchenden Mann hinter ihm um. »Desi, hier ist die kleine Paddy Meehan, von der ich dir erzählt hab.«

»Aha«, sagte Desi. »Dann interessierst du dich bestimmt für mich, ich kenne nämlich den echten Paddy Meehan.«

»Ich bin die echte Paddy Meehan«, sagte Paddy leise und ging auf das Haus zu, weil sie reingehen und Sean sehen wollte, bevor die Gebete begannen.

»Doch, es stimmt. Ich hab früher in den Hochhäusern in den Gorbals gewohnt, und Paddy Meehans Frau, Betty, wohnte auf der gleichen Etage.« Er nickte energisch, als hätte sie Zweifel geäußert. »Ja, und ich kannte seinen Kumpel Griffiths.«

»Wer is ’n das?«, fragte Matt

»Griffiths war der Verrückte mit der Pistole, der geschossen hat.«

»Und war der auch Spion?«
Desi war plötzlich verärgert, und die Haut um seine Augen rötete sich. »Herrgott noch mal, Meehan war doch kein Spion. Er war einfach ein verdammter Gangster aus den Gorbals.«
Matt presste die Lippen zusammen und sprach mit leiser Stimme, während er sich in der Menge umsah. »Hör auf mit dem Fluchen. Wir sind bei einer Totenwache.«
»Tut mir leid.« Desi sah Paddy an. »Tut mir leid, Kleine. Aber er war kein Spion für die Sowjets. Er war doch aus den Gorbals.«
»Spione brauchen ja keine feinen Pinkel zu sein, oder?«, fragte Paddy und gab sich Mühe, respektvoll zu klingen, obwohl sie ihn korrigierte.
»Doch, die brauchen schon Bildung. Sie müssen mehrere Sprachen sprechen.«
»Jedenfalls«, sagte Matt und sah sie dabei an, »hat die *Daily Record* geschrieben, sie hätten ihm die Beweise für den Mord an Ross untergeschoben, um ihn in Verruf zu bringen, weil er ein Spion war.«
Desi lief wieder rot an und rief empört: »Sie haben ja nur das nachgeplappert, was Meehan sagte, und dem glaubt man doch eh nicht.« Er wurde vor Zorn noch lauter. »Was hätte ein ganz gewöhnlicher Dieb den Sowjets sagen können?«
Paddy wusste es. »Na ja, er wusste, wie die meisten britischen Gefängnisse von innen aussahen, oder? So hat er ihren Spionen geholfen abzuhauen, weil er ihnen sagte, wie sie's machen konnten.«
Matt schien interessiert. »Er war also doch ein Spion?«
Paddy zuckte wieder mit den Schultern. »Kann sein, dass

er den Sowjets Geheimnisse verraten hat, aber ich glaube, die Untersuchung zum Fall Ross war einfach unzulänglich. Ich glaube, das eine hatte gar nichts mit dem andern zu tun.«

Desi ließ jede Logik sausen und rief laut: »Der Mann ist doch als Lügner bekannt.«

»Ja.« Matt sah Paddy verlegen an, und sie merkte, dass er wünschte, er hätte ihr seinen launischen Freund nie vorgestellt. »Er lebt jetzt wieder in Glasgow, habe ich gehört.«

Sie nickte.

»Oben in Carlton. Kommt in die Stadt und geht hier in die Pubs.«

Sie nickte noch einmal.

Desi hatte sich beruhigt und versuchte, sich wieder in das Gespräch einzumischen. »Wie kommt es, dass du seinen Namen abbekommen hast?« Er sah Matt an, um seine Pointe anzubringen. »Hassen dich deine Eltern?«

Matt Sinclair versuchte zu lachen, verschluckte sich aber und musste husten. »Mann, Desi«, sagte er ernst, als er sich erholt hatte, »du bist ja vielleicht 'n Scherzkeks.«

»Ich war sechs Jahre alt, als der andere Paddy Meehan verhaftet wurde«, sagte Paddy, »und meine Mutter wird von allen Trisha genannt.«

Matt und Desi nickten einmütig.

»Und da hat man dich eben ›Paddy‹ gerufen?«

»Ja.«

»Wieso nennst du dich nicht ›Pat‹?«

»Weil mir der Name nicht gefällt«, sagte sie schnell. In Anspielung auf einen Witz über den irischen Homosexuellen Pat McGroin, hatten ihr einige der älteren Jungen in der Schule den Spitznamen Pat MaHind verpasst, ein Name, den sie hasste und fürchtete, weil etwas vage Sexuelles darin mitschwang und sie jedes Mal heftig errötete, wenn die Jungen ihn hinter ihr herriefen.

»Und Packy?«

»Hm«, sagte sie und hoffte, sie würden jetzt nicht anfangen, über Farbige herzuziehen. »Ich glaube, das bedeutet mittlerweile etwas anderes.«

»Stimmt«, erklärte Matt wie einer, der Bescheid wusste. »Paki bedeutet heute, dass einer Inder ist.«

Desi zeigte reges Interesse an dieser nützlichen Information.

»Es ist unhöflich, jemanden so zu nennen«, sagte Paddy.

»Big Mo, der die Wäscherei hat«, erklärte Matt, »das is 'n Paki.«

»Eigentlich nicht«, entgegnete Paddy, der die Sache unangenehm wurde. »Ich hab ihn gefragt, er ist aus Bombay, also Inder.«

»Stimmt.« Matt nickte und blickte Desi an, um zu sehen, ob das jetzt klar war.

»Aber Inder und Pakistani sind eigentlich nicht das Gleiche ...«, sagte Paddy und klang unsicher, obwohl das gar nicht der Fall war. »Zwischen Indien und Pakistan gab es doch einen großen Krieg. Das wär doch so, als würde man sagen, ein Nordire und einer aus der Republik Irland wäre dasselbe.«

Die Männer nickten, aber sie merkte, dass sie nicht mehr zuhörten.

Desi räusperte sich. »O ja«, sagte er, ohne irgendetwas von dem zu begreifen, was sie gesagt hatte. »Alles ist komplizierter, wenn es was mit Schwarzen zu tun hat, was?«

Paddy zuckte innerlich zusammen. »Ich find das nicht besonders nett«, sagte sie.
Die Männer blickten verständnislos, während sie sich von einer Gruppe von Trauergästen ins Haus schieben ließ. Sie fühlte ihre kritischen Blicke im Rücken, die sie als arrogante Zicke abtaten.

3
Tyrannische Eierdiät

Paddy war in der Mittagspause in der Stadt herumgewandert, wo am Sonntag alles geschlossen war, hatte ihre in Alufolie gewickelten harten Eier gegessen und dabei sorgfältig jeden Zeitungskiosk gemieden, an dem es Süßigkeiten gab. Sie hängte ihren Dufflecoat an den Haken neben der Tür und stellte ihre gelbe Segeltuchtasche unter die Bank für die Praktikanten. Sie hatte diese Tasche schon seit zwei Jahren und mochte sie sehr. Mit Kuli hatte sie Bandnamen daraufgeschrieben, nicht etwa jene, die sie gern hörte, sondern die Bands, mit denen sie gern in Verbindung gebracht werden wollte: Stiff Little Fingers, the Exploited oder Squeeze.

Von ihrer Bank in der Ecke konnte Paddy die ganze dreißig Meter lange Nachrichtenredaktion der Zeitung überblicken und sehen, wenn jemand die Hand hob, weil er sie oder eine der anderen Hilfskräfte für einen Botengang oder eine Besorgung benötigte. Sie rutschte auf der glatten Eichenholzbank entlang, bis sie neben Dub saß.

»Alles klar?«

»Ich hasse die Wochenendschicht.« Dub blickte von der Musikzeitschrift auf, die er gerade las. »Nichts los.«
Paddy ließ ihren Blick auf der Suche nach erhobenen Händen oder fragenden Gesichtern durch den Raum schweifen. Aber niemand brauchte etwas. Sie fuhr gern mit dem Daumennagel an der weichen Holzmaserung entlang und malte sich dabei aus, wie sie in Zukunft als erfahrene Journalistin in einem schicken Kostüm und teuren Schuhen auf dem Weg nach draußen wäre, wo sie eine komplizierte Story zu recherchieren hätte, oder vor einem Abend im Presseclub hier vorbeikäme und die kleinen Einkerbungen sähe, die sie an ihre Anfänge erinnern würden.
Murray Farquarson, der den Spitznamen Zirkusdirektor hatte, rief: »Meehan, ist sie da?«
»Hier ist sie«, antwortete Dub und stieß sie an.
Mit einem Seufzer stand Paddy auf und tat so, als sei sie genervt, so wie alle, wenn sie zur Arbeit gerufen wurden. Sie murmelte leise: »Mein Gott, bin doch kaum zurück«, und schleppte sich zu Farquarsons Büro hinüber, freute sich aber insgeheim, dass er gerade sie verlangt hatte.
Farquarson rief Paddy immer persönlich, wenn er einen diskreten Auftrag hatte. Er vertraute ihr, weil sie niemandem verpflichtet war. Keiner der Journalisten hatte sie als persönliche Hilfskraft herangezogen, weil sie annahmen, dass sie sowieso nicht lange bei der Zeitung bleiben werde. Sie hätten nicht gewusst, worüber sie mit ihr sprechen sollten, selbst wenn sie an einer Zusammenarbeit mit ihr interessiert gewesen wären. Denn sie mochte weder Sport noch kannte sie Hugh McDermids Gedichte. Die Journalisten hatten eine recht merkwürdige Vorstellung von

Frauen. Sie musste immer Überstunden machen und schwere Kartons schleppen, nur um zu beweisen, dass sie das auch schaffte. Die einzigen anderen Frauen in der Nachrichtenredaktion waren Nancy Rilani und Kat Beesley, eine richtige Reporterin, die studiert und bei einer Zeitung in England gearbeitet hatte, bevor sie nach Hause zurückgekehrt war. Nancy war eine Frau italienischer Abstammung mit großem Busen, die für den Kummerkasten und den größten Teil der wöchentlichen Frauenseite verantwortlich war. Mit Paddy oder Heather Allen, der Studentin, die hier einen Teilzeitjob hatte, sprach sie nie und würdigte sie keines Blickes. Sie hinterließ den Eindruck, dass sie jede Frau gegen einen beliebigen Mann eintauschen würde nur um des lieben Friedens willen und um selbst beliebt zu sein. Kat war sehr stolz. Sie trug nur Hosen, ihr Haar war sehr kurz geschnitten und sie saß breitbeinig da. Wann immer sie geruhte, mit Paddy zu reden, starrte sie auf ihren Busen. Paddy konnte sie nicht richtig einordnen.

Sie spähte in das dunkle Büro und sah, dass Farquarson an seinem Tisch saß und Zeitungsausschnitte über Brian Wilcox durchsah. Er war ein dürrer, kantiger, lebhafter Mann, der von Zucker, Tee und Whisky lebte. Er sah nicht auf, als er sie an der Tür hörte.

»JT ist irgendwo im Haus. Holen Sie ihn her, aber subito. Höchstwahrscheinlich ist er in der Kantine.«

»Alles klar, Boss.«

Etwas Wichtiges musste sich in diesem Fall getan haben, sonst hätte Farquarson nicht nach dem Chefreporter gefragt.

»Und ich brauche Archivmaterial über vermisste Kinder,

die bei Unfällen, an Bahngleisen, in Brunnen oder Steinbrücken und so ums Leben kamen. Schau nach, was Helen dazu hat.« Er zeigte mit einem vorwurfsvollen Blick auf sie. »Und sag, die Artikel seien für einen Freien, und sag sonst niemandem ein Wort.«
Paddy ging schnell durch das Großraumbüro ins Treppenhaus und stieg die zwei Treppen zur Kantine hinauf.

Der drei Jahre alte Sohn von Gina und David Wilcox war schon fast vier Tage verschwunden. Auf dem Foto in der *Daily News* hatte Baby Brian einen hellen Haarschopf und ein etwas starres, gezwungenes Lächeln auf dem Gesicht. Seine Mutter hatte ihn um zwölf Uhr zum Spielen in den Vorgarten geschickt, wo er vierzehn Minuten allein war, während sie am Telefon mit dem Arzt über etwas Vertrauliches sprach. Als Gina auflegte und aus der Haustür sah, war das Kind fort. Seine Eltern waren geschieden, in Westschottland eine Seltenheit. Dies wurde in den meisten Zeitungsartikeln erwähnt, als könne ein Kleinkind im dekadenten Chaos zweier getrennter Haushalte besonders leicht verlorengehen. Die Geschichte stand in allen Zeitungen. Es war ein hübsches Kind und auch eine willkommene Abwechslung zu all den Berichten über steigende Arbeitslosigkeit, dem Yorkshire Ripper oder Lady Diana Spencers albernem Lächeln.
In der Kantine im obersten Stock war es hell, denn das breite Fenster ging auf den ungepflasterten Parkplatz auf der anderen Straßenseite hinaus. Es war Mittag, und fünfzehn Männer standen schon für ein warmes Essen Schlange. Es waren Drucker in blauen Anzügen mit tintenbeschmierten Fingern, die sich lässig und sehr laut un-

terhielten, weil sie den ganzen Tag an den lärmenden Druckmaschinen standen. Paddy ging nicht gern da runter, weil sie Bilder von nackten Frauen an den Wänden hängen hatten und die Setzer immer auf ihre Titten starrten. Aber JT stand nicht an. Nach alter Gewohnheit und Firmenordnung waren die ordentlichen Reihen von Stühlen und Tischen in zwei Teilbereiche getrennt, einer für Arbeiter und der andere für Journalisten. Aber JT saß weder auf der einen noch auf der anderen Seite.

Sie rannte die drei Treppen hinunter. Die Angestellten durften weder die Aufzüge benutzen noch war es ihnen normalerweise erlaubt, das Gebäude durch den in schwarzem Marmor gehaltenen Empfangsbereich zu verlassen, aber sie hatte ja einen dringenden Auftrag für die *News* zu erledigen. Die beiden tadellos gepflegten Alisons am Empfangstisch und in der Telefonzentrale unterbrachen ihre Unterhaltung, um ihr nachzusehen, wie sie zum Eingang lief und dabei ihre Strickjacke enger um sich zog. Draußen stand eine Reihe von Lieferwagen zur Auslieferung der *Daily News,* deren hintere Türen offenstanden, so dass die mit Säcken und Gepäckband übersäten Ladeflächen zu sehen waren. Paddy ging daran vorbei, eilte an der Straße entlang und die vier Stufen zur Tür der Press Bar hinauf.

Jetzt zur Mittagszeit war im Pub viel los. Die Männer unterhielten sich laut und betont lässig und versuchten dabei, in der kurzen Zeit so viele Gläser wie möglich in sich hineinzuschütten. Paddy drängte sich an Terry Hewitt vorbei und wurde rot, als sie daran dachte, wie er über sie gesprochen hatte, und fand JT, der in einem blauen Hemd unter einer braunen Wildlederjacke im

Safarilook am anderen Ende des Tresens stand. Er hielt ein kleines Bier in der Hand. Paddy hatte ihn oft beobachtet. Sie wusste, dass er eigentlich gar nicht gern trank, aber manchmal musste er es tun, sonst hätten ihn die Zechbrüder der Zeitung noch mehr gehasst. Er lachte gerade lustlos über einen von Dr. Petes Witzen, aber gerade seine eifrigen Bemühungen dazuzugehören stellten ihn ins Abseits. Als Paddy ihm ausrichtete, er solle sofort mitkommen, schien er erleichtert, stellte sein Glas mit ungebührlicher Eile ab und versuchte erst gar nicht, es zu leeren oder wenigstens einen letzten Schluck zu nehmen. Paddy sah, wie Dr. Pete das fast volle, so gedankenlos auf dem Tisch abgestellte Glas betrachtete. Seine Augen wurden schmal, und er richtete einen empörten Blick auf JT, der jedoch, ohne das zu bemerken, Paddy ins Freie folgte.

»Worum geht's?«

»Ich weiß nicht.« Paddy wollte die Zeitungsausschnitte nicht erwähnen, falls jemand sie hörte. »Vielleicht um den Wilcox-Jungen.«

»Klar«, sagte JT leise. »Sag's niemand.«

Er überholte sie und lief durch die Halle die Treppe hoch. Paddy eilte hinter ihm her und erreichte Farquarsons Büro gerade, als JT die Tür schloss. Durch die Spalten der Jalousien konnte sie sehen, dass Farquarson etwas erklärte und JT zornig und gereizt anblickte, wozu dieser aufgeregt nickte, mit den Fingern auf den Schreibtisch trommelte und ihm einen Plan unterbreitete. Der Junge war also nicht tot aufgefunden worden, sonst wären sie nicht so aufgeregt und hektisch. Etwas anderes war passiert.

Farquarson bemerkte Paddy vor der Tür und schnippte mit den Fingern in ihre Richtung, was hieß, sie solle verschwinden und die Ausschnitte holen. Sie sah noch einen Moment zu und sehnte sich danach, etwas von dem großen Augenblick mitzubekommen. Noch wusste sie nicht, dass JT und Farquarson über eine Wendung im Fall Baby Brian sprachen, die ihr behagliches Leben für immer durcheinanderbringen würde.

4
Die Totenmesse

Es war halb fünf, und das letzte Stück der Sonnenscheibe lugte noch über den Horizont und warf sein schwindendes gelbes Licht durch die schmutzigen Fensterscheiben des oberen Decks. In den hinteren drei Reihen saßen Jugendliche, die Jungs knufften sich gegenseitig und die schüchternen Mädchen rauchten, grinsten und taten so, als sähen sie gar nicht hin.
Paddy saß allein und aß verstohlen etwas aus einer Plastikdose. Die drei hartgekochten Eier hatten den ganzen Tag in ihrer Tasche im warmen Büro gestanden und waren an manchen Stellen zäh und an anderen staubtrocken. Sie hatte nichts, womit sie den faden Nachgeschmack hätte hinunterspülen können, außer einer sauren, in Viertel geschnittenen Grapefruit. Sie würde den schwarzen Kaffee trinken, wenn sie von der Kirche zurückkämen. Die Diät war in Amerika nach wissenschaftlichen Erkenntnissen zusammengestellt worden: drei harte Eier, Grapefruit und schwarzer Kaffee sollten dreimal am Tag zu einer chemischen Reaktion führen, die garan-

tiert bis zu sechs Pfund Fett pro Woche verbrannte. Sie malte sich die Zeit aus, wenn sie ihr Zielgewicht erreicht haben würde. Schon in einem Monat würde sie Terry Hewitt sagen können, er solle sich doch verpissen. Sie sah sich mit einer noch ungewissen, aber besseren Frisur in der Press Bar stehen. Sie trug den engen grünen Rock, den sie sich voll Optimismus bei Chelsea Girl gekauft hatte.

»Eigentlich bin ich gar nicht mehr dick, Terry.«

Es war nicht besonders witzig, brachte zwar rüber, was sie sagen wollte, klang aber nicht sehr überzeugend.

»Wissen Sie was, Terry, ich würde sagen, letzten Endes sind Sie jetzt dicker als ich.«

Das war besser, aber immer noch nicht sehr gut. Sollten die Journalisten sie so etwas sagen hören, dann wüssten sie, dass ihr wichtig war, wie viel sie wog, und man würde sie ewig damit aufziehen.

»Terry, Sie haben ein Gesicht, als wären zwei Blecheimer zusammengestoßen.«

Das würde funktionieren. Paddy grinste. Sie würde den grünen Minirock tragen, spitze Schuhe und einen engen schwarzen Rolli. Eine Aufmachung, bei der kein Schönheitsfehler unbemerkt blieb. Um das tragen zu können, müsste sie wirklich schlank sein. Sonst trug sie anliegende schwarze Röcke nur mit dicken Strumpfhosen und Pullovern, die so weit waren, dass sie ihre Speckröllchen verbargen.

Paddy wusste, dass sie dick war, schon bevor Terry Hewitt etwas dazu gesagt hatte, sonst hätte sie es nicht mit der ekelhaften Mayo-Clinic-Diät versucht, aber es kränkte sie, dass ihr Übergewicht das Einzige war, das er an ihr bemerkt hatte. Die Leute der *Scottish Daily News* waren ein neues Publikum für sie, und sie hoffte, hier, wo ihre etwa siebzig Verwandten nicht alle vor ihr rangierten, könnte sie sein, wer sie sein wollte. Und in diesem neuen Leben wollte sie nicht schon wieder nur das kluge, pummelige Mädel sein.

Als sie das letzte Stück Grapefruit gegessen hatte, schloss sie die Dose mit dem weichen Plastikdeckel und steckte sie in ihre Tasche, war sich aber bereits einer anderen Gefahr bewusst: Es würde jede Menge zu essen geben, wenn sie vom Trauergottesdienst zurückkamen, Berge von Käsebrötchen, heiße Würstchen in Blätterteig, dicke Scheiben geräucherten Schinken auf weichem Brot mit kleinen Stückchen harter Butter. Sie musste vermeiden, auch nur in deren Nähe zu kommen, wenn sie sich an ihre Diät halten wollte. Und sie durfte auch nicht in die Nähe von Zuckergussringen, saftigen Mohrenköpfen mit Kokosnussraspeln, marmeladegefüllten Keksen, gefüllten Muffins oder der Biskuitrolle mit Eis kommen. Das Wasser lief ihr im Mund zusammen, als sich plötzlich eine Hand fest in ihre Schulter krallte.

»Du bist doch die kleine Paddy Meehan, oder?« Bis auf den Tonfall klang es wie eine Männerstimme.

Paddy wandte sich um und sah sich einer Frau mit einem harten, lederartigen Gesicht gegenüber. »Oh, hallo, Mrs. Breslin. Gehen Sie zu Granny Annies Begräbnis?«

»Ja.«

Mrs. Breslin hatte gleich nach Beendigung der Schule mit Paddys Mutter im Konsumladen von Rutherglen zusammengearbeitet. Sie hatte sieben Kinder, fünf Jungs und zwei Mädchen, die den anderen jungen Leuten der Gegend alle ein bisschen unheimlich vorkamen. Es gab ein Gerücht, die Breslin-Kids seien für das Feuer verantwortlich gewesen, in dem der Mülleimerunterstand der Heilsarmee in Flammen aufging.

Mrs. Breslin steckte sich am Stummel ihrer Zigarette eine neue an. »Gott gebe ihr Frieden, der lieben Granny Annie.«

»Ja«, sagte Paddy. »Sie war eine wunderbare Frau, das stimmt.«

Sie vermieden, einander in die Augen zu sehen. Granny Annie war nicht wunderbar gewesen, aber sie war tot, und da gehörte es sich nicht, etwas anderes zu sagen. Mrs. Breslin nickte und sagte ja, das sei sie gewesen, Gott segne sie.

»Ich habe gehört, du bist jetzt Journalistin?«

»Nein, keine Journalistin«, sagte Paddy, freute sich aber über die falsche Titulierung. »Ich mache Botengänge bei der *Daily News*. Aber ich hoffe, später mal Journalistin zu werden.«

»Na, du bist ja ’n Glückspilz. Ich hab jetzt vier, die aus der Schule sind, und keiner kann Arbeit finden. Wie hast du das gekriegt? Hat dich jemand empfohlen?«

»Nein, ich hab einfach angerufen und gefragt, ob sie Leute einstellen. Ich hatte Artikel für die Schülerzeitung gemacht und so. Ich habe ihnen ein paar Sachen gegeben, die ich geschrieben hatte.«

Mrs. Breslin beugte sich vor, und ihr nach Rauch stinkender Atem brachte Paddy fast genau so wirksam zum Ersticken wie ein Kissen. »Nehmen die noch Leute an? Könntest du ein gutes Wort für meinen Donal einlegen?«

Donal hatte immer ein Messer bei sich und hatte sich,

seit er zwölf war, selbst Tätowierungen in die Haut geritzt.
»Sie nehmen jetzt niemand mehr.«
Mrs. Breslin kniff die Augen zusammen und wandte den Kopf leicht ab. »Na gut«, sagte sie gehässig. »Hilf mir beim Aufstehen. Wir sind da.«
Mrs. Breslin war dicker, als Paddy sie in Erinnerung hatte. Ihre schmalen Schultern und ihr Gesicht täuschten einen über die immensen Ausmaße ihres Gesäßes. Um dem Platz zu bieten, hingen die Schultern ihres hellgrünen Regenmantels bis zu den Ellbogen herunter. Paddy betrachtete Mrs. Breslin, die die schmale Treppe hinunterging und dabei von einer Seite zur anderen Seite schwankte, als der Bus eine Kurve nahm. Paddy fragte sich, ob sie auch so dick sein würde, wenn sie sieben Kinder zur Welt gebracht hätte, oder genauso blind in Bezug auf die wahren Eigenschaften ihrer Sprösslinge.
Der Bus hielt mitten auf der Straße an und blockierte den Verkehr. Paddy half Mrs. Breslin beim Aussteigen und führte sie zwischen den Abgasen der wartenden Autos hindurch zum Straßenrand.
Alle Katholiken der Gegend waren in Schwarz vor Granny Annies winzigem Haus zusammengekommen. Sie stiegen aus Autos, kamen um die Ecke oder die Hauptstraße herunter. Wie der Dampf einer Viehherde stiegen Rauch und dunstiger Atem über dem mit Rauhreif bedeckten, silbern glänzenden Asphalt auf.
In einer Seitenstraße fünfzig Meter weiter sah Mrs. Breslin jemanden stehen, der ihr mehr Ärger bereitete als Paddy, und sie ging hin, um ihm die Laune zu verderben.

Paddy hielt Ausschau nach Seans kurzem Haarschnitt, winkte den Cousins auf der anderen Straßenseite zu und traf zufällig auf den Blick von Mrs. McCarthy, einer übermäßig gefühlsseligen Nachbarin, die jedes Mal, wenn sie Paddy sah, vor Freude weinte. Mrs. McCarthy hatte unaufgefordert einen Monat lang darum gebetet, dass Paddy die Stelle bei der *Daily News* bekäme, und fand nun, sie habe ein besonderes Anrecht auf Paddy, weil sie den Job für sie an Land gezogen hatte. Mrs. McCarthy deutete ein »Gott sei Dank« mit den Lippen an, und Paddy nickte steif, war aber dankbar, als sich eine Hand nach ihr ausstreckte. Sean Ogilvy, groß und dunkelhaarig mit geraden Schultern, ging leicht in die Knie und drückte Paddys Hand.

»Verdammt noch mal, ich hab die blöde Mrs. Breslin im Bus getroffen, und dann hat Mrs. McCarthy mich gesehen. Gestern Abend hat mich der verflixte Matt the Rat erwischt, und ich musste die ganze Geschichte mit Paddy Meehan wieder über mich ergehen lassen.«

»Früher hast du aber gern über den Fall Paddy Meehan geredet.«

»Na ja, aber jetzt langweilt er mich.« Sie vermied es, ihm in die Augen zu sehen, blickte sich in der Menge um und bemerkte viele aus ihrer eigenen Großfamilie. »Ich hab's satt, jeden zu kennen und von jedem gekannt zu werden.«

»Warum interessiert dich Paddy Meehan nicht mehr? Ich dachte, du würdest versuchen, ein Interview mit ihm zu machen.«

»Man wächst aus solchen Sachen raus, weißt du?«, sagte sie verlegen. »Ich habe kein Interesse mehr daran.«

»Wie du willst.« Er zog Paddy einen ihrer roten Wollhandschuhe aus, steckte ihn in die Tasche ihres Dufflecoats und legte zur Versöhnung seine warme Hand auf ihre bloße Haut. »Ich dachte, du wolltest ihn treffen, wo du doch so viel über die ganze Geschichte weißt und sie schon so lange verfolgst.«

»Er ist nichts als ein dicker alter Mann«, sagte sie abschätzig und wandte den Blick ab. »Er kommt in die Pubs in der Stadt. All die Trinker bei der Zeitung kennen ihn. Ich will nichts damit zu tun haben.«

»Na, na«, sagte Sean und drückte belustigt ihre Hand, »brauchst ja deswegen nicht ungehalten zu werden.«

Sie lächelten über die alberne Ausdrucksweise, lehnten die Schultern aneinander und betrachteten die Menge, dachten dabei aber eigentlich nur an den anderen. Wenn Sean da war, hatte Paddy ein warmes Gefühl in der Brust. Sie kam sich plötzlich dünner, größer und witzig vor, weil er sie liebte und sie einander versprochen waren.

Die Angestellten des Bestattungsunternehmens brachten den Sarg aus dem Haus. Ehrfürchtige Stille breitete sich unter den Trauergästen aus. Wer eine wichtige Unterhaltung, die er gerade führte, nicht unterbrechen wollte, sprach leiser. Der Bestatter ging an der Spitze des Zuges, der Leichenwagen setzte sich in der stillen Straße langsam in Bewegung, und die Menge folgte ihm in der natürlichen Reihenfolge: zuerst die Familie, dann Freunde und danach Nachbarn und Bekannte aus der Kirchengemeinde, einhundertfünfzig Menschen, die hinter dem Wagen hergingen. Seans Mutter und seine Brüder waren weiter vorn, aber er blieb etwas zurück und hielt Paddy fest an der Hand. Sie sah, dass er heftig blinzelte und seine Nasenspitze sich rötete, während er tief einatmete. Mit seinen achtzehn Jahren war Sean so groß wie ein Mann, und seine Stimme war tief, aber manchmal sah sie hinter all dem großspurigen Benehmen den netten kleinen Jungen wieder, den sie von der Schule her kannte, bevor er durch einen Wachstumsschub plötzlich auf eins fünfundachtzig aufgeschossen war und von der Arbeit diese breiten Schultern bekommen hatte.

Der Leichenwagen bog rechts in die Main Street ein, und die Trauergäste sammelten sich, richteten sich auf und zogen die kleinen Kinder in die Mitte der Reihen. Die Gespräche wurden lauter, als wollten sie damit eine größere Menge vortäuschen. Es war eine angespannte Situation für eine durch die Straßen ziehende Gruppe von Katholiken. Pastor Jack Glass hielt überall in der Stadt Reden über die Hure von Rom, und die Unruhen drüben in Irland waren katastrophal. Eine Abgeordnete der Republikanischen Partei war in ihrem Heim vor den Augen ihres Kindes erschossen worden, und die Gefangenen im Maze-Gefängnis traten zum zweiten Mal in den Hungerstreik, um sich den Status politischer Gefangener zu erkämpfen. Man hatte zu ihrer Unterstützung eine Demonstration in Schottland organisiert, und alle wussten, dass es Aufruhr geben würde. Wann immer die Emotionen in Nordirland hochkochten, befand sich Glasgow am Rande gewalttätiger Auseinandersetzungen. Glasgow war die nächstliegende Stadt außerhalb Nordirlands, über die Irische See kaum mehr als hundert Meilen entfernt, und daher der traditionelle Zufluchtsort für Unionisten, die in Ungnade gefallen waren. Sie verkehrten in den Pubs in Dennistoun und organisierten Tombolas für ihre Sache. Schwarze Schafe unter den Republikanern kamen besser davon, denn sie konnten nach Amerika ins Exil.

Die Trauernden hielten sich auf einer Seite der Main Street, und die meisten Autos auf der anderen Straßenseite fuhren langsamer, um ihnen Respekt zu bezeugen. Aber zwei Fahrer beschleunigten und wechselten mehrmals die Fahrbahn. Einer fuhr vorbei, hängte sich dabei aus dem Fenster und beschimpfte lautstark den Papst. Protestanten, die zu Fuß vorbeikamen, sahen vom Gehweg aus schweigend zu, manche winkten ihren Bekannten im Zug zu, andere reagierten verlegen oder spöttisch, weil sie mit den Bräuchen nicht vertraut waren.

Der Leichenwagen hielt vor der modernen, aus gelben Backsteinen erbauten Kapelle von St. Columbkill an, und Annies Sarg wurde vorsichtig über den Hof mit der niedrigen Mauer, die Stufen hinauf und durch die riesigen Türen aus hellem Holz getragen. Sie vertrauten sie für die Nacht dem sicheren Schutz der Kapelle an, damit ihre Seele nicht vor dem Begräbnis am nächsten Morgen vom Teufel gestohlen würde.

Paddy sah eine Gruppe von vier Klassenkameradinnen aus der Grundschule, die auf den Stufen standen, die Hände fromm gefaltet hielten und die Augen respektvoll niederschlugen. Paddys Brüder Marty und Gerald standen hinter ihnen. Danach kam eine alte Nachbarin, die in Granny Meehans Strickkränzchen war.

»Herrgott noch mal, das ist ja wie 'ne Szene aus einem verflixten Traum«, sagte sie leise. »Jeder, den ich kenne, ist hier.«

Sean nickte. »Ja, es ist schön.« Er holte tief Luft und rich-

tete sich auf. »Wo immer wir auch im Leben hingehen, wir werden immer hierhergehören.« Er drückte ihre Hand. »Das hier sind unsere Leute.«
Sie wusste, dass er recht hatte und dass es kein Entrinnen gab. Wenn sie tausend Meilen weit fuhr und niemals zurückkehrte, wenn sie ihnen das Tafelsilber klaute und verkaufte, sie würde doch immer noch zu ihnen gehören.
Sean nahm sanft ihre Hand und führte sie die Stufen zur Totenmesse hinauf.

5
Gepökelter Fisch und schwarzer Tee

1963

1

Es war Nachmittag und es war der vierte Dezember, das wusste Paddy Meehan jedenfalls genau. Er war sich nicht sicher, wo in der Welt er gerade war, man hatte ihm nicht gesagt, wohin sie flogen, aber er hatte das Datum auf einer Zeitung in deutscher Sprache gesehen, die ein Mann zusammengefaltet unter dem Arm trug, der vor ihnen die Treppe hinauf an Bord ging. Rolf hatte seinen Blick bemerkt und war zur Seite getreten, um ihm die Sicht zu versperren, hatte ihm dabei aber zugelächelt, als mache er nur Spaß.

Das Flugzeug war voll. Vierzig Jungen verschiedenen Alters in beige-roten Uniformen spielten über die Sitze hinweg ein Frage-und-Antwort-Spiel auf Russisch. Rolf blieb bei einer Reihe mit drei Sitzen stehen, verglich die Nummern mehrmals mit ihren Flugtickets und trat dann zurück, um sie hineinzulassen. Meehan streifte seinen steifen grauen Mantel ab und beeilte sich, um den Fensterplatz zu bekommen, aber der junge Begleiter schob ihn mit der Schulter weg, drängte sich vor und besetzte den Platz lachend für sich selbst. Sogar die Polsterung war der reine Luxus. Meehan und der Sicherheitsbeamte legten ihre Hände auf die Rückenlehnen der Vordersitze, gruben ihre Finger in das dichte, kuschelige Polster in Blau und Orange und kicherten, weil es so wunderbar dick war. Sie waren alle aufgeregt, in einem Flugzeug zu sitzen. Rolf lächelte über ihre Spielchen, während er sorgfältig seinen Mantel zusammenfaltete und oben ins Gepäckfach legte. Er saß auf dem Platz am Mittelgang, strich sich über die Haare und den kleinen Schnurrbart und zog seine Jacke zurecht.

Der ohrenbetäubende Motorenlärm schwoll zu einem beängstigenden Heulen an, sie fuhren zur Rollbahn und hoben, begleitet vom Kreischen und den Hurrarufen der Kinder, schließlich ab.

Als sie in der Luft waren und der Flieger in bedrohlicher Schräglage seine Flughöhe erreicht hatte, nahm Rolf einen Flachmann und drei rote Plastikbecher aus seiner Aktentasche. Der Flachmann war sehr zerbeult, offenbar heißgeliebt, und ließ an der ovalen Wölbung unter der sich ablösenden Silberbeschichtung schon Messing sehen. Er goss einen extrastarken Wodka in jeden Becher und gab sie weiter, zuerst einen für den Begleiter, dann für Meehan und schließlich für sich selbst. Als seinen Anteil an der Feier gab Meehan Zigaretten aus, alle steckten sich eine an, klappten die kleinen Aschenbecher an den Armlehnen auf und trugen zum süßen Duft von hundert rauchgeschwängerten Reisen im Inneren des Flugzeugs bei.

»Up yours«, sagte Meehan aufgeräumt und hob seinen Becher zum Anstoßen.

Rolf und der Leutnant hoben darauf ebenfalls ihre Becher hoch und wiederholten arglos »up yours«, als hätten sie nicht verstanden. Die drei Männer grinsten und tranken einträchtig.

»Also, Kameraden, wo fliegen wir denn jetzt eigentlich hin?«, fragte Meehan.

Rolf runzelte die Stirn. »Zum Scotland Yard mit Ihnen, mein Freund.«

Der junge Sicherheitsbeamte lachte und schlug sich dazu auf die Schenkel. Er war immer noch begeistert.

»Wir fliegen nach Russland, oder?«, sagte Meehan. »Die Kinder sprechen doch alle Russisch. Ihr bringt mich nach Russland.«

Rolf hob eine Augenbraue und rutschte auf dem Sitz hin und her, griff nach unten, was er oft tat, und rückte sein Gesäß zurecht. Es war eine merkwürdige Angewohnheit für einen sonst so gepflegten Mann. Meehan fragte sich, ob er Hämorrhoiden habe.

»Ja«, sagte Rolf, »vielleicht fliegen wir nach Russland. Nachdem wir beim Scotland Yard waren.«

»Du, spring aus dem Fenster«, sagte Meehan auf Deutsch und zeigte mit seiner rotglühenden Zigarettenspitze auf das Fenster.

Rolf nickte höflich, um zu zeigen, dass er den Scherz verstanden hatte, hielt es aber nicht der Mühe wert zu lachen. Meehan kämpfte immer noch mit der deutschen Aussprache, obwohl er die letzten neun Monate fleißig gelernt hatte. Es hatte sonst nichts gegeben, womit er seine Zeit zwischen den Mahlzeiten und den Verhören hätte ausfüllen können. »Spring aus dem Fenster«, wiederholte er zur Übung leise.

Er dachte an die Gorbals und das Tapp Inn, wo er jeden einzelnen Kerl kannte, der zur Tür hereinkam oder vielleicht kommen könnte. Er fragte sich, was sie davon halten würden, dass er in einem ostdeutschen Flugzeug saß und sich auf dem Flug nach Russland in der Landessprache unterhielt. Man hatte ihm nicht gesagt, warum er weggebracht wurde, er hätte zu einem Kopfschuss unterwegs sein können, doch er brachte es trotzdem nicht fertig, sein Lächeln zu unterdrücken.
Sie tranken den Wodka aus, und Meehan schlief sehr schnell ein; er war angeschnallt, sein Kopf fiel nach vorn und er sabberte auf den blauen Sergeanzug, den man ihm gegeben hatte.

Der Ruck der Landung weckte ihn, und er fuhr verwirrt und ärgerlich auf. Als er merkte, dass er in einem Flugzeug saß, freute er sich.
»Jetzt sind wir gelandet«, war Rolfs überflüssiger Kommentar.
Es war dunkel vor dem Fenster, aber hier und da rollten Lichter am Horizont vorbei. Die Pfadfindergruppe hatte geschlafen, und die Kinder wachten nun quengelnd und streitend auf und sahen sich um, streckten sich und gähnten. Ihre kläglichen, verschlafenen Gesichter erinnerten Meehan an seine eigenen Kinder in Kanada, die mit Betty auf ihn warteten. Sie waren seit neun Monaten dort und warteten darauf, mit dem Geld, das er mitzubringen versprochen hatte, einen neuen Anfang auf dem neuen Kontinent machen zu können. Er hatte ihnen ein Zuhause und ein kleines Unternehmen versprochen, vielleicht einen Laden, jedenfalls einen neuen Start, bei dem

er nicht immer wieder im Knast landen würde. Er war schlauer als der durchschnittliche Verbrecher, er war aus dem Gefängnis in Nottingham ausgebrochen und hatte es nach Ostdeutschland geschafft, aber dieses Spiel hier war eine andere Kategorie und sein Plan hatte viele Lücken. Sie hatten es nicht nötig, ihm Geld für seine Informationen zu geben. Er war eine Ameise, weiter nichts. Sie konnten ihn mit Leichtigkeit umbringen. Die britische Regierung würde sich kaum beschweren, wenn ein kleiner Bankräuber verschwand, und er wusste, dass er von Glück sagen konnte, wenn er lebend aus Ostdeutschland herauskam. Er hatte Angst vor Kanada, vor Bettys Vorwürfen und den enttäuschten, traurigen Blicken seiner Kinder, die schon viel zu früh wussten, als Kinder so etwas wissen sollten, dass ihr Vater nicht unfehlbar war.

Das Flugzeug blieb stehen, und Meehan beugte sich vor, um den Namen am Flughafengebäude zu erkennen, aber die Maschine stand mit der Nase so dicht davor, dass man vom Seitenfenster aus nichts sehen konnte. Die Kinder in ihren Uniformen standen von den Plätzen auf und holten ihr Gepäck von oben oder unter den Sitzen hervor, drängelten und schubsten in ihrer Hast, in den Mittelgang zu kommen.

»Wir müssen warten, bis die anderen ausgestiegen sind«, sagte Rolf, um zu erklären, wieso er sitzen blieb.

Endlich war der Innenraum des Flugzeugs leer und Rolf stand auf, faltete seinen Mantel auseinander und warf Meehan und dem Begleiter ihre zu. Sie nahmen ihre Sachen, Rolf sah zum Steward an der Tür und wartete auf ein Zeichen.

»Ja«, sagte er, »jetzt gehen wir.«

Auf den Stufen bemerkte Meehan, dass es hier kälter und windiger war als an dem Ort, von dem sie gestartet waren. Aber hier war es Nacht, und als sie losflogen, war es Tag gewesen, so dass der Vergleich nicht viel aussagte. Ein Kleinbus ohne Fenster wartete unten an der Treppe, wo drei Männer in langen Mänteln und Pelzmützen standen und ihnen erwartungsvoll entgegensahen. Rolf grüßte sie und stellte Paddy als »Genossen Meehan« vor. Keiner der Männer grüßte oder nahm die Hand, die er ihnen entgegenstreckte. Überall, wo er im Osten gewesen war, sprachen sie mit ihm wie mit ihresgleichen, behandelten ihn aber wie einen Gefangenen. Zu Hause hassten die Gefängniswärter einen wenigstens ganz offen.
In dem Wagen waren Sitzreihen am Boden befestigt und der Laderaum war vom Fahrersitz durch eine hölzerne Scheidewand getrennt. Als die Türen fest hinter ihnen geschlossen waren, fuhren sie etwa zweihundert Meter weit und hielten wieder an. Die Geräusche klangen jetzt anders, sie hallten in einem Innenraum wider. Lautes Wassertropfen und ein fernes Surren wie von einem Außenbordmotor wurden von den Wänden verstärkt zurückgeworfen. Die sechs Männer warteten im Wagen, nickten einander freundlich zu, rauchten und sahen auf die Uhr. Auf ein lautes Klopfen an der Seitenwand rief der Fahrer etwas, und der Mann, der hinten saß, öffnete die Türen. Sie standen in einem Hangar. Während ihr Gepäck vom Flugzeug hereingebracht wurde, sah Meehan an der Wand einen Feuerlöscher, der über einem Eimer Sand mit Bedienungsanleitung in kyrillischer Schrift angebracht war. Er war also tatsächlich in Russland.

In der kleinen grauen Zelle war er zehn Minuten auf und ab gegangen, als ihm eine unwirsche weibliche Wachperson um die vierzig ein Tablett brachte. Sie war blond und hatte tiefblaue Augen, sah ihn aber nicht an, als sie das Tablett auf dem Bett absetzte, sich schnell zum Gehen wandte und ihn wieder einschloss. Das Essen bestand aus fettem, gesalzenem Fisch in der Dose, trockenem Schwarzbrot und Zitronentee. Der Fisch war ungenießbar, aber er aß das Brot auf und trank den bitteren Tee. Sobald er das Tablett zur Seite geschoben hatte, öffnete dieselbe Wärterin die Tür und gab ihm ein Zeichen, ihr zu folgen.

Der Flur war niedrig und kahl, und oben an der Wand liefen Rohre entlang. Außer seiner eigenen Zelle gab es nur zwei Türen auf diesem Flur. Die Wärterin führte ihn bis ans Ende, blieb vor einer großen grauen Stahltür stehen und klopfte an. Man hörte das Geräusch von Metallriegeln, die aufschnappten. Das Fenster wurde aufgeschoben, ein Wärter musterte sie und prüfte, ob jemand hinter ihnen stand, bevor er die Tür aufmachte und sie eintreten ließ. Sie gingen in einem offenen Treppenhaus ein Stockwerk tiefer, und ihre Schritte klangen auf dem bloßen Beton hart und laut. Unten hielten sie vor einer Tür an, die Wärterin klopfte, und sie warteten. Ein kleines ovales Fenster, ebenfalls aus Metall, öffnete sich und ein gutaussehender Wärter in einer schicken hellblauen Uniform schaute heraus. Er schloss das Fenster schnell wieder und machte die schwere Metalltür auf, um sie einzulassen.

Der Teil des Gebäudes, in dem sie nun standen, sah aus wie ein Rokoko-Palast. Die Eingangshalle mit der hohen

Decke war taubenblau mit Goldornamenten auf weißen Stuckflächen. Der Boden war mahagonifarbenes Parkett, auf dem ihre Schritte gedämpft, aber entschlossen und würdevoll klangen. Die Frau führte Paddy durch die Halle zu einer drei Meter hohen Doppeltür, an der rechts und links uniformierte Militärwachen standen. Sie blieb davor stehen, zog ihre Jacke zurecht und strich sich übers Haar.

Auf ein Zeichen von ihr streckten die beiden Wachen gleichzeitig die Hände aus und öffneten die Türen wie in einer einstudierten Tanzszene in Hollywood. Dahinter war ein Ballsaal mit Götterfiguren, Frauen und dicklichen Putten an der bemalten Decke, alle goldumrahmt und in einer Manier dargestellt, die sie dreidimensional wirken ließ. Drei lange Fenster am Ende des Raums schienen auf einen Garten oder Balkon hinauszugehen, waren aber von Verdunkelungsrollos verdeckt, die hinter schmutzigen Tüllgardinen versteckt waren.

Vor Meehan stand mitten im Raum ein langer Tisch mit sieben Personen, alle in Zivil, aber ihre aufrechte Haltung und ihr kurzer Haarschnitt ließen erkennen, dass sie Militärs waren. Links saßen drei Schreibkräfte an einem extra Tisch, zwei davon jung und hübsch, die dritte alt und etwas vertrocknet. Rolf und der Begleiter, die sich in dieser Umgebung ganz klein ausnahmen, saßen auf Stühlen an der anderen Wand. Der junge Mann dolmetschte diesmal nicht. An seine Stelle war eine untersetzte Frau in einem Hemdblusenkleid getreten, deren dünnes schwarzes Haar zu einem pralinegroßen Knoten zusammengedreht war. Den wichtigsten Platz am mittleren Tisch nahm ein Mann mit grauem Teint und buschigen schwarzen Augenbrauen ein. Sein Kopf saß viereckig wie ein kleinerer Würfel auf einem größeren, seinem Körper. Er nahm eine Haltung amüsierter Autorität ein wie ein Richter, der so viel Macht hat, dass er niemanden einzuschüchtern braucht. Er sprach gedehnt und laut auf Russisch, seine tiefe Stimme füllte dröhnend den großen Raum, und die Dolmetscherin wandte sich an Meehan.

»Sie dürfen sich setzen«, sagte sie und deutete auf einen schmutzigen Eisenstuhl mit Segeltuch.

Meehan setzte sich. Er fühlte sich sehr angreifbar, denn er saß mitten im Raum, alle sahen ihn an, und sein Stuhl hatte keine Armlehnen.

Der untersetzte Mann nickte ihm zu und sprach eine Weile. Die Frau sagte: »Sie behaupten, dass Sie gekommen sind, um uns Informationen über britische Gefängnisse zu geben. Sie wollen uns helfen, gefangene Genossen im Westen zu befreien. Warum wollen Sie das tun?«

»Ich bin selbst Kommunist«, sagte Meehan. »Ich bin seit vielen Jahren Sympathisant, seit der Zeit, als ich auf den Glasgower Werften arbeitete.«

Sie erklärte dem bedeutenden Mann, was er gesagt hatte, und dieser sprach wieder und sah Paddy dabei in die Augen.

»Aber trotzdem sind Sie kein eingetragenes Parteimitglied in Ihrem Land«, gab die Frau weiter.

»Na ja«, zuckte Meehan mit den Achseln, denn er verstand, dass das wahrscheinlich schon merkwürdig wirkte. »Ich bin eben kein Vereinsmensch.«

Als er das hörte, lächelte der Mann und sprach weiter, aber sein Lächeln wirkte gezwungen.

»Wenn Sie sich von politischen Sympathien motivieren

lassen«, sagte die Frau, »warum haben Sie uns dann gebeten, Ihnen Geld für diese Informationen zu geben?«
»Ich muss in Kanada neu anfangen. Ich habe eine Frau und Kinder.«
Die Frau übersetzte. Der untersetzte Mann nickte und antwortete.
»Er sagt …« Die Frau hielt inne und überlegte, wie sie es am besten ausdrücken könnte. »Was sollen wir von einem Kommunisten halten, der seiner Partei nicht beitritt und Geld dafür verlangt, dass er seine Pflicht tut?«
Meehan lächelte schwach. Er warf Rolf einen Blick zu, aber weder der noch der Begleiter sahen ihn an. Sie würden ihn umbringen. Der viereckige Mann sprach weiter.
»Sie sollten sich nicht bedroht fühlen«, befahl die Dolmetscherin energisch. »Wir sind Ihnen freundlich gesinnt.«
Aber Meehan wurde übel. Er dachte an Betty und seine enttäuschten Kinder. Er hätte gerne geweint oder gebetet, er wusste nicht, welches von beidem. Der viereckige Mann beugte sich vor, sah jetzt wütend aus, und es dauerte einen Moment, bis Paddy begriff, dass er Englisch sprach.
»Is ver' good«, sagte der Mann, und die ungewohnten englischen Vokale klangen undeutlich. »Glasgow Rangers – is ver' good.«
Paddy Connolly Meehan nickte. Aus Angst oder aus einem automatisch aufkommenden Gefühl der Loyalität wurde ihm heiß, und er sagte: »Glasgow Celtic better.«
Alle in der Runde sahen ihn einen Augenblick verdutzt an, bis der viereckige Mann lachte und sich alle anderen nervös anschlossen, von rechts nach links schauten und

schließlich fast selbst glaubten, dass sie die Sache lustig fanden, weil das autoritäre Reglement es verlangte.

Die nächsten paar Wochen befragten sie ihn immer wieder zu den Sicherheitsvorschriften in britischen Gefängnissen, ließen ihn Pläne von allen Anstalten aufzeichnen, die er kannte, und von schwachen Fenstergittern und brauchbaren Methoden zur Bestechung des Wachpersonals erzählen. Sie legten ihm ein spezielles Problem vor: Wie konnte man ein Funkgerät mit Empfänger und Sender in ein ständig bewachtes Gefängnis hineinschmuggeln? Meehan schlug zwei gleich aussehende Transistorradios vor, das eine ohne und das andere mit Sender. Wenn sie das besonders ausgestattete Radio einem Gefangenen brachten, der nicht gründlich kontrolliert wurde, und das normale an den Betroffenen gehen ließen, konnten die Geräte ein paar Tage später von jemandem, der Zutritt hatte, ausgetauscht werden. Sie ließen ihn den Plan immer wieder durchgehen und seine Anwendbarkeit auf die detaillierten Lagepläne verschiedener Vollzugsanstalten überprüfen.
Drei Wochen später begleiteten ihn Rolf und der Sicherheitsbeamte dorthin zurück, wo sie vorher gewesen waren. Erst als sie schon in der Luft waren, entspannte sich Meehan etwas. Er hatte im Lauf der drei Wochen mitbekommen, dass viele Gefangene die benachbarten Zellen verließen und neue kamen. Nachts hörte er leise klagende Frauen, und schluchzende Männer wurden abgeführt, die in ihm unverständlichem Russisch etwas riefen – vielleicht den Namen einer Frau oder eines Orts. Meehan wusste, dass sie ihn nicht in ein Flugzeug verfrachtet hät-

ten, wenn sie vorhatten, ihn umzubringen. Sie hätten ihn einfach an Ort und Stelle abgeknallt.
Rolf nahm seinen alten Flachmann heraus und schenkte jedem einen Wodka ein. Wieder zündeten sie sich Zigaretten von Meehan an und tranken auf Scotland Yard. Der junge Begleiter sah Rolf um Erlaubnis bittend an und erzählte Meehan dann, Präsident Kennedy sei vor einem Monat in Dallas ermordet worden.

2

Es war ein strahlend sonniger Tag, und sie standen dort, wo die halbe DDR gern gewesen wäre – am Checkpoint Charlie, auf der richtigen Seite der Mauer. Rolf hatte sich zu weit von der Grenze entfernt, das sah Paddy an den aufgeregten Gesichtern der ostdeutschen Wachleute. Sie wollten ihn zur Rede stellen, trauten sich aber wegen seines hohen Rangs nicht. Der britische Konsul, ein kleiner Mann mit braunem Filzhut und schlechtsitzendem Kamelhaarmantel, wartete neben einem großen amtlichen Wagen mit kleinen Flaggen auf der Motorhaube. Er ging ihnen nicht entgegen, sondern wartete, dass Paddy zu ihm kam, als sei der Kommunismus eine ansteckende Krankheit.
Auf der Fahrt dorthin hatte Rolf Meehan einen nur an einer ostdeutschen Bank einlösbaren Scheck gegeben. Es war nicht einmal im Osten viel Geld, und im Ausland war der Scheck praktisch wertlos. Alles, was Meehan für die siebzehn Monate Verhör bekam, waren zwei Schachteln Zigaretten und eine Tafel Schokolade. Zwei Schach-

teln Zigaretten und eine Tafel Schokolade, und jetzt die Auslieferung an die britischen Behörden, die ihn endlos befragen würden, bevor sie ihn ins Gefängnis zurückschickten, damit er den Rest seiner Strafe absaß. Die Kommunisten schickten ihn als Brieftaube zurück. Sie hatten ihm so konsequent Informationen zukommen lassen, dass er sicher war, sie waren falsch. Jeder seiner vielen ostdeutschen Mitgefangenen, die die Zelle mit ihm teilten, hatte ihm unaufgefordert und sorgfältig die gleichen Auskünfte über die Ablösungszeiten der Wachen und die Sicherheitsvorkehrungen gegeben.

Jetzt ließ es sich nicht mehr länger aufschieben. Die Wachen wurden langsam ärgerlich und gereizt. Die Zeit für den Abschied war gekommen. Meehan hielt Rolf die Hand hin, und der schüttelte sie höflich.

»Sie sind ein kluger Mann, Genosse Meehan.«

Zwei Päckchen Zigaretten und eine Tafel Schokolade. Meehan sah eine Veränderung in Rolfs Augen. Zuvor hatte er es nie vermutet, und er würde es für den Rest seines Lebens nicht wahrhaben wollen, aber diesen kurzen Moment wusste er sicher, dass Rolf ihn verachtete. Er hielt Meehan für einen miesen Kerl, der sein Mäntelchen nach dem Wind drehte.

6
Der Schmaus

1981

1

Sie hörten den Lärm der versammelten Menge schon, bevor sie um die Ecke zu Granny Annies Haus kamen. Überall in der Wohnung brannte Licht, die Haustür stand offen, und an den Schatten hinter den Fenstern sah man, wie viele Gäste sich drinnen drängten.

Als Paddy durch die Haustür trat, tauchte sie die Finger in das kleine Weihwasserbecken an der Wand, aber da Annie vierzehn Tage in der Klinik gewesen und schon eine Woche tot war, lag der kleine Schwamm völlig ausgetrocknet darin. Die Berührung hinterließ einen schalen Geruch an Paddys Fingerspitzen. Sie hatte diese Angewohnheit nur beibehalten, weil es ihre Mutter so freute, wenn sie es sah.

Irgendeine Tante empfing die Gäste an einem Tisch bei der Haustür mit einem Getränk, unterstützt von Paddys Großmutter Meehan, einer kleinen Frau, die vor zwanzig Jahren ein Enthaltsamkeitsgelübde abgelegt hatte und seitdem weder selbst trank noch zuließ, dass in ihrer Gegenwart irgendjemand Alkohol zu sich nahm. Die Tante drückte Sean ein Glas mit einem Schuss Whisky in die Hand und gab Paddy eins mit zwei Zentimeter süßem Sherry.

Paddy befürchtete, der Sherry könne die chemische Reaktion von Eiern und Grapefruit stören, nippte deshalb nur daran und versuchte, den Schaden dadurch zu begrenzen, dass sie sich nicht erlaubte, den Drink wirklich zu genießen.

Annie war eine strikte Anhängerin des alten katholischen Wunderglaubens aus der Zeit vor dem zweiten vatikanischen Konzil gewesen, was an vielen Stellen im Haus zu spüren war. Überall hingen Heiligenbilder an den Wänden, und Gebetsblättchen mit Bildern steckten in den Ecken der gerahmten Schulfotos ihrer lächelnden Enkel. Eine kitschige Gipsstatue des von vielen Pfeilen durchbohrten und ekstatisch sein Leben aushauchenden Sankt Sebastian stand unter einer schmutzigen Glasglocke auf einer Fensterbank. Ein beschädigtes Prager Kindl auf dem Kaminsims stand schief auf einer 10-Pence-Münze, ein Fetisch, der dem Haus Wohlstand bringen sollte. Außer dem Aberglauben, der Frömmelei und einem allgemeinen Misstrauen gegenüber Protestanten hatte Annie eine große Schwäche für die Ringkämpfe, die samstagnachmittags im Fernsehen kamen. Unter dem Herz Jesu hing ein Foto von Big Daddy mit Autogramm.

Paddy hatte das Wohnzimmer kaum betreten, als schon das erste große Backblech mit Schinkenbrötchen wie für eine ganze Kompanie an ihrer Nase vorbeizog. Sie schaffte es, zu widerstehen und zu sagen, nein, danke, sie hätte gerade gegessen, wurde aber trotzdem bedrängt, doch

eines zu nehmen. Eine zierliche weiße Hand griff über ihre Schulter nach einem Brötchen, und jemand bedankte sich kichernd. Sie drehte sich um und sah ihre Schwester Mary Ann, die in das weiche Brötchen biss und ihre Zähne durch die gesalzene Butter und den zarten Schinken gleiten ließ. Ihr Glucksen zeigte, wie gut es ihr schmeckte, und seufzend ließ sie einen weiteren großen Bissen in ihrem Mund verschwinden. Einerseits schämte sie sich, dass sie das Essen in aller Öffentlichkeit so genoss, musste dann aber lachen, weil es ihr so gut schmeckte. Mary Ann war schüchtern und sprach wenig, sie hatte in ihrem Lachen eine beredte Sprache gefunden, die allerdings ein geübtes Ohr verlangte. Flüchtige Beobachter hielten sie für einen Dummkopf. Ihr Lachen war ansteckend, und manchmal empfand Paddy das auf- und abebbende Lachen mit ihrer Schwester als die reinste Form der Kommunikation.
Mary Ann nahm noch einen Bissen, grinste beim Kauen und nickte in Richtung Tür. Paddy drehte sich um und sah Trisha und Con Meehan händchenhaltend wie ein junges Liebespaar durch die Menge auf sich zukommen. Zu feierlichen Gelegenheiten toupierte Trisha immer noch ihr Haar zu einer üppigen Hochfrisur. Hinter ihren dicken Brillengläsern hatten ihre schönen Augen einen hellen Grauton, der bei einem bestimmten Licht silbrig schimmerte. Das hatte Marty als einziges ihrer Kinder geerbt. Alle anderen hatten Connors braune Augen. Con trug ein adrettes Lippenbärtchen wie David Niven im geröteten Gesicht und war genauso untersetzt gebaut wie Paddy. Er trug ein unpassend flottes Jackett mit Hahnentrittmuster.

»Dad«, sagte Paddy, als Mary Ann verblüfft lachte, »warum in aller Welt trägst du so was?«
»Deine Mutter hat es mir gegeben.«
»Er sieht sehr gepflegt aus«, sagte Trisha und wischte ein nicht vorhandenes Stäubchen von seinem Revers.
Der Mann neben ihm, ein Schulkamerad von Seans Vater, beugte sich zu Con hinüber. »Verkaufen Sie auch Nylonstrümpfe?«
Die ganze Gesellschaft lachte über den albernen Witz und Con lachte mit, er war nicht unzufrieden mit seinem Platz in der Hackordnung.
Mary Ann lachte prustend in Paddys Haar. Ihr Vater war ein bescheidener Mann, eine harmlose gute Seele, und er reihte sich immer in die Menge ein, die über die Witze eines bedeutenderen Mannes lachte. Sie beide liebten diesen Zug an ihm.
»Na«, fuhr Trisha zornig wie eh und je den Schulfreund mit verkniffenen Lippen an, »du bist ja auch nicht gerade ein Vorbild an Eleganz.«
Und auch darüber lachte Con.

2

Nach einer Stunde Geplauder mit unzähligen Verwandten besprachen die Sänger in einer Ecke des Zimmers, wer wann und womit an die Reihe kommen solle. Paddy beobachtete diese Geheimnistuerei und fragte sich, warum sie sich diese Mühe machten. Jeder sang sowieso immer das gleiche Lied, weil er das wählte, das am besten zu seiner Stimme passte. Tabletts mit köstlichen Häpp-

chen wurden hoch über den Köpfen schwankend durch den ganzen Raum getragen.
John O'Hara, der schweigsamste Junge der Gemeinde, versuchte sich in seiner stillen Art an Mary Ann heranzumachen. Sie saßen kerzengerade eng nebeneinander auf der Couch, schienen einander zu ignorieren, waren sich aber in Wirklichkeit der Gegenwart des anderen nur zu bewusst.
Von Mary Ann kam ab und zu ein nichtssagendes Lachen, einem Schluckauf ähnlich, wenn John O'Hara vor Nervosität mit seinem Arm an ihren Ellbogen stieß. Als Paddy das Schweigen schließlich zu dumm wurde, sagte sie, sie müsse auf die Toilette, entzog Mary Anns verzweifeltem Zugriff ihren Ärmel und machte sich durch die Menge davon.
Sean stand mit einem alten Gewerkschaftsfunktionär an der Küchentür, der mit rotem Gesicht über die Rezession schimpfte, und nickte. Die Regierung würde es nicht wagen, sagte der alte Mann und deutete verbittert auf Seans Schulter. Sie würden einen Generalstreik provozieren, dabei seien die Werften doch das Herzstück der schottischen Wirtschaft. Es wäre eine Katastrophe, sagte er, ein Fiasko. Du kannst dich ja nicht an die Zeit vor dem Krieg erinnern, du weißt nicht, wie die Tories in Wirklichkeit sind. Sean schüttelte jetzt den Kopf, um vielleicht damit den alten Mann zu besänftigen. Aber euch Jungen, erwärmte sich dieser weiter für sein Thema, euch ist das doch egal, ihr kapiert nicht, was da läuft. Aber ihr seid diejenigen, die dafür bezahlen werden. Er zeigte auf sie beide. Eure Generation wird auf dem Müllhaufen landen. Paddy und Sean nickten beide und wünschten, der

alte Mann wäre still und würde weggehen. Nachdem er seine Meinung gesagt und einen Freund auf der anderen Seite des Raums entdeckt hatte, tat er beides.

»Also«, sagte Sean, »der hat mir aber mal Bescheid gesagt.«

Er lächelte auf sie herab, und sie erblickte hinter seiner Schulter ihre älteste Schwester, Caroline, die mit ihrem Baby auf der Hüfte durch die Menge auf sie zukam. Sie sah erschöpft aus. Baby Connor lächelte Paddy mit seinen vier neuen Schneidezähnen an, hob eine Hand und begrüßte sie mit einem spitzen Schrei. Eine durchsichtige Blase bildete sich an seinem Näschen.

Caroline gab das Baby an Paddy weiter. »Ach Gott, nimm ihn mir bloß ab, bevor ich einem von uns oder uns beiden was antue.«

»Wo ist denn John?«

»Irgendwo draußen im Flur«, antwortete Caroline. »Ich geh und suche ihn.«

Sie verließ schnell – und jetzt, da sie das Kind los war, mit leichteren Schritten – den Raum.

Sean lächelte, als er Paddy mit dem dicken Baby betrachtete. »Steht dir gut.«

»Mein Gott, dieser John ist so faul. Ich weiß nicht, warum sie ihn geheiratet hat«, sagte Paddy und tat so, als spreche sie über die Ehe ihrer Schwester, wobei sie aber in Wirklichkeit Sean in Bezug auf ihre eigene Beziehung einen Wink geben wollte. »Halt ihn mal, damit ich ihm die Nase putzen kann.«

Sean nahm Baby Connor und drückte prustend seine Lippen auf das Gesicht des Kindes, um es zum Lachen zu bringen, womit er ohne viele Worte Paddys Bedenken

zerstreute. Sie nahm ein Papiertaschentuch und wischte den Tropfen ab, worauf Baby Con zu weinen anfing.
Sean beugte sich zu ihr hinüber. »Hast du Lust, morgen Abend in *Wie ein wilder Stier* zu gehen? Der Film soll ziemlich gut sein.«
Paddy hatte keine besonders große Lust, einen Boxerfilm zu sehen, aber sie sagte ja. Denn sie kam sich schäbig vor, ihn mit Johns Schwächen in Verbindung gebracht zu haben. »Ich wette, deine Großmutter würde sich über die vielen Leute freuen.«
Sean nickte und vergrub sein Gesicht in ihrem Haar, wobei er die mollig weiche Wange des Babys gegen ihre drückte. »Alle hier werden im Mai auf unserer Verlobungsfeier sein. Sobald wir auf der Warteliste vorrücken und ein Häuschen kriegen, können wir uns dranmachen, auch so was Kleines zu bekommen.«
Paddy sah zu ihm auf und lächelte, kniff aber die Augen zusammen, damit er nicht sehen konnte, was sie dachte. Sie nutzte die Gelegenheit, Caroline suchen zu gehen und ihr das Baby zurückzugeben. Sean blieb im hinteren Zimmer zurück, wo seine Onkel aufmüpfige Lieder sangen und Whisky tranken.
Den Rest des Abends verbrachte sie in der Küche, wo sie neben dem Ofen stand und jedem zulächelte, der mit ihr sprach, so dass es aussah, als lache sie gemeinsam mit allen anderen. Sie vergaß Terry Hewitt und den Groll, den sie gegen ihn hatte, verschlang, ohne richtig zu kauen, Teekuchen und mit Eiscreme gefüllte Biskuitrolle und stopfte mehr und mehr Essen in sich hinein, um ihre Panik zu ersticken.

3

Fünf Meilen von Granny Annies Haus in Rutherglen entfernt, auf der anderen Seite der Stadt, saß Gina Wilcox im makellos sauberen Wohnzimmer ihres kleinen grauen Hauses in Townhead. Sie hatte vergessen, die Heizung aufzudrehen, und ihr Atem hing in einer Dunstwolke vor ihr, als verlasse ihre Seele den Körper. Sie starrte mit stumpfem Blick auf den flimmernden Bildschirm und wartete auf eine Nachricht, hellwach und in schrecklicher Angst um ihr Kind.

7

Die Angst wächst

1

Paddy hielt im Graupelschauer schützend die Hand vor die Augen, als sie neben Granny Annies offenem Grab stand und das glänzende Seil beobachtete, das an der bröckelnden schwarzen Erdwand hinunterglitt. Da fiel ihr ein, dass sie die sechs gekochten Eier für ihre Diät in einem Topf auf dem Herd hatte stehen lassen. Sie würde sich den ganzen Tag dick fühlen, ohne Hoffnung auf Begnadigung. Beinahe hätte sie laut geflucht. Sean, der neben ihr stand und ihre Anspannung spürte, deutete sie als Mitgefühl. Er schlang den Arm um ihre Schultern, zog sie näher zu sich heran und legte sein Kinn schützend auf ihren Kopf. Er merkte nicht, dass er dabei die Finger in die Fettpolster an ihrem Arm eingrub und sie daran erinnerte, dass sie nicht nur übergewichtig und oberflächlich war, sondern auch noch schrecklich dicke Arme hatte.

2

Sie stieß die Türen auf, betrat die Nachrichtenredaktion und hängte ihren nassen Dufflecoat an einen Haken neben der Tür. Dub saß schon auf der Wartebank für die Praktikanten. Keck, der Dienstälteste, stand vor der Bank und schwankte auf einem Fuß unsicher hin und her, während Dub angewidert zu ihm hochsah.

»Nein«, widersprach ihm Dub betont geduldig, »du bist nicht komisch. Um komisch zu sein, braucht es einen Witz oder 'ne geistreiche Bemerkung. Aber du nervst bloß unheimlich.«

Keck ging mit ungerührtem Gesicht, als lasse ihn dies völlig kalt, zum Sportredakteur hinüber.

»Was ist denn los?«

Paddy nahm eine *News* und überflog die Titelseite. Über dem Brian-Wilcox-Artikel stand JT als Verfasser. Zwei Jungen wurden wegen Brians Verschwinden verhört.

»Der Typ ist ein Scheißkerl«, sagte Dub leise und schaute sich im Raum um, ob er gebraucht wurde. Als er sah, dass nichts los war, las er weiter in seiner Zeitschrift und legte ein schlaksiges Bein über das andere. Er trug eine rot-grün karierte Hose und eine Strickjacke mit braunem Wildlederbesatz. Eines Montagmorgens hatte Paddy Eyelinerspuren an seinen blonden Wimpern gesehen. Dub kannte alle Bands der Gegend, auch die, deren Namen Paddy erst dann aufschnappte, wenn sie schon auseinandergegangen oder nach London gezogen waren.

Sie wandte sich wieder dem Artikel zu. Die Jungen waren verhaftet und die Nacht über verhört worden. Zwei Zeugen hatten sich gemeldet und behauptet, sie hätten gesehen, wie die Buben das Kind aus dem Vorgarten seiner Mutter mitgenommen hätten. Paddy las den Artikel noch einmal. Sie hätte schwören können, dass JT etwas ausgelassen hatte. Die Rechtsberater der *Daily News* ließen oft wichtige Einzelheiten aus einem Text streichen, und sie hatte das Gefühl, dass dies hier der Fall war. Die Jungen und das Kind waren dort gewesen, und dann war es plötzlich tot. In der Geschichte fehlte der kausale Zusammenhang. Kurz vor Redaktionsschluss war noch ein Kasten eingerückt worden, in dem stand, die beiden Jungen seien an einen geheimen Ort gebracht worden, nachdem sich eine wütende Menge vor der Polizeiwache zusammengerottet hatte. Meehan war 1969 nach seiner Verhaftung vor dem High Court in Ayr von einer Menge angegriffen worden, und sie war eines Samstags, noch als Schülerin, dorthin gepilgert, um den weiträumigen Hof zu sehen, wo sich die Menge versammelt hatte. Es hatte Meehan zu Tode erschreckt, obwohl er ein hartgesottener Krimineller war. Sie konnte sich nicht vorstellen, wie ein Kind mit so etwas fertig werden würde.

Sie stieß Dub an. »Was ist mit der Wilcox-Geschichte? Was haben sie ausgelassen?«

Dub zuckte mit den Achseln.

»Suchen sie die Männer, die dahinterstecken, oder haben sie sie schon gefunden?«

»Sie suchen nur nach der Leiche des Kindes, soviel ich weiß.« Und er las weiter.

Dub kümmerte sich nie um das, was in der Abteilung geredet wurde. Sie wusste nicht, wieso er sich um die Stelle bei der Zeitung beworben hatte. Er interessierte sich überhaupt nicht für Nachrichten.

Sie schlug von hinten leicht auf seine Musikzeitschrift. »Irgendjemand muss doch etwas gesagt haben.«
»Sie suchen das Kind«, wiederholte er ungehalten. »Was soll ich dir sonst noch sagen?«
Eine plötzliche Unruhe im Raum ließ beide aufmerken. Eine Gruppe von Männern drängte sich um ein Telefon in der Nachrichtenredaktion und beobachtete voller Spannung einen Kollegen, der dort stehend einen Anruf entgegennahm, dazu lächelte und nickte und den Umstehenden ein Zeichen mit dem nach oben gestreckten Daumen gab.
»Ich verstehe nicht, wieso du den Mist liest«, sagte Paddy und zeigte auf seine Musikzeitschrift. »Das wird doch von eingebildeten Schnöseln geschrieben.«
»Das soll Mist sein? Du liest Bücher über echte Kriminalfälle, das sind ja nicht mal richtige Texte.«
»Sei doch nicht albern. Wenn etwas geschrieben ist, ist es auch ein Text.«
»Es sind Groschenblätter, auf Billigpapier gedruckt. Das sind keine richtigen Texte.«
Sie trat ihn gegen den Knöchel. »Dub, Macbeth ist ein echter Kriminalfall. Das Neue Testament ist echte Kriminalgeschichte.«
Er hatte den Schlagabtausch verloren, wollte es aber nicht zugeben. »Auf den Geschmack einer Frau, die Springerstiefel trägt, ist doch kein Verlass.«
Paddy sah lächelnd auf ihre Füße. Die knöchelhohen Stiefel waren aus Kunststoff, aber sie kosteten nicht viel, waren schwarz und passten zu allem.
Auf der anderen Seite des Raums hörte man Keck, der unterwürfig wiehernd über eine Bemerkung am Redak-

tionstisch der Sportseite lachte. Er versuchte schon seit vier Jahren den Aufstieg zur Sportberichterstattung, hatte aber noch nie etwas geschrieben. Seine Strategie bestand darin, sich immer in der Nähe der Sportjournalisten aufzuhalten und über ihre Witze zu lachen. Terry Hewitt, der kräftig gebaute, freche Kerl, der sie in der Press Bar »die Dicke« genannt hatte, war zwar im Jahr zuvor von der Bank aus aufgestiegen, aber man musste erst einige Artikel veröffentlicht haben, bevor man von den Redakteuren überhaupt in Betracht gezogen wurde. Paddy blätterte im inneren Teil der Zeitung auf der Suche nach interessanten Artikeln über Kriminalfälle, die sie weiterverfolgen könnte. Dub wartete, bis sie sich bequem zurechtgesetzt hatte und nicht aufpasste, um sich dann mit einem Tritt zu revanchieren. Gott sei Dank hatte er Schuhe mit dicken Kreppsohlen an.

»Mhm, ja, das tut weh. Ist Heather da?«

»Irgendwo im Haus.«

Das düstere Redaktionsbüro war in drei Bereiche unterteilt, für Sport, Nachrichten und besondere Features. In der Mitte stand jeweils ein großer Tisch mit schweren grauen Atex-Schreibmaschinen aus Stahl und Arbeitsflächen für die Redakteure. Jeder Tisch hatte seinen eigenen Charakter: Die Leute in der Reportagenabteilung hielten sich für Intellektuelle. Bei Politik und Nachrichten ging es wichtigtuerisch und überheblich zu, und die Mitarbeiter vom Sport verbreiteten jederzeit gute Laune, an ihrem Tisch gab es immer guten Kuchen und etwas zu lachen, und sie schienen dauernd mit dem Kauen weißer Magentabletten beschäftigt, die sie auf dem Tisch herumliegen ließen.

Paddy fand Heather schließlich in dem abgelegenen kalten Winkel des Büros, wo die Reporter für besondere Projekte und die freien Mitarbeiter ihre Texte schrieben. Auf der Ecke eines Schreibtischs sitzend, zog sie Zeitungsausschnitte aus einem Umschlag und blätterte Artikel über die Weltwirtschaftskrise der zwanziger Jahre durch, mit der sich ein Mitarbeiter der Wirtschaftsredaktion befasste. Heather arbeitete nur Teilzeit, den Rest der Woche studierte sie an der Fachhochschule, wo sie auch Redakteurin der Studentenzeitung war. Während Paddy sich ihrer ehrgeizigen Pläne eher schämte, gab Heather genüsslich damit an. Sie hatte Farquarson überredet, für die Studentenzeitung einen Artikel über Journalisten recherchieren zu dürfen, und hatte auf diese Weise eine Mitgliedskarte der Gewerkschaft und eine monatliche Kolumne über das studentische Leben für sich herausgeschlagen. Paddy kam sich neben Heather unförmig und reizlos vor. Heather gehörte zu den Frauen, die sich mit Blumen auskennen und ihr langes Haar offen tragen. Sie ließ sich von den Trinkern und Rüpeln nicht einschüchtern und trat auf wie jemand, für den die *News* nur eine Durchgangsstation auf dem Weg zu einer der überregionalen Zeitungen war. Sie schien damit selbst Hewitt etwas einzuschüchtern.

Heathers Faltenrock rutschte übers Knie hoch, und die dunkelblaue Strumpfhose, verziert mit kleinen Mustern, betonte ihre elegante schmale Fessel. Schon aus zwanzig Metern Entfernung war offensichtlich, dass sie mit dem Wirtschaftsjournalisten flirtete, seinen Arm berührte und aufmerksam seiner Darlegung der Parallelen zwischen der jetzigen und der damaligen Rezession zuhörte. Er war klein und hatte schmale Schultern wie ein zwölfjähriger Junge.

»Mein Gott.« Heather fuhr sich mit der Hand durch ihr blondes welliges Haar und warf die Mähne über die Schulter zurück. »Das ist ja erstaunlich.« Sie blickte auf, sah Paddy und lächelte ihr zu.

»Hi.«

»Hi, Paddy. Kommst du mit eine rauchen?«

Paddy zuckte mit den Schultern. Sie rauchte nicht, aber das vergaß Heather immer wieder. Heather ließ die Unterlagen auf den Schreibtisch des Kleinen fallen, stand auf und folgte Paddy in eine Ecke, wo sie sich auf die Fensterbank setzten und Knie an Knie saßen. Heather ließ ihre Zehnerpackung Embassy Regal aufklappen, nahm eine der kurzen Zigaretten heraus und zündete sie an.

»Hör mal, wann machst du heute Feierabend?«

»Um vier«, sagte Paddy. »Warum?«

»Ich bin eingeladen, im Reporterwagen von George McVie mitzufahren. Willst du mitkommen?«

Paddy spürte den Neid wie ein leichtes Kribbeln im Nacken. Der Reporterwagen hatte einen Polizeifunkanschluss und fuhr nachts umher, um Unfälle und dramatische Situationen überall in der Stadt aufzuspüren. Die Berichte vom Reporterwagen machten ein gutes Viertel des Nachrichtenteils der Zeitung aus. Jeder Journalist hatte diese Schicht irgendwann einmal mitgemacht. Es gab wilde Geschichten über Sprünge von Hochhäusern und Partys, bei denen die Badewanne von Getränken überquoll, sowie heftige häusliche Auseinandersetzungen, die sich zu Straßenschlachten auswuchsen. Trotz dieser hautnahen Erlebnisse wollte eigentlich niemand den Dienst in diesem Wagen übernehmen. Nach den Gepflogenheiten bei der *Daily News* zeigten Angestellte keine Begeisterung für die Arbeit, und die Tätigkeit im Reporterwagen war viel anstrengender als nachts im Büro herumzusitzen und gelegentlich Anrufe entgegenzunehmen.

Insgeheim konnte Paddy es aber kaum erwarten, eine Schicht mitmachen zu dürfen. Von den im Reporterwagen gesammelten Berichten mochte sie die kleineren Geschichten am liebsten, bittersüße Schnappschüsse des Glasgower Straßenlebens, die es nie schafften, in die Zeitung zu kommen: eine Frau mit einem Beil im Schädel, die sich noch unter Schock höflich mit dem Fahrer eines Krankenwagens unterhielt, ein Mann, der in einem Geräteschuppen masturbierte und zu Tode kam, als ein Taubenschlag herunterfiel und ihn zerquetschte, die gewalttätige Auseinandersetzung eines Paares, die damit endete, dass der Mann mit einer gefrorenen Schweinehälfte erschlagen wurde.

»Wieso bist du dazu eingeladen worden?«, fragte sie und versuchte, jede Boshaftigkeit im Tonfall zu verbergen. »Hat Farquarson dir angeboten mitzufahren?«

»McVie sagte, ich könnte für ein paar Stunden dabei sein. Ich überlege mir, ob ich für die Hochschulzeitung etwas über den Reporterwagen schreiben könnte.«

Paddy musste sich zusammennehmen, um nicht die Augen zu verdrehen. Heather schrieb immer nur zwei Arten von Artikeln: Sie beschrieb, wie es war, Volontärin bei der *Daily News* zu sein, oder wie es war, als Journalistikstudentin für die Studentenzeitung zu schreiben.

»Also gut.« Sie versuchte lässig zu klingen. »Ich würde gern mitkommen.«
Aber Heather merkte, dass sie sich darüber freute. »Freu dich nicht zu früh. Vielleicht lass ich es auch, wenn das mit dem Artikel nicht klappt. Ich soll ihn draußen am Wagen treffen, um acht.«
Sie glitt von der Fensterbank und ging weg und ließ eine Rauchfahne und ein langes blondes Haar auf dem Fensterbrett zurück. Paddy hob es auf, wickelte es um ihren Finger und sah Heather nach, die sich zwischen den Tischen hindurchschlängelte und mit ihrem knackigen kleinen Hintern die Blicke der Männer auf sich zog.
Paddy rutschte unbeholfen von der Fensterbank und hob dabei die Beine, um mit der wollenen Strumpfhose nicht an der Metallleiste hängenzubleiben. Die Strumpfhose war an den Knien schon ausgebeult, obwohl sie frisch gewaschen war.

3

Farquarsons Bürotür schloss sich zur Zwei-Uhr-Besprechung der Redakteure, und alle im Nachrichtenbüro nahmen es ein wenig lockerer, machten eine inoffizielle Pause oder erledigten private Telefonate. Einer der Jungs aus der Nachrichtenredaktion nahm den Anruf an.
»Brian Wilcox ist jetzt endgültig tot«, verkündete er und hängte den Hörer auf.
Jemand sagte schwach »Hurra«, und die anderen Journalisten lachten.
Keck stieß Paddy an. »Du solltest so tun, als müsstest du

lachen«, sagte er leise. »Das machen wir immer, wenn so was passiert.«
Paddy versuchte, die Mundwinkel zu heben, aber ihr gelang kein überzeugendes Lächeln.
»Das muss man nicht«, murmelte Dub in Kecks Richtung. »Es ist nicht unbedingt erforderlich, seine Menschenwürde aufzugeben, es ist höchstens hilfreich.«
Keck war eingeschnappt und ließ nach einem Ruf aus der Redaktion die beiden alleine auf der Bank zurück. Der Journalist, der den Anruf über Brian entgegengenommen hatte, riss schwungvoll das oberste Blatt von seinem Notizblock, stand auf und ging zu Farquarsons Büro, klopfte ans Fenster und machte die Tür auf.
»Sie haben Brian Wilcox' Leiche gefunden«, sagte er. Paddy hörte Farquarson darauf laut und unverblümt fluchen. Eine brandneue Schlagzeile konnte man mitten in einer Redaktionssitzung nicht brauchen. »Sie haben ihn erdrosselt und an der Eisenbahnlinie in der Nähe des Bahnhofs von Steps liegen lassen.«
Paddy nickte Dub zu. Steps war meilenweit entfernt, viel zu weit, als dass die Jungen zu Fuß von Townhead aus dorthin hätten gehen können. »Ein Erwachsener hat sie hingebracht.«
Dub schüttelte den Kopf. »Da kannst du dir nicht sicher sein.«
»Da wett ich jede Summe drauf.«
»Gut, also, jede Summe dann.«
Durch die offene Tür hörte Paddy Farquarson schimpfen und anordnen, dass der Zeitplan zu ändern und etwas aus der Ausgabe herauszunehmen sei. Der Polizeibericht sollte auf Seite eins erscheinen, und er ließ JT ausrichten,

er solle mit einem Fotografen nach Steps runterfahren. »Fragen Sie nach, ob die Jungen noch in Haft sind, und sagen Sie einem von den Laufburschen, ich brauche einen großen Whisky aus der Press Bar.«

Ein Redaktionsassistent vom Feature steckte den Kopf in die Tür und sah Paddy an. »Haben Sie das gehört?«

Paddy nickte, stand auf und ging zur Treppe.

In der Bar war McGrade dabei, in aller Ruhe die hinteren Regale mit winzigen, leise klirrenden Flaschen für Mixgetränke aufzufüllen. Zwei Journalisten hatten vor dem nachmittäglichen Ansturm schon mal einen Tisch besetzt. Als McGrade hörte, dass es für Farquarson war, gab er ihr einen großen Grouse und schrieb ihn in dem blauen Heft an, das er unter dem Tresen liegen hatte.

Als sie wieder nach oben kam, waren alle aus der Nachrichtenredaktion verschwunden oder am Telefon. Farquarson saß alleine an seinem Schreibtisch und hielt den Kopf in die Hände gestützt. Sie schob ihm das Glas zwischen die Ellbogen, und er warf ihr einen dankbaren Blick zu.

»Sagen Sie mir Bescheid, wenn Sie fertig sind, Boss. McGrade wird sein Glas wiederhaben wollen.«

»Danke, Meehan.«

»Äh ... Boss? Ich und Heather Allen, wir fahren mit George McVie im Reporterwagen mit, wenn das in Ordnung ist. Nur für zwei Stunden oder so, um Erfahrung zu sammeln.«

Farquarson lächelte gequält in sein Glas. »McVie, der ist ja sehr nett, nicht? Fragen Sie aber vorher bei Richards nach, ob das mit der Gewerkschaft klargeht. Und ... Meehan? Der Reporterwagen, das ist harte Arbeit, Nacht-

schicht ist nicht einfach. George ist vielleicht … einsam. Seien Sie vorsichtig, wenn er Ihnen an die Wäsche will.«
Sie nickte.

Father Richards war in der Kantine, aß eine schottische Pastete mit Bohnen und rauchte dabei. Der Schnitt unter seinem Auge war am Verheilen, aber er musste noch immer ohne Brille auskommen. Sein Gesicht schien irgendwie nackt und bloß.
»Ah, da ist sie ja«, sagte er, als er Paddy neben seinem Tisch stehen sah. »Die Vorsitzende der katholischen Müttergewerkschaft.«
Paddy ignorierte es. Sie erklärte, dass McVie Heather Allen eingeladen und diese ihr angeboten hatte mitzukommen. Richards ließ mit lautem Klirren seine Gabel fallen und sog wollüstig an seiner John Player Special.
Paddy hob die Hand und sagte: »Stopp. Sie brauchen mir nichts zu sagen. Farquarson hat mich schon vorgewarnt. Ich wollte nur nachfragen, ob die Gewerkschaft etwas dagegen hat.«
»Warum sollte es die Gewerkschaft stören, wenn McVie es mit zwei Miezen zugleich treiben will?«, sagte Richards und lachte, bis er knallrot im Gesicht war.
Paddy verschränkte die Arme und wartete geduldig, bis er fertig war. »Kann ich also mitfahren?«
»Ja«, sagte Richards. »Bitte schön. Aber wenn Sie meine Tochter wären, würde ich nein sagen.«
Um ihre Aufregung zu verbergen, zeigte Paddy auf sein Auge. »Ich hoffe, das blaue Auge wurde Ihnen von der letzten Frau verpasst, die Sie ausgelacht haben.«
Er zog trübsinnig an seiner Zigarette und musterte sie.

»Sie sind die letzte Frau, die ich ausgelacht habe. Wollen Sie mir eine runterhauen?«
Die Worte waren harmlos, aber sie fühlte sich unbehaglich, als wolle er ihr einen unsittlichen Antrag machen.
»Nein«, sagte sie und drohte ihm auf die einzige Weise, zu der sie in der Lage war: »Aber Ihre Stelle würde ich Ihnen gern wegnehmen.«

8
Die Menschen sind Arschlöcher

1

George McVie durfte den Reporterwagen nicht selbst steuern. Er durfte nicht einmal vorne neben Billy sitzen, weil er ihm bei einer ihrer Streitigkeiten schon mal ins Lenkrad gegriffen und sie beide fast umgebracht hatte. Sie sprachen nie normal miteinander. McVie brummte nur, wenn er einer der hereinkommenden Meldungen nachgehen wollte. Manchmal befahl er Billy lautstark, die Zeitung anzurufen und einen Fotografen anzufordern. Mehr redeten sie nicht. Seit fünf Monaten arbeiteten sie in der Nachtschicht zusammen und waren inzwischen so weit, dass sie einander am liebsten umgebracht hätten.
Billy mit seiner gegelten schulterlangen Dauerwelle saß schon im Auto, stellte das Funkgerät ein, legte seine Zigaretten auf das Armaturenbrett und vergewisserte sich, dass er Kleingeld für den Imbissstand hatte. McVie stand in einem zerknitterten Regenmantel und einem billigen Acrylpullover unter dem schweren grauen Himmel neben dem Wagen.

»Was heißt das, sie kommt nicht?« Mit müden Augen über den Tränensäcken warf er Paddy finstere Blicke über das Wagendach zu.
»Sie fährt heute Nacht nicht im Wagen mit, aber ich habe Farquarson und Father Richards gefragt, und beide haben gesagt, es sei in Ordnung, wenn ich mitfahre.«
Sie versuchte ihm zuzulächeln, aber er kaufte ihr das nicht ab, sondern sah von ihr zum Fenster der Nachrichtenredaktion und zu Farquarsons Büro hinüber, als erwarte er, seinen Chef dort zu sehen, wie er lachend am Fenster stand und auf ihn hinuntersah, während er selbst es mit Heather Allen trieb.
»Farquarson hat gesagt, ich könne mitkommen«, wiederholte sie.
McVie musterte Paddy noch einmal, nur um sicherzugehen, dass sie wirklich so plump und Heather so unähnlich war, wie er gedacht hatte. Enttäuscht murmelte er etwas und beugte sich über das Wagendach zu ihr hinüber. »Pass auf, Mädel, ich hab allerhand zu tun heute Nacht. Red nich dazwischen, wenn was über den Sender kommt, und bleib im Wagen, wenn wir irgendwo anhalten. Ich kann nicht die ganze verdammte Zeit auf dich aufpassen. Halt einfach die Klappe, dann kommen wir schon miteinander aus.«
Paddy trat etwas zurück und tat erstaunt. »*Passen Sie mal auf*. Es gibt überhaupt keinen Grund, so grob zu sein. Ich war schließlich höflich zu Ihnen, oder?«
McVie starrte sie an.
»Oder?« Sie war entschlossen, ihn dazu zu bringen, dass er es zugab. »War ich etwa nicht höflich zu Ihnen?«
McVie zuckte widerwillig mit den Schultern.

»Sie sind ein ignoranter Rüpel.« Sie machte die Wagentür auf und stieg ein.

Billy kannte sie noch nicht, aber er stellte sich vor, streckte ihr über die Schulter seine Hand hin und lächelte ihr im Rückspiegel zu; offensichtlich genoss er es, dass jemand außer ihm selbst McVie Kontra gab.

Sie warteten einen Moment, während McVie vor Wut kochte und zwei- oder dreimal auf das Wagendach schlug. Jedes Mal zog Billy im Spiegel vergnügt die Augenbrauen hoch. Schließlich riss McVie die Tür auf, stieg ein und zog wütend die Schöße seines Regenmantels auf dem Sitz zurecht.

»Was soll das heißen, verdammt noch mal, ein ignoranter Rüpel?«

»Ja, das sind Sie«, rief Paddy und deutete mit dem Finger auf sein Gesicht. »Sie können sich nicht benehmen.«

Billy murmelte ein Amen, drehte den Zündschlüssel um und ließ den Motor an. Das Funkgerät fing an zu krachen und machte alle Hoffnung auf jede weitere Unterhaltung, wie lautstark auch immer, zunichte. Sie saßen ein paar Minuten da und lauschten langen Pausen und den Aufforderungen an Polizeiautos, zur Wache zurückzukehren. Fuchsteufelswild, dass sie sich gegen ihn zusammengetan hatten, trat McVie gegen die Rückenlehne, und Billy fuhr auf die Straße hinaus.

Paddy lehnte sich zurück, sah die dunkle Stadt am Fenster vorbeigleiten und genoss die seltene Gelegenheit, in einem Auto mitzufahren. Sie kamen an einer verlotterten Kneipe am Saltmarket vorbei. Zwei Betrunkene gingen im Freien aufeinander los, ein Mann in einer Bomberjacke aus grauem Leder drückte einem anderen in einem kurzen Mantel die Kehle zu und hielt ihn im Schwitzkasten fest, während sein Gegner sich verzweifelt zu wehren versuchte und hinter sich nach dem Gesicht des Angreifers tastete, aber ins Leere griff. Beide Männer waren für eine ordentliche Prügelei zu alt und machten sich lächerlich. Ihre dicken Bäuche und steifen Beine erlaubten keine schnellen Bewegungen und machten den Kampf eher zu einem verkrampften, verbissenen Tanz. Hinter ihnen lehnten drei Männer an der Außenwand des Pubs und sahen gelassen zu, als ginge es um einen Schaukampf. Hätte Paddy an einer Bushaltestelle gestanden, hätte der Anblick ihr eine Heidenangst eingejagt, aber in dem schicken Auto fühlte sie sich sicher, konnte die Szene ganz cool beobachten und sich wie eine Journalistin fühlen. Davon träumte sie seit ihrer Schulzeit, seit Paddy Meehan begnadigt worden war, weil ein mutiger Journalist sich für ihn eingesetzt hatte.

2

Es war die erste Runde dieser Nacht. Billy hielt auf einer breiten Straße an, die von Lagerhäusern gesäumt war, und McVie stieg aus und schlug die Tür hinter sich zu. Seine Hand lag schon auf der Türklinke der Polizeistation, als er merkte, dass Paddy hinter ihm stand.

»Mädel, bleib im Auto.«

»Farquarson hat mir gesagt, ich solle Sie begleiten, und das mach ich jetzt.«

McVie seufzte, schloss die Augen und legte eine dramatische Pause ein, als sei es die härteste Prüfung seines

Lebens, zu Paddy nett zu sein. Er hob einen Arm, zog die eine Hälfte der Doppeltür auf und schlug sie ihr vor der Nase wieder zu.

Drinnen fand sie sich in einem Warteraum mit schmutzigen Plastikstühlen wieder, die an den Wänden entlang aufgereiht standen, einige hatten leichte Rußflecken von einem Feuerzeug, das ein Besucher unter den Sitz und die Rückenlehnen gehalten hatte. Die Poster an den Wänden zeigten heitere Bilder und Warnungen vor Taschendieben, Einbrüchen und undichten Gasleitungen. Zwei müde junge Männer hingen trostlos auf ihren Stühlen herum und schienen schon endlos lange zu warten.

Hinter einem hohen Schreibtisch saß ein Polizist mittleren Alters mit Aknebläschen auf der geröteten Haut. Er tupfte sich mit einem Taschentuch eine nässende Stelle am Hals ab, während er in ein großes schwarzes Buch schrieb, das aufgeklappt vor ihm auf dem Schreibtisch lag.

»Mein Gott«, sagte Paddy zu McVie, als sie ihn am Schreibtisch eingeholt hatte, »Sie sind ja ein schrecklicher Brummbär.«

»Wer ist ein Brummbär?« Der diensthabende Beamte sah von seinem Buch auf.

»Er«, sagte Paddy und zeigte mit dem Daumen auf McVie. »Er ist ungenießbar, die schlechte Laune in Person.«

Der Polizist lächelte freundlich, tupfte erneut und zuckte leicht, als das Papiertaschentuch die wunde Haut berührte.

»Was läuft?« McVie zeigte mit einer Kopfbewegung auf das große schwarze Buch auf dem hohen Tisch.

»Nichts. Zwei Selbstmorde. Eine Schülerin in Schuluni-

form wurde im Clyde gefunden. Sie hatte ihre Probeklausuren für die mittlere Reife verhauen. Der andere …« Er sah auf das Buch und fuhr mit dem Finger die Zeilen entlang. »Ein Typ in Townhead hat sich aufgehängt.«
Paddy vermutete, dass sich McVie für den Selbstmord der Schülerin interessieren würde. Eine emotionale, tragische Geschichte mit Material für weitere Artikel über Prüfungsängste, eine trauernde Familie, die höchstwahrscheinlich anderen die Schuld zuschieben würde, und gleichzeitig ein guter Vorwand, ein Foto von einem Mädchen in Schuluniform zu bringen. McVie schlug seinen Block auf. »Wo genau in Townhead?«
Der Mann am Schreibtisch war ebenfalls überrascht und musste die Eintragung in seinem Buch wieder mit dem Finger ausfindig machen. »Kennedy Street, vor einer Stunde. Selbstmord im Freien, hat sich an der Straßenlaterne erhängt.«
»Wie heißt er?«
Der Beamte schaute wieder in sein Buch. »Eddie McIntyre, aber er wohnt nicht dort. Er hat es vor dem Haus seiner Freundin gemacht.« Er zeigte mit dem Finger auf die Eintragung. »Sie heißt Patsy Taylor.«
McVie notierte Namen und Adressen. »Also, Donny, sag ehrlich. Sind sie hier?«
Der Polizist fuhr leicht zusammen und warf einen Blick auf die Wartenden hinter McVies Rücken, um sich zu vergewissern, dass sie ihn nicht hören konnten. »Ich geb offiziell keine Antwort.« Er bewegte beim Sprechen kaum die Lippen. »Jedenfalls wollen wir hier nicht wieder so ’n Auflauf wie gestern Abend.«
McVie nickte. »Wird Anklage gegen sie erhoben?«

Donny zuckte mit der Schulter und nickte gleichzeitig, wobei er wieder an der gelblichen nässenden Stelle am Hals herumtupfte.

»Was wird ihnen vorgeworfen?«

Donny presste die Lippen zusammen. »Mord.«

McVie beugte sich über den Tisch. »Was für Familien sind das?«

»Hm, also, die eine – in Ordnung. Die andere – eher Wildwest«, sagte er, als könnte die unerlaubte Weitergabe vertraulicher Informationen dadurch gemildert werden, dass man sich nur bruchstückhaft ausdrückte.

McVie trat von dem Tisch zurück und lächelte dem Polizisten freundlich zu. »Donny, du bist 'n prima Kerl.« Er wandte sich ab, um zum Wagen zu gehen, und vergaß einen Augenblick sogar seinen Hass auf Paddy. »Gehen wir.«

Paddy hatte einen bestimmten Verdacht, wartete aber, bis sie wieder auf dem Rücksitz saßen. »Wer ist da drin?«

McVie sah aus dem Fenster. »Tut nichts zur Sache.«

Sie fing Billys Blick im Spiegel auf.

»Die Baby Brian Boys«, sagte Billy und ließ den Motor an.

Das hörte sich an wie eine verruchte Jazzband. Sie wusste sofort, dass sie den Namen nie mehr loskriegen würden.

Die dunkle Straße war voll tiefer scharfer Schatten. Als sie wegfuhren, sah Paddy zu den winzigen Zellenfenstern hoch und stellte sich vor, dass da oben ein Kind allein in einer Zelle saß und niemand bei ihm war, der es beschützte. Auch einen Erwachsenen hätte das mit Angst und Schrecken erfüllt.

Sie versuchte ganz nebenbei zu fragen: »Suchen sie die Hintermänner?«
»Nein.« McVie schien sich ganz sicher zu sein. »Wenn sie nach einem Erwachsenen suchen würden, dann würden sie ihnen Verabredung zum Mord vorwerfen, nicht Mord.«
»Was ist da der Unterschied?«
»Verabredung würde bedeuten, dass sie es nicht geplant haben, und das würde ihre Schuld verringern. Im Hinblick auf das Strafmaß macht das einen Unterschied von etwa zehn Jahren.«
Paddy schaute aus dem Fenster und dachte an Paddy Meehan, der vor dem Gerichtsgebäude in Ayr angegriffen worden war. Jemand aus der Menge war nach vorn gestürmt und hatte ihn so fest gegen das Schienbein getreten, dass es blutete. Sie fragte sich, ob derjenige, der das getan hatte, sich schämte, als er hörte, dass Paddy unschuldig war.
Sie kamen am hellerleuchteten Busbahnhof vorbei. Billy nahm eine breite Umgehungsstraße nach Townhead, hinter dem Busbahnhof entlang um die Stadt herum, in der alles geschlossen und menschenleer war.
»Warum fahren wir eigentlich zu diesem Fall?«, fragte Paddy. »Die Geschichte mit der Schülerin war doch besser.«
Keiner der beiden antwortete.
Billy passierte eine Ampel und fuhr in die Siedlung. Townhead lag auf einem flachen Hügel zwischen der Stadtmitte und der Autobahn. Die Häuser, die man auf einem kleinen Gelände errichtet hatte, nachdem die Städteplaner aus der Räumung der Slumgebiete gelernt hat-

ten, waren von guter Qualität. Die Bebauung reichte von Einfamilienhäusern mit winzigen Gärten und niedrigen Wohnblocks bis hin zu vier riesigen Hochhäusern. In der Umgebung waren steile, grüne, kleine Hügel mit Baumbestand angelegt worden, was die Größenverhältnisse zu verschieben schien, als hätte man eine Wohnsiedlung auf einem Minigolfplatz errichtet. Die wachsamen Bewohner kümmerten sich mit eifrigem Besitzerstolz selbst um das Viertel. Häuser konnten wochenlang leerstehen, ohne dass die Fenster eingeschlagen wurden.

Billy hielt vor dem Eingang des Wohnblocks, in dem Patsy Taylor wohnte. Das Treppenhaus war offen und dem Wetter ausgesetzt. Jede Wohnung hatte im vorderen Zimmer ein Eckfenster, an der Seite eine Veranda und neben der Wohnungstür ein rundes Fenster.

»Willst du mal sehen, was in dieser beschissenen Stadt läuft?«, fragte McVie bissig. »Dann komm mit.«

Die Wände des Treppenhauses waren grün und cremefarben, aber die Stufen aus kaltem grauem Beton. Die Wohnung, die sie suchten, war im ersten Stock, neben der Tür waren dreifüßige Blumenständer mit irgendetwas Vertrocknetem. Ein Namensschild aus künstlichem Perlmutt war an der Tür befestigt. McVie schien enttäuscht.

»Na ja, wenigstens ist es nicht wieder Sawney Bean«, murmelte er und meinte damit den schottischen Kannibalen, der in einer Höhle lebte, reisende Engländer verspeiste und mit allen seinen fünfzig Töchtern Inzucht trieb. Bean war eine Erfindung, plumpe antischottische Propaganda aus dem achtzehnten Jahrhundert, die nach hinten losgegangen war. Die Schotten mochten Sawney von seinem ersten Auftauchen in der internationalen Liga der Ungeheuer an, schlossen ihn ins Herz, nahmen ihn in ihre heimlichen irren Albträume auf und schufen aus den Elementen seines wilden, gesetzlosen Lebens einen Nationalhelden.

McVie holte tief Luft und klopfte dreimal fest und gebieterisch an. Ein untersetzter Mann mit einem Kranz kurzgeschnittener weißer Haare auf dem halbkahlen Kopf öffnete. Er sog an seiner gerade ausgegangenen Pfeife und trug einen groben, wollenen Morgenmantel über seiner Kleidung.

»Was kann ich für Sie tun, mein Freund?«

»Guten Abend, Mr. Taylor. Mein Name ist George McVie. Ich bin leitender Reporter der *Scottish Daily News*. Ich habe gehört, dass hier heute Abend etwas vorgefallen ist. Könnte ich vielleicht zehn Minuten Ihrer Zeit in Anspruch nehmen, um Ihnen dazu ein paar Fragen zu stellen?«

Paddy war erstaunt, wie geschickt und entgegenkommend McVie sich ausdrückte. Mr. Taylor war ebenfalls beeindruckt und fühlte sich geschmeichelt, dass die *Daily News* wegen seiner Geschichte ihren leitenden Reporter schickte, eine Tatsache, die McVie natürlich vorausgesehen hatte, als er die Lüge auftischte.

Mr. Taylor lud ihn in seine gute Stube ein und stopfte seine Pfeife aus einem vergilbten Gummibeutel, während seine Frau schweigend Tee machte und vornehm Kekse mit Vanillefüllung herumreichte. Der künstliche Kamin war nicht an, aber das rote Licht drehte sich langsam und so regelmäßig wie Blaulicht unter einem staubigen Kohlenberg.

Mr. Taylor hatte sich selbst auf den großen Sessel gesetzt und ließ McVie auf der Couch Platz nehmen. Paddy wurde an das andere Ende neben der Tür verwiesen, am weitesten vom Mittelpunkt der Unterhaltung entfernt. Paddy glaubte im Flur ein leises und stetiges Weinen zu hören, wie das tickende Geräusch beim allmählichen Abkühlen eines Boilers.

Auf McVies überraschend dezente Nachfrage erzählte Mr. Taylor, wie seine Frau kurz nach acht beim Geschirrspülen plötzlich Lärm auf der Straße gehört hätte. Sie schauten beide aus dem Fenster und sahen einen Körper von der Straßenlaterne gegenüber ihrem Haus hängen. Mrs. Taylor rief die Polizei und den Krankenwagen vom Telefon des Nachbarn aus, aber der Mann war schon tot. Sie fanden einen Brief, der auf seine Brust geheftet und an Patsy, Mr. Taylors Tochter, adressiert war. Als die Polizei kam, gab Patsy zu, dass sie am Morgen an ihrem Arbeitsplatz ebenfalls einen Brief bekommen hatte. Der Junge, der sich erhängt hatte, war Eddie, ein Arbeitskollege, der zornig war, dass sie nicht mit ihm ausgehen wollte. Mr. Taylor hielt den Blick auf seine Teetasse gerichtet, als er die Umstände erklärte, und Paddy hatte das deutliche Gefühl, dass er log.

»Könnte ich bitte den Brief sehen?«, fragte sie plötzlich. »Ich möchte nur nachsehen, wie Eddies Name geschrieben wird. Ich bekomme große Probleme mit den Rechtsanwälten, wenn wir einen Fehler machen.«

Beide Männer hatten vergessen, dass sie überhaupt da war. Sie merkten auf und sahen sie überrascht an.

»Das ist wohl Ihre Aufgabe?«, sagte Mr. Taylor.

Paddy nickte und zog ein Notizbuch aus ihrer Tasche. Es

war eine nagelneue dunkelblaue Kladde mit einem passenden Gummiband darum. Sie hatte sie erst heute Nachmittag aus dem Materialschrank mitgehen lassen.
Mr. Taylor zögerte einen Augenblick. »Er ist aber ziemlich starker Tobak.«
»Das macht nichts.« Paddy lächelte tapfer. »Bei meiner Arbeit hab ich schon so vieles gehört. Ich achte gar nicht drauf.«
Er fasste unter sein Kissen, zog ein blassgelbes Kuvert hervor und reichte es Paddy. »Aber Sie sind doch keine Journalistin?«
Sie warf einen Blick auf McVie. Wenn er der leitende Nachrichtenreporter war, konnte sie ebenso gut Journalistin sein.
»Doch«, sagte sie, »das bin ich.«
McVie lenkte ihn ab und bat ihn, die Geschichte noch einmal zu erzählen, weil die genauen Zeitangaben sehr wichtig seien.
Paddy ließ das Blatt aus dem Kuvert gleiten und faltete es auseinander. Sie fuhr mit dem Bleistift über ihren Notizblock, als schreibe sie den Namen ab, während sie schnell den Brief las. Es war ein Blatt vom Briefblock eines kleinen Mädchens, vielleicht von einer kleineren Schwester. Darauf war ein verschwommenes, blasses Bild eines schwarzen Pferdes, das durch ein nebliges Feld galoppierte. Es war offensichtlich, dass Eddie und Patsy sich nicht nur flüchtig gekannt hatten. Er schrieb von früheren Gelegenheiten, bei denen sie ausgegangen waren, und erwähnte ihren Vater, den er einen engstirnigen Spießer nannte. Aber Eddie war wirklich wütend. Er teilte Patsy mit, sie sei ein Miststück und er werde sich umbringen,

wenn sie ihn heute Abend nicht träfe. Paddy faltete den Brief vorsichtig wieder zusammen, schob ihn zwischen die Seiten ihres Notizbuchs und legte den leeren Umschlag für alle sichtbar auf den Tisch.
McVie hatte es bemerkt, stand auf und gab Paddy ein Zeichen, sie solle auch aufstehen. »Ich bin Ihnen sehr verbunden, dass Sie sich die Zeit genommen haben.«
Mr. Taylor schaute auf das Kuvert, und Paddy war sofort klar, dass er sah, dass es leer war. Er wusste, dass er einen dummen Fehler gemacht hatte, torkelte auf McVie zu, packte das Notizbuch mit der einen und Paddys Handgelenk mit der anderen Hand und versuchte, es ihr wegzureißen.
»Mr. Taylor, lassen Sie sie sofort los«, sagte McVie so empört wie der Papst in einer Go-go-Bar. »Sie ist doch nur ein Mädchen.«
»Ihr Dreckskerle!« Mr. Taylor entriss ihr das Notizbuch und fand den Brief. »Elendes Lügenpack. Raus!«
Er jagte sie in den Flur, schubste sie aus der Haustür und schlug sie hinter ihnen zu. McVie sah Paddy keuchend und zufrieden an.
»Der Vater hat sie also auseinandergebracht?«
Sie nickte.
»Hab ich mir doch gedacht.« Fast hätte er gelächelt, hielt sich aber zurück. »Das hast du jetzt nicht total verkorkst, Mädel.«
»Danke«, sagte Paddy und nahm das Kompliment so auf, wie es gemeint war, »Sie blöder Kerl.«
Als sie den Durchgang verließen und den Weg hinuntergingen, fing Billy an, langsam zurückzustoßen, und ließ den Wagen ans Ende des Weges rollen. Paddy wäre bei all

der Spannung und der miesen Stimmung am liebsten gar nicht in den Wagen mit Billy eingestiegen.

»Das ist ja eine ziemlich üble Sache.« Sie ging etwas langsamer. »Sich umzubringen, um jemanden damit zu ärgern.«

»Stimmt.« Neben ihr verlangsamte McVie ebenfalls den Schritt. »Das allein macht aber noch keine Schlagzeile. Wir werden keinen Artikel bringen mit der Überschrift: ›Deprimierter Junge bringt sich um‹. Erst die Einzelheiten machen eine richtige Story daraus. Die Wahrheit ist eine schlüpfrige Angelegenheit, das lernt man in diesem Job. Das und auch, dass man der oberen Etage nie trauen sollte.« Er sah an der Straßenlaterne hoch, an der Eddie sich erhängt hatte, während er gründlich darüber nachdachte, was er sonst noch an wichtigen Informationen an die nächste Generation weiterzugeben hatte. »Und dass die Menschen alle Arschlöcher sind.«

McVies Laune hatte sich gebessert, und er war inzwischen so milde gestimmt, dass er sogar mit Billy sprach. »Tja«, sagte er, als er wieder einstieg, »da steckte tatsächlich 'ne Story drin.«

Billy zuckte mit den Schultern. »Wollen Sie trotzdem noch weiterfahren?«

»Ja, warum nicht.«

»Wohin?«, fragte Paddy.

Keiner der beiden antwortete ihr.

Billy fuhr kaum schneller als fünf Meilen die Stunde und kroch die nächsten zwei Straßen entlang. Mitten in der Siedlung kamen sie an einem dunklen Spielplatz mit kleinen Rutschbahnen und Schaukeln mit Schutzhalterungen für Kleinkinder vorbei, die im Rauhreif glitzerten. Billy

bog etwas zu schnell um eine Ecke und fuhr noch etwa hundert Meter weiter, bevor er parkte.
Paddy brauchte eine Minute, bis ihr klar wurde, wo sie sich befanden. Als sie McVies Blick folgte und die leicht ansteigende Straße hinaufblickte, fiel ihr zuerst der grüne Zaun auf.
Vor dem Haus der Familie Wilcox war niemand zu sehen, aber im Wohnzimmer brannte Licht. Das Einzige, worin es sich von den anderen bescheidenen Reihenhäuschen unterschied, waren die wahllos am Zaun festgebundenen gelben Bänder, die schmutzig und vom Regen durchweicht herunterhingen. Eines davon war die große steife Schleife von einem Blumenstrauß, die unangemessen vergnügt und schief neben dem Tor hing.
»Gina Wilcox' Haus«, sagte Paddy.
Billy lächelte im Spiegel. »Wir suchen eine Story, die seine Karriere retten könnte.« Er sah zu McVie hinüber. »Er will die Nachtschicht loswerden, aber er hat sich's mit zu vielen Leuten verdorben. Mit diesen Jungs lässt sich Karriere machen. Könnte 'ne größere Geschichte geben als der Ripper.«
»Als ob du das wüsstest«, sagte McVie. »Du bist doch nur 'n verdammter Taxifahrer. Also, Mädel, du willst doch Reporterin werden. Was siehst du da drin?«
Paddy sah ihn halb belustigt an und erwartete, dass er über seinen fadenscheinigen Trick selbst lachen würde, aber McVie blieb ernst. Er erwartete wirklich, dass sie ihm alles sagte, was sie aus der Situation hier schließen konnte, und fand wohl, er habe selbstverständlich das Recht, es selbst zu nutzen. Gereizt betrachtete sie das Haus.

»Hm ... ich weiß nicht.« Vielleicht gab es ja ein ungeschriebenes Gesetz, dass man Informationen weitergeben musste, aber darüber hatte sie niemand aufgeklärt. Paddy konnte in das leere Wohnzimmer hineinblicken. Die Rückseiten der Vorhänge an den Fenstern waren nicht gefüttert, die Nippes klein und billig. »Nichts Besonderes.«

Die Couch und der Sessel waren braun und alt, und über den abgewetzten Armstützen und Rückenlehnen hingen Schonbezüge. Es war eine Garnitur älterer Leute, vielleicht ein Geschenk von gutherzigen Verwandten zum Einzug einer bedürftigen Familie oder auch gebraucht gekauft. Mitten an der Wand über dem Kamin mit Gasheizung hing eine Holzuhr in Form einer Karte von Afrika mit zwei rot markierten Punkten an der Südküste. Jemand aus der Familie Wilcox war also nach Südafrika emigriert. Viele Arbeiterfamilien taten das, inspiriert von den Geschichten über ehemalige Busfahrer, die es zu einem Swimmingpool gebracht hatten, oder von Klempnern mit Privatflugzeug.

»Ich sehe gar nichts. Sind die beiden Jungs aus dieser Siedlung?«

»Nein, aus Barnhill«, sagte McVie.

Paddy kannte die Gegend. Sie war einmal auf einer Beerdigung dort gewesen. »Das ist zwei Meilen nördlich von hier. Sie sind also hierhergekommen, haben den Kleinen nach Steps mitgenommen, ihn dort zurückgelassen und haben dann den ganzen Weg nach Haus allein zurückgelegt? Wie alt sind sie denn?«

»Zehn oder elf.«

Paddy schüttelte den Kopf. »Warum waren sie überhaupt

hier, wenn sie in Barnhill wohnen? Kennen sie hier jemanden?«

McVie schüttelte den Kopf. »Nein. Bei der Polizei glaubt man, sie seien wegen des Spielplatzes gekommen, den sie von der Straße aus gesehen hatten, vielleicht von einem Bus in Richtung Stadt aus. Sie kamen, um zu schaukeln, sahen Baby Brian ... na ja, du weißt schon. Und dann zack-zack!«

Sie waren an dem Spielplatz vorbeigefahren, und Paddy hatte bemerkt, dass es einer für Kleinkinder war. Die Rutschbahnen hatten ein ganz sanftes Gefälle. Es gab sogar einen Sandkasten, und um die Pferdchen herum lagen Gummimatten, damit die Kleinsten sich beim Herunterfallen nichts taten. Paddy sah sich um. Auf der anderen Straßenseite ragte hinter einem Grasstreifen und einer breiten Schnellstraße die hohe Rückwand des Busbahnhofs auf. Der Spielplatz war von der Straße aus überhaupt nicht zu sehen, denn er lag im Innern der Siedlung versteckt. Sie war sicher, dass die Jungen von jemandem, der die Gegend kannte, hergebracht worden waren. Ein Erwachsener musste sie hergebracht haben.

»Also«, sagte Paddy und lehnte sich zurück, »ich seh nichts.«

Billy fuhr auf die Straße hinaus, und Paddy sah die Siedlung am Fenster vorbeiziehen. Ein leichter Schneeregen fing an, auf der Windschutzscheibe einen schmierigen Film zu bilden. Sie verbarg ihren Mund hinter der vorgehaltenen Hand und versuchte, ein Lächeln zu unterdrücken. Sie konnte aus dieser Siedlung sehr wohl einiges ablesen und erkannte Muster, für die McVie und Billy blind waren.

3

Sie waren auf der Jamaica-Street-Brücke, als sie es über Funk hörten. Bei einer Taufe in Govan hatte sich eine Schlägerei zwischen verschiedenen Gangs entwickelt, bis jetzt hatte es einen Toten gegeben. McVie trat gegen die Rückenlehne des Vordersitzes, und Billy drehte um, setzte sich vor einen Bus auf der anderen Straßenseite und wurde wegen seiner Unverschämtheit angehupt. Es schneite jetzt heftig. Flocken so groß wie Rosenblätter schwebten elegant vom pechschwarzen Himmel herab. Die Fußgänger verschwanden von den Straßen, und der Verkehr kam nur noch langsam voran. In den zehn Minuten, die sie brauchten, um die Adresse anzufahren, wurde der Schnee dichter und blieb in Flecken an rußgeschwärzten Wänden hängen.

Als sie in Govan ankamen, hatten sich die Gangs zerstreut. Auf der engen Straße, einer tiefen Schlucht zwischen zwei langen Reihen roter Mietshäuser, waren keine Autos, und der frische Schnee bedeckte den Boden, auf den in regelmäßigen Abständen die orangeroten Lichtkegel der Straßenlaternen fielen. Ein paar übriggebliebene Polizisten standen noch im Schneegestöber, um Namen und Adressen von den vor Kälte zitternden Zeugen zu erfragen, die sich verzweifelt vor dem Wetter in ihre Häuser zu retten versuchten und wünschten, sie wären nicht herausgekommen, um den toten Jungen zu sehen.

Billy fuhr an den Straßenrand. Paddy folgte McVies Aufforderung und stieg aus dem Wagen. Große weiche Flocken hafteten an ihrem Haar und Gesicht, blieben auf Schultern und Brust liegen und durchnässten ihren Duffle-

coat. Sie blickte auf den Boden und sah frische rote Tupfen auf dem Schnee im Rinnstein.
McVie ging zu einem der Polizisten hinüber. »Alistair, was läuft hier?«
Der Polizist zeigte um die Ecke und erklärte, dass ein Achtzehnjähriger von fünf Mitgliedern einer feindlichen Gang in das Haus einer unbeteiligten Familie gejagt worden sei. Der Junge hätte versucht zu entkommen und sei aus dem Fenster gesprungen, hätte sich aber mit dem Fuß verfangen und sei kopfüber hinausgefallen, so dass er mit dem Kopf aufprallte und sofort tot war.
Während der Polizist sprach, stand Paddy zwei Meter entfernt und verfolgte die Blutstropfen, die durch den schmelzenden weißen Schnee auf den schwarzen Gehweg hinuntersanken und den Weg des Toten bis zur Reifenspur des Krankenwagens auf der Straße markierten.
»Komm.« McVie schnippte mit dem Finger, und Paddy folgte ihm zu dem kleinen Weg zwischen den beiden Mietshäusern.
Auf dem dunklen schmalen Weg war kaum Schnee liegengeblieben. Aus den Küchenfenstern darüber fiel etwas Licht. McVie blieb vor ihr stehen und hielt unwillkürlich angeekelt die Luft an. Als Paddy an seinen Beinen vorbeispähte, sah sie den matschigen Klumpen einer Masse, die rund um den Punkt des Aufpralls verteilt war. Ein Büschel langer brauner Haare hatte das Blut aufgesogen. Er musste sehr trockenes Haar gehabt haben, dachte sie. Sie starrte ungerührt darauf und war von ihrer Kaltblütigkeit selbst überrascht. Sie fühlte nichts, nur eine fiebrige Erregung darüber, hier zu sein, als Zeugin von Vorfällen, die ohne ihr Zutun passiert waren.

McVie schaute zu einem offenen Küchenfenster hinauf und verfolgte die Flugbahn des Jungen vom Fenster im dritten Stock nach unten. Das Fenster stand noch weit offen, und drinnen hatten sich eine Menge Leute versammelt. Ein Polizist in Uniform blickte argwöhnisch zu ihnen herunter, winkte aber erfreut, als er McVie erkannte. McVie kritzelte gerade etwas auf seinen Block, also winkte Paddy an seiner Stelle zurück.

Hier stand sie also plötzlich in einer kalten, dunklen Gasse vor dem Blut eines Fremden. Ihre Füße wurden klamm, und sie hatte Hunger. Sie sah auf das Blut von einem Toten ihres Alters hinunter. Genau das wollte sie für den Rest ihres Lebens tun. Genau das.

McVie schlug sein Notizbuch zu und machte eine Geste Richtung Auto. »Also gut. Das war's für heute Nacht. Wir setzen dich zu Hause ab.«

»Ich geh nicht nach Haus. Die Schicht ist noch nicht zu Ende.«

»Hör zu, der Schnee wird noch heftiger werden und dann stecken wir fest.« Er schubste sie aus der Gasse hinaus, aber sie wusste, dass er es gut meinte. »Bei so einem Wetter bleiben doch sowieso alle zu Haus. Da verprügeln sie sich nicht mal. Bei allen weiteren Funkrufen wird es nur noch um liegengebliebene Autos gehen. Wir fahren jetzt ins Büro zurück und holen uns den Rest der Storys von heute Nacht übers Telefon.«

Paddy war nicht sicher, ob sie ihm glauben sollte. Sie klopfte an Billys Fenster, und als er es herunterkurbelte, fragte sie, ob sie zum Büro zurückfahren würden. Billy sah zum Himmel hoch. »Ja«, sagte er. »Wir bleiben sonst irgendwo liegen.«

Der Schnee dämpfte die Geräusche der nächtlichen Stadt. Die wenigen Fußgänger, an denen sie auf der Straße vorbeikamen, strebten weg aus diesem Wetter und traten so vorsichtig auf, als gingen sie auf Zehenspitzen durch Öl.

Billy konzentrierte sich voll auf die Straße, während McVie und Paddy sich die Funkmeldungen anhörten, die in immer größeren Abständen kamen. Die Stadt legte sich schlafen. Sie fuhren durch die Gorbals und die grellen Lichter des Wohnprojekts Hutchie E, vorbei an Glasgow Green und der Hunderennbahn des Shawfield Stadions und weiter durch Rutherglen. Als sie endlich in Eastfield ankamen, lag der Schnee schon mindestens zwei Zentimeter hoch.

Eastfield Star wirkte im Schnee wunderbar sauber. Die Dächer der kleinen Häuser passten zusammen, und die vernachlässigten Gärten sahen ordentlich aus. Unter der Schneedecke erschien der Stadtteil klar und einheitlich. Selbst die kaputten Autos und löcherigen Zäune wirkten sauber und hübsch. Licht strahlte hell und warm aus jedem Haus. Schwärme schlauer Tauben hatten sich auf den schneefreien Dächern von Häusern versammelt, die keine Isolierung hatten. Paddy war stolz, aus einer so gediegenen Arbeitergegend zu kommen. Sie wünschte, McVie hätte Freunde unter den Kollegen bei der Zeitung, denen er das erzählen konnte. Vielleicht würde es sich herumsprechen, und man würde ihr dafür Respekt entgegenbringen. Vielleicht würde Billy mit jemandem darüber reden.

Sie stieg aus, beugte sich aber noch einmal hinein und bot Billy und McVie an, zu ihr nach Hause zu kommen, falls

sie steckenbleiben sollten. Sie könnten dort übernachten und sollten sich ruhig melden.
»Ach, lass mich in Ruhe«, sagte McVie und zog die Tür zu. »Wir kommen nicht in dein schäbiges kleines Haus.«
Sie sah dem davonfahrenden Auto nach, bis es von einem weißen Vorhang verschluckt wurde. Erst als sie sich umdrehte und ihr Gesicht unter der Kapuze versteckt hatte, lächelte sie. Sie war Journalistin. Sie musste zweimal um den Block laufen, um ihre Aufregung zu dämpfen, bevor sie nach Hause ging.

9
Auf dem Leuchttisch

1

Paddy lächelte vor sich hin, legte den Kopf ans Fenster des Frühzugs und sah zu den vorbeiziehenden dunklen Mietshäusern hinauf, wo noch alles schlief und die Familien die letzte köstliche halbe Stunde vor dem Weckerrasseln auskosteten. Sie war euphorisch von ihrer Nacht im Reporterwagen. Sie wusste, diese Arbeit konnte sie machen.

Hinter der vereisten Fensterscheibe, die ihr Atem freigemacht hatte, hatte die Schneedecke die Konturen der Landschaft verwischt. Der Schnee lag zentimeterdick auf den Stromleitungen und hatte die Umrisse der kahlen Bäume, der eckigen Gebäude und der Kohlenwagen auf den Abstellgleisen abgerundet. Plötzlich ging die Sonne auf und verlieh dem Himmel ein glänzendes, kristallklares Blau. Paddy sah auch ihre Zukunft schon in solchem Glanz vor sich.

2

Unerklärlicherweise kam ein großer Teil der *Daily-News*-Belegschaft wegen der zwei Zentimeter schon schmelzenden Schnees zu spät. Einige Türen waren noch verschlossen, der Parkplatz stand leer, und selbst das Rattern der Druckmaschinen klang gedämpft.

Durch die offenen Türen der Druckerei sah Paddy, dass nur zwei der drei Druckpressen in Betrieb waren. Die Seitentür war noch verschlossen und mit einer Kette gesichert, und sie musste durch den Haupteingang gehen. Drinnen saß nur eine der zwei Alisons in ihrem Mantel mit Pelzkragen am Empfangstisch.

»Sind Sie gut reingekommen?«, fragte Paddy.

Alison zuckte die Schultern und hatte offenbar keine Lust, sich zu unterhalten. »Schon«, sagte sie und kratzte sich mit ihrem sorgsam gepflegten Fingernagel am Ohr.

Auf dem Weg nach oben nahm Paddy eine Ausgabe der Zeitung mit und war begeistert, in einem eigenen Kasten auf Seite fünf die Geschichte von Eddie und Patsy und dem Selbstmord zu lesen.

McVie hatte es geschafft, das zu einer rührenden Story über verschmähte Liebe und einen sinnvollen Tod zu verarbeiten.

Die Nachrichtenredaktion war fast leer. Es waren so wenige Mitarbeiter da, dass sogar Dr. Pete für die Nachrichten herangezogen worden war. Er saß stumm da, hatte die Jacke abgenommen und starrte seine Schreibmaschine an, als hätte sie ihn beleidigt. Bevor Paddy ihren Mantel aufhängen konnte, winkte er sie schon zu sich heran. Während sie auf ihn zuging, tippte er drei einzelne Buch-

staben, lehnte sich zurück und musterte die Maschine misstrauisch.
»Gehen Sie und fragen Sie mal bei einem Redaktionsassistenten nach, ob ich das wirklich tun muss.«
Paddy ließ den Blick schweifen, sah aber nur einen Assistenten, der gerade telefonierte. Das Licht im Fotoraum war an. Manchmal versteckten sich Redaktionsassistenten und Journalisten da drin, um privat zu telefonieren oder in Ruhe eine zu rauchen.
Niemand antwortete, als sie anklopfte. Der Lichtschimmer, der unter der Tür zu sehen war, schien ungewöhnlich hell. Sie machte die Tür auf, und sehr grelles weißes Licht drang heraus. Der Leuchttisch hinten im Raum, der einen Quadratmeter flimmernder Helligkeit zum Sichten von Negativen bot, war noch angeschaltet. Daneben saß Kevin Hatcher, der stets betrunkene Bildredakteur. Er hockte in einem merkwürdigen Winkel zum Tisch auf einem Schreibtischstuhl, den Kopf zur Seite gedreht und die Hände locker im Schoß. Er sah aus wie eine posierende Leiche.
»Kevin? Kevin? Ist alles in Ordnung?«
Er blinzelte mit den roten Augen, um anzuzeigen, es gehe ihm gut, und blinzelte dann noch einmal. Das grelle Licht schien seine Augen auszutrocknen. Sie ging zu dem hellen Tisch hinüber und fand zwei großformatige Bilder auf der heißen Oberfläche, deren Fotopapier sich von der Hitze wölbte. Um sich nicht zu verbrennen, hob sie die Bilder mit den Fingerspitzen hoch und schaltete den Leuchttisch ab.
Es dauerte einen Moment, bis ihre Augen sich wieder umgestellt hatten. Sie blinzelte und sah auf das obere Bild

hinunter, das sie jetzt scharf sehen konnte. Die Qualität war nicht gut genug, um es abzudrucken. Es war durch das kleine Fenster eines Polizeiwagens aufgenommen. Auf einem Drittel des Bildes war eine Hand im Blitzlicht zu sehen, die an die Außenwand schlug. Drinnen saß ein Polizist auf der Kante einer Bank neben einem kleinen blonden Jungen, dessen Hände sich mit weißen Knöcheln krampfhaft an den Sitz klammerten und der den Kopf abwehrend gesenkt hielt, so dass der Haarwirbel oben zu sehen war.

Das zweite Bild war durch das Fenster darunter aufgenommen. Auf der anderen Seite des Polizisten saß ein dunkelhaariger Junge mit fest geschlossenen Augen und offenstehendem Mund im angstvoll verzerrten Gesicht. Das glutheiße Bild fiel ihr aus der Hand und schwebte zu Boden.

Paddy kannte diesen Jungen. Es war Callum Ogilvy, ein Cousin von Sean.

Sie beugte sich vor, um das Bild auf dem Boden zu betrachten. Sie hatte Callum nicht mehr gesehen, seit sein Vater gestorben war und Sean sie vor anderthalb Jahren zum Begräbnis mitgenommen hatte, aber die Gesichtsform war gleich und seine langen Zähne hatten immer noch den grauen, fast grünlichen Ton.

Der Junge war mit Sean über ihre Väter verwandt, die beide schon tot und Cousins oder Brüder gewesen waren, sie konnte sich nicht mehr genau erinnern. Callums Familie wohnte in Barnhill am anderen Ende der Stadt, und seine Mutter litt an einer nicht klar diagnostizierten psychischen Krankheit, über die niemand gern sprach. Paddy hatte sie nur bei der Beerdigung getroffen, und sie hatte wie eine verblasste Hippiefrau mit krausen, schon ziemlich grauen Haaren und ledriger Haut ausgesehen. Die Kinder der Ogilvys wirkten sehr bedrückt, daran konnte sich Paddy erinnern, aber da ihr Vater gerade gestorben war, schien das nicht besonders verwunderlich. Sie erinnerte sich, dass Callum sich verzweifelt bemühte, die Aufmerksamkeit seines älteren Cousins auf sich zu ziehen, er hatte versucht, Seans Lieblingsfußballer zu erraten und ihm damit zu imponieren, dass er unerschrocken von einer Mauer sprang. Sean hatte die Jungen höflich geduldet, aber nicht gemocht und die Familie auch nie wieder besucht.

»Kevin?« Sie nahm beide Bilder und hielt sie ihm hin. »Kevin, was sind das für Bilder?«

Kevin warf einen Blick darauf. »Bibi Bra.«

»Baby Brian?«

Er nickte und schloss erschöpft die Augen.

Paddy ließ die Bilder auf den Boden fallen und verließ den Raum.

3

Ohne die Rufe der Journalisten und auch das Stechen in ihrer Lunge und den Schmerz in ihren Knien zu beachten, durchquerte Paddy das Büro, stieß die Doppeltür auf und lief, zwei Stufen auf einmal nehmend, die Treppe zur Kantine hoch. Sie war überrascht, dass sie kaum noch Luft bekam, als sie die Tür aufmachte.

Terry Hewitt saß allein an einem Tisch und wollte gerade in ein belegtes Brot beißen. Der scharfe Geruch von Eiern hing im Raum. Durch das Fenster hinter ihm sah sie den Schnee langsam aus schwarzen Wolken fallen. Sie hatte ihn noch nie direkt angesprochen.

»Haben Sie Heather Allen gesehen?«

Terry ließ sein belegtes Brot sinken, sah überrascht auf und schüttelte den Kopf, während er mit selbstgefälligem Lächeln zum Sprechen ansetzte. Paddy wartete nicht ab, stürmte zurück durch die Tür und war weg.

Die Damentoilette auf der Redaktionsetage war Heathers Privatbüro. Es war eine besonders schöne Toilette, und weil kaum eine Frau es je schaffte, Redakteurin zu werden, wurde sie so wenig benutzt, dass man sie nur alle zwei Wochen zu putzen brauchte. Paddy machte die Tür auf, und der Geruch von Rauch und Anaïs-Anaïs-Parfüm kam ihr entgegen.

»Heather?«, flüsterte sie, falls man sie in den Redaktionsbüros hören konnte.

Heathers leise Stimme kam aus einer der Kabinen am anderen Ende. »Paddy?«

»Heather, ich bin's, Paddy.«

Nach etwas Kleiderrascheln und der Toilettenspülung machte Heather die Tür auf und schaute heraus. »Was ist denn los?«

Paddy atmete tief ein und hielt die Luft an, setzte sich auf einen Abfallkorb und machte ein paar tiefe Atemzüge, um sich zu beruhigen.

»Was ist los?«

Paddy schüttelte den Kopf und war sich klar, dass sie die Aufregung auch ein bisschen genoss.

Heather legte ihr die Hand auf den Arm. »Komm, wir rauchen eine, das wird dich beruhigen.«

Sie nahm sich eine, gab Paddy eine und beugte sich vor, um die Zigarette mit Streichhölzern von Maestro's, einem beängstigend schicken Nachtclub, den Paddy noch nie besucht hatte, anzuzünden. Zum ersten Mal im Leben inhalierte Paddy Rauch.

»Mein Gott.« Sie machte eine Grimasse und fuhr mit der Zunge an der Innenseite ihrer Wange entlang. »Mein Gott, das ist ... mir wird schlecht.« Sie streckte die Hand zum Waschbecken aus.

»Nein!« Heather nahm ihr die Zigarette aus der Hand, zwickte das glühende Ende ab, ließ es ins Waschbecken fallen und den losen Tabak herausrieseln, dann drehte sie den leeren Teil der Hülle unten zusammen und steckte die abgebrochene Zigarette in die Packung zurück. »Ist es eine lange Geschichte?«

Paddy nickte.

»Wart mal einen Moment ...« Heather hielt ihre Zigarette über den Kopf, ging in eine Kabine und zog einen blauen Eimer für Damenbinden heran, wobei sich der Geruch von Ammoniak und Blümchenduft verbreitete. Sie setzte sich auf den weichen Plastikeimer, dessen Seiten sich nach außen wölbten. »Gut, ich bin so weit.«

Paddy lächelte ihr zu und setzte sich auf den übelriechenden Abfallbehälter, damit sie auf Augenhöhe mit Heather sprechen konnte. »Du musst versprechen, dass du niemandem davon erzählst.«

Heather beteuerte es mit Hand aufs Herz und runzelte die Stirn. »Du klingst sehr ernst.«

»Ich war in Kevin Hatchers Büro oben und habe Fotos von den Baby-Brian-Boys gesehen. Ich kenne einen von ihnen.«

Heather blieb fast die Luft weg. »Du hast ja 'n unverschämtes Glück!«
»Es ist Seans kleiner Cousin.«
Heather rutschte zurück. »Du hast ja 'n Riesenglück, du Luder.« Sie packte Paddy am Ärmel. »Mensch, du könntest 'n Artikel über die Familie schreiben, über das Milieu und die Vorgeschichte. Mein Gott ... ich wette, du könntest es sogar an 'ne Presseagentur verkaufen.«
»Nein, das kann ich nicht.« Paddy schüttelte den Kopf. »Sean würde kein Wort mehr mit mir reden, und meine Familie würde mich verstoßen. Sie halten nichts davon, mit Fremden über Familienangelegenheiten zu sprechen.«
»Aber Paddy, wenn du eine Story verkaufen kannst, wirst du überall im Land veröffentlicht. Es könnte deine Eintrittskarte werden. Du könntest damit tolle Kontakte zu anderen Zeitungen herstellen.«
»Ich kann die Geschichte nicht verwenden.«
Heather legte den Kopf zur Seite, kniff die Augen zusammen und tat so, als tue sie es wegen des Rauchs, aber Paddy war klar, dass Heather neidisch war, und sie genoss diese neue Situation.
»Ich kann nicht, Heather. Wenn Sean das hört, wird es ihn völlig fertigmachen. Sie haben die Kinder mit dieser verrückten Mutter allein gelassen. Sie werden ein furchtbar schlechtes Gewissen haben. Dir würde es genauso gehen, oder? Jedem würde es so gehen. Und er hat fünf Brüder und Schwestern, sechs Kinder. Eins davon wilder als das andere. Ich hab sie beim Begräbnis des Vaters gesehen. Er ist in den St.-Rollox-Werken in Springburn in eine Maschine gefallen, betrunken. Er war ganz zerquetscht.«

»Du solltest die Story schreiben, Paddy. Es ist unprofessionell, es nicht zu tun.«

»Nein, ich kann nicht.«

Heather schien leicht verärgert, aber Paddy wusste, dass sie es nicht tun konnte. Die Ogilvys waren eine gute Familie, sie hatten Ehrenämter, kümmerten sich um ihre Nachbarn und nahmen es sehr genau mit dem Gottesdienst. Sie wünschte, sie hätte das Bild nie gesehen und wäre nicht diejenige, die es Sean erzählen musste. Plötzlich wurde ihr mulmig, als sie an die Massen von Biskuitrollen mit Eiscreme dachte, die sie bei Granny Annies Begräbnis gegessen hatte.

»Sean hat vor kurzem darüber gesprochen, wie wir die Verlobung feiern wollen.«

Heather atmete langsam aus und rutschte auf dem Eimer zur Seite. Eine Ecke des weichen Plastikmaterials gab unter ihr nach, und Paddy wurde klar, dass sie mit der Erwähnung der Verlobung unabsichtlich einen Trumpf zu viel ausgespielt hatte. Heather vermied es, ihr in die Augen zu sehen, zog an ihrer Zigarette und legte den Kopf nach hinten. Ihr blondes Haar fiel aus dem Gesicht.

»Ich hab ganz schlimm gegen meine Diät verstoßen. Deshalb hab ich an die Verlobung gedacht. Ich schaff es einfach nicht, mich dranzuhalten.« Sie grinste über sich selbst. »Und ich glaube, ich nehme sogar noch zu.«

Heather widmete sich wieder ihrer Zigarette.

»Die Eierdät«, sagte Paddy. »Kennst du sie? Ich hab schon ’ne ganze Woche keinen Stuhlgang mehr gehabt.«

Heather sah schwach lächelnd zu Boden, und Paddy bemühte sich weiter, indem sie ihr von Terry Hewitt erzählte, der in der Press Bar gefragt hatte, wer die Dicke sei.

»Terry Hewitt is ’n blöder Hund«, sagte Heather boshaft. »Ein doofer Kerl. Er hält sich für was ganz Tolles. Hast du ihn vorhin im Büro gesehen, als er Farquarsons Mantel anprobierte, während der hier unten war?«

»Nein.«

»Er hat sich auf einen Stuhl gestellt, damit ihn alle sehen konnten. Es war kläglich.«

Ein Tröpfchen von Heathers Speichel traf Paddy auf der Oberlippe, aber sie widerstand dem Drang, es wegzuwischen.

»Gib mir die halbe Zigarette«, sagte sie. »Ich probier’s noch mal.«

Paddy versuchte, sie zu rauchen, zog alberne Grimassen und spielte den Clown für Heather, um die Dinge zwischen ihnen wieder ins Lot zu bringen. Heather lächelte höflich und ließ sie herumalbern. Schließlich stand sie auf.

»Du solltest darüber schreiben.«

»Ich kann nicht«, sagte Paddy und schämte sich wegen ihrer Weichherzigkeit.

»Na gut.«

Heather stand auf und hielt das Ende ihrer Zigarette unter den Wasserhahn. Dann warf sie die stinkende Kippe in den Eimer, überprüfte ihre Frisur und die geschminkten Lippen im Spiegel und sagte »bis später«, als hoffe sie, Paddy nie wiederzusehen.

Paddy schaute zu, wie die Tür hinter ihr zufiel. Jetzt hatte sie niemanden mehr.

10
Eastfield Star

1

Die Schneeflocken waren genauso schwer wie am Vortag, aber sie schmolzen, bevor sie auf dem nassen Boden ankamen. Paddy band sich den Schal fester um den Kopf, zog die Kapuze hoch und stapfte den steilen Hügel zum Wohnviertel Eastfield Star hinauf.

Die Familie Meehan wohnte in einer kleinen Siedlung des sozialen Wohnungsbaus am südöstlichen Rand des ausgedehnten Stadtgebiets von Glasgow. Die Siedlung war für eine Gruppe von etwa vierzig Grubenarbeitern gebaut worden, die in dem mittlerweile stillgelegten Kohlengebiet von Cambuslang gearbeitet hatten. Von einem kreisförmigen Häuserkomplex in der Mitte gingen fünf Zeilen von je sechs Häusern aus. Manche hatten vier Wohnungen, andere wiederum waren freistehende Einzelhäuser, die mit fünf Zimmern genug Platz für Großfamilien boten. Die Häuser waren im Cottagestil erbaut und hatten tief heruntergezogene Vordergiebel, steile Dächer und kleine Fenster.

Die Meehans wohnten in Quarry Place, in der ersten Zeile links. Das zweistöckige Haus war niedrig und so nah an den Erdboden geduckt, dass jeder Raum leicht feucht war. Paddys Mutter Trisha musste die Fußleiste des Flurschranks alle drei Monate mit Bleichmittel behandeln, um den Schimmel wegzukriegen. Graue, augenlose Silberfische hatten sich unter der Matte im Badezimmer angesiedelt, und man musste ihnen nach dem Lichtanschalten fünf Sekunden Zeit geben, damit sie in ihre dunklen Verstecke davonflitzen konnten. Es war kein großes Haus. Paddy teilte sich ein Zimmer mit Mary Ann, die Jungen hatten seit der Heirat ihrer Schwester Caroline jeder ein eigenes Zimmer und die Eltern ihr Schlafzimmer.

Zu jedem der Häuser in Eastfield gehörte ein ordentliches Stück Land, ein paar Quadratmeter Vorgarten und ein dreißig Meter langer Streifen hinter dem Haus. Mr. Anderson vom Häuserblock in der Sternmitte baute Zwiebeln, Kartoffeln, Rhabarber und andere, nicht süße Sachen an, die nicht von Kindern gestohlen und gegessen wurden, aber die anderen Gärten bestanden nur aus Gebüsch und kümmerlichem braunem Gras im Winter und dichterem grünem Rasen in den Sommermonaten. Die Holzzäune hingen schief, und zwischen den Wegplatten spross das Unkraut.

Nur zwei oder drei Meilen von der Stadtmitte Glasgows entfernt war man hier in der Nähe freier Felder und Farmen, aber die Familien, die im Viertel lebten, waren Stadtmenschen, Arbeiter in der Schwerindustrie, die nicht wussten, wie man einen Garten anlegt. Die meisten fanden die beharrlichen Übergriffe der Natur verwirrend und etwas furchteinflößend. Irgendwie hatte sich bei den

Meehans am Ende des Gartens ein Baum breitgemacht. Er war schon dagewesen, bevor sie einzogen, und sie hatten ihn für einen Busch gehalten, bis er richtig loslegte. Niemand wusste, was für ein Baum es war, aber er wurde jedes Jahr höher und ausladender.

Geduckt ging Paddy im Schnee die stille Straße entlang zum Haus ihrer Familie, vorbei an der Garage, machte das Gartentor auf und stolperte über den Backstein, unter dem die Beatties von nebenan ihren Garagenschlüssel liegen hatten. Die freistehende Garage stand auf Meehans Seite des Zauns, aber irgendwann im Lauf der Jahre hatten die Beatties sie sich unter den Nagel gerissen und benutzten sie nun zur Unterbringung von ausrangierten Möbeln, Kisten voller Spielzeug und Erinnerungsstücken. Con Meehan hatte nie seine Zustimmung zu dieser Übernahme gegeben, aber um Streit zu vermeiden, tat er so, als hätte er es erlaubt. Cons Widerwillen gegen Auseinandersetzungen hatte sein Leben mehr beeinflusst als die Wahl seiner Frau, die Stadt oder die Zeit, in der er lebte, und mehr als seine Arbeit bei der britischen Eisenbahn. Deshalb hatte man ihn sein ganzes Leben lang bei allen Beförderungen übergangen, deshalb brachte er es in der Gewerkschaft zu nichts, obwohl er ein redegewandter Mann mit aufrechter politischer Gesinnung war, und deshalb hatte er auch niemals, nicht einmal im Stillen, die Lehren der Kirche in Frage gestellt.

Paddy nahm ihre Schlüssel heraus und schloss die Tür auf, aus der ihr der vertraute Geruch von nassen Mänteln und warmem Hackfleisch entgegenkam.

Sie tauchte den Finger in das Weihwasserkesselchen an der Tür und bekreuzigte sich, bevor sie sich auf die un-

terste Treppenstufe setzte, ihre Stiefel aufschnürte und die dicke Strumpfhose auszog. Sie hängte sie über das Treppengeländer und stolperte ins Wohnzimmer.
Con lag auf der Seite ausgestreckt auf der Couch und sah die Nachrichten. Er hatte die Hände zwischen die Knie gesteckt und wirkte noch verschlafen von seinem Nickerchen. »Hallo, hallo. Wie geht's?«
»Hi, Dad.« Paddy blieb kurz stehen und berührte mit den Fingerspitzen sein Haar. Zärtlichkeit machte ihren Vater immer verlegen, aber sie konnte sich nicht immer zurückhalten. »Alles O. K.«
»Braves Mädchen.«
Er zeigte auf Mrs. Thatcher im Fernsehen. »Die Quasselstrippe hat nichts Gutes im Sinn.«
»Sie ist 'n Scheusal.«
Paddy sah kurz auf den Fernseher, wo die Lokalnachrichten anfingen. Die erste Meldung war ein Bericht darüber, dass Baby Brians Leiche gefunden worden war. Das Bild zeigte eine Grasfläche mit einem kleinen, viereckigen weißen Zelt darauf und viele Polizisten in Uniform, die mit ernsten Gesichtern herumstanden.
Paddy machte die Tür zu der kleinen Küche auf. Ihre Mutter drehte sich um und lächelte freundlich. »Gott sei Dank, dass du gut nach Haus gekommen bist«, sagte sie etwas steif, um anzudeuten, dass Besuch da war.
Sean saß am Tisch und aß eine riesige Portion dunkles Hackfleisch mit grell orangefarbenen Rüben. Erstaunt über sich selbst, zeigte er mit dem Messer auf den Teller. »Das ist schon mein zweites Abendessen heute.«
»Er wartet schon fast eine Stunde auf dich«, sagte Trisha vorwurfsvoll. Trisha war der Meinung, dass Frauen auf

Männer warten sollten und nie umgekehrt, was teilweise der Grund war, weshalb Caroline einen so faulen Mann geheiratet hatte.
Paddy setzte sich an den Tisch, und ihre Mutter stellte ihr einen Teller weiße Blumenkohlsuppe mit schwarzen Pfefferpünktchen hin. »Wenn das so weitergeht mit dem Wetter, machen die Fabriken alle dicht und ihr werdet mir hier die nächsten zwei Tage alle im Weg herumstehen.«
Paddy murmelte mitfühlend, aber sie wusste, dass es der Traum ihrer Mutter war, fünf Kinder zu haben, die zu Hause bleiben mussten und einen unersättlichen Appetit hatten. »Ich geh trotzdem zur Arbeit.«
Sean nahm sich ein Butterbrot vom Teller in der Mitte des Tisches, streckte seine langen Beine aus und umklammerte mit ihnen Paddys Fußgelenke. Beim Anblick des roten Netzes mit Grapefruits auf der Fensterbank beschlich sie ein Schuldgefühl. Aber dann beschloss sie, dieses eine Mal einfach ihr Essen zu genießen. Sie konnte ja morgen wieder anfangen.
Trisha arrangierte Hackfleisch, Kartoffelpüree und Rüben auf einem Teller und stellte ihn neben Paddys Ellbogen, während sie ihre Suppe aß. »Nimm ein bisschen Brot.« Sie zeigte mit einer Kopfbewegung auf die halbierten Scheiben Butterbrot auf dem Tisch. »Du musst zu Kräften kommen nach dem Wetter da draußen.«
»Ich werd ja wohl kaum verhungern, oder?«, sagte Paddy und sah Sean an.
Trisha warf Sean einen Blick zu. »Ach, du wirst doch nicht wieder mit dem Blödsinn anfangen, dass du zu dick bist, oder?«

»Mum«, sagte Paddy, sprach aber eigentlich wieder zu Sean. »Ich *bin* dick. Es ist nun mal so.«
»Paddy«, sagte Trisha bestimmt, »das ist doch nur Babyspeck. In zwei Jahren ist er verschwunden und du bist so schlank wie alle anderen auch.« Sie wandte sich schnell ab, als glaube sie selbst nicht recht daran.
Sean tunkte das Brot in die Soße auf seinem Teller und schien verwirrt, als er merkte, dass Paddy ihn finster anblickte. Er hätte sich wenigstens für sie einsetzen können, dachte sie.

2

Trisha war dabei, das Geschirr zu spülen und die Küche fertigzumachen. Es gab keine Raucher in der Familie Meehan, deshalb mussten Paddy und Sean auf der Treppe zum Garten stehen, wenn Sean eine rauchen wollte.
Dick eingepackt in Schals und Wollmützen standen sie Schulter an Schulter unter dem schützenden Vordach über der Küchentür und sahen mit halbgeschlossenen Augen dem Schneesturm zu. Der Schnee fing an, liegenzubleiben. Eine dünne Schicht weißer Schneekristalle bedeckte den schwarzen Boden. Riesige Flocken stoben waagrecht oder nach oben, schwebten Paddy in Mund und Nase, blieben an ihren Wimpern hängen und rannen ihr schmelzend in die Augen. Sean zündete sich hinter vorgehaltener Jacke eine Zigarette an und hielt den Filter zwischen Daumen und Zeigefinger schützend in der gekrümmten Hand.
»Sean, ich muss dir was sagen.«

Sean starrte sie an, die Zärtlichkeit in seinem Blick wurde schnell zu kalter Angst. »Was?«

Sie überlegte, ob sie es lieber bleibenlassen sollte.

»Was?«, beharrte er.

Sie holte tief Luft. »Ich hab ein Foto von den Jungs gesehen, die Brian Wilcox umgebracht haben. Ich glaube, der eine ist Callum Ogilvy.«

Er starrte sie an und blinzelte. »Ach, geh doch zum Teufel.«

»Er war's. Ich hab's immer wieder angeguckt. Er hatte genau seine Zähne und sein Haar. Er ist es.«

»Aber die Ogilvys wohnen doch in Barnhill. Die Jungen waren aus Townhead.«

»Nein, der Kleine war aus Townhead.«

Verwirrt und besorgt suchte Sean in ihrem Gesicht nach Anzeichen dafür, dass das irgendein komischer Scherz sein sollte. Er wandte den Blick ab und nahm einen tiefen Zug aus seiner Zigarette.

»Vor der Polizeiwache, in der sie festgehalten wurden, hat sich eine wütende Menge versammelt, also wurden sie woandershin gebracht. Ich habe ein Foto gesehen, das durch das Fenster eines Polizeiautos aufgenommen wurde.«

Er wischte sich mit seiner großen Hand übers Gesicht und rieb sich kräftig die Augen, um wach zu werden. »Das kann doch kein gutes Bild gewesen sein, oder?«

»Es war gut genug.« Sie versuchte, seine Hand zu fassen, und sah, dass er alle Möglichkeiten durchging.

»Das ist doch Quatsch.« Er zog seine Hand weg. »Wir hätten doch davon gehört. Sie hätten uns angerufen, oder?«

»Ich weiß nicht, meinst du?«
Er überlegte, und seine Stimme wurde leiser. »Haben sie den kleinen Jungen umgebracht?«
Paddy fand, sie hatte genug gesagt. »Ich weiß es nicht genau. Ich weiß nur, dass sie festgenommen wurden.«
»Es könnte also auch gar nichts dran sein?«
Sie log, um es sich leichter zu machen. »Vielleicht ist nichts dran.« Sie drückte wieder seine Hand.
Zufrieden, dass er sie zum Einlenken gebracht hatte, schnippte er die Asche seiner Zigarette in den makellosen weißen Schnee. »Wer ist schuld, dass du mich gestern Abend versetzt hast?«
Sie war überrascht, wie verletzt er klang, und berührte seinen Ellbogen. »Ach nee, Sean. Ich hab dich nicht versetzt, wirklich nicht. Ich konnte nicht ins Kino gehen wegen der Arbeit. Ich hatte 'ne Chance, was Besonderes zu machen.«
»Da bist du also einfach allein in der Arbeit geblieben, was?«
»Tatsächlich bin ich im Reporterwagen mitgefahren.« Sie dachte an Mr. Taylors Wohnzimmer und an den Augenblick in der Gasse, als sie dem Polizisten im hellen Küchenfenster zugewinkt hatte.
»Na also, siehst du?«, sagte Sean plötzlich bissig. »Ich weiß nicht mal, was ein ›Reporterwagen‹ ist, weil ich nicht dort arbeite.«
»Es ist einfach ein Auto, das zu den Polizeistationen und Krankenhäusern fährt, um Neuigkeiten zu erfahren. Es hat ein Funkgerät.« Er schien nicht sehr interessiert, deshalb versuchte sie, es genauer zu erklären. »Wir sind zu einer Schlägerei zwischen zwei Gangs gefahren, wo einer

aus dem Fenster gesprungen war, und vorher zu einem Haus, wo ein Typ sich umgebracht hatte, um seine Freundin unglücklich zu machen. Kannst du dir so was vorstellen?« Er gab keine Antwort. »Es stand heute in der Zeitung, nur ganz klein, aber tatsächlich dort zu sein, das war ...« Sie wollte sagen faszinierend, und dass es aufregend und genau das war, was sie ihr ganzes Leben lang gern jede Nacht tun würde, aber sie spielte es herunter. »Interessant.«

»Das ist ja widerlich.« Er zog mürrisch an seiner Zigarette.

Er klang so böse, dass sie nicht wusste, was sie sagen sollte, also wandte sie den Blick ab und schaute auf den verschneiten Garten. Es war jetzt immer öfter so zwischen ihnen. Alles war in Ordnung, solange sie unter anderen Leuten waren, dann hielten sie Händchen, waren sich nahe und wünschten sich, allein zu sein, aber sobald sie es waren, fingen sie an sich zu zanken.

»Es war ein interessanter Abend.« Sie lehnte sich unter dem Vordach in den nachlassenden Schneesturm hinaus. »Eigentlich sollte ich nicht mitfahren, aber ich hab gefragt, und sie sagten, es sei in Ordnung.«

»Du bist ehrgeizig«, sagte Sean missbilligend.

»Nein, das bin ich nicht«, gab Paddy schnippisch zurück.

»Doch.«

»Ich bin nicht *besonders* ehrgeizig.«

Er nahm noch einen letzten Zug, bevor er seine Zigarette wegwarf. »Du bist der ehrgeizigste Mensch, den ich kenne. Du würdest mich auseinandernehmen, um es nach oben zu schaffen.«

»Ach, verpiss dich doch.«

Sein Gesicht zuckte, und er lächelte schmerzlich. »Du weißt, dass es stimmt.«

»Vielleicht bin ich ehrgeizig, aber ich bin nicht skrupellos. Das ist was anderes.«

»Aha, jetzt bist du also doch ehrgeizig?«

»Ich bin nicht skrupellos.« Paddy kickte gereizt den Schnee von der Stufe. »Ich hab nie was getan, das dir das Recht gibt, so was über mich zu sagen.«

Sie standen auf der Stufe, sahen hinaus und setzten beide innerlich den Streit fort.

»Warum kannst du dich nicht damit zufriedengeben, dich einfach durchzuschlagen, wie wir anderen auch?« Er klang so vernünftig.

»Meine Arbeit interessiert mich eben. Ist das etwa schlimm?«

Sie wusste, warum es ihn wütend machte. Sean wollte, dass sie den Rest ihres Lebens hier am gleichen Ort bei den gleichen Leuten blieben, und ihr Ehrgeiz konnte diesem Plan gefährlich werden. Manchmal fragte sie sich, ob er mit ihr, dem untersetzten Mädchen, das nicht halb so attraktiv war wie er, ausging, weil er damit rechnen konnte, dass sie dankbar sein und bleiben würde.

»Und du musst dich immer mit den anderen messen«, sagte er, als gestehe er damit zögernd eine eigene Schwäche ein.

»Das stimmt nicht.«

»Doch, das stimmt, alle wissen das. Du willst dich mit anderen messen, und ehrlich gesagt«, fügte er hinzu und seine Stimme wurde zu einem vertraulichen Murmeln, »das macht mir Angst.«

»Um Gottes willen, Sean …«
»Wenn du die Wahl hättest zwischen mir und deiner Arbeit, wie würdest du dich entscheiden?«
»Verdammt noch mal, was soll das denn, hörst du jetzt auf damit?«
Er warf seine Zigarette in den Garten, an die Stelle, wo er seine Kippen immer hinwarf. Paddy wusste, dass unter dem Schnee die Kippen der selbstgedrehten Glimmstengel vom heißen Sommer des letzten Jahres lagen, als sie beide gerade den Schulabschluss gemacht hatten und sich so nah gewesen waren. Sie hatte gerade bei der *Daily News* angefangen und wusste nicht, ob sie es schaffen würde. Darüber lag noch eine andere Schicht Asche und Kippen vom regnerischen Herbst, als Sean angefangen hatte zu arbeiten und Geld für richtige Filterzigaretten übrig hatte. Und darüber lagen die Überbleibsel der Zigaretten aus der Weihnachtszeit, als sie mit einer Decke über den Knien im Dunkeln dagesessen hatten, sich aneinandergeschmiegt hatten, und Sean ihr am ersten Weihnachtsfeiertag nach dem Essen einen Heiratsantrag gemacht hatte. Seit sie verlobt waren, hatten sie diese innige Nähe verloren, und Paddy verstand nicht, wo sie geblieben war.
Sean hielt den Blick auf den einsamen dünnen Baum am Gartenende gerichtet. »Ich mach mir Sorgen, dass du mich verlässt.«
»Ach Sean, ich verlass dich doch nicht.« Paddy suchte seine Hand mit den Schwielen und Schwellungen von der harten Arbeit und hob sie an ihren Mund. Sie drückte einen Kuss mitten auf die Handfläche so fest sie konnte. »Seanie, du bist doch mein Schatz.«

Er legte seine freie Hand an ihre Wange, und sie sahen sich traurig an.
»Doch, das bist du«, sagte sie hartnäckig, und wusste nicht genau, wen sie eigentlich überzeugen wollte. »Du bist mein lieber, lieber Sean, und ich werd dich nie verlassen.« Aber schon während sie das sagte, wünschte sie, es möge wahr sein. Ihr Hals tat weh. »Komm mit hoch, und wir schmusen 'n bisschen, hm?«
Er sah auf seine Füße hinunter. Noch einmal küsste sie seine Hand.
»Sean, ich hätte das nicht sagen sollen mit dem Jungen, ich weiß nicht genau, was ich gesehen habe. Komm nach oben.«
Sie zog aufmunternd an seinem Ärmel und öffnete dabei die Hintertür, denn sie hatte Angst, wenn sie Sean losließe, könne er für immer im Schnee verschwinden. Sie hielt ihn ganz fest, zog ihn durch die Tür und führte ihn hinein in die Wärme.

3

Die Zimmertür war teilweise von einem großen Kleiderschrank blockiert, so dass man nur seitwärts in den Raum schlüpfen konnte. Darin waren zwei Einzelbetten mit einem schmalen Gang in der Mitte. Am Fußende der Betten stand je eine Kommode, auf der die Mädchen ihre Schätze zur Schau stellten. Paddy hatte ein Glas mit klarem grünem Country Born Haargel. Daneben stand all das Zeug, das Sean ihr geschenkt hatte: Eine Flasche Yardley-Parfüm, eine lächerliche Rüschenborte, die man um den Hals tragen und seinen Kleidern damit eine romantische Note verleihen konnte, zwei kleine miteinander kämpfende Teddybären mit Capes aus Staubtüchern und Gürteln aus silbernem Elektrodraht, die Sean eines Morgens bei der Arbeit gebastelt hatte, als es nichts zu tun gab. Mary Ann hatte auf ihrer Kommode ihre Lidschatten in kleinen Gruppen von Blau-, Grün- und Rosatönen aufgestellt. Ein einzelnes Döschen mit schwarzem Lidschatten, ein Geburtstagsgeschenk von Paddy, stand ganz vorn neben dem klebrigen blauen Eyeliner, den sie immer benutzte.

Paddy hatte ein Poster der Undertones über ihrem Bett hängen. Es war das erste Bild, auf dem sie je einen Bezug zu ihrem eigenen Leben entdeckt hatte. Viele billig gekleidete, schlecht ernährte Leute drängten sich in einem kleinen Wohnzimmer, an dessen Wand ein Herz-Jesu-Bild hing.

Mary Ann schwärmte mehr für Bilder mit blauäugigen Jünglingen: Terry Hall und Patrick Duffy sahen mit traurigem Blick auf ihre Seite des Zimmers hinab.

Bei sieben Erwachsenen im Haus gab es im Haushalt der Meehans kaum eine Intimsphäre. Noch schlimmer war es, dass Paddys und Mary Anns Zimmer das erste war, wenn man die Treppe hochkam, so dass jeder, der vorbeikam, hören konnte, was sich abspielte. Immer wenn Paddy und Sean mal so richtig schmusten, kam jemand und störte sie, aber heute Abend waren alle ausgegangen, und Trisha und Con sahen unten ein Programm über die Marienerscheinungen von Medjugorje, von dem es keine Wiederholung geben würde. Ungestörter als heute waren sie also praktisch noch nie gewesen.

»I'm the Man« fiel gerade auf den Plattenteller, als Paddy sich neben Sean aufs Bett setzte. Sie wollte ihn nicht verlieren und hatte vor, ihn mit einer großen, schönen, kühnen Geste näher an sich zu binden, so dass er sich nicht mehr aus ihrem Leben davonstehlen konnte, wenn sie mit anderen Dingen beschäftigt war.

Sie saßen auf ihrem Bett und küssten sich zärtlich. Paddy legte die Hand auf seine Brust und drückte ihn sanft aufs Bett hinunter.

»Nein, Paddy«, murmelte er. »Deine Eltern könnten reinkommen.«

Sie lächelte, während sie ihn küsste, bedrängte ihn wieder, und brachte ihn aus dem Gleichgewicht, so dass er nach hinten kippte.

»Nein«, sagte er heftig, schlug ihre Hand weg und schnellte hoch.

Er fing wieder an, sie zu küssen; er erwartete nicht, dass es ihr etwas ausmachen würde, so plump zurechtgewiesen zu werden. Aber es machte ihr etwas aus. Sie verbarg ihren Ärger und ließ ihre Hand auf seinem Schenkel ruhen, bis er sich entspannte, küsste ihn innig, rieb ihre Nase an seiner Wange und tastete sich langsam an seinem Schenkel höher hinauf. Er zuckte etwas, und sie führte ihre Hand zum Knie zurück und ließ sie dort liegen, bis er ruhig war, und rückte dann wieder hinauf, bis ihre Hand den Saum seines Schritts erreichte.

»Hör auf«, sagte er, ließ sie aber weitermachen. »Hör auf.«

Er war ganz hart, sie spürte es durch seine Hose, und es gefiel ihr, dass sie das mit ihm machen konnte. Sean stöhnte, riss ihre Hand weg und rückte mit steifen Beinen

von ihr ab. Er keuchte. Sie griff nach seinem Arm, aber er stieß ihre Hand weg. »Nein.«
Er hatte sich vorgebeugt, und sie wusste nicht genau, warum. Sie war mit der Anatomie der männlichen Sexualorgane nicht vertraut. In einem Lehrbuch für Biologie hatte sie eine Querschnittszeichnung gesehen. Die Lehrerin hatte sich aus religiösen Gründen geweigert, dieses Kapitel des Buches zu behandeln, weil es Informationen über Empfängnisverhütung enthielt. Sie sagte ihnen, auf welcher Seite des Lehrbuchs der Text stand, als ob das nötig gewesen wäre, und gab ihnen eine Stunde Zeit, um ihn selbst schweigend durchzulesen. Paddy wusste, dass bei Männern alles anders angeordnet war, wenn sie nicht nackt, in der Mitte durchgeschnitten und in perfekter Seitenansicht abgebildet waren.
»Du solltest das nicht tun«, flüsterte er.
»Warum nicht?«
»Ich kann mich dann vielleicht nicht zurückhalten.«
»Musst du dich denn zurückhalten?« Er antwortete nicht.
»Vielleicht kann ich mich auch nicht zurückhalten.«
Er grinste und beugte sich wieder vor. »Wir haben ausgemacht, dass wir warten. Was ist, wenn deine Mutter reinkommt?«
Paddy streckte die Hand nach ihm aus und ließ sie über seinen Oberschenkel gleiten. »Ich will nicht warten«, platzte sie heraus.
Sean sah sie an, lachte gepresst und beugte sich wieder über seinen Schoß.
»Ich will nicht warten, Sean.«
Er war schockiert und richtete sich auf, blieb aber am anderen Bettende und sah sie an. »Ich aber. Ich will, dass

es etwas Besonderes ist, wenn wir heiraten. Ich will sicher sein, dass es für uns beide das erste Mal ist.«
Da ergriff Scham Besitz von ihr, so bösartig und schwer loszukriegen wie Napalm. Sie sollte von sich aus warten wollen. Sie sollte nicht den Wunsch haben, ihn anzufassen, sollte gar nichts von alldem wollen, weil sie ein Mädchen war. Ihre Jungfräulichkeit gehörte nicht ihr als eine Gabe, die sie ihm schenken konnte, sondern er durfte sie sich nehmen.
Sean spürte ihren Unmut, fasste sie am Unterarm und zog sie über das Bett zu sich hinüber. Er hielt sie an den Schultern, damit sie sich nicht bewegen konnte, und presste ihre Arme seitlich fest. »Du bedeutest mir so viel, Paddy. Du bist mein Ein und Alles. Weißt du das?«
»Ich weiß.«
»Und du bist 'ne kleine Sexbombe«, sagte er und versuchte so, ihren Ausrutscher liebevoll zu übergehen. »Was bist du?«
»Ich bin 'ne Sexbombe«, sagte sie kläglich.
Er hörte die Wut in ihrer Stimme, sah ihren angespannten Gesichtsausdruck und wusste, dass es nicht in Ordnung war. Er legte die Hand um ihren Nacken und presste ihr Gesicht an seine Brust, damit er sie nicht mehr ansehen musste.
»Nein«, sagte er bestimmt. »Du bist eine *kleine* Sexbombe.«

11
Damenringkampf

1

Vor blankem Entsetzen war sie von oben bis unten schweißgebadet. Nie im Leben würden sie ihr das verzeihen. Sean, ihr Dad, alle würden glauben, dass Paddy die Geschichte verkauft hatte. Sie würden niemals glauben, dass sie es nicht gewesen war.

Paddy starrte aus dem Zugfenster in den dunklen Morgen, mit der zerknitterten *Daily News* auf dem Schoß. Sie schaute wieder auf die Zeitung hinunter. ZWEI FESTNAHMEN IM FALL BABY BRIAN. Die Schlagzeile war riesig, der alte Layout-Trick, um zu verbergen, dass der Text dürftig war, aber vor allem machte ihr der Kasten am Ende des Artikels zu schaffen.

Es war ein Bericht in der Ichform über das Leben des Kindes in der Familie A, und es ging um die Scham und den Schock, den seine irisch-katholischen Verwandten empfanden, die sich nicht um den Jungen gekümmert hatten. Der Artikel war effektvoll geschrieben, kurze markige Sätze in umgangssprachlichem Stil. Ein Leser, der nichts davon verstand, konnte die fehlerhafte Grammatik vielleicht als Zeichen unbeholfener Angeberei ansehen, aber Paddy erkannte darin die typischen Schnitzer, die in Heathers Unterhaltungen öfter vorkamen und die die Redaktionsassistenten hatten stehenlassen, damit es sich nach der authentischen Stimme eines unerfahrenen Katholiken anhörte, der mit diesen abscheulichen Monstern verwandt war.

Sie las den Rest der Zeitung durch, damit ihre Augen etwas zu tun hatten. Caspar Weinberger, Reagans neuer Verteidigungsminister, kündigte an, er werde, wenn nötig, in Westeuropa eine Neutronenbombe abwerfen lassen, um Amerikas Sicherheit zu garantieren. Paddy blickte aus dem Fenster in die weiße Welt hinaus und fragte sich, ob Caspar ihr nicht den Gefallen tun könnte, auf den Knopf zu drücken, bevor es Zeit wäre, um nach Hause zu gehen.

2

Dub konnte es kaum glauben, als Paddy anbot, sie werde die neue Ausgabe in allen Abteilungen verteilen. Niemand meldete sich jemals zu irgendetwas freiwillig, und die Zeitungen auszuteilen war eine langweilige, schmutzige Angelegenheit, bei der man schwarze Hände bekam und sich die Kleider ruinierte. Aber Paddy konnte nicht länger stillsitzen. Sie trug zweimal so viele Zeitungen wie sonst, und ihr Puls kam auf Hochtouren, als sie, um müde zu werden, treppauf treppab rannte.

Sie war müde, aber auch sehr angespannt und nervös, als sie in die Nachrichtenredaktion zurückkam und Heather

in einem schicken roten Rock und weißer Bluse auf einer Tischkante sitzen sah.
Paddy blieb erstaunt über ihre Unverschämtheit auf der Schwelle stehen. Sie hatte erwartet, dass Heather zumindest heute dem Büro fernbleiben würde. Paddy sah, wie sie mit irgendwelchen neuen Angestellten schäkerte, kokett ein Gummiband zwischen zwei Fingern dehnte, und sie begriff, dass Heather ins Büro gekommen war, um aus ihrem Coup Kapital zu schlagen. Es war ihr scheißegal, was Paddy davon hielt.
Heather bemerkte eine kleine, untersetzte Gestalt an der Tür, die von den Ein- und Ausgehenden angerempelt wurde, blickte auf und wurde rot, als sie sah, wer es war. Sie hob grüßend die Hand, bis sie Paddys Gesicht sah. Sie versuchte zu lächeln, zeigte ihre wunderschönen Zähne, aber Paddy reagierte nicht. Heather murmelte eine Entschuldigung, glitt vom Tisch und ging auf die hintere Treppe zu.
Paddy schrie mit schriller Stimme durch den ganzen Raum hinter ihr her: »Hallo, du da.« Heather erstarrte. Paddy zeigte mit dem Daumen über ihre Schulter. »Raus.«
Heather stand einen Moment still. Die Männer waren verstummt. Sie sahen von Heather zu Paddy und wieder zurück. Jemand kicherte. Als Heather spürte, dass sie das Publikum auf ihrer Seite hatte, verschränkte sie die Arme und stellte ein Bein vor.
»Willst du hier reden?«, rief Paddy. »Soll ich ihnen sagen, was du gemacht hast?«
Heather wechselte nervös auf das andere Bein. Es gab nur wenige Vergehen bei der *News*, die man nicht durch-

gehen ließ. Einem Kollegen das Portemonnaie aus der Jackentasche zu klauen war schlimm, mit seiner Frau zu schlafen war auch nicht gerade gut, aber jemandem seine Story wegzunehmen war unverzeihlich. Jeder wusste, was es hieß, eine gute Geschichte zu verlieren.

Heather ließ die verschränkten Arme verlegen sinken, sie zuckten noch etwas und hingen dann ruhig herunter. Sie wandte sich um und ging zögernd auf Paddy zu, die die Tür offenhielt, ihr auf den Treppenabsatz hinaus folgte und ihr den Weg durch den Flur am Aufzug vorbei zum Damenklo wies.

Im Nachrichtenbüro erhob sich nach den ersten johlenden Stimmen eine spöttische Lachsalve.

Heather begann schon, sich zu verteidigen, bevor die Toilettentür zugeknallt war. »Ich wusste, dass du die Story nicht nutzen würdest. Du hast mir ja gesagt, du könntest das nicht. Ich fand also nichts dabei, wenn du sie sowieso nicht verwenden wolltest.« Sie zündete sich eine Zigarette an und hielt Paddy die Packung hin.

Paddy nahm keine. Sie sah auf die Packung und spürte, wie ihre Lippen zitterten. »Meine ganze Familie wird denken, dass ich es getan habe.«

Das war der eine Moment, in dem Heather ihr Mitgefühl zeigen und die Sache hätte bereinigen können, aber sie war erschrocken und beschämt und verpasste die Gelegenheit. »Hör mal, es kann nicht immer alles Friede-Freude-Eierkuchen sein. Ich bin nicht in diesem Beruf, um mich beliebt zu machen. Tut mir leid, aber so läuft das eben in unserem Job.« Sie verschränkte wieder die Arme, diesmal nicht, um sich zu verteidigen, sondern elegant, die Hand mit der Zigarette an den Oberarm ge-

lehnt. Der Rauch stieg in einer geraden Linie vor ihr auf und ließ sie dadurch größer erscheinen.
Es gab so viele Gründe dafür, wieso das, was Heather getan hatte, falsch war, dass sich die vielen Argumente in Paddys Kopf verhedderten. Sie machte den Mund auf, um etwas zu sagen, konnte aber nur laut stottern und hielt geschockt über sich selbst inne. Heathers Augen weiteten sich triumphierend.
»Lass nur«, sagte sie und steckte die Zigarette in den Mund.
Da schlug Paddy so fest zu, dass Heathers Zigarette in der Mitte durchbrach. Die abgebrochene Spitze fiel auf den Boden und glomm weiter. Sie standen einen Moment da und starrten darauf, beide waren schockiert, und Heather stieg die Röte in die Wangen. Paddy war aufgewühlt. Sie hätte das nicht tun sollen. Es war brutal und unrecht.
Sie packte Heather grob am Hinterkopf und griff nach ihrem dichten blonden Haarschopf. Fast riss sie die Haarwurzeln aus der Kopfhaut, als sie Heather in eine Toilettenkabine zerrte, ihren Kopf in die Schüssel stieß und auf die Spülung drückte. Paddy sah zu, wie das Wasser um Heathers Kopf herumwirbelte, das dicke Haar mitriss und den Schopf in das gebogene Rohr hinunterzog.
Heather spuckte und versuchte mit aller Kraft, die ihr Rücken hergab, aufzustehen. Sie war sehr kräftig, aber Paddy drückte ihr mit ihrem ganzen Gewicht den Nacken fest nach unten. Das Wasser aus der Kloschüssel durchnässte Heathers Bluse. Paddy sah den Verschluss an Heathers BH. Farquarson würde sie vielleicht dafür feuern, dass sie eine Kollegin angegriffen hatte. Es würde

Sean versöhnlich stimmen, wenn sie tatsächlich rausgeschmissen wurde. Und vielleicht würde es sogar ihre Familie davon überzeugen, dass sie den Artikel nicht geschrieben hatte. Die Rezession konnte nicht mehr lange dauern, und sie würde woanders eine Stelle finden.

Sie nahm die Hand weg, trat zurück und sah zu, wie Heather keuchend aus der Kloschüssel hochschnellte und den Kopf zurückwarf, wobei das Wasser in hohem Bogen aus den Haaren spritzte. Erstaunt wandte sie sich Paddy zu und schnappte mit offenem Mund nach Luft. Paddy sah die Angst in ihren Augen. Sie musste den Blick abwenden, drehte sich um und verließ die Toilette.

Draußen im Flur spürte Paddy heißes Pochen im Gesicht. Sie schämte sich und war etwas erschrocken über das, was sie getan hatte. Es war gemein, würdelos und brutal, und sie hatte nicht gedacht, dass sie zu so etwas fähig war.

Sie stand auf dem Treppenabsatz, horchte auf den polternden Lärm aus der Nachrichtenredaktion, entfernte ein paar lange blonde Haare von den Fingern ihrer rechten Hand und wartete, bis die Röte aus ihrem Gesicht gewichen war.

3

Alle lachten über sie. Paddy bemerkte, wie sie feixend zu ihr herübersahen, während sie sich die Geschichte erzählten und mit den Händen vom Kopf zu den Schultern fuhren, um Heathers nasse Haare zu beschreiben. Einige von der Feature-Redaktion riefen sie zu sich herüber und sagten, sie solle doch zum Materialschrank gehen und zwei Schlagringe holen.

Alle, die von der Mittagspause in der Press Bar zurückkamen, schienen Bescheid zu wissen, was passiert war. Paddy erriet, dass sie instinktiv auf ihrer Seite sein würden, weil Heather gut aussah und nicht mit allen schlief, aber es kümmerte sie nicht. Sie konnte an nichts anderes denken als daran, wie peinlich es für ihre Mutter und ihren Vater sein würde. Zwar würden sie sich bemühen, ihr zu glauben, wenn sie ihnen versicherte, dass sie keine Schuld an der Geschichte hatte. Aber das wäre ein Irrtum. Es *war* ihre Schuld. Sie wusste, dass professionelle Journalisten um einer Story willen anfechtbare Entscheidungen trafen, den Menschen Informationen entlockten und Vertrauensbrüche begingen. Sie selbst war ja auch entschlossen gewesen, Mr. Taylor den Brief zu klauen. Eine gute Journalistin musste stets bereit sein, auch inoffizielle Äußerungen für ihre Artikel zu nutzen. Sie hätte das wissen sollen. Sie war ein naiver Dummkopf.

Als sie in der Kantine in der Schlange stand, um Tee zu holen, und dabei probte, wie sie Sean um Verzeihung bitten würde, kam Keck mit ernstem und gereiztem Gesicht auf sie zu, brachte stellvertretend für die Leitung Verärgerung zum Ausdruck und teilte ihr mit, Farquarson wolle sie sprechen; deshalb solle er die Tees für die Nachrichtenleute holen.

»Er ist in seinem Büro«, sagte er, stellte sich vor ihr in die Schlange und wandte ihr den Rücken zu, als wäre sie schon entlassen.

Sie ging langsam nach unten und trödelte auf dem letzten Treppenabsatz herum, um Atem zu holen. Sie nahm sich fest vor, nicht zu weinen, wenn er sie feuerte. Die Lampen in seinem Büro waren an und die Tür war geschlossen, was normalerweise ein Zeichen für irgendein dramatisches Ereignis war. Sie klopfte an, und er antwortete sofort. Sie öffnete die Tür einen Spalt und schlüpfte hinein.

Papiere lagen um den Schreibtisch herum auf dem Boden verstreut. Farquarson versuchte gerade, eine große Schachtel Makronen zu öffnen, die er von der Kantine hatte mitgehen lassen, indem er den dicken Plastikdeckel mit einem Brieföffner durchstach. Er verlor die Geduld und zerrte so lange an dem Deckel, bis er plötzlich aufriss und die einzeln verpackten Makronen durcheinander auf den Boden fielen. Farquarson bückte sich, nahm drei und fing an, eine auszuwickeln. Er nickte Paddy zu und wies auf das Häufchen.

»Langen Sie zu.«

Paddy hob eine Makrone auf und bedankte sich. Sie riss das Papier auf und nahm einen Bissen, in der Hoffnung, das gemeinsame Essen würde eine Verbundenheit zwischen ihnen herstellen. Makronenriegel waren selbst ihr fast zu süß. Sie waren aus Stärke und einer Zuckermasse, von der ihr die Zähne weh taten und die Mundschleimhaut sich zusammenzog. Farquarson ließ sich wieder auf seinem Stuhl nieder.

»Meehan«, sagte er, die klebrige weiße Paste kauend. »Ein Mr. Taylor hat heute Morgen angerufen und sich beschwert. Er sagte, er sei von zwei Journalisten der *Daily News* belästigt worden.« Er hörte auf zu kauen. »Haben Sie eine Ahnung, welche Rolle die Gewerkschaften in dieser Branche spielen? Wissen Sie, dass *The Scotsman*

gerade eine Woche Dienst nach Vorschrift angeordnet hat, weil ein Journalist auch nur kurz in Richtung einer Druckmaschine geschielt hat? Richards hat Ihnen die Erlaubnis gegeben, im Wagen mitzufahren, aber nicht, sich als Journalistin der *Daily News* auszugeben und trauernden Menschen Briefe zu entwenden. Ich habe Mr. Taylor beruhigt, und McVie wird die Sache für sich behalten, aber ich möchte, dass Sie nie wieder sagen, Sie seien Journalistin. Wir hätten hier einen Streik zu befürchten, verstehen Sie?«
Paddy nickte.
»Sie werden sich daran gewöhnen müssen, dass man in Bezug auf die Gewerkschaften sehr vorsichtig sein muss. Es gehört einfach zur Arbeit dazu.« Er nahm noch einen großen Bissen. »Und jetzt sagen Sie mir bitte, was in der Toilette los war.«
»Ich hatte Streit mit Heather.«
»Ich dachte, sie hatte Streit mit der Toilette.«
Es war ein blöder Witz. Paddy war sich nicht sicher, ob er freundlich gemeint war. Sie sah auf ihre Füße hinunter und trat leicht gegen das Tischbein.
Er räusperte sich. »Ich weiß nicht, warum Sie das getan haben …«
»Sie ist ein Miststück.« Das klang so böse, dass sie selbst überrascht war.
Farquarson blickte sie mit hochgezogenen Augenbrauen an. »Meehan, ich werde nicht den Schiedsrichter spielen.«
»Aber sie *ist* ein Miststück.«
»Hören Sie, man hat sie überreden können, keine Anzeige zu erstatten, und an Ihrer Stelle würde ich die Sache

auf sich beruhen lassen. Sie hat bei den Herausgebern einen Stein im Brett, weil sie uns gerade eine wichtige Story geliefert hat.«

»Es ist nicht ihre Story«, sagte Paddy bissig. »Es ist meine Geschichte. Callum Ogilvy ist der Cousin meines Verlobten. Ich habe ein Foto von ihm gesehen, war todunglücklich und habe es Heather im Vertrauen erzählt. Meine Familie wird mich verstoßen, wenn sie die heutige Ausgabe sieht.«

Farquarson schwieg. »Der Junge ist mit Ihnen verwandt?«

»Ich hätte die Geschichte niemals verwendet.« In plötzlicher Wut schob sie jegliche Angst vor einer Entlassung und einem Leben als Hausfrau beiseite; sie schlug mit der Handfläche so heftig auf den Tisch, dass es weh tat. »Und dass er aus einer irisch-katholischen Familie ist, was tut das zur Sache? Warum wird das erwähnt? Wenn es eine jüdische Familie wäre, hätten Sie das im zweiten Absatz gebracht?«

»Tut mir leid.«

»Es ist nicht fair.«

»Ich kann jetzt nichts daran ändern«, sagte er matt, »aber ich kann verstehen, wieso Sie so wütend waren.«

Sie schwiegen kurz, und jeder versuchte dem Blick des anderen auszuweichen. Farquarson biss noch einmal in seinen Riegel und brach das Stück so leise wie möglich mit den Zähnen ab.

Er kaute still vor sich hin, bis Paddy das Schweigen brach.

»Ist der Kleine durch einen Unfall umgekommen? Haben die Jungen nur mit ihm gespielt?«

»Nein, es war Mord. Sie haben ihn umgebracht.«
»Woher weiß man das?«
»Wollen Sie wirklich die Einzelheiten wissen?«
Sie nickte.
Zögernd legte Farquarson den Kopf zurück und erzählte es ihr dann einfach. »Sie haben ihn erwürgt und mit Steinen seinen Kopf zerschmettert.«
»Mein Gott.«
»Es war brutal. Sie haben ihm etwas hinten reingesteckt. Stöcke. In den Hintern.« Farquarson sah auf das süße Zeug in seiner Hand und legte es plötzlich angeekelt auf den Tisch.
»Könnten sie die falschen Jungen erwischt haben?«
»Nein. Die Abdrücke auf dem Boden, wo die Leiche gefunden wurde, passten zu ihren Schuhen, und an ihrer Kleidung wurde Blut gefunden.«
Paddy schüttelte schon den Kopf, bevor er den Satz zu Ende gesprochen hatte. »Na ja, Blut könnte auf alle mögliche Weise da hingekommen sein. Es kann draufgeschmiert worden sein. Jemand kann es ihnen anhängen.«
Farquarson ging auf die Möglichkeit eines Fehlers nicht ein. »Er ist weggerannt, der Ogilvy-Junge. Als sie in seine Schule kamen, lief er weg, bevor sie den Kleinen auch nur erwähnt hatten.«
»Das heißt nicht, dass er schuldig ist«, sagte sie und dachte an Paddy Meehans Festnahme und James Griffiths' wilde Flucht. »Er könnte aus allen möglichen Gründen weggelaufen sein. Vielleicht hatte er nur Angst.«
Farquarson lehnte sich zurück, plötzlich hatte er es satt, diese aufsässige Praktikantin länger zu ertragen. »Ja, klar.« Er zeigte auf den Stapel Makronenriegel. »Neh-

men Sie einen mit auf den Weg, und sagen Sie mir nur noch, ob schon welche von der Frühschicht da sind.«

»Ein paar«, sagte Paddy und fragte sich, wozu er sie wohl brauchte. Sie schienen ohnehin nie irgendwas zu tun. »Wen möchten Sie denn?«

»Ist egal«, sagte Farquarson. »Die sind ja doch alle austauschbar.«

12
Kein Grund zur Flucht

1969

1

Paddy Meehan hörte die Menge, ihre grölenden, tiefen Rufe, die immer schneller wurden, schon aus einer halben Meile Entfernung, bis ihm vor Panik der Schweiß ausbrach und sich sein Geruch zum Gestank von Urin und Angst im Polizeiwagen gesellte. Es war halb zehn an einem Wochentag, trotzdem hatten dreihundert Leute die Zeit gefunden, sich vor dem Gericht zu versammeln, um den Bastard zu sehen, dem der Mord an der alten Rachel Ross vorgeworfen wurde.
Immer dachte er, dass der Wagen schon mitten unter ihnen sein müsste und der Lärm nicht mehr lauter werden könnte, doch immer fuhr das Auto noch ein paar Meter weiter und das Geschrei schwoll noch mehr an. Als sie endlich anhielten, war der Krach ohrenbetäubend. Die zwei uniformierten Polizisten sahen sich nervös an, einer hielt den Türgriff, der andere Meehans Arm. Sie wandten sich an die Kollegen in Zivil von der Kripo und warteten auf das Signal zum Losgehen.
»Also, Jungs«, rief einer von ihnen den Polizisten in Uni-

form zu. »Ihr beide bleibt vorn, wir folgen und decken ihn von hinten. Auf drei geht's los. Eins, zwei ...« Die Decke wurde Meehan über den Kopf geworfen, und in der Dunkelheit verzerrte sich sein Gesicht vor Entsetzen. »Drei.«

Die Hecktüren des Wagens flogen auf, und die zwei Polizisten, die Meehan in die Mitte genommen hatten, zogen ihn auf die Straße hinaus. Er sah unter sich den Asphalt, die glänzenden Schuhe der Polizisten und die erste Stufe der Treppe zum Gerichtsgebäude. Er stolperte blind nach vorne und hörte die Stimmen der Männer, Frauen und Kinder, die schrien, man solle ihn, den Bastard und Mörder, aufhängen. Die Männer von der Kripo packten ihn hinten an der Jacke, dass sie dabei auch Haut zu fassen kriegten, war ihnen egal, und schubsten und stießen ihn so schnell wie möglich die Treppe hinauf. Die Polizisten hatten Angst. Sie hielten ihn mit eisernem Griff an den Ellbogen fest und hoben ihn vom Boden hoch. In der Finsternis unter der grauen Decke hörte er das Geräusch von laufenden Füßen und Hetzrufen aus der Ferne. Die Polizisten rissen ihn zur Seite, als ein brauner Schuh gegen sein Schienbein trat. Der Angreifer wurde weggezerrt, und die Polizisten schleppten Meehan die letzten paar Stufen hinauf und schoben ihn durch die Türen.

Bisher hatte Meehan im Gericht jedes Mal geduldig in den dort für Untersuchungsgefangene zur Verfügung stehenden Zellen gewartet, nur diesmal nicht. Als sie die Decke wegzogen, war er in einem Nebenraum für die Zeugen. Meehan wollte sich nicht anmerken lassen, wie erschrocken er war, und packte deshalb den nächsten Kripobeamten am Revers und schrie all seine Angst und

Panik heraus. »Machen Sie verdammt noch mal Ihren Job! Sie sollen Ihren Job machen!« Sie zogen ihn weg und lösten seine verkrampften Finger vom Stoff der Jacke. Keuchend blickte er wild um sich. »Sucht Griffiths. Überprüft mein Alibi. Ich hab euch die Adresse gegeben. Was ist los mit euch?«

Meehan ließ sich auf einen Stuhl fallen und sah auf sein Hosenbein, das von dem Tritt mit dem braunen Schuh voll Blut war.

Alles lief total verkehrt. Er war einer, der Safes geknackt hatte, ein Profi, Herrgott noch mal, ein Bankräuber. Er hatte sein Gewerbe von Gentle Johnny Ramensky gelernt und hatte Referenzen. Er würde sich doch niemals in einen Überfall verwickeln lassen. Und außerdem hatte er ein stichhaltiges Alibi.

In der Nacht von Rachel Ross' Ermordung war er mit James Griffiths in Stranraer gewesen, wo sie gesehen worden waren. Sie hatten zwei Mädchen aus Kilmarnock mitgenommen und nach Haus gefahren. Sie brauchten also nur mit Griffiths oder den Mädchen zu reden, dann würde man ihn freilassen.

2

Zur gleichen Zeit, als der Wagen mit Paddy Meehan losfuhr, der ihn zum Gericht in Ayr brachte, hielten fünf Glasgower Kripobeamte in einem Ford Anglia vor James Griffiths' Haus, dessen Adresse Meehan ihnen zur Bestätigung seines Alibis gegeben hatte.

Holyrood Crescent war eine schöne, halbkreisförmige

Zeile von Stadthäusern, die vorne auf private Gartenanlagen hinausgingen. Griffiths wurde wegen zweier Autodiebstähle gesucht, aber die Polizisten kümmerte das jetzt nicht. Sie wollten nur wissen, ob er Meehans Schilderung der Ereignisse in der Nacht von Rachel Ross' Tod bestätigen konnte.

Es war am späten Vormittag eines warmen Sommertages, und das Laub der ausladenden Baumkronen in den Gärten am Holyrood Crescent wiegte sich üppig und voll im warmen Wind. Das ursprüngliche Einfamilienhaus war in einzelne Wohnungen unterteilt worden und an Handelsvertreter und gutbürgerliche Familien vermietet, die bessere Zeiten gesehen hatten, aber Wert auf eine gute Adresse legten. Kriminalbeamte hatten am Morgen Nachforschungen angestellt. Sie befragten den Hausmeister zu Griffiths' Gewohnheiten. Er würde jetzt gerade aufstehen, hatte der Mann gesagt und versprochen, die Haustür offen zu lassen.

Jetzt gingen die Polizisten unter Leitung ihres Vorgesetzten auf dem roten, in der Mitte abgetretenen Läufer die drei Treppen hinauf. Griffiths' Zimmer im Dachgeschoss war einer der früheren Räume für Bedienstete, die über schmale und schiefe Stufen erreichbar waren.

Auf dem kleinen Treppenabsatz gab es nur eine einzige Tür mit viergeteilter Täfelung. Der erste Kripobeamte, der oben ankam, klopfte laut an und rief: »James Griffiths, öffnen Sie. Hier ist die Kripo.«

Drinnen hörte man einen Stuhl über den Boden schrappen. Sie sahen sich vielsagend an.

»Los, Griffiths, machen Sie auf, sonst tun wir's.«

Eine Diele knarrte. Griffiths trieb irgendwas da drin und

machte sich über fünf Beamte lustig. Der Inspektor gab einem Constable mit einer Kopfbewegung zur Tür hin ein Zeichen, die anderen wies er an, auf die Treppenstufen zurückzuweichen, damit er genug Platz hatte. Als alle in dem winzigen Flur geräuschvoll ihre Positionen eingenommen hatten, rief der Constable durch die Tür: »Treten Sie zurück, Griffiths, wir kommen rein.«

Er rannte auf die Tür zu, mit der Schulter seitlich auf den Türpfosten zielend, traf aber einen Teil der Täfelung, so dass dieser nach innen klappte, den Blick in den hellen Raum kurz freigab und sofort wieder zuschnappte. Sie sahen ihn weniger als eine Sekunde, und keiner konnte es glauben. Griffiths saß mit leerem Blick unter den schweren Lidern auf einem Holzstuhl der Tür gegenüber. Patronengurte hingen schräg über seine Brust und auf seinem Schoß lag eine einläufige Schrotflinte. Der Constable hatte den Kopf gesenkt, um sich gegen Holzsplitter zu schützen, und hatte deshalb nichts gesehen. Er trat zurück und rannte wieder gegen die Tür. Diesmal krachte die Täfelung, sprang heraus und fiel nach innen herunter.

Von dem herausgebrochenen Fenster eingerahmt stand James Griffiths auf und hob den Lauf seiner Flinte. Der erste Schuss traf den Constable an der Schulter und ließ ihn herumwirbeln, Gewebe und Blut von seinem Arm spritzten auf die Wand des Treppenabsatzes. Der zweite Schuss ging an die Decke und explodierte in einer Wolke von Mörtel und Rosshaar in der Luft. Die Polizisten rannten sich bei dem Versuch fast um, die schmale Treppe hinunterzulaufen. Sie kamen ein Stockwerk tiefer wieder zusammen und schafften den Constable die wackelige Treppe hinunter, wobei sie sich mit Blut beschmierten,

während Griffiths wahllos weitere Schüsse auf die Wände und aus den Fenstern abgab.
Unten rannten sie auf die Straße und fanden einen Fußgänger, der schockiert und sprachlos mit blutendem Bein auf der Straße lag. Der Inspektor brüllte in sein Funkgerät, dass Griffiths mindestens eine Schusswaffe hätte und jemand auch ein Gewehr gesehen zu haben meinte, und dass man sofort jemanden mit einer Waffe schicken solle, die Armee oder sonst irgendjemanden, weil der Scheißkerl direkt auf die Straße ballere. Sie konnten immer noch Schüsse im Haus hören.
Griffiths gab einen letzten Schuss im Flur ab, bevor er aus der Hintertür rannte. In dem von einer Mauer umgebenen Garten waren hölzerne Bettgestelle mit abgeblättertem Furnier abgestellt und kaputte Stühle und eine Couch auf einem verrottenden Stück Linoleum aufgestapelt. Die Tür zur Gasse hinter dem Garten war durch eine hohe Kommode versperrt. Griffiths kletterte hinauf, warf Schrotflinte und Gewehr über die bröckelnde Backsteinmauer, zog sich hoch und sprang auf der anderen Seite hinunter. Er nahm seine Waffen und rannte die Gasse entlang.
Er fühlte sich so gut wie noch nie im Leben, zehnmal besser als beim Autostehlen. Er war schon immer kriminell gewesen und kannte sich aus. Nach dieser Vorstellung würde die Polizei sein Leben nicht schonen. Er würde die Konsequenzen nicht zu tragen brauchen. Es würde genau wie früher sein, als er gestohlen hatte oder gejagt wurde, aber ins Gefängnis würde er nie mehr kommen.
Voller Ekstase, dass dies sein letzter Tag war, rannte er schneller, stolperte auf dem holprigen Boden, spürte

deutlich den Wind, der ihm die Haare aus dem Gesicht blies, und die warme feuchte Brise auf der Haut. Sein Hemd flatterte lose um seinen Körper, die Füße landeten auf nassem Rasen, und sein einsames Herz pochte laut in der Brust. Die hohen Mauern waren zu Ende, und er befand sich auf einer sonnigen Straße in einem Wohngebiet. Die plötzliche Helligkeit machte ihm Angst, und er hob das Gewehr und gab drei Schüsse ab. Er sah Gestalten weglaufen, die in der Helligkeit verschwammen, und dann war er wieder allein, so als sei die Wahrnehmung anderer Menschen eine Täuschung gewesen.

Er holte Luft, spürte die Sonne auf seiner feuchten Stirn und hörte sich tief aus- und einatmen. Seine Hand auf dem stählernen Gewehrlauf war schweißnass. Ein paar Straßen weiter hielt ein Auto zu schnell an. Er wollte allein sein, aber als er allein war, verwirrte es ihn. Er brauchte ein Publikum, vor dem er seine Tapferkeit zeigen konnte. Er war zu aufgeregt, um zu fahren, zu aufgekratzt. Er brauchte einen Drink.

Es war ein kleines, äußerlich unauffälliges Lokal, schwarz bemalt mit rot eingefassten hohen Fenstern. Drinnen saßen an verschiedenen Tischen zwei alte Männer. Einer las Zeitung und tat so, als sei ein großer Whisky um halb elf am Vormittag ein normales Vergnügen. Der andere alte Mann starrte mit leeren Augen vor sich hin und fürchtete sich schon vor dem Augenblick, wenn sein Glas leer sein würde.

Das Tageslicht drang als schwacher Schimmer in die Fenster, aber die Sonne konnte die Düsternis nicht aufhellen. Das Lokal war eine friedliche, beschauliche Insel stiller Besinnlichkeit. Hinter dem Tresen stand der Barkeeper, ein gutgebauter ehemaliger Boxer mit plattgedrückter Nase namens Connelly, der auf das Glas hinunterschaute, das er gerade abtrocknete, als Griffiths mit dem Fuß die Pendeltür auftrat, die in den muffigen, staubigen Raum führte. Connelly schaute auf und lächelte über Griffiths' Patronengurte, denn er dachte, sie gehörten zu einem Kostüm.

»Wer sich bewegt, ist tot«, rief Griffiths. Die beiden alten Männer erstarrten, der Zeitungsleser, der gerade ein Glas zum Mund führte, hielt mitten in der Bewegung inne. »Ich hab heute schon vier Polizisten erschossen.«

Griffiths stellte sich auf die Fußstange und schnappte sich eine bauchige Flasche Brandy von der Bar, zog den Korken heraus und trank daraus. Es schmeckte scharf und aufregend. Griffiths sah sich selbst dort stehen und alles nehmen, was er wollte, und er hätte am liebsten gekichert. Stattdessen schwang er die Flinte durch die Luft und feuerte einen Schuss an die Decke, so dass eine Ladung Gips auf dem Boden landete. Der Mann mit der Zeitung zuckte nach vorn, stellte sein Glas ab, und Griffiths wirbelte herum und schoss. Der Mann fiel tot vornüber, ein rotes Rinnsal lief aus seinem Hals auf den schwarzen Boden.

»Du Scheißkerl«, flüsterte Connelly und ließ das Handtuch zu Boden fallen. »Du verfluchter Bastard.« Er streckte die Hand aus und riss Griffiths die Brandyflasche von seinem gierigen kleinen Maul, warf sie zu Boden, von wo sie abprallte, an die Wand rollte und ihren Inhalt glucksend auf den Boden ergoss. »Sieh ihn dir an.« Er zeigte auf den alten Mann, der mit dem Gesicht auf dem Tisch lag und dessen Blut im gluckernden Takt der Brandyflasche aus dem Loch im Hals herausblubberte. »Guck dir Wullie an. Was hast du mit dem alten Mann gemacht, du Mistkerl.«

Connelly konnte seine Wut nicht unterdrücken, rannte hinter dem Tresen hervor, und Griffiths sah, dass es ihm völlig egal war, wie viele Schusswaffen er hatte.

»Raus! Verschwinde aus meinem Pub, verdammt noch mal!« Connelly packte Griffiths am Hemd und zog ihn zur Tür. Griffiths versuchte, Halt zu finden, und hielt Gewehr und Flinte fest an sich gepresst. Connelly ließ ihn los, und Griffiths stolperte rückwärts durch die Tür und war sofort vom hellen Sommerlicht verschluckt. Connelly rief hinter ihm her: »Und bleib verdammt noch mal bloß draußen!«

Er hatte gerade Zeit, tief Luft zu holen und sich vorzunehmen, den Typ auf der Straße nicht weiter zu verfolgen, als drei Schüsse durch die offene Tür kamen, von denen einer den Ärmel seines Hemdes abriss. Connelly duckte sich, ging in die Knie, zog seinen dicken Hals ein, sprang dann in den breiten Lichtstrahl und schrie so laut er konnte: »Arschloch!«

Aber Griffiths war schon weggerannt, hielt die beiden sperrigen Waffen in Schulterhöhe und verschwand um die Ecke. Er war nicht mehr zu sehen, aber Connelly wusste genau, wohin er gegangen war. Alle auf der Straße standen stocksteif da und starrten auf die erste Ecke rechts. Autos hatten mitten auf der Straße angehalten, um nichts zu verpassen.

An der Ecke der Querstraße parkte ein Lastwagen, dessen Fahrer stehengeblieben war, um einen Blick auf den Glasgower Stadtplan zu werfen, und der mehrere Schüsse gehört hatte. Er hob den Kopf und sah einen kleinen Mann, offenbar ein mexikanischer Bandit ohne Hut, der auf ihn zurannte und von einem aufgebrachten Kraftprotz hundert Meter hinter ihm verfolgt wurde. Die Tür zum Fahrersitz ging auf, und der Lauf einer Schrotflinte richtete sich auf sein Gesicht.

Der Fahrer fiel aus dem Lkw, und Griffiths schwang sich auf den Fahrersitz, ließ den Motor an und fuhr davon, wobei er Connelly hinter sich ließ, der wütend gegen eine Wand trat und sich dabei drei kleine Zehenknochen brach.

Griffiths kam zwei Meilen weit. Die letzte Kurve seines Lebens nahm er, als er in eine Sackgasse in Springburn einbog. Er stellte den Motor ab und zog die Handbremse. Eine Packung Woodbine-Zigaretten lag unter einer verblichenen Zeitung auf dem Armaturenbrett. Er lehnte sich auf dem Sitz zurück, zündete sich eine an und beobachtete den Eingang zur Sackgasse im Seitenspiegel. Er konnte nicht aus der Gasse hinausfahren, denn er war sicher, dass die Polizei kurz hinter ihm war. Er wartete, rauchte und behielt die Straße im Auge. Sie kamen nicht.

Da er überzeugt war, dass sie um die Ecke warteten, machte er langsam die Tür auf der Fahrerseite auf und ließ die alte Zeitung zu Boden fallen, in der Erwartung, dass sie von einer Polizeikugel getroffen würde. Aber nichts geschah. Mit einem leisen Plumps fiel sie auf die Straße und ihre aufgeblätterten Seiten flatterten im Sommerwind. Griffiths glaubte sich in einem toten Winkel. Vorsichtig stieg er mit vor die Brust gehaltenen Gewehren aus. Als er aus dem hohen Fahrerhaus herunterkam,

rutschte er aus, landete unglücklich auf dem Absatz und kam sich ein allerletztes Mal ziemlich dämlich vor.
Er entfernte sich einen Schritt vom Lkw und stützte dabei die Waffen auf der Hüfte ab. Dann richtete er sie auf eine Straßenlaterne, auf ein schon zerbrochenes Fenster eines Mietshauses und auf den Eingang der Straße, um den Anwohnern und den Polizisten einen Schrecken einzujagen. Dieses eine Mal sollten die Bullen auf ihn warten, der wie die Cowboys im Film vor ihnen stand.
Aber es war niemand da. Die unbewaffneten Beamten hatten einen zu großen Abstand gehalten und ihn verloren. Auf der Straße, auf der Griffiths stand, tat sich nichts. Die Mietshäuser waren feucht und rattenverseucht. James Griffiths' letzte Minuten in der lauen Sommerluft waren genauso vergeudet wie sein ganzes Leben. Er hatte sich einem Publikum präsentiert, das überhaupt nicht zusah.
Hinter den Mietshäusern um ihn herum hörte er Kinder lachen und schreien, die ihre Sommerferien genossen. Über seinen Kopf flog eine Elster, deren breiter, schwarzweißer Flügel türkis schimmerte, und Griffiths empfand plötzlich eine tiefe Traurigkeit, dass er dies alles hinter sich lassen würde. Sein Leben war jämmerlich gewesen. Eine Welle von Selbstmitleid ergriff ihn und ließ ihn auf das am weitesten entfernte Mietshaus zusteuern. Er rannte durch den Durchgang zum Hof und die Treppen hinauf. Es war ein total ramponiertes Haus, an den dunkelroten Wänden fehlten Stücke aus dem Verputz so groß wie ein Kind, die Fenster auf den Treppenabsätzen waren alle eingeworfen. Er rannte bis zum obersten Stock und trat die Tür auf.
Er war in einem unbewohnten Zimmer mit Küche, wo

schmutzige Tüllvorhänge vor der zerbrochenen Fensterscheibe flatterten. Die Wände waren uneben und voll brauner Flecken von der Feuchtigkeit. Durch das Fenster sah er einen Spielplatz, den der Schatten des Gebäudes in der Mitte teilte. Hier würde alles enden, in einer dreckigen, stinkenden Wohnung mit einem kaputten Fenster. Er stand still, bis er zu Atem kam, stechende Tränen traten ihm in die Augen. Vielleicht würden sie ihn gar nicht niederschießen, sondern ihn überreden aufzugeben und dann für immer in den Knast schicken. Oder es würde ihm gelingen zu fliehen, und dann wäre er gezwungen, woanders hinzugehen und wieder von vorn anzufangen. Warten, immer nur darauf warten, dass alles wieder mal schiefging.

Griffiths zog einen Hocker ans Fenster, legte sein Gewehr mit Zielfernrohr an und begann, auf die Kinder draußen im Sonnenlicht zu schießen.

Als Letztes sah Griffiths einen Gewehrlauf, der durch die Briefkastenklappe geschoben wurde, und eine kleine Flamme mit einem Rauchwölkchen. Als die Kugel auf ihn zuflog, gab ihm sein Gehirn das Signal zu lächeln. Aber bevor dieser Impuls seine Gesichtsmuskeln erreichte, traf ihn die Kugel mitten ins Herz.

3

Meehan war im Gefangenenwagen und wurde zu seiner U-Haft-Zelle im Barlinnie-Gefängnis zurückgebracht. Sein Schienbein hatte aufgehört zu bluten, aber die Wun-

de pochte noch und erinnerte ihn an den Menschenauflauf vor dem Gericht. Er dachte an Griffiths und hoffte, der würde nicht zu verärgert sein, dass er der Polizei seine Adresse gegeben hatte, und Verständnis dafür haben, wie verzweifelt ihm zumute gewesen war. Griffiths hasste die Polizei, es würde ihm nicht passen, dass man wusste, wo er wohnte, aber es war ja nur eine gemietete Wohnung. Er konnte umziehen. Meehan würde ihm die Kaution für eine neue Bleibe anbieten.
Der Constable wartete, bis der Wagen auf der Hauptstraße nach Glasgow war und zwei Beamte ihn in die Mitte genommen hatten, um ihn zu packen, falls er ausrastete. Er sagte ihm, dass Griffiths tot sei, er hätte nach einer langen Schießerei mit vielen Toten Selbstmord begangen. Als sie Griffiths Leiche untersuchten, hätten sie in seinem Mantel einen Papierfetzen gefunden, der zu einer Seite aus Abraham Ross' Safe passte.
Die beiden Polizisten, die rechts und links von Meehan saßen, warteten auf seine Reaktion, darauf gefasst, aufzuspringen und ihm eine Abreibung zu verpassen, wenn er um sich schlug. Aber man musste Meehan dreimal sagen, dass sein Freund tot war. Richtig tot. Nicht krank, nicht verwundet. Tot. Er lehnte sich zurück und presste den Kopf gegen die Wand des Wagens. Das untergeschobene Stück Papier aus dem Safe würde zu seiner Verurteilung führen, das wusste Meehan genau. Der Geheimdienst steckte dahinter. Das hängten sie ihm an, weil er in Russland sein Land verraten hatte.
Er wartete, bis sie nach Barlinnie zurückkamen und ihn in eine U-Haft-Zelle gesteckt hatten, einen der kleinen Verschläge auf dem Hof, an deren Türen die Namen mit

Kreide angeschrieben standen. Nackt und zur Durchsuchung bereit, drehte Meehan dem Guckloch den Rücken zu und schluchzte in panischer Angst.

4

In Rutherglen versammelten sich an dem gleichen sonnigen Morgen kleine Mädchen und Jungen aufgeregt im Hof der St.-Columbkill's-Kirche. Die Klasse hatte wochenlang Beichtunterricht bekommen. Obwohl man ihnen die theologischen Grundlagen immer wieder in allen Einzelheiten und mit Vergleichen erklärt hatte, konnten sich nur die moralisch bereits sehr geschädigten Kinder eine echte Vorstellung von Sünde machen. Für die kleine Paddy Meehan bedeutete die Beichte nur, dass sie ihre Seele reinigen musste, damit sie zur Erstkommunion gehen und ein großartiges weißes Kleid mit Blumenstickerei am Saum und ein blaues Samtcape tragen konnte. Paddy wurde in Mary Anns Cape fotografiert, als sie an der Reihe war. Sogar die drei protestantischen Mädchen der Beatties von nebenan ließen sich mit dem Cape und Schleier fotografieren, allerdings baten sie die Meehans, die Fotos nicht ihrer Mutter zu zeigen, weil sie im Oranierorden war und im Sommer, wenn das Wetter schön war, gegen den Papstkult mitmarschiert war.

Die Jungs aus ihrer Klasse knieten in der warmen dunklen Kapelle vor ihr. Sie kicherten und schubsten einander auf der Bank und wurden immer verwegener, bis die spindeldürre Miss Stenhouse schweigend aus der finsteren Seitenkapelle kam, sie scharf ansah und wortlos auf

einen von ihnen zeigte. Die Jungen rutschten auf der Bank auseinander, es waren nur sieben, und man konnte sie noch mit einem Blick im Zaum halten.
Im Beichtstuhl war es dunkel und modrig wie in einem Schrank. Hinter dem Gitterfenster sah sie den ganz neuen Gemeindepriester, einen alten Mann, aus dessen Nase Haare wuchsen und über den niemand lachen durfte, weil er Priester war. Er starrte auf seine Knie hinunter und wartete einen Moment, bevor er sie aufforderte anzufangen. Paddy sagte ihren Text, wiederholte ihn im Singsang-Ton und hörte dabei im Geist den Rest ihrer Klasse einfallen.
»Vergib mir, Vater, denn ich habe gesündigt. Dies ist meine erste Kommunion, und ich habe die Sünde begangen, meiner Mutter und meinem Vater gegenüber nicht respektvoll gewesen zu sein. Ich habe von meiner Schwester Bonbons gestohlen und deswegen gelogen, und mein Bruder Martin ist dafür ausgeschimpft worden …«
»Und hast du es dann zugegeben?«
Paddy schaute hoch.
»Als dein Bruder wegen des Diebstahls verdächtigt wurde, hast du es da zugegeben?«
Man hatte Paddy nicht gesagt, dass der Priester sprechen würde. Es brachte sie vollkommen durcheinander.
»Nein.«
Er atmete pfeifend durch seine behaarte Nase aus und schüttelte den Kopf. »Also, das ist sehr schlecht. Du musst dich bemühen, ehrlich zu sein.«
Paddy dachte, sie sei ehrlich, aber jetzt sagte ihr ein Priester, sie sei es nicht, und Priester wussten schließlich alles. Sie hatte Angst, ihm noch mehr zu erzählen.

»Tut dir leid, was du getan hast?«
»Ja, Vater.« Martin schob es immer auf sie, wenn er etwas angestellt hatte. Immer tat er das.
»Und welche anderen Sünden hast du begangen?«
Paddy holte tief Luft. Sie hatte einmal in einen Hofeingang gepinkelt und einmal einem Hund auf die Nase gehauen, weil er geknurrt hatte. Aber diese Dinge konnte sie ihm nicht erzählen, sie waren noch schlimmer, als Martin zu beschuldigen.
Sie atmete noch einmal tief ein und nahm die schreckliche Sünde auf sich, keine gute Beichte abzulegen. »Mir fallen sonst keine mehr ein.«
Er nickte schwer mit dem Kopf. »Also gut.« Er murmelte die Absolution, gab ihr auf, fünf Ave Maria und zwei Vaterunser zu beten, und entließ sie.
Als sie in der vorderen Reihe der Kirche kniete, sah Paddy auf das Kind neben ihr. Das Mädchen zählte drei Finger ab, während ihre Lippen die Gebete hersagten. Paddy war Gott sieben Finger schuldig. Es kam ihr grotesk und unendlich ungerecht vor. Demonstrativ hielt Paddy drei Finger hoch und sah sich nach den anderen Kindern um, die mit geschlossenen Augen stumm die Lippen bewegten. Dann lächelte sie zufrieden und begann vor sich hin zu murmeln: eine Kartoffel, zwei Kartoffeln, drei Kartoffeln, vier.

Nach der Beichte, kurz vor dem Abendessen, stand Paddy zu Hause in der guten Stube und wiegte sich zur Melodie eines Lieds aus dem Radio. Ihre zwei Brüder kämpften miteinander auf der Couch, wobei Rory, ihr rötlich brauner Hund, auch mitzumachen versuchte und

an seinem Bauch seinen steifen, kleinen rosa Pimmel herausstreckte.
Die Nachrichten kamen, und die erste Meldung ließ alle aufhorchen: In Nordglasgow war alles zum Stillstand gekommen, als ein Mann auf verschiedene Leute schoss. Die Jungen hörten auf zu ringen und lauschten dem Radio. Rorys Pimmel zog sich zurück. Der Mann hatte zwei Polizisten umgebracht und vier Passanten verletzt. Die Polizei erschoss ihn, und Paddy Meehan war wegen Mordes angeklagt worden.
Die Jungs setzten sich auf und starrten ihre kleine Schwester mit offenem Mund und aufgerissenen Augen an.

Vor St. Columbkill's führten die Mädchen ihre weißen Kleider vor, die Jungen waren einfach nur froh, beisammen und im Freien zu sein. Paddy wusste, dass sie sterben würde. Ihre Mutter hatte sie sorgfältig angezogen. Sie trug Mary Anns weißes Kleid und weiße Handschuhe aus so feinem Stoff, dass man die Fingernähte von außen sehen konnte. Dazu trug sie mit Spitze besetzte Söckchen und weiße Sandalen, in die sie noch reinwachsen musste. Ihre Seele war zu schmutzig für die Kommunion, denn ein kleiner Teil von ihr war ein Mörder.
Sie hatte einmal beobachtet, wie ihr Vater Con eine Bratpfanne mit heißem Öl nahm und im Spülstein Wasser hineinlaufen ließ. Das Wasser zischte hoch, und Tröpfchen des heißen Öls sprühten durch die Luft. Con hatte davon immer noch rote Stellen am Hals. So würde es sein, wenn sie die Hostie in den Mund nahm, da war sich Paddy ganz sicher, so wie kaltes Wasser in heißem Öl.
Die Messe wurde von ihrem Beichtvater mit den haarigen

Nasenlöchern gelesen. Er sprach die ganze Zeit in priesterlicher Monotonie, ohne Punkt und Komma, wodurch jedes Interesse an seinen Worten und ihrer Bedeutung untergraben wurde:

Daran ist erschienen die Liebe Gottes
gegen uns, dass Gott
seinen eingeborenen Sohn gesandt hat,
in die Welt,
dass wir durch ihn leben sollen.

Plötzlich stand Miss Stenhouse im Mittelgang und dirigierte die Kinder mit ihrem ausgestreckten Finger, ließ einen Jungen und ein Mädchen von jeder Seite heraustreten, zum Altar gehen und niederknien. Paddy folgte dem Finger, klapperte in ihren weißen Sandalen zum Altargitter und kniete sich auf das Samtkissen.

Umgeben von den Ministranten kam Father Brogan heran. Es war ihr recht, dass er da war. Sie hoffte, dass auf seinem Hals kleine Narben zurückbleiben würden. Ein Ministrant hielt einen Silberteller unter ihr Kinn.

»Der Leib des Herrn.«

Sie murmelte Amen, schloss fest die Augen, quetschte in Panik eine Träne aus dem linken Auge und öffnete den Mund, um den Leib des Herrn zu empfangen. Er schmolz in ihrem heißen Mund schnell dahin. Der Priester ging weiter, aber Paddy kniete noch immer mit geschlossenen Augen. Miss Stenhouse musste ihr auf die Schulter tippen, damit sie endlich aufstand.

Sie bekreuzigte sich, ging an ihren Platz zurück und kniete nieder. Sie grinste das Mädchen neben sich an. Ohne

besonderen Grund kicherten sie beide spitz und schoben ein Gebetbuch auf der Bank hin und her, während der Priester den Erwachsenen die Hostie gab.
Draußen wurden viele Fotos von Paddy gemacht. Mary Ann knipste sie mit ihrem Cape, und dann ging ihre Mutter mit ihnen zum Cross Café, wo sie zwei Kugeln Eis aßen.
Und Jesus tat überhaupt nichts. In der Schule und bei der Messe hielt Paddy Ausschau nach ihm. Sie wartete darauf, dass ihr Hund starb oder ihre Eltern krank wurden. Sie wartete wochenlang.

Es war nach dem Abendessen an einem besonders hässlichen Tag. Paddy und ihre Schwestern hingen missmutig im Wohnzimmer herum, kletterten über die Möbel und piesackten sich gegenseitig, weil sie nicht ins Freie konnten und der starke Regen sie verdross. Ihre Mutter hatte in der Küche zu tun, und das Radio war ziemlich laut auf einen Lokalsender eingestellt, um den Lärm der streitenden Kinder zu übertönen. Es war die erste Meldung der Nachrichten aus Schottland. Paddy Meehan war wegen des Mordes an Rachel Ross verurteilt worden. Er würde den Rest seines Lebens hinter Gittern verbringen.
Mary Ann sah Paddy an. »Was hast du getan?«
Caroline nickte. »Du hast eine Frau umgebracht.«
Paddy warf den Kopf zurück und schrie laut gegen die Decke.
Als Con Meehan von der Arbeit nach Hause kam, setzte er sich in den großen Sessel und zog seine schluchzende jüngste Tochter auf seine Knie, breitete die Zeitung aus und wartete, bis sie richtig gemütlich saß, damit er ihr

vorlesen konnte. Er las die Beschreibung der Verhandlung, wer was wann gesagt hatte, die technischen Dinge, die sie unmöglich verstehen konnte, mit dröhnender monotoner Stimme vor, um sie zu beruhigen. Mr. Paddy Meehan hatte vor Gericht gesprochen, sagte er. Nachdem sie ihn für schuldig erklärt hatten, war er aufgestanden und hatte zu ihnen gesagt: »Ich bin unschuldig an diesem Verbrechen und Jim Griffiths genauso. Sie haben einen schrecklichen Fehler gemacht.«

Paddy schniefte und rieb ihre Nase mit dem Handrücken trocken. »Stimmt das, Daddy? Haben sie einen Fehler gemacht?«

Con zuckte mit den Schultern. »Kann sein, Schätzchen. Wir machen alle Fehler. Und Mr. Meehan ist auch Katholik.«

»Sind die Leute, die ihn ins Gefängnis gebracht haben, Protestanten?«

»Kann sein.«

Sie dachte einen Moment nach. »Aber er hat nichts Schlimmes gemacht.«

Con hielt inne. »Die Gefängnisse sind voll von Unschuldigen. Mr. Meehan wird dort bleiben müssen, bis sie das zugeben.«

Paddy dachte wieder nach, dann fing sie erneut an zu schreien.

»Ach herrjemine.« Con stand auf und ließ sie achtlos von seinem Knie rutschen. »Trisha«, rief er, stieg über sie und ging in die Küche. »Trisha, komm doch und kümmere dich um sie.«

Als er weg war, schlich Mary Ann zu Paddy hinüber, die weinend auf dem Boden saß. Sie strich ihr unbeholfen

übers Haar. »Nicht weinen, Baddy«, sagte sie schuldbewusst und nannte Paddy bei ihrem Babynamen. »Nicht, Baddy-baby, nicht weinen.«
Aber Paddy konnte nicht aufhören. Sie weinte so sehr, dass sie den Nudelauflauf erbrach.

5

Im Verlauf von Paddys Kindheit und Jugend entfaltete sich das Drama von Meehans Gefangenschaft. Sie las jeden Artikel und jedes Interview mehrmals, sah sich die Dokumentarsendung darüber zweimal an und besuchte die Schauplätze, die Gerichte in Edinburgh und Ayr und den Bungalow am Blackburn Place, wo Rachel Ross ermordet worden war. Sie las Chapman Pinchers Bericht über Meehans Reise nach Ostdeutschland und plante, eines Tages selbst hinter den Eisernen Vorhang zu fahren, um zu sehen, ob sie Nachweise dafür finden konnte, dass er dort gewesen war. Die britische Regierung behauptete, er sei ein Phantast und habe die ganze Zeit in einem englischen Gefängnis gesessen.
Paddy hörte nicht auf, an Jesus zu glauben, aber sie traute ihm nicht mehr. Da sie sich eine Welt nicht ohne eine zentrale Geschichte vorstellen konnte, ersetzte sie die Leidensgeschichte Jesu durch die von Meehan, gestaltete sie um, führte sich seine Leidenschaft und seine Strafe vor Augen, verfolgte das Geschehen bis zu seiner Verurteilung und versuchte seinem wirren Leben irgendeinen Sinn zu geben. Meehan wurde für sie zu einem edlen Helden, der auf vielerlei Weise verleumdet und herabge-

setzt worden war. Sie versuchte, aus diesem Mythos Lebensweisheiten für sich selbst abzuleiten und sich Eigenschaften zuzulegen, die sie auf ihn projizierte: stoische Treue, Rechtschaffenheit, Würde und Durchhaltevermögen. Er wurde aufgrund der Arbeit eines kämpferischen Journalisten entlassen, also wollte sie Journalistin werden. In der Schule hielt sie Referate über den Fall, und ihr Status als nettes pummeliges Mädchen verwandelte sich dadurch in den eines intellektuellen Schwergewichts.

Immer war sie von dem Mythos fasziniert, nie aber von dem wirklichen Meehan. Der reale Meehan war moralisch angreifbar, hatte das Leben eines kleinen Einbrechers geführt, mit ewig mieser Laune und schlechter Haut. Jetzt war er wieder in Glasgow, trieb sich in den Bars der Stadtmitte herum und gab seine Geschichte zum Besten, wann immer jemand sie hören wollte. Mehrere Journalisten hatten ihr angeboten, sie mit ihm bekanntzumachen, aber sie wollte ihn nicht kennenlernen. Sie musste die unbequeme Wahrheit akzeptieren, dass Meehan kein besonders sympathischer Mann war und er niemandem außer sich selbst helfen wollte.

13

Ein fahrender Tante-Emma-Laden

1981

Alle Lampen im Haus der Familie Wilcox waren an und die Vorhänge zurückgezogen, so dass Licht auf die dunkle Straße hinausfiel. Paddy stand auf dem Gehweg gegenüber, ihr Atem stieg dampfend wie eine kristallisierte Sprechblase in die kalte Luft, und sie fragte sich, was sie eigentlich hier wollte. Sie war keine Journalistin und hatte keinen legitimen Grund, hier zu sein. Sie war nur ein dummes, dickes Mädchen, das Angst hatte, nach Haus zu gehen und seiner Mutter gegenüberzutreten.

Die Vorderfront des Hauses bestand aus einem grauen Rechteck mit einem großen Fenster und einer braunen Haustür im Erdgeschoss. Davor lag ein winziger, lehmiger Garten, in dessen Ecken ein paar Grasbüschel standen, die Brians stampfende Schuhe noch nicht niedergetrampelt hatten. Um den Garten herum verlief ein Zaun aus drei Metallschienen, deren grüner Anstrich abblätterte. Der kleine Brian hätte leicht zwischen den Eisenstangen hindurchschlüpfen und zur vielbefahrenen

Autobahnauffahrt laufen können. Jemand hätte ihn dort mitnehmen können.
Paddy war auf dem Spielplatz gewesen und hatte alles bestätigt gefunden, was sie vorgestern Abend vermutet hatte. Er war zwischen den Häusern der Siedlung so gut versteckt, dass Callum ihn nicht zufällig hätte finden können. Selbst wenn doch, hätte er dort nicht gespielt, weil es ein Spielplatz für Kleinkinder war, ohne Reiz für ältere Jungen.
Sie dachte an zu Hause, und in ihrem Magen sammelte sich die Säure. Sie lehnte sich an die Straßenlaterne. Hätte sie Geld gehabt, dann hätte sie den Abend im Kino verbracht.
Sie sah, wie sich auf der anderen Straßenseite am Fenster etwas bewegte. Gina Wilcox stand in der Ecke ihres Wohnzimmers. Sie sah auf ihre Hände herab, in denen sie ein Tuch knetete. Sie schien wie eine ganz normale, schlanke junge Frau, die ihre Wohnung putzte, aber selbst aus hundert Metern Entfernung konnte Paddy sehen, dass ihre Augen so rot wie der Himmel bei einem sommerlichen Sonnenuntergang waren.
Gina stand still da und hantierte mit dem Tuch. Ihr Haar war braun und strähnig, und als sie es glatt strich, verstand Paddy auch wieso. Sie musste den ganzen Tag immer wieder Putzmittel hineingeschmiert haben, denn sie hatte im endlosen Putzzwang versucht, den Gedanken wegzuwischen, dass ihr Kind nicht zurückkommen würde.
Ein altmodischer dunkelblauer Lieferwagen, ein mobiler Tante-Emma-Laden mit rot-weißer Schrift an der Seite, kam hinter ihr langsam den Abhang herunter. Er fuhr

vorbei und hielt etwa hundert Meter weiter am Randstein an. Die handgemalte Schrift an der Seite des Lieferwagens verkündete, der Besitzer und Betreiber des Ladens auf Rädern sei Henry Naismith. Die Hecktür war mit bunter Reklame von Obstimporteuren und Keksfirmen beklebt. Ganz oben haftete ein größerer, von Wind und Wetter beschädigter Aufkleber, der sich an einer Ecke ablöste und auf dem stand: FRIEND OF BILLY GRAHAM.

In der Abendstille hörte sie das leise Einrasten der Handbremse und danach die blechernen Anfangstakte von »Dixie« aus einem kleinen Lautsprecher auf dem Dach. Jemand bewegte sich in dem Wagen und stieß an die Wand, danach ging zuckend ein Licht an. Die Tür öffnete sich, und Paddy sah, wie ein Mann eine kleine Treppe zur Straße hinunter aufklappte. Drinnen wurde das flackernde Licht ruhiger und heller, als der Mann aufstand. Er war schlank mit akkurat rasierten Koteletten und einer angegrauten Ministirnlocke. Als sich Kunden näherten, ging er schnell wieder die Treppe hinauf. Von innen klappte er ein Holzbrett herunter, das als Ladentisch zwischen ihm und der Welt diente.

Vor den Stufen bildeten fünf Frauen und ein Mann eine ordentliche Warteschlange. Die Frauen nickten einander zu, unterhielten sich und ignorierten den Mann, der so tat, als zähle er das Kleingeld in seiner Hand. Paddy wusste, dass die Stufen vor einem solchen Stand die Domäne der Frauen war, genauso wie ein Pub das Reich der Männer. In der Schlange wurden Freundschaften geschlossen, es wurde getratscht und organisiert, wer wann auf die Kinder aufpasste.

Sie blieb abseits stehen und sah zu, wie sie Brot und Limonade kauften. Manche wollten Waschpulver, andere nahmen sich nur von den Süßigkeiten, die der Mann auf einem hölzernen Tablett anbot. Sie wartete, bis kaum noch jemand da war, bevor sie näher heranging.
Der Wagen roch nach Seife und Süßigkeiten. Der Mann, der sie bediente, trug einen schmutzigen weißen Arbeitskittel mit gelben Streifen um die Taschen herum. Quer über seinen Hals verlief eine rote Narbe von einer früheren Schnittwunde, und die weiche Haut am Rand des glänzenden Striemens warf Falten.
Er lächelte ihr erwartungsvoll zu. »Was kann ich für Sie tun?«
»'n Päckchen Pfefferminzbonbons, bitte.«
Er griff nach rechts, ohne hinzusehen, so genau kannte er den Platz seiner Waren auf den Regalen, und legte das glänzende Päckchen auf den Tresen.
»O. K., junge Frau. Möchten Sie sonst noch was? 'n Laib Brot? Ginger Ale?« Er zeigte auf eine Reihe Erfrischungsgetränke und zwinkerte ihr zu.
Sie grinste über seinen nachgemachten amerikanischen Akzent. »Hören Sie, kann ich Sie was fragen? Die Jungs, die wegen …« Sie wusste nicht recht, wie sie es ausdrücken sollte. »… die verhaftet worden sind, weil sie Baby Brian was getan haben. Haben die irgendjemanden hier in der Siedlung gekannt?«
Er nahm Wechselgeld aus seiner umgeschnallten Geldbörse und presste die Lippen aufeinander. »Die dreckigen kleinen Scheißkerle. Ich sag, werft sie ins Frauengefängnis, die würden dort schon wissen, was man am besten mit ihnen macht.«

Dieser Plan klang nicht besonders gut, fand Paddy. Sie runzelte die Stirn, und er sah es.
»Nein«, korrigierte er sich selbst, »Sie haben recht, ganz recht. Wir müssen einander vergeben.«
»Ja, das stimmt«, sagte sie verlegen und fuhr mit der Unterhaltung fort. »Also, haben sie jemanden hier besucht?«
»Ich hab gehört, dass sie auf dem Spielplatz waren.«
»Ja, das hab ich auch gehört. Ich hab mir nur überlegt, der ist ja ziemlich abgelegen. Waren sie vielleicht bei jemandem zu Besuch?«
Der Mann im Wagen zuckte mit den Schultern. »Weiß nich. Wenn sie hier irgendwo in einem Haus gewesen wären, wüsste das jemand. Hier sieht jeder alles. Warum fragen Sie?«
»Nur so.« Sie nahm das Rückgeld vom Tresen. »Hab nur drüber nachgedacht. Ist doch irgendwie komisch, wissen Sie, was ich meine?«
Er schien misstrauisch. »Sie wohnen wohl nicht hier? Was machen Sie hier?«
»Ich bin Journalistin bei der *Daily News*«, sagte sie stolz, und sofort fiel ihr Farquarsons Warnung wieder ein. »Ich heiße Heather Allen.«
»Aha?« Er sah sie von oben bis unten an. »Journalistin, so so? Ich sag Ihnen was, könnte es vielleicht der Eiswagen gewesen sein? Vielleicht sind sie vorbeigekommen und haben den Eismann kommen hören. Er hält vor dem Garten des kleinen Jungen.«
»Wirklich?« Sie war froh, dass er nichts weiter über ihre berufliche Laufbahn hatte wissen wollen.
Er gab ihr ein Zeichen, sie solle auf den Gehweg treten, klappte seinen Ladentisch hoch und folgte ihr die Treppe

hinunter, um es ihr zu zeigen. »Dort.« Er spähte zu Gina Wilcox' Garten. »Sehen Sie da den kleinen Weg?«

Paddy sah ihn zuerst nicht. Sie musste sich anstrengen, um in der nebligen Dunkelheit an Ginas Gartenzaun die zwei Metallrohre ausmachen zu können. An ihnen entlang verlief ein Weg.

»Dieser Weg führt direkt auf die Hauptstraße. Und dort hält der Eiswagen.« Er wies auf den Randstein gegenüber von Gina Wilcox' Haus. »Hält dort jeden Tag kurz nach zwölf und dann wieder um halb fünf.« Er sah sie an. »Da ist doch der Kleine verschwunden, oder?«

Paddy nickte. »Ja, kurz nach zwölf, das stimmt. Aber ich weiß nicht, ob die Jungs Geld für Eis hatten.«

»Doch, doch. Hughie hat so 'n Extrateller mit Münzen für die Kleinen ohne Geld.« Sie fragte sich, wieso er so viel darüber wusste, und er sah ihren zweifelnden Blick. »Deswegen haben wir Krach bekommen«, erklärte er. »Der Münzteller war eigentlich meine Idee gewesen. Er macht seine Runden früher als ich, und so nimmt er mir die ganzen Kunden weg. Er ist 'n elender Geizkragen.«

Sie zeigte auf seine Schmachtlocke. »Waren Sie ein Teddyboy?«

»Ich *bin* ein Teddyboy«, sagte er entrüstet. »Man hört nicht auf, der zu sein, der man ist, nur weil es aus der Mode kommt.«

Sie sah auf seine Füße und bemerkte erst jetzt seine Röhrenhosen und die Kreppsohlen. »Mein Gott, Sie sind ja Ihrem Stil sehr treu geblieben.«

»Und warum auch nicht? Sagen Sie mir mal eins: Wer ist heutzutage noch so gut wie Elvis? Wer kann heute noch singen wie Carl Perkins? Keiner.«

Paddy lächelte über diesen plötzlichen Begeisterungsausbruch. »So wird's schon sein.«
»Was ist Ihr Lieblingssong von Frankie Vaughn?«
Sie zuckte mit den Achseln. »Ich kenne keine.«
Er war enttäuscht. Es war eine Testfrage gewesen, das war ihr klar. »Sie kennen nichts von Frankie Vaughn? Sie kennen ›Mr. Moonlight‹ nicht? Ach, die jungen Leute heutzutage, ich weiß nicht. Wissen Sie, was er für diese Stadt getan hat?«
»Ja, das weiß ich schon.« Der Schnulzensänger Frankie Vaughn war, als er in den fünfziger Jahren in Glasgow auftrat, so entsetzt über die Gewalttätigkeit gewesen, dass er sich mit den Anführern der Gangs traf und an sie appellierte, ihre Waffen abzugeben. Er wurde ein Sinnbild für den Frieden, aber jetzt erinnerten sich hauptsächlich nur noch die an ihn, die die Probleme überhaupt erst verursacht hatten.
»Ihr jungen Leut, ihr kennt euch doch überhaupt nicht aus mit Musik. Ich wette, Sie gehören zu diesen Punkern.«
Paddy lachte. »Punk war vor hundert Jahren aktuell.«
»Drogenmusik, nichts weiter. Frankie sollte wiederkommen und es ihnen zeigen.« Er machte ein paar Steptanzschritte, hob eine Hand, streckte einen Fuß vor, und sie lachten beide in der matten Dunkelheit. Paddy wünschte, dass sie nie mehr nach Hause gehen müsste.
Der Mann vom Lebensmittelwagen winkte ihr noch nach und schloss seine Hecktür, fuhr die Straße hinunter und ließ sie allein zurück.
Sie ging weiter, kaute Pfefferminzbonbons und schaute sich den kleinen Weg an. Jenseits der Häuser und kleinen

Gärten sah sie die gelben Lichter der Hauptstraße und die Haltestelle, an der der Bus aus Barnhill hielt. Die Jungen hätten leicht dort aussteigen und zu dem Wagen herüberlaufen können.

Sie hatte das Viertel doch nicht durchschaut. Sie verschwendete ihre Zeit.

14
Mary Ann lacht wieder

1

Auf ihrem Weg zum Bahnhof sah Paddy jede Hoffnung für die Zukunft schwinden. Sie war zu naiv, um als Journalistin Erfolg zu haben. Sie hätte wissen müssen, dass Heather sich ihre Geschichte einfach unter den Nagel reißen würde. Jeder gute Journalist hätte das getan, jeder, der nicht vorhatte, den Rest seines Berufslebens mit dem Schreiben von Nachrufen oder Modetipps zu Rocklängen und Tweedjacken zu verbringen. Sie würde es nie schaffen. Sie würde Sean heiraten und hundert brandstiftende Kinder aufziehen müssen, genau wie Mrs. Breslin. Der untere Bahnsteig war überfüllt. Paddy stellte sich ans Ende der Schlange von Pendlern auf der Treppe. Sie wartete in dem düsteren unterirdischen Licht, mit der Hüfte an das feuchte Geländer gelehnt, und bemühte sich, die Gedanken an Seans Reaktion oder die ihrer Mutter, wenn sie nach Hause kam, zu verdrängen. Überall auf der Treppe lasen die Leute Zeitungen mit Schlagzeilen über die Baby-Brian-Boys. Es würde für ein Kind, das in Schwierigkeiten steckte, ganz besonders schwer sein, zu seiner Verteidigung niemand anderen als Callum Ogilvys Mutter zu haben.

Paddy wusste ihren Namen nicht mehr, konnte sich aber gut an sie erinnern. Nach dem Beerdigungsgottesdienst für Callums Vater waren die Trauergäste in das Haus der Ogilvys gegangen, wo alles dunkel, feucht und ärmlich war. Die Tapeten im Flur und Wohnzimmer hatte man von den Wänden gerissen und auf dem Boden liegen lassen.

Zum Trinken bot Seans Tante Maggie Whisky aus einer Flasche an, die sie selbst mitgebracht hatte. Es gab keine Gläser im Haus. Sie hatten aus angeschlagenen Tassen und pastellfarbenen Kinderbechern trinken müssen. Paddys Becher war nicht richtig gespült, und etwas getrocknete Milch kam an die Oberfläche und machte den Whisky trüb.

Callums Mutter hatte lange, widerspenstige Haare, die ihr vom Mittelscheitel aus ins Gesicht fielen und die Wangenknochen und Kiefer verdeckten, so dass es nur aus einem Paar toter, feuchter Augen und blutloser Lippen zu bestehen schien. Manchmal erschlafften ihre Züge, ihr Kiefer fiel herunter und sie fing erschöpft an zu weinen. Sie nahm sich die Tassen anderer Leute vom Tisch, betrank sich sofort und blamierte sich. Sean sagte, sie sei schon so gewesen, bevor der Vater starb, schon sehr lange, und alle wüssten Bescheid. Die Trauergäste waren nur so lange geblieben, wie die Höflichkeit es verlangte, und gingen alle zur gleichen Zeit. Sie verließen das schmutzige Haus in Barnhill so plötzlich wie ein Schwarm aufgeschreckter Vögel.

Paddy hatte für Mütter, die ihre Pflichten vernachlässigten, eine Art widerwilliges Verständnis. Es war ja wirklich kein toller Beruf. Alle Mütter, die sie kannte, waren ängstlich und gereizt, und es machte nie Spaß, mit ihnen zusammen zu sein. Sie bemühte sich sehr, für Trisha Achtung zu empfinden, versuchte das, was sie tat, zu schätzen und sich dafür zu bedanken, war aber andererseits immer mit dabei, wenn Marty und Gerald sich über sie lustig machten. Die Mütter, die sie kannte, arbeiteten ihr Leben lang, ohne Anerkennung dafür zu bekommen, und sie alterten schneller als alle anderen in der Familie, bis sie sich nur durch die Dauerwellen und Ohrringe von den ganz alten Männern unterschieden.

Der Zug kam, die Fahrgäste drängelten nach vorn und schoben Paddy in ihrer Mitte weiter voran. Sie wünschte, sie könnte sich umdrehen, zur Albion Street zurücklaufen und sich im Büro verstecken. Sie quetschte sich als eine der Letzten gerade noch durch die Türen, bevor sie sich schlossen.

Als sich der Zug vom Bahnsteig entfernte, stellte sie sich vor, sie trüge elegante Kleider und wäre wunderbare fünfzehn Zentimeter größer, betrete mit ihrer gertenschlanken Figur fabelhafte Räume, stelle sachdienliche Fragen und schriebe wichtige Artikel. All diese Träume hatten sich heute Abend in Luft aufgelöst. Sie hatte das dunkle Gefühl, ein Schatten sei auf sie gefallen und von jetzt an würde alles schiefgehen. Die Gunst des Schicksals konnte ja so trügerisch sein, das wusste sie. Der Zug verließ den dämmerigen Bahnhof und brachte sie ihrem Zuhause näher, wo sie ihrer Familie ausgeliefert sein würde.

2

Als der Zug in Rutherglen ankam, war der Regen stärker geworden und hatte die schönen Schneereste weggewaschen. Paddy folgte der Menge die steile Treppe zu der überdachten Brücke hoch.

Eine Gruppe Betrunkener hatte sich vor der Tower Bar versammelt, einem Pub in einer kleinen Straße, dessen Eingang neben den öffentlichen Toiletten war. Ein Gast, der wahrscheinlich vor kurzem beide Etablissements aufgesucht hatte, versuchte immer wieder, den Reißverschluss an seiner Bomberjacke zu schließen, und schwankte dabei vor Anstrengung hin und her. Ein anderer Mann, der Vater eines Jungen, mit dem sie zur Schule gegangen war, sah ihm aufmerksam zu und hielt zwei Dosen Bier an sich gepresst. Paddy war froh, dass sie ihre Dufflecoat-Kapuze aufhatte, denn er hätte sie vielleicht erkannt und mit ihr reden wollen. Schließlich verlor der Mann, der die Dosen trug, die Geduld und ging vor den aus dem Zug kommenden Menschen auf dem schmalen Weg zur Hauptstraße hinüber. Der Betrunkene eilte hinterher, während er weiter mit seiner Jacke kämpfte.

Die Hauptstraße in Rutherglen hatte breite Gehwege, die an die Vergangenheit des Orts als Marktstadt erinnerten, als das königliche Marktrecht die Möglichkeit eröffnete, zum Rivalen des in der Nähe gelegenen Dorfs Glasgow zu werden. Von der ursprünglichen Stadt war nicht viel geblieben. Die lange Kurve am Ende der West Main Street mit den zur Regierungszeit der Maria von Guise gebauten Hütten und Pubs der Viehtreiber war abgerissen und geteert worden und bildete damit die Verbindungsstraße zu den anderen Teilen der Southside. Im Lauf der Zeit war Rutherglen aus einer alten Marktstadt zu einem Verkehrsknotenpunkt geworden.

Männer und Frauen aus Castlemilk, der neuen Wohnanlage, die ein Stück weiter an der Straße lag, kamen hier in die Pubs der Republikaner oder der Unionisten oder in Kneipen, die Getränke in großen altmodischen Bechern statt des englischen Achtelmaßes verkauften. Es war immer leichter, den Hügel nach Rutherglen hinunterzurollen als wieder hinaufzukommen.

Nach der Mittagspause und nach Schließung der Lokale am Abend war die Hauptstraße mit Betrunkenen übersät, die auf Bänken schliefen, auf den Gehwegen zusammengesunken waren oder noch wach in den Läden für Ärger sorgten.

Paddy ging an den Wartehäuschen der Bushaltestellen vorbei, wo die Arbeiter bis auf die Straße standen und besorgt durch den Regen spähten und nach dem richtigen Bus Ausschau hielten. Sie ging an Granny Annies dunklem Haus vorbei und zur Gallowflat Street hinauf.

Sean wohnte in einem Mietshaus im Erdgeschoss. Er war genau wie Paddy das jüngste Kind einer großen Familie, aber alle seine Geschwister waren schon verheiratet und aus dem Haus, er war als Letzter noch übrig. Seine Mutter war Witwe und hatte ihr kleines Häuschen gegen die Vierzimmerwohnung eingetauscht, mit der sie besser zurechtkam. Wenn sie nicht zu Hause war und ihren lieben Sean verwöhnte, widmete sie ihre ganze Kraft dem Geldsammeln für die Mission in Afrika oder anderen wohltätigen Zwecken. Naturkatastrophen waren ihre Spezialität.

Paddy hörte durch das Wohnzimmerfenster die Auftaktmelodie der Nachrichtensendung vom Fernseher der Ogilvys. Das Küchenfenster war beschlagen und wurde durch eine dazwischengeklemmte Dose Bohnen aufgehalten. Der Geruch von Kraut und schmutziger, in Seifenlauge kochender Wäsche kam aus dem Spalt. Paddy blieb vor dem Durchgang zum Hof stehen, setzte einen Fuß auf die Treppe und atmete tief durch. Es war das Beste, zuerst hierherzukommen. Sean würde sie vielleicht sogar nach Haus begleiten und ihrer Mutter zeigen, dass die Ogilvys ihr nicht böse waren. Sie dachte mit tiefer Zärtlichkeit an Seans Gesicht. Noch nie hatte sie sich so sehr gewünscht, ihn zu sehen. Sie passierte den Hausdurchgang und holte noch einmal tief Luft, bevor sie auf den Klingelknopf drückte.

Mimi Ogilvy öffnete die Tür und stieß einen halb unterdrückten Entsetzensschrei aus. Sie hatte immer so getan, als möge sie ihre zukünftige Schwiegertochter, weil sie eine Meehan war, aber im Vertrauen hatte sie Sean gesagt, sie finde es nicht gut, dass Paddy eine Arbeit mit Karriereaussichten hatte. Sie erwecke damit nur den Eindruck, leichtlebig zu sein.

»Oh, hallo, Mrs. Ogilvy«, sagte Paddy und wünschte, die Sache würde sich etwas besser entwickeln. »Sie brauchen nicht zu schreien. Ich bin's nur.«

Mrs. Ogilvy wich in den Flur zurück und hielt sich die Schürze vor den Mund. Sie rief Sean, behielt aber Paddy weiter im Auge. Er kam nicht gleich, und die beiden Frauen starrten sich an, Paddy mit einem nervösen Lächeln, während Mrs. Ogilvys schockierter Gesichtsausdruck feindselig wurde.

Sean kam aus der Küche geschlendert und kaute an einer zusammengeklappten Scheibe Weißbrot. Als er sah, dass sie es war, erstarrte er.
Paddy winkte ihm zu. »Hi«, sagte sie schwach.
Er trat vor seine Mutter, zog die Tür halb zu und füllte jetzt den ganzen Eingang aus. Mrs. Ogilvy schniefte hinter ihm, um seine Aufmerksamkeit zu erregen. »Geh rein, Ma«, sagte er.
Mimi flüsterte etwas, das Paddy nicht verstand, und wich zurück. Eine Tür fiel hinter ihm zu.
»Bin ich also nicht erwünscht bei den Ogilvys?«
»Geh nach Hause, Paddy.« Er hatte noch nie mit solcher Kälte zu ihr gesprochen und brachte sie damit aus der Fassung.
»Ich hab's nicht getan, Sean«, stieß sie schnell heraus, weil sie Angst hatte, er würde ihr die Tür vor der Nase zuschlagen. »Ich hab mit einer Kollegin im Vertrauen darüber geredet, als ich das Bild von Callum gesehen habe, und sie hat die Story verkauft. Ich hab es ihr nur gesagt, weil ich mich so aufgeregt habe.«
Sean schaute an ihr vorbei.
Sie spürte Angst in sich aufsteigen. »Ich schwöre, Seanie, ich garantiere dir, so ist es gewesen …«
»Meine Mutter ist total erledigt. Ich hab's bei der Arbeit gelesen. Ich war gerade beim Mittagessen, und jemand hat es mir gezeigt. Es war nicht angenehm.«
»Du hast die Zeitung gelesen?« Das überraschte sie, weil er sonst nie zugab, die *Daily News* zu lesen. Es ging gegen seinen Stolz, weil es eine eher seriöse Zeitung war und kein Boulevardblatt.
»Jemand anders hat sie gekauft«, erklärte er.

»Sean, meinst du, ich würde das tun? Glaubst du das wirklich, Sean?« Sie sagte seinen Namen ziemlich oft, mit hoher, zitteriger Stimme. Sie wusste, dass ihr Gesicht sich gegen ihren Willen verzerrt hatte und ihr Mund sich vor Angst in die Breite zog.

»Ich weiß nicht mehr, was du tun würdest. Ich sehe einen Artikel in der Zeitung, in deiner Zeitung, was soll ich denn da denken?«

»Aber wenn ich das geschrieben hätte, würde ich dann etwa erklären, dass wir katholisch sind? Würde ich das erwähnen?«

Fast lächelte er. »Was willst du damit sagen? Dass du mich und meine Familie verraten, aber über die Kirche kein schlechtes Wort verlieren würdest?«

Paddy konnte es einfach nicht mehr ertragen, diese demütigende Rolle weiterzuspielen. »Ach, dann leck mich doch, wenn du mir nicht glaubst.«

Sie hörte hinter ihm Mrs. Ogilvy über ihre wütenden Worte empört zischen. Die hinterhältige alte Hexe hatte den Flur gar nicht verlassen. Sean trat zurück und schlug ihr die Tür vor der Nase zu.

Paddy rührte sich nicht. Sie wartete drei Minuten. Endlich machte er die Tür wieder auf.

»Geh«, sagte er leise und schloss sie wieder.

3

Paddy ging die zwei Meilen im Regen zu Fuß nach Hause. Mit jedem Schritt wurde sie deprimierter, denn sie war sicher, es würde zu Haus sehr schlimm werden. Sie dachte an Meehans Protest in der Einzelhaft, den er sieben Jahre aufrechterhalten hatte, an die klagenden Männer und Frauen in den Gefängnissen für politische Häftlinge in Moskau und Ostberlin, an Griffiths' verschwendetes Leben und seine einsamen letzten Augenblicke. Sie wusste, dass andere Menschen Schlimmeres erlebt hatten als sie, aber das war heute Abend ein schwacher Trost. Sie wusste, man würde ihr nicht glauben, dass sie keine Schuld hatte. Die Familie würde sie bestrafen und das den anderen Leuten auch beweisen müssen. Ihre Eltern mussten die Kinder selten zur Ordnung rufen. Sie taten es nur, wenn sie sich dazu gezwungen sahen, gewöhnlich durch die strikten Ansichten ihrer Freunde, aber wenn sie es taten, schwangen dabei eine Boshaftigkeit und Gehässigkeit mit, die Aspekte ihrer Persönlichkeit verrieten, an die Paddy lieber nicht denken wollte.

Als sie den Schlüssel ins Schloss steckte, holte sie tief Luft. Außer dem Geräusch der Tür, die auf der Fußmatte schrappte, war im Haus nichts zu hören, und die Stille hämmerte in ihren Ohren. Sie wollte hallo rufen, fürchtete aber, dass es zu unbekümmert klingen könnte. Als sie ihren Mantel in den Dielenschrank hing, bemerkte sie, dass ziemlich viele Mäntel fehlten. Sie zog ihre Schuhe aus, die Hausschuhe an und hoffte die ganze Zeit auf irgendeinen Zuruf oder Gruß.

Es war acht, aber das Wohnzimmer war ungewöhnlich aufgeräumt, ohne leere Teetassen oder zusammengefaltete Zeitungen auf den Sessellehnen, dass es beinahe unheimlich wirkte. Paddy blieb an der Küchentür stehen. Trisha war an der Spüle beschäftigt und stand mit dem

Rücken zum Raum. Trishas Gesicht spiegelte sich im Fenster, und Paddy bemerkte ihren gespannten Nacken und die fest aufeinandergepressten Kiefer. Sie sah nicht auf.

»Hallo, Mum.« Sie sah über Trishas linker Schulter das Spiegelbild ihres eigenen nervösen Gesichts.

Trisha richtete sich auf, hielt den Blick jedoch weiter gesenkt, ging zum Herd hinüber, nahm einen vorgewärmten Teller aus dem Ofen und füllte ihn achtlos mit Mohrrübensuppe. Sie knallte den Teller auf den Küchentisch und schnippte mit dem Finger in Paddys Richtung, bevor sie sich wieder dem Herd zuwandte. Paddy setzte sich und fing an zu löffeln.

»Die Suppe ist gut«, sagte sie, wie sie es bei jedem Abendessen getan hatte, seit sie zwölf war.

Wortlos bückte sich Trisha und machte den Ofen auf, nahm den obersten von fünf Tellern und belud ihn mit gekochten Kartoffeln aus einem Topf, einer Portion matschiger Erbsen und Lammragout. Sie stellte den Teller unsanft auf den Tisch. Die Kartoffeln waren verkocht, trocken und rissig, innen gelb, außen mehlig weiß.

Paddy tauchte vorsichtig ihren Löffel in die Suppe. »Ich war es nicht, Mum.«

Trisha nahm ein Glas vom Abtropfbrett, drehte den kalten Wasserhahn auf und hielt die Hand unter den Wasserstrahl, um die Temperatur zu überprüfen.

Paddy fing an zu weinen. »Bitte, Mum, tu das nicht, sprich mit mir. Bitte.«

Trisha füllte das Glas, gab einen Schuss Orangenlimonade dazu, nur so viel, dass das Wasser trüb aussah, und stellte das Glas auf den Tisch.

»Mum, ich hab bei der Arbeit das Bild von Callum Ogilvy gesehen und hab's einem Mädchen erzählt, und sie meinte, ich sollte einen Artikel darüber schreiben, aber ich hab nein gesagt.« Paddys Nase war verstopft, und große Tränen tropften in die dickflüssige orangefarbene Suppe, blieben einen Moment an der Oberfläche und lösten sich dann auf. Sie versuchte zu Atem zu kommen. »Dann hab ich heute früh auf dem Weg zur Arbeit den Artikel in der Zeitung gesehen. Ich war es nicht, Mum, ich schwöre es.«

Trisha stand da und sah zu Boden, sie war so zornig, dass sie fast gegen ihre lebenslange Angewohnheit verstoßen und nach dem Grund gefragt hätte. Dann wandte sie sich ab und verließ die Küche. Paddy hörte, wie sie draußen im Flur den Garderobenschrank öffnete und die Metallbügel klirrten. Trisha streifte ihre Hausschuhe ab, zog feste Schuhe an, schlug die Haustür hinter sich zu, und schon war sie weg.

Paddy aß ihre Suppe. Einmal war Marty von der Familie durch Nichtbeachtung bestraft worden, als er seine Beziehung zu Martine Holland, seiner sehr religiösen Freundin, abbrach. Paddy war eines Tages nach Haus gekommen und fand das Mädchen weinend im Wohnzimmer vor, wo Trisha ihr zuhörte und Con mit Tee und kleinen Toaststückchen hin- und herrannte. Sie fand nie genau heraus, was Marty eigentlich getan hatte, aber die Familie setzte sich seinetwegen zu Besprechungen zusammen, wenn er weg war. Er hatte dem Mädchen etwas Schreckliches, Schändliches angetan. Es war die Aufgabe der Familie, ihm den Unterschied zwischen Gut und Böse beizubringen und ihn mit Liebe auf den rechten Pfad zu führen. Sie beschlossen, ihn zu ignorieren, zu tun, als sei er nicht da, und zwar drei Tage lang. Paddy erinnerte sich, dass sie am Küchentisch saßen, als Marty an jenem Abend nach Hause kam. Alle verstummten. Er fing an, sich ein Brot zu machen, ließ aber das Messer fallen und das halbbestrichene Brot auf dem Teller liegen und verließ die Küche. Als Trisha ihnen die Erlaubnis gab, wieder mit ihm zu sprechen, sah Paddy, dass er vor Erleichterung den Tränen nahe war. Er versöhnte sich nicht mit Martine, und es dauerte ein Jahr, bevor er wieder mit einem Mädchen ausging. Er brachte keines mehr mit nach Hause und bekam seinen alten Platz in der Familie nie wieder zurück. Das, woran sich Paddy von dieser Zeit am besten erinnerte, war das scheinheilige Gefühl der Zufriedenheit, zum inneren Kreis der Familie zu gehören.

Paddy vertilgte ihr Ragout und die verkochten Kartoffeln. Dann aß sie ein Eis und holte sich noch eine zweite Portion, obwohl sie schon sehr satt war. Bis Gerald um halb zehn heimkam, saß sie noch eine Weile vor dem Fernseher. Er rief »Hallo« durchs Haus, aber als er Paddys Hinterkopf im guten Sessel sah, verstummte er und zog schweigend seinen Mantel aus. Sie drehte sich zu ihm um, als er durchs Wohnzimmer zur Küche ging.

»Gerald, du blöder Kerl«, sagte sie. »Du weißt ja nicht mal, was los war.«

Er hielt den Blick gesenkt und nickte ihr traurig zu, um anzudeuten, sie sei selbst schuld.

»Sprichst du nicht mehr mit mir? Dabei bin ich es nicht mal gewesen.«

Gerald zuckte mit den Schultern und schaute weg.

»Du Arschloch«, sagte sie und stand auf.
»Ich sag Mum, dass du das gesagt hast.«
»Ich sag Mum, dass du mit mir geredet hast«, erwiderte sie und rannte nach oben.

4

Paddy hatte schon drei Stunden im Bett gelegen und gelauscht, wie nach und nach die ganze Familie nach Hause kam und jeder erleichtert feststellte, dass sie im Bett war. Sie hörte, wie der Fernseher anging, horchte auf die unverständlichen Gespräche in der Küche und wie sie ins Wohnzimmer gingen, als sie merkten, dass sie nicht herunterkommen würde. Marty sprach besonders laut und lachte zweimal herzhaft. Sie hatte das Gefühl, dass er seine Chance gekommen sah. Von ihrem Vater hörte sie kaum ein Wort. Er war bestimmt sehr gekränkt. Sie fragte sich, ob Trisha im Flüsterton mit ihm reden würde, wenn sie zu Bett gingen, manchmal hörten sie sie dabei, und ob sie ihm dann erzählen würde, dass Paddy gesagt hatte, sie sei es nicht gewesen. Nach Martys Bestrafung hatte Con sich ihm gegenüber nie wieder so verhalten wie zuvor. Er widersprach ihm bei jeder Gelegenheit und blödelte nie mehr mit ihm herum.
Jemand schloss die Wohnzimmertür, und die Geräusche von unten wurden gedämpft und undeutlich. Jetzt saßen sie wohl zusammen bei einer Besprechung über ihr Benehmen und den Artikel. Wie schlimm sich das anhörte, konnte sie sich denken.
Sie suchte Trost, indem sie Sean in Gedanken bei seiner

Vorbereitung zum Zubettgehen begleitete, wie er seine Kleider für den nächsten Tag auf einen Stuhl legte, sich die Zähne putzte, ins Bett ging und die Kissen auf den Boden warf, damit er flach auf dem Bauch liegen konnte. Sie roch sein Haar und berührte das Muttermal an seinen hohen Wangenknochen. Er nahm sie in die Arme und sagte, alles würde gut werden und sie solle sich keine Sorgen machen. Am Samstag in einer Woche war Valentinstag. Sie gingen dann immer zusammen ins Kino und aßen auf dem Heimweg gemeinsam ein Brathähnchen. Sie dachte an die letzten drei Male, die sie am Valentinstag ausgegangen waren: Der erste war verregnet gewesen, am zweiten hatte sie eine Kräuterdiät gemacht und das gebratene Fleisch nur riechen dürfen und an einem Stückchen Pommes geleckt, und am letzten hatte er ihr zum ersten Mal einen Antrag gemacht und sie hatte nein gesagt.

In ihrem dunklen Zimmer war es kalt, und der Wind draußen schüttelte den einsamen Baum am Ende des Gartens. Sie hörte, wie der Heizkörper knackte, als die Heizung abgestellt wurde und das Eisen sich abkühlte.

Sie wartete ab, bis sie dringend aufs Klo musste, damit sie vor dem Einschlafen nicht zweimal gehen musste. An der Treppe knipste sie das Licht an und blieb vor der Badezimmertür stehen, damit die Silberfischchen einen Vorsprung hatten. Unten murmelte die einsame Stimme eines Nachrichtensprechers. Die Familie horchte auf jede ihrer Bewegungen.

Paddy ging aufs Klo und wusch sich Hände und Gesicht. Sie trocknete sich gerade ab, als sie die Wohnzimmertür aufgehen und dann leise Schritte auf der Treppe hörte.

Sie blieb still stehen und beobachtete Marty durch das Milchglas. Er stand draußen, fuhr sich durch sein lockiges schwarzes Haar und senkte den Kopf, als wolle er ihr durch die Tür etwas zuflüstern. Sie horchte angestrengt. Er sagte nichts, aber seine Wangen schienen sich zu bewegen, als lächelte er. Dann streckte er den Arm zum Türrahmen aus und schaltete das Licht aus.
Sie sah aus der Dunkelheit zu, wie seine verschwommene Gestalt die Treppe hinunterging, verschwand und sie mit den Silberfischchen allein ließ, die sie in ihrer Einbildung über ihre Füße laufen spürte.

Einer nach dem anderen kamen die Familienmitglieder herauf und gingen zu Bett, lösten sich im Badezimmer ab, wünschten sich auf dem Treppenabsatz flüsternd gute Nacht, und taten so, als dächten sie, sie schliefe schon, wo doch alle wussten, dass sie sich versteckte.
Mary Ann schlüpfte auf Zehenspitzen ins Zimmer, nahm ihren Waschbeutel von der Kommode, zog ihr Nachthemd unter dem Kopfkissen hervor und ließ die Tür offen stehen. Als sie zurückkam, schloss sie vorsichtig die Tür hinter sich, kroch unter die Decke, rollte sich auf die Seite und wandte Paddy den Rücken zu.
Paddy war den ganzen Abend tapfer und zornig gewesen, aber jetzt konnte sie nicht mehr. Sie biss in ihre Decke und versuchte so ihr schweres Atmen zu kaschieren. Dass Marty die Strafe damals verdient hatte, wusste sie, aber sie hätte nie gedacht, dass sie so etwas mit ihr machen würden. Bei der Arbeit hielt sie jeder für eine pummelige Witzfigur, und zu Hause hassten sie alle. Sie gab sich dem tiefen Selbstmitleid hin, das Gott eigentlich nur für Teen-

ager vorgesehen hat. Da spürte sie einen Schlag auf ihre Schulter. Sie rollte sich ein bisschen herum.

Mary Anns Augen sahen in der Dunkelheit wie kleine Korinthen aus. Sie hing halb aus ihrem eigenen Bett heraus, schlug auf Paddys Arm und lachte dabei still vor sich hin, um Paddy zum Lächeln zu bringen. Aber Paddy schaffte es nicht. Sie schüttelte den Kopf, zog die Decke bis zum Mund hoch und bemühte sich, nicht zu weinen.

»Ich hab's nicht getan«, sagte Paddy so leise, dass es kaum mehr als ein Murmeln war.

Mary Ann griff zu Paddy hinüber, zog ihr die feuchte Hand vom Gesicht und drückte sie fest. Sie hielt sie, bis ihre kleine Schwester einschlief, stand schließlich auf und steckte Paddys rundlichen Arm unter die Decke. Dann saß sie auf Paddys Bettkante und lächelte, bis ihre Lippen an den Zähnen festklebten und ihre Füße vor lauter Kälte schon ganz taub waren.

15
Vom Stammtischbruder zum Großstadthelden

1

Als Paddy sich eine Stunde früher als sonst zum Frühstück hinunterschlich, weil sie hoffte, den anderen nicht zu begegnen, blieb sie auf der Treppe stehen und horchte auf Geräusche, auf das helle Klirren von Löffeln und Geschirr oder das etwas dumpfere der Teetassen, wenn sie auf den Tisch gestellt wurden. Es war still im Haus. Sie stahl sich hinunter und war schon an der Küchentür, bevor ihr klar wurde, dass die ganze Familie früher aufgestanden war und gehofft hatte, ihr damit aus dem Weg zu gehen, und nun verlegen schweigend am Tisch saß.
Zurück konnte sie nicht. Als sie sich näherte und nach einem Stuhl Ausschau hielt, wurden alle nervös. Der einzige freie Platz war der neben ihrem Vater. Er starrte krampfhaft auf die Packung Sugarpuffs, während Paddy den zur Leiter ausklappbaren Hocker heranzog, sich setzte und sich eine Tasse Tee eingoss.
Con räusperte sich mehrmals. Gerald schaute am Tisch wortlos von einem Platz zum anderen, weil er wohl je-

manden zu etwas auffordern, aber nichts sagen wollte, und Trisha wusch geräuschvoll ein paar Teller in der Spüle ab. Marty war der Einzige, der halbwegs zufrieden schien. Er sah vergnügt umher und summte einen Refrain aus »Vienna« vor sich hin.

Trisha führte den Rückzug an. Sie gab das Spülen plötzlich auf und verließ den Raum. Gerald aß schnell fertig und rannte nach oben. Con ging, ohne seinen Porridge zu Ende zu essen. Marty ließ sich Zeit und nahm genüsslich noch eine halbe Scheibe Toast, wobei Paddy und Mary Ann ihm zusahen. Schließlich war er am Ende mit seiner betonten Gelassenheit und ging ebenfalls.

Paddy blickte über die Reste auf dem Tisch ihre Schwester an. Mary Ann hob erstaunt eine Augenbraue. »Ooh«, sagte sie und lachte, bis ihr Gesicht dunkelrot anlief.

2

Es war eine widerliche Titelseite. Den größten Teil nahm ein Bild von Baby Brian ein, versehen mit der rührseligen Schlagzeile DIE QUALEN UNSERES KLEINEN BRIAN, fünf Worte, mit denen man nicht nur andeutete, dass das Kind schrecklich gelitten habe, sondern auch, dass es kurz zuvor ins Eigentum der *Scottish Daily News* übergegangen sei. Der Artikel ging auf den Kompromissbeschluss einer späten Redaktionsbesprechung zurück und versuchte, den Publikumsgeschmack zu treffen. Die Verantwortlichen waren allerdings so abgestumpft, dass sie wirkliche Gefühle nicht einmal mehr zu erkennen in der Lage waren. In der Nachrichtenredaktion herrschte eine

Stimmung tiefer Beschämung, die alle betraf und die Journalisten so gereizt machte, dass sie auf ihren jüngeren Kollegen herumhackten, die Hilfskräfte anschrien und sich über alles Mögliche beklagten. Nach zwei Stunden der ersten Schicht war die Hälfte der Belegschaft angetrunken und die andere unten in der Press Bar auf dem besten Wege dahin.

Heather erschien in der Tür des Büros. Paddy war klar, dass sie sich besonders sorgfältig zurechtgemacht hatte, um ihr Selbstbewusstsein zu stärken. Ihr Haar war aufwendig gestylt und nach hinten frisiert, und sie trug einen roten Blazer mit doppelter Knopfreihe wie eine Juniorchefin.

Keck, der links von Paddy auf der Bank saß, stieß sie an. »Kuck dir mal diese Nutte an«, sagte er. »Sie kann's ja kaum abwarten.«

Auf Paddys anderer Seite seufzte Dub geräuschvoll, murmelte, Keck sei ein alter Wichser, und wandte sich wieder seiner Lektüre zu.

Im Büro wurde es auffällig still. Paddy sah auf und merkte, dass die Hälfte der Nachrichtenredakteure und alle Sportredakteure amüsiert zu ihr herübersahen und auf eine Reaktion warteten.

Einer der Sportjournalisten stand auf, hielt sich die Nase zu und trompetete laut durch seine zum Trichter geformte Faust: »Und in der roten Ecke ...« Alle lachten. Helen lächelte gnädig, senkte den Kopf und nahm es gutgelaunt hin. Paddy starrte niedergeschlagen auf ihre Füße, bis Keck sie anstieß.

»Du musst lächeln. Tu so, als ob es dir nichts ausmacht.«

»Die sollen mich doch alle mal«, sagte Paddy viel zu laut

und brachte damit auch noch alle die gegen sich auf, die bis jetzt auf ihrer Seite gewesen waren. »Ich mach mir überhaupt nichts draus, was die blöden Scheißkerle denken.«

3

Normalerweise verbrachte sie die Mittagspause draußen, weil sie lieber in der Stadt herumlief, als in der Kantine zu sitzen und vielsagende Bemerkungen abzuwehren, die vielleicht gutgemeint, ihr aber unangenehm waren. Aber heute war sie richtig wütend und hätte es mit jedem aufgenommen. Sie saß allein an einem kleinen Ecktisch in der vollen Kantine, schlürfte einen Milchkaffee und aß zum Trost eine Rosinenschnitte mit Vanillepudding. Auf dem Tisch hatte sie die *Daily News*, den *Record* und die *Evening Times* ausgebreitet und las immer wieder die Artikel über Baby Brian, wobei sie sorgfältig die Fakten aus dem sentimentalen Beiwerk herauszufiltern versuchte.
Die Texte waren in jeder Zeitung fast gleich, einige Sätze waren sogar von Artikel zu Artikel identisch, so dass sie wusste, man hatte sie direkt aus den Polizeiberichten übernommen. Die beiden inhaftierten Jungen hatten an jenem Tag die Schule geschwänzt und waren zu Fuß von zu Hause in Barnhill nach Townhead gegangen. In allen Artikeln wurde die Tatsache erwähnt, dass die Kinder allein und zu keinem Zeitpunkt in Begleitung eines Erwachsenen waren. Diese Einzelheit wurde so ausdrücklich betont, dass Paddy vermutete, alle Journalisten hätten bei der Pressekonferenz danach gefragt. Die Jungen

hatten Brian von seinem Garten zur Bahnstation in der Queen Street gebracht, die gerade mal eine halbe Meile die Straße zur Stadt hinunter lag. Sie nahmen den Zug nach Steps, einer zwölf Minuten entfernten Station auf dem Land. Als sie in Steps ankamen, gingen sie die lange Auffahrt zu der ruhigen Landstraße hoch, überquerten sie, brachten das Kind durch eine Lücke im Zaun zu den Gleisen hinunter und töteten es dort.

Paddy konnte sich nicht erklären, warum die Jungen bis nach Steps hinausgefahren waren. Überall in Barnhill gab es verlassene Grundstücke und leere Flächen, auf denen die wilden Kinder dieser Gegend spielten und die sie besser kannten als sonst irgendjemand. Sie erinnerte sich, dass sie auf dem Rückweg zur Southside mit den Trauernden der Familie Ogilvy durch das regennasse Busfenster auf die Landschaft hinausgeblickt hatte. Sie waren am St.-Rollox-Werk vorbeigefahren, einer ehemaligen Waggonfabrik mit unzähligen baufälligen Gebäuden. Sie hatte Lagerflächen mit schwarzen, verbogenen Metallteilen gesehen, alte Gleise, und auf einem anderen Gelände lagen sogar Reihen ordentlich gelagerter Materialien: riesige Container mit sonnengelbem Sand, Holzstapel und Stöße von mannshohen Eisendrahtspulen. Bengel wie Callum und sein Freund kannten dort bestimmt Hunderte von Verstecken für ein schreckliches Geheimnis.

Sie bemerkte einen Schatten vor ihrem Tisch, sah auf und erblickte den Chefreporter JT neben sich. Er lächelte bescheiden und befangen, als sehe er sich selbst mit ihren Augen und bewundere sich sogar. Er konnte sich allerdings nicht gerade für attraktiv halten, denn sein rundes Gesicht saß auf einem zu kurzen Hals und seine Nase

war mit auffälligen Mitessern bedeckt. Paddy wurde sich plötzlich eines Puddingrestes auf der einen Seite ihrer Oberlippe bewusst.
»Macht's Ihnen was aus, wenn ich mich setze?«
Sie faltete die Zeitungen zu einem ordentlichen Stapel zusammen und JT nahm Platz und stellte seinen Becher Tee und einen Teller Pommes mit einer Ketchup-Zickzacklinie und einem Speckbrötchen obendrauf auf den Tisch.
»Vielen Dank.« Er lächelte wieder, nahm seine Wildlederjacke ab und warf sie mit einem Schwung, der ihm wohl kühn vorkam, auf das Fensterbrett. »Wie geht es Ihnen, Patricia? Ist alles in Ordnung?«
Er konnte ihren Namen kaum irgendwo gehört haben, sondern hatte ihn wohl nur geschrieben gesehen. Sie lächelte, gab ihm aber keine Antwort.
»Als ich hier angefangen habe, durften Hilfskräfte nicht mal in der Kantine mit den Journalisten essen.« Ein Lächeln ließ einen seiner Mundwinkel zucken. »Ich war auch mal Laufbursche bei der *Lanarkshire Gazette*. Können Sie sich *das* vorstellen?«
Er machte eine Pause, damit sie antworten konnte, also tat sie es.
»Ob ich mir vorstellen kann, dass ein so wichtiger Mann wie Sie jemals als Laufbursche gearbeitet hat oder dass Lanarkshire eine eigene Zeitung hatte?«
Er ignorierte das und fuhr mit der Unterhaltung fort, auf die er hinauswollte. »Eine Hilfskraft wäre damals in der Kantine so willkommen gewesen wie ein Furz in einem Astronautenanzug.« Er lächelte, wandte den Blick ab und ließ eine Pause für ihr Lachen. Aber sie nutzte sie nicht. Der Witz stammte von Billy Connolly, ungefähr

1975. JT versuchte, wie er zu klingen, mit schleppender Redeweise und übertrieben betonter Pointe. Seit Connollys Aufstieg zum Star hatten viele langweilige Männer aus Glasgow seine Vortragsweise nachgeahmt, ohne über seinen Witz zu verfügen. Er hatte aus dem Stammtischbruder einen Großstadthelden gemacht.

Paddy fand, sie sei wieder an der Reihe, etwas zu sagen. »Aha, so war das?«

»Ja, so war es. Patricia, geht es Ihnen gut?«

Sie nickte.

Er ließ den jovialen Ton à la Connolly fallen und sprach jetzt so behutsam und sanft wie ein Erwachsener, der ein Kind anlügt. »Wirklich? Und warum sitzen Sie dann hier?« Er zeigte auf das Gedränge in der Kantine. »*Allein.*«

»Ich hab die frühe Mittagspause erwischt.«

»Sind Sie sicher, dass es Ihnen gutgeht?«

»Mhm.«

JT sprach jetzt ganz leise. »Die letzten paar Tage müssen für Sie doch furchtbar gewesen sein.«

Paddy sah ihn an und ließ den Blick auf seinem salbungsvollen Gesichtsausdruck ruhen. Hätte George McVie hier gesessen und die Schau abgezogen, die er Mr. Taylor vorgemacht hatte, wäre sie schon etwas mitteilsamer gewesen, bevor ihr eingefallen wäre, dass sie vorsichtig sein musste.

Sie hatte JT bewundert, aber nur aufgrund dessen, was sie über seinen Ruf und seine Erfolge gehört hatte. Aber aus der Nähe besehen war er heimtückisch wie ein Wiesel. Sie wusste auf einmal, warum die anderen Journalisten ihn so offenkundig hassten.

Auf eine Antwort wartend beugte er sich über den Tisch.

»Ja, wissen Sie …«

Er warf einen Blick auf ihre leere Tasse. »Wollen Sie noch einen Kaffee? Ich trink auch noch einen. Ich lade Sie ein.«

Er stand auf, drehte sich um und winkte Kathy hinter dem Tresen zu, wo nun nicht mehr viel los war. Gebieterisch hob er einen Finger. »Zwei Tassen Kaffee für hier drüben.« Er wandte sich wieder an Paddy und murmelte vertraulich: »Mal sehen, ob wir sie kriegen.«

Hinter ihm flüsterte Kathy mit ihrer Chefin, Scary Mary, die ärgerlich zu JT herübersah und rief: »Selbstbedienung.« Sie hielt ein kleines Schild, das neben der Kasse stand, hoch und schwang es hin und her. »Selbstbedienung!«

JT hörte nicht darauf. »Hören Sie, Patricia …«

»Eigentlich nennen mich alle Paddy.«

»Aha. Also, *Paddy*, ich habe gehört, dass Sie mit einem der Jungs, die das getan haben, verwandt sind.« Dabei tippte er mit dem Finger auf das Wort »gemein« in der Zeitung oben auf dem Stapel und schüttelte den Kopf. »Grauenhaft, *grauenhaft*.«

Paddy murmelte zustimmend.

JT neigte den Kopf leicht zur Seite. »Kennen Sie ihn gut?«

»Nein«, sagte sie und hoffte, er würde enttäuscht sein. »Er ist der kleine Cousin meines Verlobten. Ich hab ihn nur einmal gesehen, und das war bei der Beerdigung seines Vaters.«

»Ich verstehe. Können Sie es einrichten, dass ich ihn kennenlerne?«

Sie war zu schockiert, um empört zu sein. »Nein.«
»Wie heißt Ihr Verlobter?«
Sie war geistesgegenwärtig genug zu lügen. »Michael Connelly.« Sie konnte fast hören, dass es sich in seinem Gehirn wie Graphit auf Papier eingrub.
Er nickte. »Wie kann jemand einem Kind nur so etwas antun?« Er ließ die Frage unbeantwortet stehen.
»Na ja, die Jungs sind selbst nur zehn oder elf Jahre alt.«
JT schüttelte den Kopf. »Das waren ja wohl kaum noch Kinder. Klar, wir haben als Kinder alle dummes Zeug gemacht, aber haben Sie je ein Kleinkind weggelockt und zum Spaß umgebracht?«
Paddy sah ihn mit feindseligem Blick an. Er hatte die bequeme, fertige Erklärung einfach übernommen, ohne sie zu hinterfragen.
»Nein«, sagte JT, ohne den Hass, der von seinem Gegenüber ausging, zu spüren. »Stimmt. Ich auch nicht.«
»Sie sind noch Kinder«, sagte Paddy.
JT schüttelte den Kopf. »Diese Jungen sind keine Kinder. Nach dem Gesetz ist man in Schottland mit acht Jahren für seine Taten verantwortlich. Sie werden wie Erwachsene vor Gericht gestellt werden.«
»Sie hören nicht auf, Kinder zu sein, nur weil es uns nicht passt. Sie sind erst zehn und elf Jahre alt. Es sind Kinder.«
»Wenn es Kinder sind, warum sind sie dann so hinterhältig vorgegangen? Sie haben sich im Zug nach Steps versteckt. Niemand hat sie gesehen.«
Vor Überraschung musste sie fast lachen. »Niemand hat sie gesehen?«, sprach sie ihm nach.

Er war irritiert. »Die Polizei sucht noch nach Zeugen. Es war abends. Da ist nicht viel los.«
»Woher weiß man, dass sie den Zug nahmen, wenn sie nicht gesehen wurden?«
»Sie hatten Fahrkarten.«
»Ich wette, sie werden keinen Zeugen finden, der bestätigt, dass sie in dem Zug waren.«
»Oh, sie werden auf jeden Fall jemanden finden. Sie werden einen Zeugen finden, ob jemand sie gesehen hat oder nicht. Das ist immer so, wenn Kinder entführt werden. Frauen, es sind immer Frauen, die sehen überall Kinder. Ich weiß nicht, ob es darum geht, auf sich aufmerksam zu machen, aber irgendeine Frau sagt bestimmt, dass sie alles gesehen hat.«
Er sah sie mit angehaltenem Atem an und war kurz davor, ein Urteil über die Dummheit von Frauen zu fällen. Aber dann hielt er sich zurück.
Scary Mary stand an ihrem Tisch, hielt das Schild hoch, das neben der Kasse gestanden hatte, und wartete, bis JT aufschaute. »Selbstbedienung in der Kantine«, sagte sie noch einmal und hielt ihm die Karte wütend vors Gesicht. »Ist doch klar und deutlich, verdammt noch mal.« Sie zischte verärgert und ging weg.
An ihrem Ende der Kantine wurde es still, alle grinsten und freuten sich, dass JT eins ausgewischt bekommen hatte. JT starrte Paddy an.
»Ich glaube, dass diese Jungs unschuldig sind«, sagte sie unnötigerweise.
JT hustete entrüstet. »Natürlich nicht, Sie Dummkopf. Sie hatten doch überall Blutspuren von dem Kind an sich. Natürlich waren sie's.« Er musterte sie, erkannte, dass er

sie nicht mehr auf seiner Seite hatte, und mäßigte seinen Ton. »Wie kommt Ihre Familie damit klar?«
»Es ist schwierig«, sagte sie. »Michael ist ganz außer sich.«
»Wissen Sie«, sagte er leiser, »selbst als Angestellte der *News* könnten wir Sie für Informationen bezahlen.«
Sie kniff die Augen zusammen.
»Wir könnten bis dreihundert für Ihre Story und Ihren Namen gehen.«
Wenn Paddy dreihundert Pfund hätte, könnte sie von zu Haus ausziehen. Für dreihundert könnte sie sich Abendkurse leisten, Prüfungen machen, sich an der Universität immatrikulieren und später wiederkommen und alle in die Tasche stecken.
JTs Augen leuchteten. Er neigte den Kopf zur Seite, als ob sie etwas gesagt hätte und er ihr weiter zuhören wolle.
»Wissen Sie was?«
»Was denn?« JT neigte den Kopf zur anderen Seite, ganz scheinheiliges Mitgefühl.
»Ich bin spät dran. Ich muss los, sonst krieg ich 'n Anpfiff.«
Sie packte ihre Zeitungen zusammen, wurstelte sich aus ihrem Stuhl hoch und schlüpfte auf Zehenspitzen an seinem Stuhl vorbei. JT war das Beste, was sie bei der Zeitung hatten, aber Paddy wusste, sie konnte es besser machen. In ein paar Jahren konnte sie seinen Job übernehmen.

4

Das Zeitungsarchiv war ein schlauchförmiges Zimmer. Kurz hinter der Tür war durch einen quer gestellten Schaltertisch der freie Zugang versperrt.

Die Archivarinnen waren eifrige Verteidiger dieser Demarkationslinie und bewachten ihre Befugnisse und ihr Territorium so eisern wie ein heißumkämpftes Grenzgebiet. Außer den Mitarbeiterinnen des Archivs durfte niemand hinter den Schalter. Es war nicht erlaubt, über den Schaltertisch zu greifen oder auch nur in das Archiv hineinzurufen. Paddy hatte den Verdacht, dass sie sich so defensiv gaben, weil ihre Arbeit so einfach und nichts weiter war, als Papierstücke mit stumpfen Scheren auszuschneiden und abzuheften.

Jenseits des Schalters liefen an einer siebzehn Meter langen Wand graue Metallregale entlang mit den archivierten Ausschnitten aus allen bisherigen Ausgaben der *Daily News*. Die Artikel wurden alphabetisch nach Themen geordnet und in zylindrischen Trommeln eines Metallrolodexsystems gelagert. An der anderen langen Wand stand ein großer Tisch aus dunklem Holz. Dort saßen die drei Archivarinnen und verrichteten ihre Ausschneidearbeit, die Thema für Thema von jedem Artikel der Zeitung des entsprechenden Tages erfolgte. Zu den Aufgaben der Hilfskräfte gehörte es, ihnen jeden Tag ein Bündel der neuen Ausgabe hinunterzubringen.

Helen, die Archivleiterin, hatte immer adrette Twinsets, Tweedröcke und Schuhe mit flachen Absätzen an. Sie trug ihr braunes Haar hochgesteckt und es war so stark gesprayt, dass einzelne Haare fürs bloße Auge kaum zu erkennen waren. Obwohl Helen Stutter reizend und gut gekleidet war, hielt Paddy sie für eine arrogante Ziege, die von der Hierarchie des Blatts besessen, alle Mitarbeiter vom Redakteur abwärts mit unverblümter Verachtung behandelte. Die Leitung war von ihr begeistert und verstand nicht, wieso alle anderen diese Meinung nicht teilten. Paddy hoffte, dass Helen noch dort arbeiten würde, falls sie selbst jemals Karriere machen sollte.

Helen schielte über den Rand ihrer Lesebrille zum Schalter hinüber und sah dort zwar jemanden stehen, aber niemanden von Bedeutung. Sie ignorierte Paddy und spielte lässig an den roten Plastikperlen ihrer Brillenkette herum. Paddy trommelte mit den Fingern, nicht laut oder um auf sich aufmerksam zu machen, sondern nur, weil sie nervös war und jetzt gleich lügen musste.

Helen hob erneut den Blick, kaute auf der Innenseite ihrer Wange herum und hob eine Augenbraue, bevor sie den Blick wieder auf die Zeitung senkte.

»Ich bin hier im Auftrag von Mr. Farquarson. Ich brauche ein paar Artikel für ihn.«

Helen sah zum dritten Mal auf und kaute wieder auf ihrer Wange, bevor sie abrupt den Stuhl zurückstieß und an den Schalter kam. Sie zog eines der kleinen grauen Formulare heraus, legte es auf den Schaltertisch und starrte Paddy an, während sie nach einem Kuli unter den Tisch griff. Paddy wollte kein Formular, das ihre Tat beweisen würde, wenn sie später Schwierigkeiten bekam.

»Suchwort ›Townhead‹«, sagte sie schnell. »Vollsuche.«

Helen zog die Luft ein, seufzte und legte das Formular ungehalten weg, als ob Paddy darauf bestanden hätte, dass sie es herausholte. Sie drehte sich um, ging zu der grauen Stahlwand hinüber und tippte etwas auf der Tastatur ein. Die schwere Trommel drehte sich, kam dann zum Stehen, und Helen warf als letzte herablassende Verzögerungstaktik noch mal einen Blick auf Paddy, bevor sie die Klappe aufmachte und hineingriff, einige Sammelmappen durchblätterte und schließlich einen braunen Umschlag herauszog. Als sie langsam zum Schalter zurückschlenderte, konnte Paddy schon erkennen, dass der Umschlag voll war.

Ganz nah an Paddys Gesicht sagte sie: »Aber gleich wieder zurück, ja?«, und knallte den Umschlag auf den Tisch.

Paddy nahm ihn an sich und ging weg, hielt auf der Treppe noch einmal an, um ihn für den Weg zur Toilette in ihrem Rockbund zu verstauen, wobei sie hoffte, dass Heather sich gerade in einer anderen Toilette versteckte.

5

Sie zog den Packen Ausschnitte heraus und faltete die einzelnen Seiten auf ihren Knien auseinander. Es waren viele. Sie steckte die Hälfte wieder hinein und legte den Umschlag auf den Halter für das Toilettenpapier. Die sauberen, knisternden Ausschnitte auf ihren Knien waren miteinander verhakt wie trockene Blätter. Paddy nahm sich die Zeit, sie vorsichtig voneinander zu lösen und einzeln behutsam glattzustreichen.

Sie sah sie ohne genauen Plan durch und fand Artikel über tödliche Unfälle beim Abriss der Bücherei, die der Autobahn hatte weichen müssen, dann etwas über einen

Straßenraub und eine Pfadfindergruppe, die einen Preis gewonnen hatte, weil sie viel Geld gesammelt hatte. Es gab optimistische Reden von Stadträten über die neue Siedlung und Berichte über Probleme mit Gangs in den sechziger Jahren.

Sie legte die Ausschnitte wieder zusammen und nahm sich den zweiten Stapel vor, der noch im Umschlag war.

Ein bewohntes Gebäude in der Rotten Row war zusammengebrochen und den steilen Hang hinuntergerutscht wie ein Klumpen Butter in einer heißen Pfanne. Es hatte zwei Verletzte, aber keine Toten gegeben.

Beim Streik der Müllabfuhr konnten die Müllberge verhindert werden, indem man die Verbrennungsanlage der Entbindungsklinik benutzt hatte.

Ein dreijähriger Junge, Thomas Dempsie aus der Kennedy Road, der im Freien vor seinem Elternhaus gespielt hatte, wurde entführt und ermordet. Der Vater des Kindes, Alfred Dempsie, wurde des Mordes angeklagt, erklärte aber vor Gericht, er sei unschuldig. In einem Artikel, der fünf Jahre später datiert war, wurde berichtet, dass Alfred sich im Barlinnie-Gefängnis erhängt hatte. Die Zeitung hatte dazu ein unscharfes Bild seiner Frau beim Begräbnis des kleinen Thomas Dempsie noch einmal abgedruckt. Tracy Dempsie hatte dunkles, fest zu einem Pferdeschwanz hochgebundenes Haar. Sie sah genauso verloren und benommen aus wie Gina Wilcox.

Paddy machte sich auf der Rückseite eines Kassenzettels Notizen, legte die Ausschnitte wieder so zusammen, wie sie vorher gewesen waren, und steckte sie so ordentlich wie möglich wieder in den Umschlag zurück. Sie überprüfte das Datum. Brian war auf den Tag genau acht Jahre nach Thomas verschwunden. Thomas war genauso alt gewesen wie Baby Brian und aus derselben Gegend. Niemand schien diese Parallelen bemerkt zu haben. Die beiden Fälle hätten aus unzähligen Gründen vollkommen verschieden sein können. Aber es war seltsam, dass sie niemals etwas von Thomas Dempsie gehört hatte.

Unten im Archiv saß Helen am Schreibtisch und sah die Spätausgabe durch. Paddy stand eine volle Minute da, aber Helen runzelte nur die Stirn und vermied es, sie anzusehen. Schließlich legte Paddy den Umschlag auf den Schaltertisch und schob ihn so weit vor, dass er über den Rand hing.

»Lassen Sie sie nicht da liegen.« Helen stand gelassen auf und kam so langsam wie möglich herüber. »Wenn sie verlorengingen, müssten Sie dafür bezahlen. Ich glaube, Sie verdienen nicht einmal in drei Monaten genug, um dafür aufkommen zu können.«

Paddy lächelte unschuldig. »Weitere Suche zu ›Dempsie, Thomas‹ und ›Mord‹.«

Helen sah sie über die Brillengläser an und stieß einen tiefen Seufzer aus. Paddy hoffte wirklich sehr, dass sie noch hier sein würde, sollte sie jemals befördert werden. Sie würde nicht vergessen, wie Helen sich benommen hatte, und sie dafür zur Rede stellen.

Sie saß schon zehn Minuten lang auf der Bank, ehe ihr auffiel, dass niemand mehr über sie lachte. Jemand von der Featureabteilung rief sie nicht nur so zu sich, sondern nannte ausdrücklich ihren Namen. Ein anderer verlangte sie und nicht Keck, der auch auf der Bank saß, was noch nie vorgekommen war, weil Keck alles und jeden jederzeit finden konnte. Ein Journalist von der Sportabteilung sah ihr sogar direkt in die Augen und fragte, ob sie, Meehan, ihm einen Kaffee holen würde. Es war geradezu besorgniserregend.

Paddy fing an sich zu fragen, ob sie gefeuert werden sollte und ob alle außer ihr es schon wussten, aber da hörte Keck auf, seine Fingernägel mit einer geradegebogenen Büroklammer sauber zu machen, und beugte sich zu ihr herüber. »Hast du deine Kollegin Heather heute Nachmittag schon gesehen?«

Paddy schüttelte den Kopf, sie wollte nicht auf dieses Thema eingehen.

»Na, morgen wirst du sie auch nicht sehen.« Er deutete in den Raum. »Farquarson hat es den Jungs von der Frühschicht gesagt, und sie haben Father Richards hier runtergeholt und ihm erklärt, mit Heathers Gewerkschaftskarte stimme etwas nicht und sie solle verschwinden und nicht wiederkommen. Sie hat sogar geheult.« Er lehnte sich zurück.

Paddy sah sich im Raum um und betrachtete die ernsten Männer in der Nachrichtenredaktion, die Berge von Ausschnitten auf den Tischen der Feature- und Sportredaktion, wo alle an einem Ende des Tisches rauchend beisammenstanden und Sahnetörtchen aus einer Schachtel aßen, und sie fragte sich, wie es dazu hatte kommen können, dass diese ungehobelten, abgekämpften Männer zu ihren einzigen Verbündeten geworden waren.

16
Tür mit Tarnanstrich

1

Die Wohnungen der Drygate-Blocks sahen aus, als seien sie aus Amerika und hätten sich hierher verirrt. Sie waren in einem schon abblätternden Miami-Rosa gestrichen und hatten kecke kleine Hüte à la Frank Lloyd Wright auf, und rundum waren Balkons. Der Architekt hatte aber die Lage auf dem Hügel nicht bedacht, auf dem ein erbarmungsloser Wind blies und von wo aus man auf das Great Eastern Hotel blickte, ein rußgeschwärztes Obdachlosenheim für Männer.

Die Stadtverwaltung hatte Thomas Dempsies Mutter, kurz nachdem ihr Mann wegen des Mordes an Thomas verurteilt worden war, hier eine Wohnung zugewiesen. Es war weniger als eine halbe Meile von ihrem alten Haus entfernt, nur ein Stück unterhalb von Townhead. Paddy vermutete, dass sie um ihrer eigenen Sicherheit willen von der Stadtverwaltung zum Umzug veranlasst wurde. Die *News* hatte ihre Adresse veröffentlicht, als Alfred sich im Gefängnis umbrachte.

Bevor Paddy einsah, dass sie wohl zu Fuß gehen musste, wartete sie fünf Minuten in der Eingangshalle und schaute auf die rote Digitalanzeige über den Stahltüren, die anzeigte, dass der Aufzug nur zwischen den Geschossen vier und sieben fuhr. Sie mochte Laufen und Bergwandern ebenso wenig wie Treppensteigen. Sie hasste das Gefühl schwabbelnder Fettpolster an Bauch und Hüften und glaubte nicht, dass Schlanke jemals schwitzten oder außer Atem gerieten und meinte, dass sie damit auf ihre Figur aufmerksam machte.
Alles was in dem urinbefleckten Treppenhaus schadhaft sein konnte, war kaputt; der Gummibelag des Geländers war abgerissen und eine schwarze Schmutzschicht blieb auf der Haut haften. Bodenfliesen waren herausgenommen worden und hatten Lücken mit hässlichen Klebeflecken hinterlassen. Mehrere Treppenabsätze waren mit klebstoffgefüllten Plastiktüten übersät, und leere Dosen lagen herum, von denen manche noch einen scharfen Geruch verströmten. Paddy musste auf dem Weg in den achten Stock zweimal anhalten, um zu Atem zu kommen, und jedes Mal, wenn sie stehenblieb, konnte sie das pulsierende Leben der Bewohner wahrnehmen: Stimmengewirr und Murmeln durch die Wände, der Geruch von Abendessen und Müllschluckern, in denen schimmeliger Abfall steckte. Sie erreichte den achten Stock und blieb vor der grauen Feuerschutztür stehen, holte noch einmal Luft und rief sich ins Gedächtnis, warum sie hierhergekommen war und welche Fragen sie stellen wollte. Sie hatte eine Aufgabe, sie war Reporterin. Von diesem Spiel freudig erregt, machte sie die Tür auf und trat auf den windigen Balkon hinaus.

Die Wohnungstüren waren alle briefkastenrot gestrichen. Neben jeder Tür war ein Wohnzimmerfenster, in das die Nachbarn hineinsehen konnten, und ein kleineres Badezimmerfenster mit Milchglas. Als sie vor der Wohnung 8f stand und wartete, dass auf ihr Klopfen geöffnet würde, bemerkte sie, dass die Vorhänge grau und schlaff aussahen. Eine leere Flasche lag auf der nur undeutlich erkennbaren Fensterbank des Badezimmers neben etwas, das wie ein Klumpen getrockneter Zahnpasta aussah. Sie verzog angeekelt die Lippen, nahm sich aber dann zusammen. Sie durfte in Bezug auf die Wohnungen anderer Leute nicht kleinlich sein, das war nicht ihre Sache. Sie starrte auf die Tür und sah, dass der Wind Haare, Staub und Sand daran geweht hatte, als die Farbe noch feucht war, und ihr eine Art Tarnmuster verliehen hatte. Die Tür ging vorsichtig auf.

»Oh«, rief Paddy bestürzt, da das merkwürdige Aussehen der Frau sie überraschte. »Hallo?«

Tracy Dempsie hatte sich sehr angestrengt, den letzten Rest natürlicher Schönheit, den sie je besessen haben mochte, zu verbergen. Ihr Haar war dunkellila gefärbt und fest zu einem Pferdeschwanz zurückgebunden, der ihrem Gesicht einen unvorteilhaften, maskenhaften Ausdruck verlieh. Schwarzes Mascara und Lidstriche waren dick aufgetragen und bildeten dunkle Flecken unter den Augen. Ihre Pupillen waren so groß, dass die blaue Iris um sie herum nur als dünner Ring zu sehen war. Tracy blinzelte träge und hielt sich die unheimliche Welt damit einen herrlichen Moment lang vom Leib, wusste aber, dass alle scharfen Ecken und Kanten wieder zum Vorschein kämen, sollten ihr die Pillen jemals ausgehen.

»Hallo, Mrs. Dempsie? Ich bin Heather Allen«, sagte Paddy und hoffte beinahe, die ganze Sache würde schiefgehen, Tracy würde die Zeitung anrufen, sich beschweren und damit Heathers Pech, entlassen zu werden, komplett machen. »Ich bin Journalistin für die *Daily News.*«
Zögernd öffnete Tracy die Tür, und der Wind schob Paddy in den Flur. Die Einrichtung war ebenso auffallend wie Mrs. Dempsie selbst. Der wildgemusterte Teppichboden sah aus wie die abstrakte Darstellung einer Auseinandersetzung zwischen Rot und Gelb. Die Wände waren gelb verputzt. Tracy schlurfte ins Wohnzimmer. Paddy blieb im Flur stehen und begriff dann, dass dies wohl eine Einladung sein sollte, ihr zu folgen.
Auf einem tragbaren Schwarzweißfernseher in der Ecke lief ein Tierfilm über Otter, die mit ihren silbrigen Fellen ins Wasser tauchten und wieder zum Vorschein kamen. Auf demselben aufdringlichen Teppichmuster wie im Flur fielen die um den Fernseher verstreuten Zigarettenschachteln und schmutzigen Teller kaum auf. Eine Untertasse mit einem Stückchen Toast und drei ausgedrückten Zigarettenkippen stand auf der Couchlehne. Zwei Wäscheständer mit Laken waren vor dem Kaminfeuer aufgestellt und schickten Wogen feuchter Hitze ins Wohnzimmer.
Tracy sah ihren Blick darauf ruhen. »So ist das in den Wohnungen hier oben. Keine Wäscheleine. Man kann die Wäsche nicht draußen aufhängen, sie wird geklaut.«
»Sie haben früher in einem Haus gewohnt, oder?«
»Ja, in Townhead. Oben auf dem Hügel, wissen Sie?« Tracy hob langsam ihre Hand und senkte sie wieder, deutete dorthin, wo das Böse wohnte. »Die Stadt hat uns

dann hierher umgesiedelt, als Alfred in den Knast musste. Dann hat eure Bande diese Adresse veröffentlicht.« Sie schaute Paddy finster an.

»Sie müssen das machen, es ist gesetzlich vorgeschrieben«, sagte Paddy. »Damit niemand Sie mit einer anderen Person mit dem gleichen Namen verwechselt.«

»Na ja, alle haben gewusst, wohin wir gezogen sind. Wir haben das Haus in der Kennedy Street für nichts und wieder nichts verloren.«

Sie standen sich gegenüber, Paddy noch immer in Dufflecoat und Schal, und ihre Kleider darunter waren von dem anstrengenden Treppensteigen feuchtgeschwitzt. Tracy blinzelte wieder, nahm das Unbehagen ihres Gasts nicht wahr, und ihr Blick fiel auf den Fernseher.

»Wo ›wir‹ hinzogen sind?«, sagte Paddy. »Wer ist ›wir‹?«

»Ich und der Kleine.«

»Ich wusste nicht, dass Sie noch mehr Kinder hatten.«

»Ich hatte schon mal einen Jungen. Ich war verheiratet, bevor ich Alfred kennenlernte. Ich komm jetzt nicht so gut klar, deshalb ist er bei seinem Dad.« Tracy nickte schwerfällig. »Sie können sich setzen, wenn Sie wollen.« Sie blickten beide auf die Couch. Tracy hatte feuchte Wäschestücke auf der einen Seite liegen lassen, die leicht muffig rochen.

»Danke.«

Paddy nahm ihren Mantel ab, legte ihn auf die Knie und versuchte, sich möglichst weit von dem üblen Geruch wegzusetzen. Tracy saß neben ihr, wobei ihr Knie gegen Paddys Oberschenkel drückte. Sie schien es nicht zu bemerken, hielt den Blick auf den Fernseher gerichtet und nahm eine silberfarbene Zigarettenschachtel vom Couchtisch.

»Rauchen Sie?«

Paddy konnte genau sehen, wo sie die Zigaretten beim Inhalieren ansetzte. Ihre beiden vorderen Schneidezähne wiesen halbkreisförmige, schmutzige Flecken auf.

»Nein, danke«, sagte Paddy, nahm den leeren Notizblock aus ihrer Tasche und lehnte sich zurück, damit Tracy nicht darauf schauen konnte. Sie blätterte umständlich bis etwa zur Mitte, als seien die Seiten davor voller wichtiger Informationen über andere Fälle.

Tracy nahm mit schlaffer Hand eine Zigarette aus der Packung, zündete sie mit einem Streichholz an, nahm drei Züge hintereinander und neigte den Kopf nach hinten, um ihrer Lunge das Atmen zu erleichtern.

»Sie sagten am Telefon, dass Sie wegen Thomas kommen wollten?«

»Stimmt.« Paddy hielt ihren Stift bereit. »Wegen des Baby-Brian-Falls ...«

»Tragisch.«

»Ja.«

»Diese kleinen Scheißkerle gehören aufgehängt.« Schuldbewusst hielt Tracy die Hand vor den Mund. »'tschuldigung, aber ich finde, die Mütter sind schuld. Wo waren die? Wer lässt zu, dass sein Junge dem Kind einer anderen Mutter so etwas antut?«

»Ja, deswegen wollen wir eine Artikelserie über frühere Fälle bringen, und der Name Ihres Sohnes Thomas ist einer von denen, auf die wir gestoßen sind. Wäre es für Sie in Ordnung, mit mir darüber zu sprechen?«

Tracy schloss die Augen und presste fest die Lider aufeinander. »Leicht ist das nicht, wissen Sie. Zuerst hab ich nämlich meinen Kleinen verloren und dann meinen

Mann. Alfred war unschuldig.« Tracy rutschte verlegen auf ihrem Stuhl herum. »Das hat er immer gesagt. Er war in der Nacht damals bei Pitch and Toss. Deshalb hatte er kein Alibi.«
Pitch and Toss waren illegale Spielhöllen, improvisierte Treffen, die von Gangstern in Pubs, Schuppen oder auf einem leeren Grundstück überall in der Stadt betrieben wurden. Dort konnten Männer den Wochenlohn, auf den ihre Familie angewiesen war, im Handumdrehen verwetten.
»Aber sicher hätte das doch jemand bezeugen können?«
»Niemand hat sich erinnert, dass er dort war. Spieler erinnern sich nur an die mit großem Einsatz.« Ihr Blick wurde stumpf. »Er war nicht so einer, an den man sich erinnert, der Alfred.«
Tracys kummervoller Blick verdrängte bei Paddy plötzlich das Gefühl, als Nachwuchsjournalistin an einem Knüller zu basteln, sie fühlte sich jetzt einfach nur wie ein pummeliges Mädchen, das seinen Spaß daran hatte, eine Trauernde über ihre privaten Angelegenheiten auszufragen.
Tracys Zigarette hing immer noch in ihrem Mundwinkel. »Man bemerkte ihn nicht. Aber er war ein guter Vater, ein wirklich guter Vater. Er hat seine Kinder gern gehabt, hat seinen Lohn abgeliefert, wissen Sie?« Tränen standen in ihren Augen und drohten, ihr Gesicht mit Mascara zu überschwemmen.
Paddy legte das Notizbuch auf ihren Schoß. »Ich komme mir ganz schäbig vor, dass ich das alles wieder zur Sprache gebracht habe.«
»Ist schon gut.« Tracy schnippte die Asche auf eine

schmutzige Untertasse auf dem Boden. »Es macht mir nichts aus. Ich denke ja sowieso immer dran. Jeden Tag.«

Paddy schaute auf den Fernseher. Ein Sprecher erklärte Fortpflanzungszyklen, während zwei Otter umeinander herumschwammen.

»Wenn Alfred Ihren Sohn nicht umgebracht hat, wer, meinen Sie, war es dann?«

Tracy zerdrückte ihre Zigarette auf dem Unterteller. »Wissen Sie, was mit Thomas passiert ist?«

»Nein.«

»Sie haben ihn erwürgt und auf den Gleisen liegen lassen, so dass er überfahren wurde. Er war ganz zermatscht, als ich ihn zurückbekommen habe.« Ihr Kinn zog sich zu einem Kreis mit weißen und roten Grübchen zusammen, und ihre Unterlippe begann zu zittern. Um nicht zu weinen, nahm sie wieder die Packung Zigaretten, machte sie auf, zog eine neue Zigarette heraus und griff nach ihrer Streichholzschachtel. »Kein Mann hätte das seinem eigenen Kind antun können.« Der Streichholzkopf brach ab, als sie es anstrich, und landete auf dem Teppich, wo er ein kleines Loch in die Synthetikfasern brannte. Tracy stampfte die Flamme auf dem Boden aus. »Drecksdinger. Aus Polen, Herrgott noch mal. Als könnten wir hier keine Streichhölzer machen.«

»Ich wusste das nicht von Thomas. Die Zeitungen haben das damals nicht geschrieben.«

»Sie schließen unsere ganzen Fabriken, und wir kaufen den Schrott von den Scheißpolen. Das halbe Stockwerk hier ist entlassen worden. Und wieso hätte Alfred Thomas in Barnhill zurücklassen sollen? Er war doch nie da oben. Er hat dort nicht mal jemand gekannt.«

Paddys Gesicht wurde plötzlich eiskalt. Callum Ogilvy wohnte in Barnhill.

»Wo denn genau in Barnhill?«

»Auf den Schienen. Vor dem Bahnhof.« Tracy starrte auf den Fernseher. »Er lag die ganze Nacht dort, bevor sie ihn gefunden haben. Der erste Morgenzug hat ihn überfahren.«

»Ich habe das nicht gewusst. Es tut mir leid«, murmelte Paddy. Thomas' Tod war jetzt viel zu real, und sie wünschte, sie wäre nicht hergekommen. Sie wünschte, Tracy hätte irgendetwas Schönes erlebt. »Haben Sie wieder geheiratet?«

»Nein. Ich war zweimal verheiratet, das war genug. Ich wurde mit fünfzehn schwanger, hab mit sechzehn geheiratet. Er war selbst noch ein Junge. War nie da. Immer wieder im Knast. Ein wilder Kerl.« Sie brachte ein Grinsen zustande. »Immer steht man auf die Schlimmen, oder?«

Auf Paddy traf das nicht zu, aber sie nickte aus Gefälligkeit.

»Er war ganz geschockt, als Thomas umgebracht wurde, hat sich dann zusammengerissen. Hat sich angestrengt, seinem eigenen Jungen ein guter Vater zu sein, hat ihn zu sich genommen, als die Nachbarn das Haus angegriffen haben. Er hat ihn immer noch bei sich.«

Paddy nickte ermutigend. »Wenigstens gibt er sich Mühe.«

»Ja, das stimmt. Das tut er«, stimmte Tracy zu und sprach jetzt leiser.

»Brian ist am gleichen Tag wie Thomas entführt worden. Haben Sie das bemerkt?«

»Natürlich. Der achte Jahrestag.« Tracy zog an ihrer Zigarette und sah den Ottern zu, sie beruhigte sich durch das Fernsehen. »Das lässt einen nicht los, wenn ein Kind stirbt. Es ist nie vorbei, es ist immer, als wär's gerade heute Morgen passiert.«

2

Als Paddy auf die windige Veranda hinaustrat, sah sie zwischen den sich schließenden Aufzugtüren einen grünen Lichtstreifen auf den Boden fallen, der immer schmaler wurde. Von ihrer Furcht vor dem abscheulichen Treppenhaus angespornt, rannte sie darauf zu, erreichte die Türen, als sie gerade noch zwei Zentimeter offen waren, und drückte hektisch auf den Knopf an der Wand.

Im Aufzug waren zwei Jungen, etwa dreizehn, die rechts und links die Tür flankierten. Paddy trat hinein und hörte die Tür hinter sich schließen, bevor sie die Geistesgegenwart hatte, ihre Meinung zu ändern.

Die Jungs waren offensichtlich arm, beide trugen billige Parkas mit dünnem orangefarbenem Futter und spärlichem Pelzbesatz an den Kapuzen. Beide hatten die Hosen ihrer Schuluniform an, die zu kurz waren und deren Säume mehrmals ausgelassen worden waren.

Als Licht durch das winzige Aufzugfenster fiel, konnte man erkennen, dass sie am siebten Stock vorbeifuhren, die große, auf die Wand gemalte Zahl fiel Paddy auf, als sie vorbeiglitt. Nachdem die Jungen einander einen Blick zugeworfen hatten, musterten sie Paddy.

Einer hatte seine Kapuze auf, so dass nur Nase und Mund

zu sehen waren. Der andere hatte so kurzgeschorenes Haar, dass die verräterischen Flecken einer Ringelflechte auf seiner Kopfhaut sichtbar waren. Sie warfen sich wieder Blicke zu, was sie irgendwie hinterhältig und gemein aussehen ließ.

Das Wertvollste, was sie auf der Welt besaß, war die Monatskarte in ihrer Tasche. Paddy zog sich den Riemen ihrer Tasche über den Kopf und hielt sie fest, falls die Jungen versuchen sollten, danach zu greifen.

Sie kamen am fünften Stock vorbei, der Lift fuhr schneller, und das Kabel über ihren Köpfen quietschte.

Die Jungen sahen sich wieder an, grinsten, legten die Hände auf den Rücken und stießen sich von der Wand ab, als machten sie sich bereit loszuschlagen. Plötzlich dachte Paddy, einer der Jungen sei vielleicht Tracy Dempsies zweiter Sohn. Beide sahen ärmlich genug aus.

»Ich kenne deine Mutter«, sagte Paddy und schaute auf die Wand.

Etwas aus der Fassung gebracht sahen die Jungen sich wieder an. »Hä?«

Sie blickte den Jungen mit der Flechte an, der gesprochen hatte. »Heißt deine Mum Tracy?«

Er schüttelte den Kopf.

»Meine ist tot«, sagte der mit der Kapuze so zufrieden, dass sie bezweifelte, dass es stimmte.

Paddy steckte ihre Hand in die Tasche, tastete am Papiertaschentuch vorbei nach ihrem Schlüssel und schloss die Finger so darum, dass sie ein Gesicht übel hätte zurichten können. Sie versuchte, wieder zu sprechen, weil sie dachte, dass jede Vertrautheit mit diesem Ort etwas Schutz bieten könne. »Kennt ihr Tracy Dempsie im achten Stock?«

Die Jungs lachten. »Sie is 'ne verdammt hässliche Nutte«, sagte der mit der Kapuze.

Paddy hatte plötzlich das Bedürfnis, Tracy zu beschützen.

»›Nutte‹? Woher hast 'n das? Aus der Glotze?«

Der Aufzug war im Erdgeschoss angekommen und hielt mit einem Ruck an. Die Jungen standen still da und starrten auf ihre Füße, während die Türen sich auseinanderschoben. Der mit der Kapuze kippte den Kopf nach hinten, sein Mund stand offen, als wolle er sehen, was sie tun würde.

Paddy hielt die Tasche mit einer Hand fest und ließ die andere weiter in der Manteltasche stecken. Sie war bemüht, sich nicht umzudrehen oder ihnen freie Bahn zu geben, sondern einfach mitten zwischen ihnen durchzugehen. Sie hob den Fuß, zögerte aber beim ersten Schritt zu lange und rief bei einem der Jungen ein Kichern hervor. Als sie in die Eingangshalle hinaustrat, brach ihr im Nacken der kalte Schweiß aus. Sie hätten sie mit einem Messer verletzen, vergewaltigen oder ausrauben können, und sie hätte sich nicht zu wehren gewusst. Sie war völlig hilflos.

Sie hastete aus dem Gebäude, eilte aus dem Schatten der Häuserblocks über ein Stück Rasen, an einer Partygesellschaft alter Alkoholiker vorbei, die um das Feuer eines Kohlenbeckens herumstanden und die zu spät dran oder zu betrunken gewesen waren, um im Great Eastern Hotel Unterschlupf zu finden.

3

Als Paddy den steilen Hügel zur rußgeschwärzten Kirche hochstieg und nach Townhead zu dem alten Haus der Dempsies ging, war sie noch immer mit der Erinnerung an Tracys leere Augen beschäftigt. Sie lief schnell, um den Schrecken mit den Jungen und die befremdliche, deprimierende Stimmung in Tracys Wohnung abzuschütteln.

Sie war sicher, dass sie auf etwas Bedeutsames gestoßen war. Jemand hatte Thomas Dempsie ermordet und ihn in Barnhill abgelegt. Wenn der gleiche Täter Baby Brian an Thomas' Todestag getötet hatte, konnte er ihn nicht in Barnhill zurücklassen. Er musste ihn irgendwo anders ablegen, wenn er nicht auf die Parallelen aufmerksam machen wollte. Nach Steps wurde er vielleicht nur deshalb gebracht, um zu vertuschen, dass es sich um eine Wiederholungstat handelte. Andererseits konnte es keine Wiederholungstat sein, weil ja Callum Ogilvy und sein Freund Baby Brian umgebracht hatten. Sie hatten Blutspuren an ihren Kleidern, und man hatte Abdrücke ihrer Schuhe gefunden; als Thomas starb, waren sie selbst noch Kleinkinder gewesen. Das könnte Paddy jedoch nützlich sein. Wenn Farquarson den Fall Thomas Dempsie für relevant hielt, würde ein besserer Journalist die Sache übernehmen. Damit sie die Chance bekam, einen Artikel darüber zu schreiben, brauchte die Sache nur einigermaßen interessant zu sein. Trotzdem sollte sie nicht einmal daran denken. Ihre Mutter würde sie rausschmeißen, wenn ihr Name in Verbindung mit einem Artikel auftauchte, in dem Baby Brian erwähnt wurde.

Eine Sperrholzwand verlief an der einen Seite der Kennedy Street und versperrte den Zutritt zu einem der vielen Bombenlöcher aus dem Zweiten Weltkrieg, die die Stadt immer noch wie Pockennarben bedeckten. Die Häuserzeile gegenüber lag leicht erhöht. Alle Häuser glichen dem von Gina Wilcox aufs Haar, von den Betonstufen zur schmalen Tür hinauf bis zu der grünen Umzäunung. Die Bewohner eines dieser Häuser hatten sich wohl durch den indirekten Hinweis auf die irische Republik beleidigt gefühlt und ihren Zaun königsblau überstrichen. Außer bei einem Haus, wo man den kleinen Garten als Lager für alte Autoreifen nutzte, machte die Gegend einen gepflegten Eindruck, und von der kalten Straße aus sahen die Zimmer nach vorn gemütlich und friedlich aus.
An der Kehre der halbkreisförmigen Straße sah sie einen Mann mittleren Alters in einem dunkelblauen Mantel, der die Hände in die Taschen gesteckt hatte, auf sich zukommen. Als Paddy ihm entgegenging, sah sie, wie er leicht zurückschreckte und sich beeilte, an ihr vorbeizukommen.
»Entschuldigung.«
Der Mann beschleunigte seine Schritte.
»Kann ich Sie kurz etwas fragen, Sir?«
Er hielt inne, drehte sich um und musterte sie. »Sind Sie von der Polizei?«
»Nein, wie kommen Sie drauf?«
»Sie haben ›Sir‹ gesagt. Sie sind nicht von der Polizei?«
»Nein. Ich bin Heather Allen, *Daily News*. Ich bin hier wegen Thomas Dempsie.«
»Ach ja, der Kleine, der vor vielen Jahren ermordet wurde?«

»Ja, wissen Sie, wo er gewohnt hat?«
»Dort.« Er zeigte auf das Haus mit den Reifen im Garten. »Die Familie ist später weggezogen. Die Mutter lebt in den Hochhäusern unten in Drygate. Sein Vater hat ihn umgebracht, wissen Sie.«
Paddy nickte. »Ja, das heißt es.«
»Dann hat er sich in Barlinnie aufgehängt.«
»Ja, das habe ich auch gehört.«
Gemeinsam schauten sie auf das Haus. Hinter den Reifen und dem matschigen Gras hingen schlaffe weiße Tüllgardinen im Fenster.
Der Mann nickte. »Man weiß ja nie, was da drin vor sich geht, nie. Wenigstens hat's ihm so leid getan, dass er sich umgebracht hat.«
»Ja. Hat man damals nicht angenommen, dass er aus dem Garten entführt wurde?«
»Am Anfang ja. Er ist einfach verschwunden, aber dann hat es sich gezeigt, dass er die ganze Zeit bei seinem Daddy war.«
»Aha.«
Der Mann trat unsicher von einem Bein aufs andere. »War's das? Kann ich gehen?«
»Ach.« Paddy wurde plötzlich klar, dass der Mann, der etwa so alt wie ihr Vater war, darauf gewartet hatte, entlassen zu werden. »Danke, das ist alles, was ich wissen wollte.«
Er nickte und ging ein paar Schritte rückwärts, bevor er sich umdrehte und seinen Weg fortsetzte. Sie beobachtete ihn und war erstaunt über den Respekt, der ihr aufgrund ihrer Vorstellung als Journalistin entgegengebracht wurde.

Kennedy Street hätte einen Ausblick auf die neue Autobahn nach Edinburgh bieten können, wäre er nicht von einem behelfsmäßigen Zaun versperrt gewesen. Von dem Sperrholz waren einzelne Latten weggebrochen, und Paddy ging hinüber, um hindurchzusehen. Der Boden war matschig und uneben. Trotzig stand noch eine Wand vom Erdgeschoss eines Mietshauses mit melancholisch kirschroter Tapete um die Reste eines Kamins herum da. Sie hatte nie zuvor jemanden wie Tracy Dempsie getroffen. Alle, die sie kannte und die im Leben irgendeine schreckliche Tragödie erlebt hatten, widmeten daraufhin ihr Leben Jesus. Sie dachte an Mrs. Lafferty, eine Frau aus der Pfarrei, deren einziges Kind überfahren und umgekommen war, deren Mann qualvoll an Lungenkrebs gestorben und die selbst so schwer an Parkinson erkrankt war, dass ihr die Hostie bei der Kommunion an den Platz gebracht werden musste. Aber Mrs. Lafferty war immer quietschfidel. Sie flirtete mit den jungen Priestern und verkaufte Tombolalose. Die Möglichkeit, dass Leiden die Menschen besiegte, verunsicherte Paddy. Der einzige andere vergleichbare Fall, von dem sie wusste, war der alte Paddy Meehan. Von den Unglücklichen wurde erwartet, dass sie über ihr Leid hinauswuchsen. Sie sollten keine schlechtgelaunten, dicken alten Männer in billigen Mänteln werden, die die Leute in schmutzigen Pubs im East End langweilten.

Sie brauchte einen Moment, um das Geräusch richtig einzuordnen. Um die Ecke herum kam jemand sehr schnell mit lauten Schritten gerannt. Unwillkürlich dachte sie an die Jungen aus dem Aufzug, ein Angstgefühl fuhr ihr in die Magengrube, und sie stellte sich vor, wie man sie durch das Loch in der Wand stoßen würde. Ohne sich nach der Ursache des Geräuschs umzusehen, rannte sie über die Fahrbahn auf die nächste Straßenlaterne zu und beruhigte sich wieder. Es gab nichts, wovor sie Angst zu haben brauchte. Nur wegen Tracy war ihr so unheimlich zumute, das war alles.

Sie ging langsamer weiter und sah sich nach der Person hinter ihr um. Er lächelte ihr mit entwaffnender Freundlichkeit zu. Er war groß, größer als Sean, mit dichtem braunem Haar und glatter heller Haut. Er stand zehn Meter entfernt und hatte die Hände in den Taschen.

»Tut mir leid, hab ich Sie erschreckt? Ich bin nur gerannt, weil ich Sie gesehen habe und dachte, Sie wären meine Bekannte.«

Paddy erwiderte sein Lächeln. »Nein.«

»Ich will ein Mädchen treffen. Zufällig.« Er nickte und blickte verlegen die Straße hoch. »Wohnen Sie hier?«

»Nein«, sagte sie, »ich bin hier bei der Arbeit.«

»Was arbeiten Sie denn?«

»Journalistin. Bei der *Daily News.*«

»Sie sind Journalistin?«

»Ja.«

Beeindruckt musterte er sie, und sein Blick blieb auf ihren Springerstiefeln und dem gegelten Haar hängen. »Werden Sie nicht gut bezahlt?«

»Na hören Sie mal, das sind Stiefel von Gloria Vanderbilt.«

Er lächelte, betrachtete sie mit neuem Interesse und reichte ihr die Hand.

»Kevin McConnell«, sagte er und beugte sich vor, um ihr die Hand zu drücken.

Es könnte ein katholischer Name sein, aber sie war sich nicht sicher.
»Heather Allen.«
Seine Hand umfasste ihre, die Haut war weich und trocken. Als er etwas vortrat, fiel das Licht auf seinen goldenen Ohrring.
Paddy hatte bis jetzt nur Popstars mit Ohrringen gesehen, denn Glasgow war keine Stadt, in der man eine Verwischung traditioneller Geschlechtermerkmale akzeptierte. Sie hatte von einem Typ gehört, der zusammengeschlagen worden war, nur weil er mit einem Schirm unterwegs gewesen war. Sie sah ihn mit erneuter Bewunderung an und bemerkte, dass seine Augen schmal und schön waren und seine Lippen glänzten.
»Man muss vorsichtig sein, wenn man hier raufkommt und jemanden besucht, wenn man sich nicht auskennt.«
»Ich war ja nur ganz kurz hier.« Sie begann, langsam weiterzugehen und hoffte, er würde ihr folgen.
»Eine Minute reicht schon«, sagte er und ging neben ihr her. »Es gibt Gangs hier oben, da muss man aufpassen.«
»Sind Sie in einer Gang?«
»Nee. Schreiben Sie über Gangs? Ist das Ihr Auftrag hier?«
Er wandte sich ihr zu und hielt nur wenig Abstand, als spüre auch er die Schwingungen zwischen ihnen. »Ich bring Sie sicher hier raus, Schätzchen.«
Sie sorgte dafür, dass er weitersprach, indem sie ihn fragte, ob er Arbeit hätte (hatte er nicht), wo er tanzen ginge (tat er nicht) und was für Musik er gern höre. The Floyd, Joe Jackson und manchmal The Exploited, aber nur manchmal. Man musste in der richtigen Stimmung

sein, oder? Paddy wusste, was er meinte. Sie schien nie in der Stimmung für The Exploited zu sein.
Als sie in der Cathedral Street ankamen, zögerte sie, sich von ihm zu verabschieden. Er war ein großer, gutaussehender Mann wie Sean, ärgerte sich aber nicht über sie, redete nicht dauernd über seine Familie und war auch nicht wütend auf ihre Arbeit. Er ging mit ihr zum Busbahnhof hinunter und winkte ihr über die vierspurige Straße noch einmal zu, nachdem er ihr mit einem schüchternen Blick gesagt hatte, dass er sie vielleicht ja mal wiedersehen würde.
Als Paddy durch die Stadt zum Bahnhof ging, kam ihr der Gedanke, dass die Welt vielleicht voller Männer war, für die sie sich entscheiden könnte, und dass Sean vielleicht nur einer dieser netten Männer war, aber nicht der einzige.
Sie hatte wenig Lust, heim zu ihrer Familie zu gehen, und schlenderte langsam durch die Stadt. Je mehr sie sich dem Bahnhof näherte, desto kleiner kam sie sich vor. Sie war nicht Heather Allen. Sie war auch keine Journalistin. Sie war nur ein Pummelchen, das Angst hatte, nach Hause zu gehen.

4

Trisha war allein zu Haus, als Paddy zurückkam, und die Stimmung war noch schlimmer geworden. Sie stellte Paddy einen Teller Brühe und eine Portion Hackfleisch mit Erbsen und Kartoffeln hin und ließ sie allein essen, während sie ins Wohnzimmer ging und die Nachrichten anschaute. Paddy konnte sie durch die Durchreiche beobachten, wie sie mit ihrem ordentlich frisierten braunen Haar, das von wilden grauen Strähnen durchzogen war, im Sessel saß. Sie tat so, als verfolge sie einen Bericht über den Hungerstreik im Maze-Gefängnis und als mache die Welt außerhalb der Hauptstraße von Rutherglen ihr keine Angst.

Paddy wäre gern ins Kino gegangen, aber sie hatte kein Geld. Sie überlegte, ob sie ihre Monatskarte nehmen und mit der Linie 89 eine Rundfahrt durch die ganze Stadt machen solle, nur damit Trisha sich Sorgen machte, aber sie wusste, dass das eine kleinkarierte Art von Rache wäre. Und vielleicht würde es im Bus auch kalt sein.

Sie aß zu Ende, stand auf, stellte ihre Teller in die Spüle und nahm sich vor, eine bußfertige Geste zu machen und sie später abzuwaschen. Aber ihre Mutter stand auf, kam schweigend in die Küche und ging an Paddy vorbei zur Spüle, ließ heißes Wasser ein und begann die Teller und das Besteck zu spülen. Paddy drückte sich an ihr vorbei und ging ins Wohnzimmer.

Sie hatte keine Lust, die Nachrichten zu sehen, schaltete auf ITV und setzte sich hin, bevor das Bild richtig zu sehen war. Es war eine Quizshow. Ein übertrieben charmanter Moderator fragte eine stämmige Frau aus Southampton über ihren kleinen Mann mit Brille aus, der in einer schalldichten Kabine saß und lächelte wie ein Baby in einer vollen Windel.

Sean saß jetzt bestimmt beim Abendessen. Seine Mum lächelte und plauderte mit ihm, erzählte ihm die Neuigkeiten des Tages, wer in der Gemeinde gestorben war und wessen Enkel etwas Gescheites gesagt hatte. Paddy

könnte ihn anrufen und ihm sagen, er fehle ihr. Sie könnte noch einmal versuchen zu sagen, es täte ihr leid.
Sie wartete, bis ihre Mutter durch das Wohnzimmer gegangen war und die Treppe zur Toilette hochgestiegen war, schlüpfte dann schnell hinaus und wählte Seans Nummer.
Mimi Ogilvy brachte kaum ein Wort heraus, als sie fragte, ob sie ihn sprechen könne.
»Bitte, Mrs. Ogilvy, ich habe ihm etwas Wichtiges zu sagen.«
Sie hatte den Satz noch nicht zu Ende gesprochen, als Mimi schon auflegte.

5

Mary Ann kam früher als üblich herauf, um zu Bett zu gehen, und erledigte alles schweigend, ging mit ihrem Waschbeutel ins Bad und kam im Nachthemd wieder zurück, legte ihre Kleider für den nächsten Morgen zurecht und steckte den gebrauchten Schlüpfer und das Unterhemd in den Wäschebeutel neben dem Kleiderschrank. Während sie im Zimmer umherging, konnte sie immer wieder ein kurzes Lachen nicht unterdrücken.
An der Tür schaltete sie das Licht aus, aber statt sich hinzulegen, stieg sie über ihr eigenes Bett hinüber auf Paddys und brachte hinter ihrem Rücken ein Kartenspiel und eine Tüte Chips mit Käse-Zwiebel-Geschmack hervor. Sie holte Paddy aus dem Bett, führte sie zur Fensterbank, ließ sie sich hinsetzen und zog den Vorhang über ihre Köpfe. Im Mondlicht machte Mary Ann die Chips-

tüte auf und teilte an sie beide sieben Rommékarten aus. Unten am Ende des Gartens schwankte der einsame Baum sanft im Wind, das silbrige Mondlicht schimmerte hier und da auf den wenigen Blättern.

Sie spielten fast eine Stunde lang, lachten leise, wenn die Chips im Mund krachten, und schrieben den Spielstand in Paddys Notizblock. Mary Ann gab jedes Mal beim Zusammenrechnen der Punkte pantomimische Kommentare ab, kratzte sich am Kopf oder machte ein fassungsloses Gesicht und schrieb lächerlich falsche Punktzahlen zu ihren Gunsten auf. Paddy ließ es ihr durchgehen und amüsierte sich immer mehr. Auf der Rückseite schrieben sie den wirklichen Spielstand auf.

Auch als ihre Augen vor Müdigkeit anfingen zu brennen, spielten sie noch lange weiter, mit den Gesichtern ganz nah an der feuchten kalten Fensterscheibe und den heißen Füßen im Zimmer, und versuchten, ihr gemeinsames Kichern zu unterdrücken. Dieses stumme Kartenspiel wurde zum Ritual einer allabendlichen Loyalitätsbezeugung, die sie noch jahrzehntelang miteinander verband.

17
Seelenlose Autos

1

Der Kollege vom Feature war dabei, einen Artikel über Joe Dolces neue Single als Beispiel für den endgültigen Niedergang der englischen Sprache zusammenzuschustern, als das Telefon klingelte und er einen willkommenen Vorwand zur Unterbrechung seiner Arbeit hatte.

»Nein«, sagte er mit einem Blick auf seinen Text. »Heather Allen arbeitet nicht mehr hier.«

Der Mann am Telefon schien überrascht. Er hätte sie gestern in Townhead getroffen, sagte er, und sie hätte ihm gesagt, sie arbeite bei der *Daily News*.

»Ja, aber jetzt ist sie nicht mehr da.«

»Haben Sie vielleicht eine andere Nummer, unter der ich sie erreichen kann?«

»Nein.«

Der Mann stieß einen Seufzer aus, der im Ohr des Journalisten wie ein Windstoß klang. »Es ist nur … es ist wirklich wichtig.«

Die Konzentration war jetzt sowieso schon dahin, und der Typ klang wirklich verzweifelt. »Na ja, ich weiß, dass

sie für die Zeitung der Technischen Hochschule arbeitet. Sie könnten dort anrufen.«
»Danke«, sagte der Mann. »Das ist prima.«

2

Er rief mehrmals die Technische Hochschule an und lehnte es jedes Mal ab, ihr eine Nachricht zu hinterlassen. Er verlangte ausdrücklich Heather Allen und fragte, wann sie da sein würde und ob sie immer noch nicht da sei. Ich rufe zurück, sagte er. Ich möchte sie persönlich sprechen.
Erst am Spätnachmittag kam Heather in das Büro der *Poly Times*. Sie war in mieser Laune. Sie hatte niemandem gesagt, dass die *News* sie entlassen hatte. Nicht einmal ihre Eltern wussten es. Ein nicht ganz unterdrückbares Gefühl von Anstand hatte sie davon abgehalten, ihnen von dem Artikel zu erzählen, den sie auch an andere Zeitungen würde verkaufen können. Sie war sich darüber klar gewesen, dass sie ein furchtbar schlechtes Gewissen haben würde, wenn sie es täte, hatte die Vor- und Nachteile gegeneinander abgewogen und dann entschieden, dass auf lange Sicht der Nutzen schwerer wiegen würde als die Schuldgefühle. Aber sie hatte sich getäuscht. Jetzt verachtete sie sich dafür, dass sie Paddy verraten hatte, und noch dazu war sie ihren Job los. Auch ohne die Vorwürfe ihres Vaters kam sie sich schon gemein genug vor.
Die *Poly Times* war eine armselige Klitsche. Das Büro in einem kleinen Zimmer im ersten Stock der Studentenvertretung war mit einem einzigen Tisch, drei Stühlen und

einem Telefon ausgestattet. Auf zwei Regalen standen die Ausgaben der letzten vier Jahre, die Geschäftsbücher und die Protokolle aller Redaktionssitzungen, die jemals stattgefunden hatten. Jede Menge Interessenten bewarben sich als Mitarbeiter bei der Zeitung, aber da sie pro Jahr nur zweimal herauskam, gab es nicht viel zu tun. Die meisten Interessierten hielten sie dadurch fern, dass sie sich abschreckend klüngelhaft und unfreundlich gaben, und hatten so die Kernmannschaft auf sechs Mitarbeiter begrenzt. Heather hatte als Redakteurin auch die Aufgabe, von Studenten unaufgefordert eingesandte Artikel daraufhin zu überprüfen, was man davon abdrucken konnte.
Obwohl überall auf dem Campus Poster mit Hinweisen auf den bald anstehenden Redaktionsschluss aushingen, lagen nicht sehr viele Artikel in dem roten Drahtkorb. Das Büro war jedoch nicht leer: Zwei Mitglieder der Redaktion, beide recht schmierige und ungewöhnlich hässliche Heavy-Metal-Liebhaber, standen am Telexgerät und versuchten vergeblich, etwas wegzuschicken. Heather ignorierte sie und hoffte, dass sie sich unbehaglich fühlen und verschwinden würden.
Sie nahm die ganze Arbeitsfläche auf dem Tisch für sich in Beschlag, stellte ihre Tasche auf die eine Seite und den roten Drahtkorb auf die andere, hängte ihren Mantel über den einen Stuhl und nahm auf dem anderen Platz. Einer der Heavy-Metal-Typen rief ihr zu, ein Typ hätte den ganzen Morgen angerufen und versucht, sie zu erreichen.
»Jemand von der *Daily News*?«, fragte sie hoffnungsfroh.

Der Junge zuckte mit der Schulter. »Er hat nicht gesagt, zu welchem Laden er gehört.«

Als Heather darüber nachdachte, wusste sie, dass der Anruf nicht von der *News* sein konnte. Hätte man sie dort wiederhaben wollen, wäre sie gestern Abend zu Hause angerufen worden. Und sie würden ihre Entscheidung sowieso nicht revidieren. Mit der Gewerkschaft wollte sich niemand anlegen. Sie verfiel wieder in ihre düstere Stimmung und fing an, Artikel aus den Umschlägen und Mappen zu nehmen und auf einen Stapel zu legen.

Sie hatte die Reisebeschreibung eines Studenten im vierten Semester, der per Interrail durch Italien gefahren war, halb gelesen, als das Telefon klingelte.

»Heather Allen?«

»Ja.«

»Ich habe Sie gestern Abend getroffen, erinnern Sie sich?«

Das tat sie nicht. »Ich treffe jede Menge Leute.«

»Ich weiß, dass ich Ihnen vertrauen kann.« Der Anrufer legte eine Pause ein, wartete auf eine Reaktion.

»Tatsächlich?« Sie hörte immer noch nur mit halbem Ohr hin, hatte den Hörer zwischen Kopf und Schulter geklemmt und blätterte in den Artikeln, um zu sehen, ob es noch mehr Reiseberichte gab und sie zwischen zweien würde auswählen müssen.

»Wollen Sie etwas über Baby Brian hören?«

Heather ließ den Reisebericht fallen und nahm den Hörer fest in die Hand. Er musste gehört haben, dass sie die Verfasserin des Artikels war. Sie hielt eine Hand vor den Mund, damit die beiden Heavy-Metal-Fans in der Ecke nicht mithören konnten.

»Können Sie mir etwas darüber sagen?«
»Nicht am Telefon. Können Sie sich mit mir treffen?«
»Sagen Sie mir wo, und ich komme hin.«
Der Mann erklärte, dass er sehr nervös sei, und nahm ihr das Versprechen ab, um ein Uhr nachts allein zum Pancake Place zu kommen. Er bat sie, niemandem zu erzählen, wo sie sich treffen wollten, und sagte, sie solle es nicht einmal aufschreiben, damit ihr niemand unbemerkt folgen könne.
Heather riss die Ecke ab, auf die sie die Adresse gekritzelt hatte, und warf sie in den Papierkorb. »Bis heute Abend dann«, sagte sie und hängte erst auf, als er das bestätigt hatte.
Die jungen Männer beobachteten sie, ohne direkt hinzusehen, das spürte sie. Sie ließ ihre Sachen auf dem Tisch liegen und ging in den Flur hinaus, um sich einen Becher miesen Kaffee aus dem Automaten zu holen. Beim Einwerfen der Münzen sah sie aus dem Fenster über die Dächer der niedrigen Gebäude zur Stadtverwaltung hinüber und lächelte, während der Automat sprudelnd und zischend ihren Kaffee in den Plastikbecher spuckte. Sie würde die *Daily News* übergehen und ihren Artikel direkt einer überregionalen Zeitung anbieten. Mit einer guten Story über Baby Brian und ihrem Beitrag über seine Familie in mehreren Zeitungen würde ihr Lebenslauf ihr nach dem Examen jeden Job garantieren, den sie wollte. Das wäre der direkte Weg nach London.

3

Paddy drückte sich in der Nachrichtenredaktion und in der Kantine herum, um die Zeit totzuschlagen, bis McVie kam. Im Büro fing schon langsam die Nachtschicht an und löste die tagsüber herrschende Hektik ab. Die kleinere Besetzung nahm ihre Plätze an den Schreibtischen ein, man bereitete sich auf die Nacht vor und legte sich Zeitschriften und Bücher zum Lesen zurecht. Ein Typ aus der Feature-Redaktion stellte auf einem kleinen Transistor eine Sendung über die Zeit des Stummfilms ein.

McVie sah sie, als er hereinkam, um nachzuschauen, ob am Schwarzen Brett eine Nachricht für ihn hing. Er grüßte sie mit einem Nicken, schien aber verärgert, als sie auf ihn zukam, um mit ihm zu reden.

»Nicht schon wieder«, sagte er. »Ich hab beim letzten Mal schon verdammt viele Probleme gekriegt. Der Dreckskerl hat angerufen und sich über uns beschwert. Ich wusste nicht, dass Sie keine Journalistin sind.«

»Ich bin 'ne Hilfskraft.«

»Also, bleiben Sie mir einfach vom Leib«, sagte er.

»Ich will Sie nur etwas über Baby Brian fragen.«

»Ja.« Er zeigte vorwurfsvoll direkt auf ihre Nase. »Und das ist die zweite Sache, verflixt noch mal. Sie sind mit dem Balg verwandt und haben's mir nicht gesagt.«

Paddy hob einen Finger und zeigte genauso auf ihn. »Ich hab's damals doch noch gar nicht gewusst, oder, Sie Blödmann.«

Dass sie ihn beschimpfte, schien McVie irgendwie zu besänftigen, als ob er ihre Heftigkeit plötzlich erst richtig nachvollziehen könne.

»O. K.«, sagte er. »Können Sie mir irgendwas darüber sagen?«
»Nee. Ich weiß nichts über ihn.«
»Wie können Sie nichts über ihn wissen? Er ist doch verwandt mit Ihnen.«
»Haben Sie viel am Hut mit Ihrer Familie?« Sie hatte richtig geraten. »Aber wissen Sie was? Dieser JT hat versucht, mich auszufragen, aber er ist ein Stümper, kein Vergleich zu Ihnen.«
McVie nickte. »Ja, aber er würde für 'ne Story seinen rechten Arm hergeben. Damit verschafft er sich 'nen Vorteil. Ich hab gehört, dass er mal ein Bild von 'nem Opfer, das vergewaltigt und ermordet wurde, bei der Mutter abgeholt hat. Als er wegging, hat er ihr gesagt, ihre Tochter hätte es ja so gewollt.« Er nickte verständnisvoll, als er Paddys schockiertes Gesicht sah. »Damit die Frau mit niemand anderem von der Presse sprechen würde. So hatte er 'nen Exklusivbericht. Er ist 'n Arschloch. Was wollen Sie denn eigentlich wissen?«
»Ich wollte Sie etwas über Baby Brian fragen. Wann sind die Jungen mit dem Zug nach Steps gefahren?«
»Sie haben gesagt, abends zwischen neun und halb zehn. Warum?«
»Wo waren sie in der Zeit vom Mittagessen bis dahin?« Sie senkte die Stimme. »Und JT hat gesagt, niemand hätte sie im Zug gesehen. Ich glaub nicht, dass so kleine Jungen, die nichts haben, einen Pendlerzug nach Steps nehmen würden.«
McVie schien nicht überzeugt. »Man hat ihre Fahrkarten bei ihnen gefunden.«
»Aber in Barnhill gibt es doch jede Menge brachliegende

Grundstücke und alte Fabriken, und die Kinder sind arm. Warum sollten sie Geld für eine Zugfahrt ausgeben? Könnte die Polizei sich da irren?«

Paddy erschrak, weil sie nicht wusste, was mit ihm geschah. Die Haut um seine Augen und den Mund verzog sich, und aus seiner Kehle kam ein eigenartiges gurgelndes Geräusch. McVie lachte, aber sein Gesicht war nicht daran gewöhnt. »Ob die Polizei sich irren kann?«, wiederholte er und machte wieder dieses Geräusch. »Sie heißen doch Paddy Meehan, Herrgott noch mal.«

»Ich weiß, was damals passiert ist, aber könnte es auch heutzutage passieren?«

McVies verzerrtes Gesicht nahm wieder den üblichen selbstmörderischen Ausdruck an. »Die meisten von ihnen würden einem Kind nichts anhängen. Obwohl ...« Er senkte den Blick und sah skeptisch zur Seite. »Die *meisten* würden es nicht tun. Wenn sie überzeugt wären, dass sie wirklich schuldig sind, es aber schwer beweisen könnten, dann würden sie ihnen vielleicht Beweise unterschieben. Sie müssen oft mit ansehen, dass echte Schufte davonkommen. Man kann es irgendwie verstehen.«

Ein Redakteur von der Nachtschicht kam mit einem Kaffee und einer Zigarette und setzte sich in ihrer Nähe hin.

McVie beugte sich zu ihr hinüber. »Ich kenne Paddy Meehan übrigens. Er ist ’n Arschloch.«

Paddy zuckte verlegen mit der Schulter. »Na ja, das sagen ausgerechnet *Sie*. Wissen Sie was über einen Typ, der Alfred Dempsie heißt?«

»Nö.«

»Er hat seinen Sohn umgebracht.«

»Seine Sache. Ich habe gehört, dass die Typen von der Frühschicht Heather Allen vertrieben haben, weil sie das mit Ihnen gemacht hat. Aber halten Sie sich deshalb nicht für beliebt.«

»Mach ich nicht.«

»Man würde Sie genausogut einfach zum Spaß wegjagen.«

»Mich zum Spaß wegjagen? Wovon reden Sie da? Ich werd Sie bei Father Richards verpetzen, dass Sie ein Scharfmacher sind.«

Sie sah, dass McVie versuchte, ein Lächeln zu unterdrücken. Er sah auf die Uhr. »Also, Mädel, verschwinde. Ich hab noch zu tun, bevor ich losgehe.«

Sie stand auf. »Trotzdem vielen Dank, Sie Dreckskerl.«

Er sah, wie sie den Saum ihres engen Rocks herunterzog. »Jedes Mal, wenn ich Sie seh, ham Sie zugelegt.«

Sie durfte ihn nicht merken lassen, dass ihr das etwas ausmachte. »Stimmt«, sagte sie und verging innerlich fast vor Scham. »Ich leg zu, und Sie werden jeden Tag älter in ’nem Job, den Sie hassen.«

4

Paddy ging langsam zur Queen Street hinunter, denn sie wollte erst nach neun dort sein. Es war ein ruhiger Freitagabend in der düsteren Stadt. Fast die ganze Zeit hatte es heftig geregnet, und auch jetzt war die Luft noch feucht und beklemmend. Vor einem Hotel am George’s Square kam sie an einer Gruppe von Frauen in billigen Kleidern und Schuhen mit klobigen Absätzen vorbei, nervös und ängstlich wie ein Rudel Rehe. Nicht weit davon standen ihre lautstark grölenden, betrunkenen Männer. Sie vermied es, die Frauen direkt anzusehen, und in ihrer Vorstellung kamen sie ihr vor wie ein einziges Knäuel aus dicken Armen in kurzen Ärmelchen, beringten Fingern, die über die dauergewellten Badekappenfrisuren strichen, und wunden Fersen, die in schlechtsitzenden Schuhen ausharrten.

Der Bahnhof in der Queen Street bestand aus einem schummerigen Schuppen aus der viktorianischen Zeit mit einem fächerförmigen Glasdach, das fünf Gleise überdeckte. Nur das Pub und die Wimpy Bar waren noch offen. Auf dem Fahrplan an der Wand sah sie, dass die Züge nach Steps alle halbe Stunde fuhren und die Jungen maximal zwölf Minuten für die Fahrt gebraucht hätten. Der Fahrkartenschalter war auf der einen Seite des Bahnhofs, und Paddy bemerkte, dass die Schranken abends – anders als zur Hauptverkehrszeit – nicht bewacht wurden. Es wäre also für die Jungen ein Leichtes gewesen, sich ohne zu bezahlen in einen Zug zu mogeln.

Vor dem Fahrkartenschalter wartete niemand, und der Mann hinter der Scheibe las Zeitung.

»Hallo«, sagte sie. »Können Sie mir sagen, was eine ermäßigte Rückfahrkarte nach Steps kostet?«

Der Mann sah sie stirnrunzelnd an. »Aber Sie kriegen keine Ermäßigung.«

»Ich weiß. Ich will keine kaufen, ich will nur wissen, wie viel sie kostet.«

Er war immer noch skeptisch. Paddy fand die Lügengeschichte über Heather Allen inzwischen langweilig und dachte sich eine neue aus. »Mein Neffe muss am Montag

ganz allein seine Tante besuchen, und meine Schwester muss ihm das Fahrgeld geben.« Es klang so ausgetüftelt, dass es wahr sein konnte.
Der Beamte beobachtete sie, während er den Preis im Computer nachsah. Die Fahrt kostete sechzig Pence, doppelt so viel wie der Bus.
Zurück in der Bahnhofshalle stellte sie im Fahrplan fest, dass der nächste Zug nach Steps gleich abfahren würde. Sie nahm ihre Monatskarte heraus, aber niemand verlangte sie zu sehen, als sie in den fast leeren Zug einstieg. Die Türen schlossen sich, und der Wagen fuhr mit einem Ruck an. Es schien kein Schaffner da zu sein.
Der Zug fuhr in einen langen, dunklen Tunnel und kam auf der anderen Seite zwischen zwei steilen Böschungen heraus, wo man das Erdreich abgetragen hatte, um genug Platz für die Gleise zu schaffen. Die Erdwälle waren so abschüssig, dass auch nach hundert Jahren kein Gras auf den schroffen Hängen hatte Fuß fassen können. In den Wagen war es völlig ruhig, und sie konnte sich gut vorstellen, dass die Jungen die ganze Fahrt über nicht bemerkt worden waren.
Die erste Haltestelle war Springburn Station, acht Minuten nach Queen Street. Der Bahnsteig lag tief unten, und Treppen führten zur Straße hoch. Im Moment war nicht viel los auf dem Bahnsteig, der sonst offensichtlich viel genutzt wurde, denn er war breit, hatte einen Automaten für Schokolade und sogar eine Telefonzelle. Auf der anderen Seite des Bahnhofs war das Gelände hinter dem Doppelgleis mit einem weißen Lattenzaun abgetrennt. Hinter dem Zaun war es in dem wilden Ödland, wo dünne Bäume und kümmerliche Büsche ums Überleben

kämpften, völlig dunkel. Die Wildnis erstreckte sich so weit wie Paddys Auge reichte.
Die Fahrt nach Steps führte ein kurzes Stück auf dem gleichen Gleis weiter und bog dann oberhalb des Bahnhofs von Barnhill über eine Weiche ab. Sie sah durch die Büsche links einen armseligen, verlassenen Bahnsteig mit zerbrochenen Lampen und einer einzigen Bank neben der Treppe, die zur Straße hinaufführte. Irgendwo hier war Thomas Dempsies kleine Leiche abgelegt worden. Sie fand den Gedanken, dass man ihn irgendwo in der Düsternis hatte liegen lassen, fast noch schrecklicher als seinen Tod.
Sie schaute noch einmal auf den Bahnhof von Barnhill zurück, der hinter ihr verschwand. Es war lächerlich. Die Jungen wären doch bestimmt nicht an ihrem Wohnort vorbeigefahren, um den Kleinen woanders hinzubringen. Selbst wenn sie den falschen Zug erwischt hätten, wären sie in Springburn ausgestiegen und die paar hundert Meter zu Fuß gegangen.
Der Zug ratterte weiter nach Steps, kam an den Hochhäusern von Robroyston vorbei, vierzigstöckige Musterbeispiele architektonischer Missgriffe, die oben auf dem kahlen Hügel gebaut worden waren ohne irgendetwas darum herum, das ihnen eine für Menschen geeignete Wohnlichkeit gegeben hätte. Danach fuhr er durch dunkles leeres Buschland, dessen Gestrüpp an einen Sumpf grenzte. Im kalten Mondlicht sah Paddy Felder und Hecken, eine merkwürdige Zwitterlandschaft zwischen verlassenem Industriegelände und ländlicher Gegend.
Eine Häuserzeile auf einem Hügel kündigte die Ankunft in Steps an. Die Häuser waren groß und hatten Gärten,

in die sie hineinsehen konnte, als der Zug bremste. Der Ort wirkte nicht so, als würden Jungen aus einem Armenviertel ihn sich aussuchen, und ganz bestimmt eignete er sich als Versteck für ein ruchloses Geheimnis nicht besser als das verwilderte Industriegebiet, von dem sie kamen.

Der Bahnsteig von Steps war sauber und ordentlich, wenn auch etwas ungeschützt. Auf der einen Seite erstreckte sich ein riesiges, unbebautes Feld bis hin zu einem Schulgebäude. Auf der anderen Seite sah man die Rückseiten der Häuser. Es gab weder einen Schalterbeamten noch einen Bahnwärter, die die Ankunft der Jungen hätten beobachten können. Emailschilder informierten die Reisenden, sie müssten ihre Karten beim Zugbegleiter kaufen. Niemand stieg aus. Paddy mochte es nicht zugeben, aber vielleicht hatte JT doch recht. Die Jungen hätten nach Steps fahren können, ohne gesehen zu werden, aber das erklärte trotzdem nicht, wie sie das Kind acht Stunden lang versteckt halten konnten, bevor sie in den Zug stiegen.

Allein trödelte sie auf dem Bahnsteig herum und sah den langen geraden Gleisen nach, die auf der einen Seite zurück nach Springburn und auf der anderen nach Cumbernauld führten. Am Bahnhofsausgang gab es eine sanft ansteigende Auffahrt zur Straße. Paddy ging hoch, durch das Tor und über den kleinen Gleisübergang.

Die Lücke zwischen den Büschen auf der anderen Seite der leeren Straße wäre ohne den kleinen Stapel von Blumensträußen, Karten und Plüschtieren auf dem Gehweg nicht weiter aufgefallen. Es war ein dunkler Weg, den Büsche und Bäume überschatteten. Paddy sah sich um, ob ihr auch niemand folgte, machte einen Schritt über einen Strauß verwelkter Nelken und tauchte in die samtene Dunkelheit.

Der Weg verlief zwischen der Bahnlinie und den Zäunen der langen Gärten, die zu den großen Häusern gehörten und deren immergrünes Buschwerk Sichtschutz gewährte. Ein kahler knorriger Busch presste sich auf der Seite der Bahngleise gegen einen Maschendrahtzaun. Der Boden unter ihren Füßen war uneben und gefroren, und sie ging langsam und vorsichtig, um dem Trampelpfad im Gras zu folgen.

Es dauerte nicht lange, bis sie das blau-weiße Band der Polizei erreichte, mit dem der Weg abgesperrt war. Dahinter sah sie das Loch im Drahtzaun tief unten, gerade groß genug für Kinder, um durchzuschlüpfen. Sie bückte sich unter das Band und kroch durch, blieb aber mit der Strumpfhose an einem losen Draht hängen, der ein rundes Loch am rechten Knie riss.

Dort, wo sie stand, war das Gras zerdrückt. Sie ging in die Hocke und fuhr mit der flachen Hand darüber. Im schwachen Licht des ziemlich weit entfernten Bahnsteigs fielen die blassen Rückseiten der Grashalme auf, die alle auf die gleiche Weise vom Wind oder vielleicht einem Blech flach gedrückt, aber nicht von Füßen zertreten worden waren. Paddy war ebenso ruhig, wie sie sich in der Gasse mit McVie gefühlt hatte, und nahm sich vor, beim Betrachten dessen, was hier vorgefallen war, unvoreingenommen zu bleiben. Alles war möglich. Die Polizei hatte nicht immer recht. Sie hatten den Yorkshire Ripper neunmal verhört und als Täter ausgeschlossen, bevor er verhaftet wurde.

Sie stand auf und ging etwa sechs Meter weiter am Gleis entlang, bis dorthin, wo das Gras wieder aufrecht stand und keine Spuren aufwies, dass jemand hier gewesen war. Tau von den Grashalmen durchnässte ihre Strumpfhose bis zu den Knöcheln.

Nur weil es ein so sauberes Quadrat war, fiel es ihr auf. Auf der anderen Seite der Bahngleise zeichnete sich ein geometrisch exaktes Stück Schatten neben einem kleinen Busch ab. Sie erkannte Spuren wie von einem Planschbecken, das längere Zeit umgedreht im Garten stehen gelassen worden war. Ein kleines Quadrat im Gras, das ein paar Tage weder dem Wind noch dem Frost ausgesetzt gewesen war. Da hatte man also das Zelt aufgeschlagen, dort war Brian getötet und gefunden worden. Dahinter war vom vielen Hin- und Hergehen ein Trampelpfad entstanden, eine diagonale Linie, die sich über den Saum des Hügels hinzog.

Die Dunkelheit legte sich ihr wie eine schwere Decke über Mund und Ohren, dämpfte den Verkehrslärm aus der Ferne und die Geräusche der Welt von jenseits der Gleise und schien die Luft so beklemmend schwer zu machen, dass sie nur mühsam atmen konnte. Eine leere Chipspackung flog gegen den Zaun, und für Paddys wachsame Ohren klang der Aufprall des Zellophans wie ein unterdrückter Schrei. Sie ging zurück und hielt sich am Zaun fest. Der Draht schnitt ihr in die Finger, als sie ihre Augen vor der Vorstellung von Brians letzten Augenblicken verschloss. Ein hellerleuchteter Zug flog ratternd auf Paddy zu, das kreischende Geräusch drang ihr in die Ohren und sie blinzelte im Staub und Wind, froh über die Störung, wenn ihr auch fast das Herz stehenblieb.

Der Zug fuhr vorbei, und Paddy stand in der nasskalten Dunkelheit und sah an den Schienen entlang bis zum hellen Bahnhof. Obwohl sie sich nicht sicher dabei fühlte, hastete sie zur anderen Böschung hinüber, rutschte leicht auf einer öligen Schwelle aus und drohte kurz, das Gleichgewicht zu verlieren, was ihr einen Schauer über den Rücken jagte.
Von einem Busch neben dem Quadrat mit dem zu Boden gedrückten Gras waren Zweige abgerissen. Erst kürzlich waren einige mit einem scharfen Messer abgeschnitten und andere zu einem früheren Zeitpunkt so lange herumgedreht worden, bis die zerquetschten Fasern mit Rinde und Harz abrissen. Sie erinnerte sich, dass Farquarson von Stöcken gesprochen hatte, die jemand dem Kind hinten reingesteckt hatte. Die scharfen Schnitte wiesen dagegen wohl darauf hin, dass jemand Beweise gesammelt hatte.
Paddy trat über das zerdrückte Gras, wo das Zelt gestanden hatte, und kletterte die gefrorene, matschige Böschung hinauf, indem sie sich an hier und da herausragenden Wurzeln und Steinen festhielt. Sie stand auf den Furchen eines großen umgepflügten Feldes. Ein Gatter in fünfzig Meter Entfernung stand offen. Sie konnte die Autos auf einer nahen Straße vorbeifahren hören. Viele Spuren von Polizeiautos liefen durch den Matsch vor ihr. Sie richtete sich auf.
Die Jungen waren nicht zufällig nach dem Spielen auf einem Kinderspielplatz auf den Kleinen gestoßen. Sie hatten sich nicht acht Stunden versteckt gehalten und waren weder ungesehen mit einem teuren Zug hierhergekommen noch einen düsteren Pfad bis zu einem Loch im

Zaun entlanggestapft, von dessen Existenz sie gar nichts wussten. Alle drei waren von jemandem im Auto hierhergefahren worden. Sie fand das offensichtlich und jeder, der die Augen offenhielt, hätte das erkennen müssen. Aber niemand hatte genau hingesehen. So wie die Sache jetzt stand, war der Mord an Baby Brian eine klare, eindeutige Geschichte.

Paddy stand auf dem bitterkalten Feld, ihr Haar klebte am Kopf, und sie horchte im brutalen Februarwind auf all die seelenlosen Autos, die unberührt in ein warmes, freundliches Zuhause fuhren. Die Geschichte kam allen gelegen und würde nicht hinterfragt werden, bis es überwältigende Beweise gäbe. Es war wieder so wie mit dem verdammten Paddy Meehan. Egal, wie viele Beweise er vorgelegt hatte oder wie viele Leute ihn an dem Abend von Rachel Ross' Ermordung gesehen hatten, die Polizei beharrte unbeirrt darauf, dass er es gewesen sein musste.

18
Mädchen aus Kilmarnock und Jungens vom Land

1969

1

Meehan sollte die restlichen fünfundzwanzig Jahre seines Lebens damit verbringen, über die Einzelheiten des Abends nachzudenken, an dem er Rachel Ross nicht umgebracht hatte. Er erzählte die Geschichte so oft, dass die Details neue Bedeutung bekamen. Die Namen der Mädchen wurden zu einer Bitte um Verständnis, die Zeitangaben und die Orte, an denen die Autos geparkt waren, oder die Frage, wann das Licht im Hotel an- und ausging, all das wurde durch ständige Wiederholung zu einer Zauberformel, die beschworen wurde, wann immer ein neuer Journalist oder Anwalt ein vorübergehendes Interesse an dem Fall äußerte.

Diese Nacht war ursprünglich nichts als eine weitere enttäuschende Erkundungsfahrt gewesen, wie es sie im Leben eines professionellen Kriminellen zu Tausenden gab. Drei Stunden hatten sie auf dem Hotelparkplatz im Wagen ausgeharrt und beobachtet, wie Gäste kamen und die Bar wieder verließen, hatten sich geduckt, wenn jemand beim Gassigehen mit seinem Hund vorbeikam, und gewartet, bis das Licht ausging, damit sie die Ausgabestelle für Steuerplaketten nebenan genauer betrachten konnten. James Griffiths saß zusammengesunken in seinem steifen Mantel da und kam immer wieder auf das Gleiche zurück.

»Ich klau dir einen«, sagte er mit seinem starken Rochdale-Dialekt mit Betonung am Ende des Satzes, so dass es immer wie eine Frage klang. »Aber ja, jederzeit.« Er drückte seine Woodbine im Aschenbecher aus. Bis zu dem Zeitpunkt, als sich James den türkisfarbenen Triumph 2000 vor dem Hotel Royal Stewart in Gretna unter den Nagel riss, war der Aschenbecher des vier Jahre alten Wagens noch nie gebraucht worden. Jetzt quoll er über von ausgedrückten Kippen und flockiger Asche.

Meehan seufzte. »In einem geklauten Auto fahr ich nicht mit ihnen auf Urlaub nach Ostdeutschland, verdammt noch mal. Wir würden nicht weit kommen. Der Geheimdienst überwacht mich die ganze Zeit.«

»Du wirst nicht erwischt«, sagte Griffiths lässig. »Mich erwischen sie nie. Komm schon seit Jahren damit durch.«

»Sie erwischen dich nie?« Meehan starrte ihn an.

»Nie«, sagte Griffiths und ihm war nur ein bisschen unbehaglich bei der offenkundigen Lüge.

»Was hattest du dann in meiner Zelle auf der Isle of Wight zu tun? Warst du auf Besuch da?«

»Ja.« Griffiths grinste, aber Meehan reagierte nicht darauf.

Auf der Isle of Wight hatten sie sich kennengelernt, als Griffiths drei Jahre wegen Autodiebstahl absaß. Griffiths war manchmal ein Schwachkopf. Er tat und sagte damals, was immer ihm in den Kopf kam, deshalb kriegte er im Knast so oft den Riemen zu spüren. Paddy hatte ihn oft genug ohne Hemd gesehen, und sein Rücken sah aus wie der Bahnhof von Euston.

Meehan brauchte den Wagen, um seine Familie zu einem Urlaub nach Ostdeutschland zu fahren. In Wirklichkeit wollte er nicht Ferien machen, sondern den Kindern zeigen, dass er Deutsch und Russisch sprach, von einer ausländischen Regierung bezahlt wurde und nicht nur ein x-beliebiger Glasgower Ganove war. Bevor sie noch älter wurden, wollte er sichergehen, dass sie gute Erinnerungen an ihren Vater hatten. Den Winter zuvor hatte er am Bett seines eigenen Vaters zugebracht, der vom Krebs verzehrt wurde. Und an diesen langen Abenden konnte er sich nicht an einen einzigen glücklichen Moment mit ihm erinnern. Nicht einen einzigen. Die Familie hatte keinen einzigen Augenblick zusammen verbracht, der ohne seinen Vater nicht besser gewesen wäre. Meehan wollte für seine Kinder mehr sein, und er konnte nicht in einem gestohlenen Wagen mit ihnen wegfahren. Man würde sie noch vor Carlisle aufgreifen, sie an der Autobahn anhalten und ohne den Vater nach Hause zurückschicken. Er sah schon ihre gekränkten und gedemütigten Gesichter vor sich, die ihn vom Rücksitz eines Polizeiwagens anblickten.

»Ich weiß nicht, wieso du dir Sorgen machst«, sagte Griffiths. »Ich habe hier schon so viele Autos mitgehen lassen, dass ich sie über die Klippe ins Wasser rollen musste, weil ich nicht wusste, wo ich sie verkaufen sollte. Und das waren gute, Jaguar und so was. Kein Schrott. Ich klau dir einen.«

Meehan wusste, dass Griffiths ihn um Verzeihung bat. Im Lauf der Jahre hatten sie viel Zeit miteinander verbracht, und er kannte Griffiths Kürzel für »Es tut mir leid«. Er entschuldigte sich, weil die Sache mit den Steuerplaketten, die er in Stranraer hatte durchziehen wollen und zu der er Meehan angestiftet hatte, nicht klappen würde. Als die Lampen im Hotel nach und nach ausgingen und die Gäste der Bar allein oder in Zweiergruppen und danach das Personal herauskamen, wurde ihm klar, dass der Scheinwerfer auf dem Dach der Ausgabestelle anbleiben würde. Selbst wenn das Licht ausginge, gäbe es am Hotel Wachhunde, riesige Tiere, so wie es sich anhörte. Also saßen sie am Rand des Parkplatzes in der Dunkelheit, rauchten und beobachteten das Gebäude. Meehan war ganz still, um seine Niedergeschlagenheit zu verbergen, und Griffiths sehr redselig, um seine Verlegenheit zu überspielen.
Zwischen der Ausgabestelle und dem Hotel konnten sie den Loch Ryan und hinter den Bergen bis auf das schwarze Meer sehen. Große rote Fähren nach Belfast und zur Isle of Man schaukelten sanft im Wasser auf und ab. Ein paar Lastwagen waren schon am Ufer geparkt, die Fahrer schliefen auf ihrem Führersitz und warteten auf die erste Überfahrt.
»Scheiß drauf«, sagte Meehan und drückte eine Zigarette im Aschenbecher aus, »das bringt doch nichts. Lass uns nach Glasgow zurückfahren und auf dem Fleischmarkt frühstücken.«
Das Café der Fleischhändler machte um vier Uhr morgens auf. Es gab dort Pfannengerichte mit gebratenem Frühstücksspeck, so dick wie Steaks, und becherweise

billigen Whisky. Griffiths nahm einen tiefen Zug aus seiner Zigarette und schüttelte den Kopf, während er den Rauch in kleinen Kringeln ausstieß. Sie hatten zwei Monate zusammen in einer Zelle gesessen, und jeder kannte die Gedanken des anderen. Griffiths ärgerte sich. Er sah Paddy kopfschüttelnd an, lächelte schwach und ließ sich erweichen.

»O. K.« Er drehte den Zündschlüssel herum, schaltete aber die Scheinwerfer noch nicht an, während er den Wagen rückwärts aus der dunklen Ecke herausmanövrierte. »Geh'n wir frühstücken.«

2

Fünfzig Meilen nördlich von Stranraer, in dem kleinen wohlhabenden Vorort Ayr, machten sich Rachel und Abraham Ross im Schlafzimmer ihres Bungalows fertig, um zu Bett zu gehen. Rachel saß in einem himmelblauen Nachthemd und rosa Morgenmantel aus Chenille auf der Bettkante und sah ihrem Mann zu, der seine Uhr aufzog. Ein einzelner krampfartiger Hustenanfall schüttelte sie. Sie unterdrückte ihn und hob beschwichtigend die Hand.

»Es ist nichts.«

»Sicher?«, sagte Abraham und legte seine Uhr auf den Nachttisch.

Rachel klopfte mit der flachen Hand auf sein Bett. »Alles in Ordnung«, sagte sie. »Dr. Eardly hat doch gesagt, es würde nach der Operation von Zeit zu Zeit mal wiederkommen und auch wieder verschwinden, oder? Mir geht's gut.«

Sie lächelte ihrem Mann beruhigend zu und ließ ein wenig von ihrem rosa Zahnfleisch sehen. Sie hatten die letzten Monate oft in ihren Betten gelegen und auf Rachels schweren Bronchialhusten gehorcht. Es hatte sie beide erschöpft. Der Husten war so stark, dass sie sich eine ihrer Rippen gebrochen hatte und operiert werden musste. Abraham war gestern in seinem Büro in der Alhambra Bingo Hall eingeschlafen und hatte Rachel im Traum einen ganzen Sturzbach von Blut in ihr Schlafzimmer husten sehen. Sie war immer die Stärkere gewesen, fünf Jahre älter als er und kinderlos, aber nach ihrer beider Ansicht diejenige mit der meisten Kraft.

Sie schob die Decken auf ihrem Bett zurück und zog ihren Morgenmantel aus, faltete ihn sorgfältig zusammen und legte ihn ans Fußende des Betts.

»Gute Nacht, mein Lieber.« Sie hauchte einen Kuss auf ihre eigene Hand und berührte mit den Fingerspitzen seine Wange, damit sie sich nicht hinunterbeugen musste.

»Gute Nacht, mein Schatz.«

Er wartete, bis sie sich richtig hingelegt hatte, und schaltete mit der Schnur über seinem Kopf die Lampe aus. Das heimelige blaue Licht im Zimmer wurde nur von einem gelben Lichtfleck aus dem Flur unterbrochen. Gleichzeitig nahmen beide ihre Brillen ab, legten sie zusammen und deponierten sie auf dem Nachttisch. Rachel saß aufgerichtet in den Kissen, denn man hatte ihr gesagt, sie solle so viel wie möglich im Sitzen schlafen, damit sich die Flüssigkeit im unteren Bereich der Lunge sammeln und sie weniger beeinträchtigen würde. Sie faltete vor sich die Hände auf der Decke.

»Viel zu tun heute Abend?«

»Ja, ein guter Abend.«
»Viel reingekommen?«
»Sechstausend, circa.«
»Genau wie letzten Freitag?«
»Ja, stimmt«, sagte er, und sie konnte hören, dass er dabei lächelte. »So ungefähr.«
Sie lächelte auch und streckte die Hand nach seinem Bett aus, griff aber nur in die Luft und tätschelte sie. »Gut gemacht.«
Sie legten sich zurecht und horchten auf den Atem des anderen. Rachel keuchte manchmal etwas, atmete aber meistens ruhig, und Abraham mit seinen tiefen Atemzügen ging mit gutem Beispiel voran. Sie schliefen zurzeit wenig, waren aber gern im Bett und horchten aufeinander, ohne zu sprechen oder irgendetwas tun zu müssen. Sie lagen vierzig Minuten zusammen im sanften blauen Schummerlicht. Einmal streckte Rachel, von einer schönen Erinnerung gerührt, wieder die Hand in die Luft.
Ein plötzlicher lauter Knall direkt vor dem Schlafzimmer ließ Rachel jäh hochfahren.
Sie sahen beide vom Flur her einen Schatten auf den Lichtkegel fallen, plötzlich wurde die Tür aufgestoßen und prallte gegen die Schlafzimmerwand. Zwei Gestalten, vielleicht auch drei, kamen hereingestürmt. Einer hielt eine Decke hoch, lief auf Abraham zu und warf sie dem alten Mann über den Kopf. Der andere stieg über Abrahams Bett und kam auf Rachel zu.
Er packte sie an den Handgelenken, zog sie auf der anderen Seite vom Bett herunter und kniete sich auf ihre Operationsnarbe, so dass sie vor Schmerz aufschrie. Sein Gewicht ruhte jetzt auf ihrer Brust. Er winkelte den Arm an

und ließ seine Faust nach vorn auf ihren Kiefer sausen. Im Lichtstrahl aus dem Flur sah er ihren zahnlosen Mund, das dünne Haar und den dürren Hals. Er schlug wieder zu, auf die Wange, den Hals und noch einmal auf den Kiefer.

Abraham hörte unter der Decke seine Frau schreien und setzte alle Kraft seiner hundertzehn Pfund Körpergewicht ein, um den Mann, der ihn festhielt, loszuwerden. Er hörte den kurzen Atem des Mannes, spürte seine Überraschung. Er hatte starke Finger vom allabendlichen Geldzählen und erwischte den Arm des Mannes, steckte seine Finger in die weiche Achselhöhle und drückte fest zu. Der Mann schrie auf.

»Schaff mir den Kerl vom Hals, Pat!«

Er war aus Glasgow, von der Southside, vielleicht den Gorbals, wo Rachel und Abraham aufgewachsen waren.

Plötzlich atmete Rachel wieder normal, und Abraham hörte auf, sich zu wehren. Er hatte es nicht geschafft, die Decke abzuschütteln und saß still, hielt die Achselhöhle des Mannes fest gepackt, horchte angestrengt und fragte sich, was das neue zischende Geräusch bedeutete. Eine Eisenstange wurde durch die Luft geschwungen und landete auf seinem Rücken, den Beinen, den Armen und wieder auf dem Rücken.

Sie nahmen alles mit, das Geld, die Reiseschecks, den wenigen Schmuck, der da war, und rissen der blutenden weinenden Rachel die Uhr vom Arm. Als alles getan war, fesselten sie die beiden, Abraham, der unter seiner Decke grün und blau geschlagen war, und neben ihm seine wimmernde Frau. Er lag unter der Decke und versuchte, sich

an Einzelheiten der Männer zu erinnern. Beide waren aus Glasgow, einer hieß Jim oder Jimmy, der andere Pat. Einer war groß und stämmig, der andere dünn.
Die Männer beschlossen, erst bei Sonnenaufgang wegzugehen, um keinen Verdacht auf sich zu lenken. Sie machten es sich im Wohnzimmer gemütlich und tranken eine Flasche fünfzehn Jahre alten Glenmorangie, den Abraham für eine besondere Gelegenheit aufgehoben hatte.
Allein im Schlafzimmer, versuchte Abraham sich zu befreien, aber es gelang ihm nicht.
»Tu das nicht.« Rachel bemühte sich, wach zu bleiben. »Bitte. Beweg dich nicht. Sonst schlagen sie uns.«
Also hielt Abraham seiner Frau zuliebe still und horchte auf ihren trockenen rasselnden Atem, der in dem Zimmer widerhallte, das sie sich seit dreißig Jahren teilten.
Schließlich begann fahles weißes Licht durch die Decke zu dringen.
»Wird es hell?«, fragte er, aber Rachel antwortete nicht.
Die Männer waren wieder im Zimmer und kamen auf sie zu. Abraham zuckte zurück, aber sie wollten ihn nicht schlagen. Sie fesselten sie noch gründlicher und zogen die Stricke fester an. Als sie aufstanden, um zu gehen, sprach Rachel wieder.
»Bitte«, sagte sie und konnte nur noch mühsam atmen, »rufen Sie doch einen Krankenwagen für mich. Bitte.«
Sie antworteten nicht und gingen zur Tür.
Noch einmal rief sie: »Bitte, lassen Sie einen Krankenwagen kommen …«
»Still, halten Sie die Klappe. Wir schicken einen. O. K.?«
Die Tür fiel hinter ihnen zu, und sie waren fort.

3

Meehan und Griffiths waren hinter Kilmarnock, unterwegs auf der leeren Straße mit hundertzwanzig Sachen Richtung Glasgow, und grölten ein ordinäres Lied über die verschiedenfarbigen Schamhaare einer Hure. Sie waren beide froh, dass sie das Risiko, in die Ausgabestelle einzubrechen, nicht eingegangen waren, als sie an einem weinenden Mädchen in Minirock und glänzenden weißen Stiefeln vorbeikamen.

»Halt!«, rief Meehan. »Brems doch mal.«

Griffiths richtete sich schnell auf und sah sich um, ob ein Polizeiauto kam.

»Hast du sie nicht gesehen?« Meehan zeigte mit dem Daumen nach hinten. »Da war ein Mädchen, das hat geweint.«

Griffiths fuhr langsamer, hielt an und warf einen argwöhnischen Blick in den Rückspiegel. Er legte den Rückwärtsgang ein und raste zurück.

Irene Burns' Beine waren nichts für einen Minirock. Sie hatte Knöchel wie ein Bauarbeiter, aber einen großen Busen, und in Meehans und Griffiths' Augen glich das einiges aus. Sie hatte getrunken, war erst sechzehn und nicht ans Trinken gewöhnt. Sie schluchzte so heftig, dass sie kaum erklären konnte, was geschehen war. Mit ihrer Freundin Isobel hatte sie nach Hause trampen wollen, und zwei Männer hatten sie mitgenommen. Sie waren in einen weißen Wagen gestiegen, einen Anglia, und einer der Männer hatte eine halbe Flasche Whisky herausgeholt. Sie fuhren also los und Isobel fing an, mit dem einen Mann zu schmusen, aber Irene gefiel der andere nicht und sie ließ ihn nicht an sich ran. Deshalb ärgerten sich die Männer, hielten an und schmissen Irene raus. Jetzt war Isobel ganz allein mit zwei fremden Männern in einem Wagen, Irene war zehn Meilen von zu Hause weg, zum ersten Mal im Leben betrunken und wusste nicht, was sie Isobels Mutter sagen sollte.

Meehan griff nach hinten und öffnete die Tür des Triumphs. »Steig ein, Kleine«, sagte er. »Wenn irgendjemand das Auto einholen kann, dann dieser Mann hier.«

Griffiths grinste sie an. Trotz seiner Zahnlücken lächelte sie zurück. Er grüßte sie und sagte mit alberner Stimme »Hallihallo«. Irene stieg ein und fühlte sich schon besser.

Vor seiner Zeit als Dieb war Griffiths Rennfahrer gewesen, und er hatte Talent zum Fahren. Innerhalb von fünf Minuten sahen sie den weißen Anglia vor sich auf der Straße. Er fuhr langsam, nur etwa fünfzig Kilometer, und beschrieb eine Zickzacklinie auf der Straße. Griffiths holte ihn ein, bremste und war jetzt auf gleicher Höhe mit ihm. Der andere Fahrer war ein junger Bursche vom Land, der sich zum Ausgehen feingemacht hatte. Auf dem Rücksitz knutschte ein Mädchen mit einem anderen Kerl herum, ihre hochtoupierte Frisur war ganz zerzaust.

»Isobel!«, kreischte Irene. »Da ist sie! Das ist sie mit ihm.«

Der Fahrer schaute zu ihnen hinüber, und Meehan machte ihm ein Zeichen, er solle anhalten. Er sah, wie das Landei zögerte, sein Blick wanderte von der Straße zu ihrem Auto, er versuchte zu begreifen, wer sie waren und warum er der Aufforderung folgen solle. Irene kurbelte ihr Fenster herunter und rief den Namen ihrer Freundin, aber Isobel kümmerte sich nicht darum und küsste heftig weiter, während die Hand ihres neuen Freundes sich in ihrer Zuckerwattefrisur verlor. Das Landei bremste und fuhr an den Seitenstreifen heran. Kaum hatte Griffiths den Triumph direkt vor ihm zum Stehen gebracht, als Irene ausstieg, die Tür des Anglia aufriss und ihre Freundin vom Rücksitz auf die Straße zerrte. Isobel entzog sich ihr mit einem Schlag auf die Hand. Sie war ein kräftiges Mädchen, das nicht aussah, als würde es jemals einen Retter brauchen. Ihre Strumpfhose hing wie eine Hängebrücke zwischen ihren Knien unter ihrem Minirock.

Drüben seufzte Meehan im Triumph: »Was meinst du? Vielleicht sollten wir sie einfach stehenlassen.«

Sie sahen einen Augenblick zu. Isobel zog ihre Strumpfhose hoch. Irene heulte wieder. Sie schien ihr eigenes Drama zu erleben, als sei sie in einem ganz anderen Film.

»Sind eben junge Dinger«, sagte Meehan und sah Isobels große, weiche Brüste unter ihrer Strickjacke wogen.

Griffiths warf ihm ein freches Lächeln zu. »Isobel ist aber ganz gut dabei, was?«

Auf Meehans Gesicht erschien ein schiefes Grinsen. Er räusperte sich und strich sich das Haar glatt. Mit dem übertrieben breitbeinigen Gang des hartgesottenen Mannes ging er hinüber, eine Hand in der Jackentasche, als hätte er ein Messer.

»Die Mädchen sind zu jung, um so spät noch unterwegs zu sein. Ich bring sie nach Hause.«

Die Männer im Wagen sahen einander an und ließen die Schultern sinken.

Meehan bückte sich und steckte den Kopf ins offene Fenster. »Wollt ihr euch mit mir anlegen?«
Die Jungs schüttelten den Kopf.
Meehan machte den Mädchen ein Zeichen, sie sollten hinten in den Triumph einsteigen. Isobel rülpste und zog ihre Strickjacke herunter, während Irene, die zu betrunken war, um zu begreifen, dass die Gefahr vorbei war, schluchzte und sie zum Triumph zerrte.
»Also, Jungs«, sagte Meehan, und amüsierte sich in seiner Rolle als dienstfreier Polizist, »stoßt zurück und fahrt weiter.« Er schlug auf das Dach des Wagens. »Los.«
Weit davon entfernt, sich als Verführerin zu erweisen, die einen in den Knast bringen konnte, schlief Isobel ein, sobald sie im Wagen saß. Sie hatte ihre dicken Beine auf dem Rücksitz ausgestreckt und schnarchte laut. Irene schluchzte, weil sie beschwipst und voller Angst war, auf der ganzen Fahrt, bis sie bei Isobel ankamen und auch weiter bis zu ihrem eigenen Zuhause. Wann immer sie es schaffte, beim Weinen eine Pause zu machen, sagte sie Meehan und Griffiths, sie seien unheimlich nett, sehr anständig, und fing bei diesem Gedanken gleich wieder an zu weinen. Sie nervte ohne Ende.
Als die Sonne schon aufging und die Milchmänner mit ihren Runden fast fertig waren, kamen sie bei der Reihe braunweißer Fertighäuser am Rand von Kilmarnock an. Die Vorhänge in Irenes Haus waren zurückgezogen und das Licht brannte.
»Meine Mutter ist bestimmt ganz außer sich«, sagte sie und rieb ihre verquollenen, juckenden Augen. »Sicher hat sie die Polizei angerufen und alles.«
Bei diesen Worten ließen sie das Mädchen schnell aus-

steigen und rasten den ganzen Weg nach Glasgow zurück. Sie hatten den Fleischmarkt und ihr Frühstück verpasst und trennten sich etwas genervt voneinander, wussten aber, dass sie wieder gute Freunde sein würden, sobald sie geschlafen und etwas gegessen hatten.

4

Mr. und Mrs. Ross lagen noch zwei lange Tage und Nächte auf dem Schlafzimmerboden. Sie hörten Kinder auf der Straße spielen und Autos am Haus vorbeifahren. Das Telefon klingelte im Flur. Zwei Spaziergänger mit Hunden trafen sich auf dem Gehweg vor ihrem Schlafzimmerfenster und plauderten eine Weile. Sie lagen auf dem Boden bis Montagmorgen um zehn, als wie immer die Putzfrau kam und mit ihrem Schlüssel selbst aufschloss. Rachel Ross hauchte ihren letzten Atemzug, als der Krankenwagen vor dem Krankenhaus sanft zum Stehen kam.

19

Heathers große Chance

1981

1

Heather nahm die Autoschlüssel ihrer Mutter vom Flurtisch und schlich auf Zehenspitzen aus dem Haus. Der schwere Regen übertönte das Schließen der Tür und das Knirschen, als Heather über den Kiesstreifen am Haus ging. Sie schleuderte ihre Tasche auf den Beifahrersitz, schloss vorsichtig die Tür und ließ den roten Golf GTI an, schaltete aber die Scheinwerfer erst an, als sie aus der Einfahrt war.

Auf den Landstraßen zur Stadt war es ruhig, und auch in der Stadtmitte war nichts los. Es war kurz nach Mitternacht an einem Freitagabend, aber wegen des Regens war niemand unterwegs. Jedes dritte Auto war ein Taxi. Selbst die Busse fuhren nicht mehr. Die Scheibenwischer waren auf die höchste Stufe eingestellt und schafften es gerade eben, den Regenvorhang für einen kurzen Moment wegzuwischen, während die Wassermassen die Hügel herabschossen.

Als Heather an einer Ampel wartete, wühlte sie in ihrer Tasche auf dem Beifahrersitz nach ihren Zigaretten. Bevor sie eine aus der Packung herausnehmen konnte, wechselte die Ampel auf Grün, und von da an hatte sie eine grüne Welle bis in die Stadt. Erst als sie Cowcaddens erreichte, gelang es ihr, sich eine Zigarette in den Mund zu stecken und auf den Zigarettenanzünder am Armaturenbrett zu drücken. Sie inhalierte, und mit dem Rauch fühlte sich ihre Lunge schmutzig und verstopft an. Beim Ausatmen fühlten sich ihre Zähne genauso an. Es war ein gutes Gefühl.

Das Pancake Place lag direkt gegenüber von einem geschlossenen und mit Vorhängeschloss gesicherten Seiteneingang des Hauptbahnhofs. Ein großer Lieferwagen parkte direkt vor den Türen, deshalb stellte sie ihren Wagen etwas weiter hinten ab und überprüfte ihr Make-up im Rückspiegel. Ihr Lippenstift war in der Mitte, wo sie die Zigarette angesetzt hatte, abgegangen. Sie nahm ihren Stift Nr. 17 Frosty Pink aus der Handtasche und zog noch einmal an der Zigarette, bevor sie ihren Lippenstift auffrischte. Dann machte sie die Tür auf, trat auf die regennasse Straße hinaus, ließ die halbgerauchte Zigarette auf das nasse Pflaster fallen, wo sie zischend ausging, und rannte ins Café.

Die Speisekarte des Pancake Place war ein Beweis für die Vielseitigkeit des bescheidenen Pfannkuchens. Man konnte ihn mit jeder Zutat bekommen, von einem Klacks billiger Marmelade bis zur Kombination mit zwei Eiern und Blutwurst. Das Café blieb bis vier Uhr morgens geöffnet und war eine Oase für Arbeiter der Spätschicht sowie für Studenten, die vom Tanzen nach Hause gingen, und für müde Prostituierte, die ihre Füße etwas ausruhen wollten. Der vorherrschende Gesamteindruck der Einrichtung war dunkelbraun. Kunststoffbalken waren in eine niedrige Decke eingelassen, und zwischen den Tischen waren Raumteiler aus imitiertem Eichenholz aufgestellt. Laminierte Speisekarten in Ständern aus dunklem Holz sollten dem ganzen einen altmodischen Touch geben.

Es war fast leer, und Heather sah den Mann sofort, der im hinteren Teil des Raums saß und wie versprochen die gestrige Ausgabe der *Scottish Daily News* las. Er war jünger, als sie seiner Stimme nach erwartet hatte, und seine Hände sahen zu schwielig aus, um zu der Zeitung zu passen, die er las. Er war wie ein Bauarbeiter angezogen, trug eine dunkelblaue, kurze Jacke und eine schwarze Mütze, die er über die Ohren gezogen hatte.

»Hallo«, sagte sie und bemühte sich, cool und professionell zu wirken.

Er schien verdutzt, musterte sie von oben bis unten mit ihrem teuren roten Mantel und dem dick aufgetragenen Lippenstift und wandte sich wieder seiner Zeitung zu.

»Sie haben mich angerufen?«, sagte sie.

Er schaute wieder hoch, diesmal ärgerlich. »Kenne ich Sie?«

Es war eine andere Stimme als die des Mannes am Telefon, und Heather blickte sich um, ob noch ein Mann mit einer dunkelblauen Jacke da war, der die *Daily News* las. Aber da war niemand. Sie sah auf ihre Uhr. Es war eins. Sie war zur vereinbarten Zeit gekommen.

»Ich glaube ...« Sie sah auf den leeren Platz ihm gegenüber. »Darf ich?«

»Dürfen Sie was?«

»Darf ich mich setzen?«

Er faltete seine Zeitung zusammen und räusperte sich.
»Lassen Sie mich bitte in Ruh!«
»Haben Sie mich nicht angerufen und mich gebeten, hierherzukommen?«
»Ich hab Sie nicht angerufen.«
»Aber jemand hat mich angerufen.«
»Also«, sagte er und öffnete wieder seine Zeitung, »ich war es nicht.« Er blickte sie an und sah, dass sie enttäuscht war. »Tut mir sehr leid.«
»Ich sollte nach einem Mann mit einer dunkelblauen Jacke Ausschau halten, der die *Daily News* liest.«
»Ich glaube, jemand hat sich einen Scherz mit Ihnen erlaubt. Tut mir leid.«
Plötzlich wusste Heather Bescheid. Es war einer der Dreckskerle bei der *Daily News*, einer von der Frühschicht, der sich auf ihre Kosten amüsierte. Sie beobachteten sie bestimmt. Sie waren wahrscheinlich irgendwo hier drin oder standen auf der anderen Straßenseite und lachten sich über sie kaputt. »O. K.«, sagte sie, und ihre Stimme versagte fast bei der zweiten Silbe, weil die Enttäuschung ihr die Kehle zuschnürte. »Danke.«
Sie ging weg, sah sich im Café um und vergewisserte sich, dass nicht noch jemand anders im Raum war, auf den die Beschreibung passte. Zwei aufgemotzte Frauen mit Stöckelschuhen und Abendkleidern saßen aneinandergekuschelt im hinteren Teil. Ein Mädchen, das high war, saß mit zwei Jungs in Lederjacken zusammen, auch die mit geröteten Augen und langsamen Bewegungen, und an einem weiteren Tisch war ein sehr alter Mann in einem Mantel und mit tabakgelben, gichtgekrümmten Fingern. Niemand erwiderte ihren Blick.

Sie stand vor der Tür, sah nach draußen, wo es schüttete, und blinzelte heftig, um nicht zu weinen. Vom nächsten Tisch zog sie eine Serviette unter dem Besteck heraus und wischte den juckenden Lippenstift ab. Also keine Zukunft in London. Und hier oben würde sie auch niemals einen Job bekommen, weil die Gewerkschaft ihr übelwollte und diese Mistkerle es niemals vergaßen, wenn sie etwas gegen einen hatten.

Bestimmt waren sie hier drinnen im Café und beobachteten sie. Nervös holte sie eine Zigarette aus der Packung, zündete sie an und nahm einen tiefen, bitteren Zug. Sie spürte dicke Tränen aufsteigen, weil sie müde und es spät nachts war und sie so große Hoffnungen auf dieses Treffen gesetzt hatte.

Sie öffnete die Tür und trat in den Regen hinaus, zog die Autoschlüssel aus der Tasche und war sich nur vage einer Gestalt bewusst, die ihr folgte. Auf der Straße parkten keine Autos, aber irgendwie war der große Lieferwagen näher an den Golf herangerückt, so dass sie beim Ausparken zuerst würde zurückstoßen müssen. Sie verfluchte sich selbst und jeden gehässigen Mistkerl, der bei der *Daily News* arbeitete, und wandte sich zur Seite, um zwischen dem Lieferwagen und der Motorhaube des kleinen roten GTI durchzuschlüpfen.

Da flog die Tür des Lieferwagens auf, prallte gegen ihr Gesicht und brach ihr mit einem dumpfen Laut das Nasenbein. Eine große rauhe Hand legte sich auf ihr Gesicht, bedeckte es vollkommen und schmierte die Reste ihres Frosty-Pink-Lippenstifts über ihr Kinn. Sie hörte hinter sich den Mann vom Café, hörte ihn zu dem anderen sprechen, der sie gepackt hatte, und hörte ihn protes-

tieren. Da sie ihn für ihren Retter hielt, versuchte sie, sich zu ihm umzudrehen, aber die Hände vor ihr packten sie am Hals und hoben sie ins Heck des Lieferwagens.
Der mit der dunkelblauen Jacke sprach kaum lauter als im Flüsterton: »Das ist die Falsche, du Trottel.«

2

Als Heather zu sich kam, wusste sie, dass sie im Lieferwagen war, und spürte, dass er schnell auf einer Autobahn oder einer glatten Schnellstraße fuhr. Sie lag auf einer ebenen Fläche auf der Seite, und ein Handtuch, das nach saurer Milch roch, war über ihren Kopf gezogen. Sie hatte einen Schuh verloren, und die Hände waren hinter ihrem Rücken mit einem Strick zusammengebunden. Trotz der Wellen von Schock und Übelkeit merkte sie, dass ihr Gesicht sehr geschwollen war. Der Schmerz schien vom Nasenrücken auszustrahlen und bis zu ihren Augen, Wangen und Ohren und fast um den ganzen Kopf zu reichen. Ihre Nase war vom Blut verstopft. Sie versuchte sie freizubekommen, aber es tat zu weh. Radiogeräusche kamen leise aus der Führerkabine, Stimmen und das »Imagine« des armen toten John Lennon waren zu hören.
Zuerst dachte sie wieder, es gehe hier um einen Streich der Jungs von der Frühschicht, die zu weit gegangen waren, aber die waren nie nüchtern genug zum Autofahren, besonders spät abends, und sie hätten sie auch nicht verletzt. Sie fragte sich kurz, ob Paddy Meehans Familie Rache an ihr nahm, aber auch das konnte nicht stimmen.

Sie erinnerte sich an die Hand, die sich um ihren Hals gelegt hatte, und plötzlich wurde ihr klar, dass weder sie diese Männer kannte noch die Typen sie. Sie würden sie umbringen.
Vorsichtig bewegte sie sich und rieb eine relativ schmerzfreie Partie des Kinns gegen ihre Schulter, um so das stinkende Handtuch wegzuziehen, aber es gelang ihr nicht. Sie begann Panik zu bekommen und rieb verzweifelt weiter, egal wie weh es tat.
Sie kämpfte ohne Erfolg gegen die Stricke an ihren Handgelenken und Füßen an, bis der Lieferwagen abbog, zwei scharfe Kurven nahm und sie auf dem Boden herumschliddern ließ. Dann kamen sie langsam an einem sehr dunklen Ort zum Stehen. Der Fahrer stieg aus, und im Wageninnern ging ein helles Licht an. Sie waren irgendwo im Freien, und es war dunkel. Sie hörte einen Fluss und knirschende Schritte neben dem Lieferwagen.
Heather bewegte die Hände auf und ab, der festgezurrte Strick schürfte ihre Haut ab, sie versuchte den Strick zu lösen, aber stattdessen grub er sich noch tiefer in ihre wunde Haut. Die Tür des Lieferwagens wurde geöffnet, das Tuch von ihrem Kopf gezogen, und der Mann in der dunkelblauen Jacke sah sie an. Er hielt eine Schaufel mit einem kurzen Stiel. Heather versuchte zu lächeln.
Als der mit der Jacke ihr brutal geschwollenes Gesicht sah, Augen wie Orangen, Kinn und Haar mit Blut und Schleim beschmiert, schien er überrascht. »Das ist sie nicht.«
Neben dem Lieferwagen hörte sie eine andere Stimme, die murmelte: »Du hast doch gesagt, du gehst ihr nach, und hast's auch gemacht.«

Ein älteres Gesicht sah zu ihr herein, voller Schreck und Verwirrung. Sie war sich nicht sicher, absolut nicht sicher, da sie ihn verkehrtherum sah, aber es schien ihr, als wären seine Augen ihretwegen feucht und als täte ihm leid, was er getan hatte. Sein Mitgefühl ließ sie einen Moment lang glauben, sie würden sie gehen lassen, und Erleichterung überkam sie von Kopf bis Fuß wie eine kühle Woge, die ihre schmerzenden Kiefer lockerte und das Pochen in ihren Schultern dämpfte.

Der mit der dunkelblauen Jacke hob die Schippe hoch und hielt sie mit beiden Händen nahe am Schaufelende fest. »Und du hast behauptet, sie wäre tot«, sagte er.

Die gebrochene Stimme des älteren Mannes verriet seine Aufregung. »Sie hat nicht mehr geatmet. Ich dachte, sie wäre tot.«

Der Jüngere gab ihm scherzhaft einen Rippenstoß und hob die Schaufel auf Brusthöhe. »Siehst du? Du bringst mir was bei.« Seine Stimme war laut und ruhig. »Und jetzt werde ich dir was beibringen.«

Er hob den Arm, ließ die Eisenschaufel blitzschnell heruntersausen und zerschmetterte Heathers Schädel auf dem Boden des Lieferwagens.

20
Einsamkeit

1

An diesem Wochenende fühlte sich Paddy so elend und allein wie nie zuvor. Sie verbrachte den ganzen Samstag damit, sich in der Stadtbücherei herumzudrücken, damit sie sich nicht zu Hause aufhalten musste, und las alte Zeitungsartikel über den Fall Dempsie, die ihr nichts sagten, was sie nicht schon wusste.

Ihr war nicht klar gewesen, wie weit die Feindseligkeit in der Gemeinde gegen sie ging, bis sie auf dem Rückweg von der Bücherei Ina Harris begegnete, einer ziemlich gewöhnlichen Frau, die ihres Wissens mit Mimi Ogilvy befreundet war. Ina wandte sich demonstrativ ab und spuckte Paddy vor die Füße. Sie selbst konnte wohl kaum als Richterin in Dingen guten Benehmens gelten. Oft kam sie ohne ihre dritten Zähne an die Tür, und sie war überall als Putzfrau bekannt, die klaute. Sie musste dauernd die Putzstelle wechseln, weil sie schon am ersten Tag nach Antritt der Stelle anfing, alles auszukundschaften und einzustecken, was sie mitnehmen konnte, so dass sie verschwinden musste, bevor es jemand merkte. Einmal putzte sie Operationssäle und kam mit einem Beutel voller Skalpelle und Tupfer nach Hause. Jeder in Eastfield wusste Bescheid.

Als Paddy am Sonntag verschlafen die Augen öffnete und die beiden Tassen heißen Tee auf ihrem Nachttisch sah, dachte sie einen Moment, es sei ein normales Wochenende. Cons einzige Aufgabe im Haushalt war, am Sonntagmorgen Tee zu machen, ihn allen ans Bett zu bringen und sie sanft zu wecken, damit sie sich für die Messe um zehn Uhr fertig machten.

Paddy blinzelte und freute sich darauf, Sean in der Kirche zu sehen. Erst als sie sich erinnerte, wieso es ihr so viel bedeutete, ihn zu sehen, wusste sie wieder, dass es kein normaler Sonntag war.

Sie setzte sich auf, nippte an ihrem Tee und dachte an alle Meckertanten wie Ina Harris, denen sie heute würde gegenübertreten müssen. Sean würde dort sein und sie ignorieren. Ihre Familie würde nicht mit ihr sprechen, und alle anderen in der Gemeinde würden sie beobachten und sich tuschelnd über ihren Fehltritt unterhalten. Mary Ann würde treu neben ihr stehen, aber gerade mit ihrem Lachen Paddys Scham und Angst noch deutlicher zum Ausdruck bringen.

Sie horchte, wie alle der Reihe nach ins Bad gingen. Mary Ann putzte sich gerade die Zähne, als Trish von unten heraufrief, es sei schon halb zehn, sie sollten sich beeilen, sie müssten in zehn Minuten los. Mary Ann kam ins Zimmer und machte ein erstauntes Gesicht, als sie sah, dass Paddy noch im Bett war. Paddy machte genau das gleiche Gesicht, und Mary Ann kicherte, starrte sie noch einmal mit offenem Mund an und ging.

Paddy lag im Bett, immer noch im Schlafanzug, und las *L'Etranger*, ein Buch, das Dub ihr geliehen hatte, weil sie wusste, dass der französische Titel ihren Vater ärgern würde. Sie hörte Schlurfen und Flüstern unten am Fußende der Treppe und dann Cons Schritte. Er blieb stehen, klopfte, machte die Tür auf und sah sich erwartungsvoll im Zimmer um. Sie hätte sich gerne aufgesetzt, um ihn herauszufordern, hätte gern etwas Provozierendes gesagt, das ihn zwingen würde, mit ihr zu sprechen und einmal in seinem kläglichen Leben einen Streit auszufechten. Aber sie tat es nicht. Sie saß im Bett, den Blick auf das Buch geheftet, rutschte langsam unter die Decke und bewahrte so die Würde ihres Vaters auf Kosten ihrer eigenen Selbstachtung.

Con schnaubte zweimal wütend und ging, wobei er die Tür zuknallte, um zu zeigen, wie verärgert er war. Er trampelte wieder nach unten, sie hörte die Haustür zufallen, und wie geplatzte Seifenblasen waren alle Familienmitglieder verschwunden.

Stille breitete sich aus im Haus. Paddy horchte, um sicherzugehen, dass nicht doch noch jemand da war. Aber sie waren wirklich weg. Seit vielleicht zehn Jahren war sie zum ersten Mal allein zu Hause. Selbst wenn sonst niemand da war, hielt sich Trisha gewöhnlich in der Küche oder zumindest irgendwo in der Nähe auf. Paddy warf die Decke zurück und schoss nach unten zum Telefon. Die verdammte Mimi Ogilvy nahm mit ihrer besten Sonntagsstimme ab.

»Ist Sean da?«

»Wer spricht da, bitte?«

»Kann ich mit Sean sprechen, bitte?«

Paddy spürte, wie Mimis kleines Gehirn sich noch mit einem Gedanken abquälte, bevor sie auflegte.
Paddy wartete im Flur, setzte sich kurz auf die Treppe, denn sie wusste genau, dass Sean zu Hause war, sich für den Kirchgang fertig machte und das Telefon hatte klingeln hören. Er wusste bestimmt, dass sie es war. Niemand sonst, den er kannte, brauchte am Sonntagmorgen anzurufen, weil ja alle unterwegs zur Kirche waren und sich sowieso sehen würden. Er würde sie also nicht zurückrufen. Sie sah auf die Uhr. Jetzt war er schon weg. Er würde nicht zurückrufen.
Oben in ihrem Zimmer zog sie sich schnell an, nahm ihren Verlobungsring ab und ließ ihn auf dem Bett liegen, denn sie wusste, dass ihre Mutter, während sie weg war, ihr Bett machen und ihn sehen würde. Sie hoffte, dass sie sich Sorgen machen würde.
Schnell aß sie ein paar Frühstücksflocken. Sie hätte sich sechs Eier kochen können, aber die Grapefruit waren verdorben und ohne sie funktionierte die chemische Reaktion nicht. Sie füllte ihre Tasche mit Keksen und machte sich auf den Weg in die Stadt, wobei sie sich beeilte, damit sie mit dem Zug am Bahnhof von Rutherglen vorbeifahren würde, bevor die Messe zu Ende war. Schließlich wollte sie nicht der halben Gemeinde in die Arme laufen. Während Paddy im Zug saß, betrachtete sie gelassen ihre dicklichen Hände. Sie mochte sie ohne den armseligen Ring lieber.
In der Stadt holte sie sich eine Karte für die Nachmittagsvorstellung von *Wie ein wilder Stier*, nicht weil sie den Film sehen wollte, sondern damit sie Sean sagen konnte, sie hätte ihn schon gesehen, wenn er sie später dazu ein-

lud. Sie wollte nicht, dass er sich einbildete, sie warte die ganze Zeit nur auf ihn. Aber als sie ihre einzelne Karte der Platzanweiserin vorzeigte, kam sie sich wie eine dumme graue Maus vor und erklärte ungefragt, ihre Freundin hätte mitkommen wollen, sei aber krank und es gehe ihr nicht so gut, deshalb sei sie allein. Die Platzanweiserin hatte einen Kater und trug eine verwaschene rot-graue Uniform wie ein Hotelpage. Sie ließ Paddy ihre Ausrede zu Ende bringen und zeigte ihr dann schweigend mit ihrem Kartenlocher den Weg nach oben.
Paddy saß ganz hinten, weil sie damit rechnete, dass sie dort weniger Leute sehen würden, und machte ihre Tasche mit den Keksen auf. Nach einer Stunde wurde ihr klar, dass sie noch nie im Leben einen Film so genossen hatte. Sie fragte sich nicht, was Sean davon hielt, sie machte keine Witze und achtete auch nicht darauf, ob sie genug von den Süßigkeiten abbekam, sie war ganz einfach nur von Musik und Dunkelheit umgeben. Sie vergaß sogar zu essen.

2

Sie kam eine Stunde vor der Zeit in Eastfield an, zu der damit zu rechnen war, dass das Abendessen fertig wäre. Es war zu schmerzlich sowohl vor als auch nach dem Abendessen allein in ihrem Zimmer zu sitzen. Die Vorhänge am Wohnzimmerfenster waren dicht und die Couch sowieso zu niedrig, um jemanden sehen zu können, aber sie konnte an dem blauen Schimmer erkennen, dass der Fernseher an war. Der Kopf von einem ihrer

Brüder erhob sich aus einem Sessel und bewegte sich auf die Küche zu. Sie hatte noch einen ganzen Abend inneren Exils vor sich.

Sie schlich am Gartentor vorbei und holte den Garagenschlüssel unter einem Backstein hervor. Wenn ihr Vater das Licht sah, würde er denken, es seien die Nachbarn, die Beatties, und würde wegbleiben. Als sie die Seitentür der Garage aufmachte, schob sie einen dünnen schwarzen Mulchteppich vor sich her.

In der Garage war es kalt, über allem hing eine feuchte Wolke, und die Kälte drang in jeden Winkel und ließ ihre Fingerspitzen und Ohrläppchen taub werden. Paddy behielt den Mantel an und setzte sich auf einen feuchten braunen Lehnsessel. Sie aß die Kekse aus ihrer Tasche auf, einen nach dem anderen, als hätte sie eine Aufgabe abzuarbeiten.

Die Beatties hatten eine Unmenge Zeug in die Garage der Meehans gepackt. Sie hatten ein wackeliges Regal aus Backsteinen und irgendwelchen Brettern an einer Wand aufgestellt und Pappkartons mit Nippes darauf gestapelt. Paddy stand auf, zupfte an ihrer feuchten Strumpfhose an der Rückseite der Oberschenkel und sah sich den Inhalt der Schachteln an, deren weiche Pappe schon zerriss, wenn sie versuchte, daran zu ziehen.

Die Beatties verbrachten ihren Urlaub oft im Ausland, und die Kinder durften ihre Spielsachen aufheben. Bei den Meehans mussten die Kinder alles bei Sammlungen von Wohltätigkeitsvereinen abgeben, sobald sie nicht mehr damit spielten, aber noch bevor sie aufhörten, daran zu hängen. In einem Karton war eine Keksdose mit aufgemalter britischer Fahne vom fünfundzwanzigjährigen Krönungsjubiläum und ein einfach gerahmtes Bild der noch jungen Queen, die sich auf eine Stuhllehne stützte. Schwarze Schimmelflecken waren über den langen rosa Rock verteilt.

Paddy setzte sich in den kalten Sessel und sah sich um. Wäre sie eine Beattie, könnte sie einen Artikel über Thomas Dempsie und Baby Brian schreiben. Sie könnte darüber berichten, dass der Mord an Thomas' Todestag verübt worden war, den Zusammenhang mit Barnhill aufzeigen und den Lesern die Möglichkeit geben, ihre eigenen Schlussfolgerungen zu ziehen. Sie könnte es tun, wenn es ihr egal wäre, was ihre Familie darüber dachte. Sie wurde schon jetzt bestraft, dabei hatte sie gar nichts getan. Ihren Zorn bekam sie ohnehin zu spüren, da könnte sie diesen Verrat ruhig begehen. Heather Allen würde es tun, auch wenn es um ihre Familie ginge. Sie würde die Zähne zusammenbeißen und den Artikel über Dempsie schreiben. Aber Heather Allen war eine miese Schlampe.

Sie hatte vergessen, dass sie Seans Ring abgenommen hatte, und befühlte ihren Ringfinger mit dem Daumen; als sie merkte, dass der Finger ringlos war, bekam sie kurz einen Riesenschreck. Die Haut der Rille an ihrem Finger, wo der Ring gesessen hatte, war nicht mehr rot, aber weich. Ihre Hand gefiel ihr auf jeden Fall besser ohne ihn.

Als sie an diesem Abend schließlich zu Bett ging, fiel ihr auf, dass sie die Gewohnheit, an ihrem Verlobungsring zu drehen, abgelegt hatte und jetzt stattdessen sanft über die leere, seidig weiche Stelle strich.

21
Traurig

1

Paddy saß auf der Bank in der Nachrichtenabteilung und sah zu, wie die Chefredakteure nach dem Privileg der Mittagspause mit einer warmen Mahlzeit und einem Bier in gehobener Stimmung langsam wieder hereinkamen. Die anderen Journalisten hingegen mussten sich mit zehn abgezwackten Minuten oder einem belegten Brot zufriedengeben, das sie am Schreibtisch aßen, wo sie mit den Füßen auf dem Tisch und den Glimmstängeln im Mundwinkel die Rückkehrer mit unverschämten Blicken verfolgten. Die Feindschaft zwischen den beiden Gruppen war augenfällig.

Eine Gruppe von Redakteuren stand mitten im Raum und machte noch ein paar Witze, als etwas, was im Flur vorfiel, die Aufmerksamkeit aller auf sich zog. William McGuigan, der Geschäftsführer der Zeitung, dessen Anwesenheit in diesem Büro ebenso selten war wie Einfühlungsvermögen oder Ermutigung, kam aus dem Aufzug und stieß dramatisch beide Türen auf, als er eintrat. Seine dicken Lippen, dunkelrot wie Portwein, waren mit dem Alter weniger konturiert geworden, so dass sie Paddy an eine überreife Frucht erinnerten. Er war in Begleitung von fünf Männern, zwei in Polizeiuniform und drei in Zivil. Einer von ihnen, ein weißhaariger Mann in einem tadellosen Gabardinejackett, stand gewichtig vor den anderen und musterte alle im Raum mit misstrauischen Blicken.

Es wurde still im Büro. Die Anwesenheit von so viel Autorität rief bei allen das Gefühl hervor, sie würden verhaftet und kurzerhand an die Wand gestellt. Hinter der Menge stieg Dub auf die Bank, und Paddy stellte sich neben ihn.

McGuigan, der sich der Aufmerksamkeit der ganzen schweigenden Gruppe bewusst war, blickte sich um und genoss den Augenblick. »Meine Herren, die Männer hier sind von der Polizei.« Er wies mit einer schnellen Handbewegung auf die Uniformierten und sprach dann leiser. »Etwas sehr Trauriges ist passiert.« Er legte eine dramatische Pause ein.

Der weißhaarige Polizist trat ungeduldig vor ihn. »Hören Sie«, rief er mit kräftiger Stimme, die sich im Vergleich zu der von McGuigan wie ein Lkw zu einem Sportwagen verhielt. »Eine Leiche ist heute Vormittag im Clyde gefunden worden. Leider haben wir gute Gründe anzunehmen, dass es sich um Heather Allen handelt.«

Da alle sofort an einen Selbstmord aus Verzweiflung dachten, gingen zahlreiche schuldbewusste Blicke im Raum hin und her, und viele davon blieben an Paddy hängen, die den Atem anhielt. Aus dem Augenwinkel sah sie, wie Dub den Anklägern abwehrend entgegenblickte.

»Wir glauben, dass die junge Frau ermordet wurde«,

dröhnte der Polizist und zog alle Augen auf sich. »Ihr Wagen wurde vor dem Hauptbahnhof gefunden, und wir bitten um Ihre Hilfe. Wenn irgendjemand Informationen hat, die er für wichtig hält, kommen Sie bitte zu uns. Warten Sie nicht, bis wir uns bei Ihnen melden.«

McGuigan stellte sich, entschlossen einen Teil der Aufmerksamkeit für sich zu gewinnen, vor den Polizisten. »Ich habe den Beamten versichert, dass Sie mit ihnen zusammenarbeiten werden, und möchte dazu nur sagen: Wehe dem, der das nicht tut.« Aus den Gesichtern der Zuhörer konnte er ablesen, dass seine Drohung unangebracht war. Er versuchte sie mit einem Lachen abzuschwächen, aber es erstarrte auf seinen Lippen.

Mehrere der Umstehenden verschränkten die Arme vor der Brust. Jemand murmelte: »Verdammter Affe.« Der Weißhaarige trat jetzt wieder vor McGuigan. Die beiden schienen sich auf diese Weise langsam durch den Raum zu bewegen.

»Wir haben unten Räume für die Befragungen eingerichtet, Zimmer 211 und 212.« Der Weißhaarige warf McGuigan einen Blick mit der Bitte um Bestätigung zu. »Wir werden einige von Ihnen zu einem Gespräch hinunterbitten.« Er nahm ein kleines schwarzes Notizbuch aus seiner Tasche und schlug es auf. »Können wir zuerst Patricia Meehan und Peter McIltchie haben.«

Paddy stieg mit vor Schreck weichen Knien von der Bank und arbeitete sich bis zum vorderen Teil des Raums durch, wo sie vor dem weißhaarigen Polizisten auf Dr. Pete traf. Die Menge um sie herum wich zurück und flüsterte über sie und Heathers schreckliches Ende.

Zwei Leute von der Nachrichtenredaktion schossen auf

den Polizisten zu, um kurz mit ihm zu sprechen, was McGuigan veranlasste, die Hände zu heben und noch einmal alle im Raum anzusprechen. »Ach ja, *natürlich* werden wir über die Sache berichten, aber in Zusammenarbeit mit der Polizei. Manche Informationen werden wir jedoch zurückhalten und sämtliche Artikel von den Chefredakteuren überprüfen lassen, damit alles abgestimmt ist.« Er lächelte mit seinen dicken roten Lippen so breit es ging, denn er war erfreut, das letzte Wort zu haben. Alle hörten ihm zu, aber niemand ließ sich das anmerken.

Paddy und Dr. Pete warteten, während der weißhaarige Polizist einem seiner Untergebenen dringende Anweisungen über Türen oder das Bewachen von Türen und Ähnliches gab. McGuigan, der gerne wieder gutes Wetter bei dem leitenden Polizeibeamten machen wollte, sagte etwas darüber, dass man sich bei einer Runde Golf revanchieren könne. Der Mann antwortete nicht.

Paddy konnte es nicht begreifen. Heather war tot. Jemand hatte sie umgebracht. Dr. Pete schwitzte, seine Oberlippe und die Stirn waren feucht, und seine Schulter schien merkwürdig verkrampft, als sei er darauf gefallen. Einer der jüngeren Polizisten, ein Mann mit grobem Gesicht und dickem Hals, grüßte ihn mit einem Nicken. Pete neigte den Kopf nach hinten, um den Gruß zu erwidern, zuckte aber bei der plötzlichen Bewegung zusammen, hielt sich die Schulter und nickte lebhaft, als der Mann ihn fragte, ob alles in Ordnung sei. Er sah aus, als hätte er schreckliche Schuld auf sich geladen, und Paddy wusste warum. Sie wäre gerne hinunter in die Press Bar gelaufen und hätte ihm etwas zu trinken geholt. Aber die

Polizei würde es wohl nicht erlauben. Er hielt sich den Arm, verlagerte sein Gewicht, entfernte sich von der Gruppe und näherte sich Paddy.
»Warum wollen die mit Ihnen reden?«, sagte sie leise. »Ich weiß, warum sie mich befragen wollen, aber warum Sie?«
»Auf mich lässt sich leicht Druck ausüben«, sagte er atemlos. »Ich kenne einen der Polizisten. Hab oft mit seinem Vater was getrunken.«
»Und außerdem wissen Sie immer, was läuft.«
Sie klang wie ein Arschkriecher, denn sie vermied zu erwähnen, was offensichtlich war, dass Pete nämlich der Anführer der Bande gewesen war, die Heather aus ihrem Job gedrängt hatte. Die Polizei würde ihn fragen, ob die Jungs aus der Nachrichtenredaktion weiter gegangen seien, als sie nur aus dem Büro zu jagen, ob sie sie bis nach Hause verfolgt und umgebracht hätten.
»Sie da.« Der weißhaarige Polizist wandte sich um und zeigte ohne weitere Umstände auf Paddy. »Gehen Sie mit ihm. McIltchie, wenn es Ihnen nichts ausmacht, bitte folgen Sie mir. Wie geht's?«
»Na, geht so.« Pete tupfte sich den Schweiß von der Oberlippe.
Pete und Paddy blieben nahe beieinander, während sie zu den Aufzügen geführt wurden, die sie sonst nie benutzen durften. Sie nahm an, dass er drei Whiskys weniger als sonst intus hatte.
»Dauert bestimmt nicht lange«, sagte Paddy, als die Tür vor ihnen aufglitt.
»Das will ich hoffen. Ich vergehe fast vor Hitze.«
Im Aufzug erschienen die Polizisten in den Spiegeln wie eine unfreundliche Truppe. Paddy war einen ganzen Kopf

kleiner als alle anderen. Sie verlor sich in einem Wald von Oberkörpern. Einen Stock tiefer, wo die Herausgeber und Chefredakteure ihre Büros hatten, öffneten sich die Aufzugtüren.
Der Flur auf dieser Etage hatte Fenster nach außen. Das harte Tageslicht schmeichelte Dr. Petes wächserner blasser Haut nicht. Paddy warf einen Blick auf die Straße hinaus und bemerkte zwei Autos, die jeweils am Anfang und Ende der Straße und nicht auf dem halbleeren Parkplatz parkten. Es waren Polizeiautos, von denen aus man das Gebäude im Blick hatte, falls jemand versuchen sollte wegzugehen, jetzt wo die Leiche gefunden worden war. Die Polizei war also sicher, dass es jemand von der Zeitung war.
Schließlich öffneten die Polizisten an der Spitze der Gruppe zwei nebeneinanderliegende Türen und führten Paddy in den einen Raum und Dr. Pete in den anderen.

2

Im Besprechungsraum stand ein großer Tisch mit fünfzehn Stühlen darum. Paddy sah auf ihre Hände hinab und merkte, dass sie leicht zitterten. Sie war allein, verängstigt und zehn Jahre jünger als die zwei kräftigen Männer, die ihr ohnehin überlegen waren, weil sie die Fragen vorgaben.
Der Mann mit dem groben Gesicht, der Pete angesprochen hatte, übernahm die Führung. Er bestimmte, wohin sie sich setzten, zeigte auf einen Stuhl für seinen Kollegen und ließ Paddy daneben Platz nehmen, wonach er sich

selbst gegenüber hinsetzte. Der Polizist zu Paddys Linken war blond mit markanten Gesichtszügen und leuchtend blauen Augen. Petes Bekannter war dunkelhaarig, untersetzt und älter. Sein Gesicht sah zusammengestaucht aus, die Nase war platt, als hätte sich jemand draufgesetzt, als der Ton noch nicht trocken war.

Der Mann mit dem groben Gesicht sah ihr in die Augen und stellte damit klar, dass er der Chef sei.

»Ich bin Detective Sergeant Patterson und das ist Detective Constable McGovern.«

Sie lächelte beiden zu, aber keiner sah ihr in die Augen. Es ging nicht um offene Feindschaft, aber beide schienen an neuen Freundschaften nicht interessiert. Patterson nahm einen Notizblock heraus, schlug ihn auf und bat sie, ihren Namen und ihre Anstellung als Hilfskraft zu bestätigen und ihre Adresse anzugeben.

»Sie hatten Streit mit Heather, nicht wahr? Worum ging es da?«

Paddy sah einen Moment auf den Tisch und fragte sich, ob es einen Grund gäbe, die Wahrheit über Callum nicht zu sagen. »Mein Verlobter ist mit einem der Jungen vom Fall Wilcox verwandt.«

»Welcher Fall?«

»Der Fall Baby Brian.«

Die Polizisten warfen sich bedeutsame Blicke zu und sahen nach einem Blick in die Akten mit verändertem Gesichtsausdruck wieder auf. Der Grobknochige nickte ihr zu, sie solle weitersprechen.

»Als ich es herausfand, vertraute ich es Heather an, und sie schrieb die ganze Geschichte auf und verkaufte sie über eine Agentur.«

»Eine Agentur?«

»Sie hat den Artikel an eine Presseagentur verkauft, und diese vertreibt ihn weiter an andere Zeitungen, die verschiedene Marktsegmente bedienen.« Das schien ihnen nicht viel zu sagen. »Die englischen Zeitungen. Der Artikel ist überall erschienen. Meine Familie glaubt mir nicht, dass ich es nicht war, und jetzt sprechen sie nicht mehr mit mir. Ich weiß nicht einmal, ob ich noch verlobt bin. Ich weiß nicht, ob mein Verlobter mich noch haben will.«

»Sie waren also wütend auf Heather?«

Sie überlegte, ob sie lügen solle, fürchtete aber, es nicht durchziehen zu können. »Ja.«

»Also haben Sie sie geschlagen?«

»Nein, wir hatten einen Streit auf der Toilette.« Sie schloss ein Auge und rutschte auf ihrem Stuhl herum.

»Sie scheinen sich nicht gut zu fühlen.«

»Ich habe sie nicht geschlagen.«

»Irgendwas haben Sie getan.«

»Ich habe ihren Kopf in die Toilettenschüssel gehalten und dann die Spülung gedrückt.« Es klang so barbarisch, dass sie sich zu entschuldigen versuchte. »Jetzt tut es mir leid.«

»Da muss man ja ein ganz schönes Temperament haben, um tatsächlich jemand mit dem Kopf in die Toilette zu halten und die Spülung zu drücken.«

Der gutaussehende Beamte sah sie an und lächelte ermutigend. »Haben Sie ein hitziges Temperament?« Plötzlich wurde ihr klar, dass er bewusst für die Vernehmung der kleinen Dicken herbestellt worden war. Ärgerlich schlug sie die Beine übereinander und wandte sich an Patterson.

»Arbeiten Sie an dem Fall Baby Brian?«

Sie sahen sich an. »Unsere Abteilung, ja.«
»Haben Sie mal von einem kleinen Jungen gehört, Thomas Dempsie, der umgekommen ist?«
Patterson lachte entrüstet. Es war eine merkwürdige Reaktion. Selbst McGovern war überrascht.
»Findet niemand, dass es Ähnlichkeiten zwischen den beiden Fällen gibt?«
»Nein«, sagte Patterson ärgerlich. »Wenn Sie etwas darüber wüssten, dann wäre Ihnen klar, dass sie vollkommen verschieden waren.«
»Aber Barnhill ...«
»Meehan.« Er sagte das so laut, dass er sie förmlich übertönte. McGovern sah ihn an und musste sich zurückhalten, nicht zu kritisch dreinzuschauen. »Wir sind hier, um Sie wegen Heather Allen zu befragen, nicht um über alte Fälle zu spekulieren.«
»Thomas Dempsie wurde in Barnhill gefunden. Und Brian verschwand an seinem Todestag. Auf den Tag genau.«
»Wieso wissen Sie das überhaupt?« Er sah sie argwöhnisch an. »Mit wem haben Sie gesprochen?«
»Ich habe nur gefragt, ob Sie daran gedacht haben.«
»Nun, dann lassen Sie das sein.« Er wurde sehr zornig. »Stellen Sie keine Fragen. Antworten Sie lieber.«
Paddy erinnerte sich plötzlich, dass die Toiletten gerade mal zwei Türen weiter waren, und sie dachte daran, wie Heather auf dem Eimer gesessen hatte. Am liebsten hätte sie geheult.
»Ist man wirklich sicher, dass es Heather war?«
»Sie können es nicht mit Sicherheit sagen. Sie war übel zugerichtet. Wir können die zahnärztlichen Unterlagen

nicht nutzen, sind aber ziemlich sicher, dass sie es ist. Wer immer es ist, trug jedenfalls ihren Mantel. Ihre Eltern werden die Leiche identifizieren.«

»Warum kann man die zahnärztlichen Unterlagen nicht verwenden?«

Er brachte die Antwort mit einem gewissen Behagen vor. »Ihr Schädel wurde zertrümmert.«

Diese knappe Feststellung schockierte Paddy, und plötzlich sah sie Heathers Leiche vor sich. Sie lag auf dem Boden in der Toilette, eine zerschmetterte Masse Mensch von einem Heiligenschein umgeben, das blonde Haar wie Sonnenstrahlen nach allen Seiten um einen wüsten Brei von Haut und Knochen ausgebreitet.

McGovern reichte ihr ein Papiertaschentuch. Sie versuchte zu sprechen.

»Gibt es die Möglichkeit, dass sie es nicht ist?«

»Wir glauben, dass sie es ist.« Patterson beugte sich vor und beobachtete ihr Gesicht. Sie hatte das Gefühl, dass er sie dafür bestrafte, dass sie ihm Fragen gestellt hatte. »Sie müssen so ehrlich wie möglich sein. Vielleicht wissen Sie etwas Wichtiges. Ehrlichkeit kann uns helfen, den zu überführen, der das getan hat.«

Paddy schneuzte sich und nickte.

»Hatte Heather einen Freund?«

Paddy schüttelte den Kopf. »Sie hat keinen.«

»Sind Sie sicher? Hätte sie nicht insgeheim einen Freund haben können, von dem sie Ihnen nichts erzählt hat?«

»Ich glaube, sie hätte es mir gesagt. Sie wurde ziemlich neidisch, wenn ich über meinen Verlobten sprach.« Sie sah auf und blickte McGovern an, der ein deplaziertes Lächeln aufsetzte.

»Sie glauben also, sie hätte es Ihnen erzählt, wenn sie eine Affäre mit jemandem gehabt hätte, der hier arbeitet?«

Paddy lachte leise. »Auf keinen Fall, sie wäre nicht mit jemand von hier ausgegangen, dafür war ihr die Karriere zu wichtig.«

»Was spielt das für eine Rolle?«

»Man hätte sie als Flittchen abgestempelt. Sie hätte es einfach nicht getan.«

»Aber wenn es ihr bei der Arbeit einen Vorteil verschafft hätte?«

Paddy war unschlüssig. »Na ja, sie war sehr ehrgeizig.«

»Sie sah sehr gut aus«, sagte McGovern. »Es war bestimmt nicht leicht für Sie. Zwei junge Frauen in einem Büro – eine ...« Er sah Patterson an und verstummte.

»Wenn eine hübsch ist und die andere eine Vogelscheuche?«

»Das hab ich nicht gesagt.«

Sie hätte am liebsten seine gutaussehende Fratze geohrfeigt, dass es nur so krachte. »Aber das haben Sie gemeint.« Sie sprach schnell und laut, um ihren gekränkten Stolz zu überspielen. »Ehrlich gesagt, es ist leichter hier zu arbeiten, wenn man nicht so gut aussieht. Sie haben immer anzügliche Witze über Heather gemacht und sie gehasst, wenn sie ihr Interesse nicht erwiderte.«

»War es ihr unangenehm?«

»Muss es gewesen sein. Sie wollte Journalistin werden, kein Playboy-Häschen. Aber sie setzte es ein. Sie hätte alles genutzt, um voranzukommen. Auch ihr Aussehen.«

Paddy sah McGovern an und richtete den Vorwurf auch an ihn. Er lächelte charmant, die angedeutete Beleidigung

überging er. Er sah wirklich umwerfend gut aus. Schade, dass Heather nicht da ist, dachte sie, bevor sie sich besann. Sie war sicher, die beiden hätten sich gemocht.
»Waren Sie neidisch auf Heather?«, fragte Patterson behutsam.
Sie wollte nicht antworten. Es tat ihr weh, das zuzugeben, und es ließ sie unbedeutend erscheinen, aber sie hatten gesagt, es könne hilfreich sein, wenn sie ehrlich war.
»Ja, das war ich.«
Hätte Patterson auch nur etwas Anstand besessen, hätte er es damit bewenden lassen, aber er hatte keinen. Immer weiter fragte er nach Einzelheiten. Welche Dinge in Heathers Leben waren es, um die sie sie beneidete? Wie neidisch war sie? Würde sie sagen, dass sie Hass empfand? Na ja, und wenn nicht Hass, dann etwa Abneigung? Hatte sie sie deshalb in der Toilette angegriffen? Paddy versuchte, so ehrlich wie möglich zu antworten. Sie wusste nicht, was relevant war, aber nach und nach ging ihr auf, dass ihre Freundschaft mit Heather wichtig sein mochte, nicht aber die Frage nach ihrem derzeitigen Gewicht. Sie wehrte sich, aber er beharrte darauf. Beantworten Sie einfach die Fragen, Miss Meehan, sagte er ernst, wir entscheiden, was relevant ist.
McGovern war nicht so gerissen. Sie sah ihn zweimal grinsen, wobei er sich auf seinem Stuhl zurücklehnte, damit sie es nicht bemerkte. Patterson demütigte sie absichtlich, weil er sie dafür bestrafen wollte, dass sie die Frechheit besessen hatte, zu behaupten, sie wisse etwas über Brian Wilcox.
Am Ende des Verhörs fühlte sich Paddy gedemütigt und einfältig und wusste plötzlich Dinge über sich selbst, mit

denen sich auseinanderzusetzen sie keineswegs bereit war. Sie war äußerst wettbewerbsorientiert und hatte immer selbst studieren wollen. Sie hatte jeden von Heathers Vorzügen verzeichnet und ihn ihr missgönnt, hatte sie um ihre Garderobe und ihre Figur beneidet, hielt sich aber selbst für klüger – da hatte sie die Nase vorn. Paddy hatte immer gehofft, dass sie ihre Defizite mit Würde hinnähme und sich nichts daraus mache, dass andere Mädchen schlank waren und gut aussahen, aber vor zwei fremden Polizisten musste sie erkennen, dass dem nicht so war. Sie war ein schäbiges kleines Luder und hatte insgeheim gehofft, dass Heather eine schreckliche Katastrophe widerfahren würde.

Patterson wechselte das Thema und sagte, Heather habe offenbar mitten in der Nacht das Auto ihrer Mutter genommen und vor dem Hauptbahnhof geparkt. Warum war sie wohl an einem Freitagabend allein in die Stadt gegangen? Hatte sie Kontakte zu jemandem, den sie regelmäßig traf? Konnte es sein, dass sie etwas recherchierte? War Heather jemals mit ihr zusammen zum Pancake Place gegangen? Paddy schüttelte den Kopf. Heather wäre nicht aus eigenem Antrieb zum Pancake Place gegangen. Es gab zwei Lokale in Glasgow, die die ganze Nacht geöffnet blieben. Das Pancake Place war das eine, aber in dem anderen, dem Change at Jamaica, gab es einen kleinen Flügel und an Wochenenden eine Jazzgruppe. Paddy war klar, dass Heather dorthin gegangen wäre, wenn sie selbst einen Treffpunkt um Mitternacht gewählt hätte. Zum Pancake Place wäre sie nur gegangen, wenn jemand sie dorthin eingeladen hätte.

Schließlich ließen sie sie gehen, hielten ihr die Tür auf

und sagten, sie solle kommen und mit ihnen sprechen, wenn sie sich an etwas erinnerte oder etwas hörte, das sie für relevant hielt. Sie sahen ihr immer noch nicht in die Augen. Sie machte sich davon und fühlte sich schutzlos und dämlich.

Sie ging auf die Hintertreppe zu, zögerte aber auf der ersten Stufe. Dem Redaktionsbüro konnte sie sich noch nicht stellen. Sie wollte nach unten, um etwas frische Luft zu schnappen. Eine Treppe tiefer traf sie auf Dr. Pete. Er war verschwitzt, zitterte vor Schmerzen und klammerte sich ans Geländer. Er sah auf ihre Füße.

»Sagen Sie es niemandem«, flüsterte er.

»Soll ich Ihnen runterhelfen?«

Er nickte und drehte schwerfällig seine Schulter. Paddy führte ihn am linken Ellbogen zum Erdgeschoss hinunter. Er schlurfte wie ein alter Mann, jeder Muskel seines Körpers war verspannt und starr. Alle paar Schritte stieß er ungewollt einen Seufzer aus. Als sie vor der Tür ankamen, schüttelte er ihre Hand ab, holte tief Luft, richtete sich auf und stellte sich gerade hin. Dann setzte er ein ausdrucksloses, starres Lächeln auf.

»Erzählen Sie es niemandem.«

Als Paddy ihm nachsah, wie er die Tür aufstieß und auf die Straße hinaustrat, wusste sie: Er hätte nie zugelassen, dass sie ihn so verletzlich sah, wenn er ihr irgendeine Bedeutung zugemessen hätte.

3

Zwei Stunden später war die halbe Belegschaft befragt worden. Alle gingen großspurig zur Tür, wenn sie aufgerufen wurden, und kamen verlegen wieder zurück. Den Männern waren mehr Einzelheiten zu Heathers Tod mitgeteilt worden als Paddy, und im ganzen Büro machte das furchtbare Detail die Runde, dass Heathers Kopf mit einem Betonklotz oder Metallgegenstand eingeschlagen worden war und sie schon tot war, als sie in den Fluss geworfen wurde. Niemand, nicht einmal die Jungs von der Frühschicht, hatten es geschafft, einen Witz darüber zu machen. Bei der *News* bedeuteten zwei Stunden ohne Witze so viel Respekt wie ein ganzer Tag schweigender Trauer. Die Hälfte der Kollegen glaubte nicht, dass sie es war. Die andere Hälfte meinte, ein Freund hätte es getan.

In der Nachrichtenredaktion herrschte ein solches Chaos wegen Heathers Tod, dass Paddy es nicht geschafft hatte, in die Mittagspause zu gehen, obwohl nur noch anderthalb Stunden ihrer Schicht blieben.

Keck saß neben ihr auf der Bank und berührte den Platz zwischen ihnen als symbolisches Zeichen für Körperkontakt. »Es ist ein Schock. Lass doch deine Pause sausen und geh einfach nach Hause.«

»Nein, ich will bleiben. Alle machen heute Überstunden. Ich will hierbleiben.« Sie musste bleiben. Sie fühlte sich zu schmutzig, um nach Hause zu gehen.

Als sie endlich in die Pause geschickt wurde, verließ sie das Gebäude und machte sich unvermittelt auf den Weg zum Fluss. Da sie nichts gegessen hatte, holte sie sich am

Kiosk eine Tüte Chips mit Käse- und Zwiebelgeschmack als Vorspeise und einen Schokoriegel mit Nüssen und Rosinen als Nachtisch sowie eine Schachtel Zigaretten.
Das Wetter war günstig, um sich zu verstecken. Ein gnadenloser Nieselregen fiel vom grauen Himmel, und sie zog die Kapuze ihres Dufflecoats hoch und den rauhen Mantelstoff eng um sich. Sie aß die Chips und den Riegel im Gehen und wich den verpennten Mittagssäufern aus, die jetzt auf dem Trockenen saßen, bis die Lokale um fünf wieder aufmachten, und sich Münzen erbettelten, um sie dann zu versaufen. Paddy fand eine Stelle am Geländer, an der kaum Fußgänger vorbeikamen, und wandte sich dem Wasser zu.
Während sie die Regentropfen wie Nadelstiche in den langsamen Fluss fallen sah, rauchte sie und inhalierte ohne Probleme. Sie war sich nicht bewusst darüber gewesen, wie wenig sie Heather leiden konnte oder wie hässlich sie sich neben ihr vorkam. Als jeglicher Selbstschutz ausgeschaltet war, erkannte Paddy, dass sie eigentlich überhaupt kein nettes Mädchen war. Vielleicht hatten Sean und ihre Familie recht: Sie war gehässig, gemein, dick und dumm.
Sie lehnte sich über das Stahlgeländer, rauchte und beobachtete das träge graue Wasser. Tränen des Selbstmitleids rannen über ihr Gesicht, und sie wünschte, Sean wäre da und würde ihren Kopf gegen seine Brust drücken, damit sie nichts mehr sah.

22
Heathers Vorsprung

1

Paddy stand da und sah in den Briefkastenschlitz. Leise prasselte der Regen auf ihre Kapuze, während späte Pendler auf dem Weg zur Arbeit an ihr vorbeizogen. Ihre Valentinskarte an Sean war wie Blei in das schwarze Loch gefallen, und jetzt war sie nicht sicher, ob sie richtig gehandelt hatte. Er würde sie schon vor dem Valentinstag bekommen, sie hatte sie zu früh abgeschickt. Wäre die Karte nur nicht so rührselig. Sie befürchtete, dass ihr ein Geruch von Verzweiflung anhaftete und er erraten würde, wie wichtig es ihr war, ihn zu sehen. Sie würde das, was mit Heather geschehen war, nicht wirklich begreifen können, bis sie es ihm erzählt hatte, bis er da war und ihre Hand hielt und alles wiedergutmachte.

Sie sorgte sich immer noch wegen der Karte, als sie ins Büro kam. Ihre Schicht fing um zehn an, in der ruhigen Zeit vor der morgendlichen Redaktionssitzung, wenn in der Nachrichtenredaktion nicht viel los war. Keck winkte sie zu sich auf die Bank und erzählte ihr aufgeregt, die Polizei hätte wieder nach ihr gefragt. Den ganzen Morgen hatten sie alle herumkommandiert, Leute für drei Minuten in die Verhörräume geholt und die Arbeitszeiten mit den Personalunterlagen abgeglichen. Sie unterbrachen sogar jemanden mitten in einem nur unter Schwierigkeiten zustandegekommenen Telefonat nach Polen und bestanden darauf, dass er mit ihnen nach unten kam. Farquarson tobte. Man hatte gehört, wie er am Telefon McGuigan anschrie und sagte, er wolle die Polizei aus dem Haus haben.

»Ich habe gesagt, ich würde dich gleich runterschicken«, sagte Keck, als er sah, dass sie auf Farquarsons Tür zuging. »Du sollst sofort runterkommen.«

Paddy nickte und klopfte an die Glasscheibe. »Gleich.« Farquarson rief, sie solle hereinkommen.

»Kann ich Sie ganz kurz sprechen?«

»Wirklich kurz?«

»Ja.«

»O. K.« Er legte das Blatt Papier zur Seite, das er gerade las. »Legen Sie los.«

Leicht vorgebeugt stützte sie sich mit den Fingern auf seinen Schreibtisch und schaukelte beim Sprechen etwas vor und zurück. »Ich habe den Eindruck, dass hinter dem Baby-Brian-Fall noch eine ganz andere Sache steckt, weil er einem anderen sehr ähnlich ist. Es ging ebenfalls um ein Kind, das in Townhead wohnte, sogar in der gleichen Siedlung, aber es war vor acht Jahren. Ich bin im Zug nach Steps gefahren. Es ist total unwahrscheinlich, dass die Jungen im Zug an Barnhill vorbeigefahren sind, um den Kleinen zu verstecken, weil Barnhill doch jede Menge leerstehender Gebäude und ungenutzter Flächen hat.« Sie sah auf. »Was meinen Sie?«

Farquarson schaute an ihr vorbei zur Tür.
»Liddel hat mit Polen gesprochen und gibt seinen Artikel jetzt beim Redakteur ab. Soll er Priorität haben?«
Terry Hewitt stand hinter ihr und nahm Farquarsons Aufmerksamkeit ganz für sich in Anspruch. Er lächelte Paddy so direkt an, dass sie den Blick senkte und sich schnell abwandte.
»Erst mal sehen, was er hat«, sagte Farquarson. »Aber ja, bringen Sie seinen Artikel noch vor der Konferenz rein.«
Hewitt ging, und Paddy stand da und hatte vergessen, was sie schon gesagt oder noch nicht gesagt hatte.
Farquarson blickte zu ihr auf. »Mir reicht's. Jeder kommt hier rein mit 'ner anderen Idee für 'nen Baby-Brian-Artikel.« Er stocherte in seinen Zähnen und starrte einen Moment auf die Wand. »O. K. Niemand hat den früheren Fall erwähnt. Finden Sie mehr heraus, schreiben Sie es zusammen, und vielleicht können wir es als Kontrastmaterial oder so bringen, wenn der Prozess läuft.«
Paddy wäre vor Aufregung am liebsten die zwei Stockwerke zu den Befragungszimmern hinuntergehüpft.
Im Flur war es heiß und die Luft voll von den Fasern und dem Staub des wenig genutzten dicken Teppichbodens. Paddy hörte leise Stimmen durch die Tür. Sie wartete auf dem Flur und sah aus dem Fenster. Die Polizeiautos standen nicht mehr auf der Straße. Kleine Lkws von der *Scottish Daily News* standen Stoßstange an Stoßstange wie ein Trupp Elefanten in einer Reihe und warteten auf die Bündel mit der Spätausgabe. Die Fahrer saßen in einem leeren Wagen an der Spitze, um sich vor dem Regen zu schützen, und lachten und rauchten.

Als sie sich an den Blick in Terry Hewitts Augen erinnerte, wurde ihr ein wenig heiß. Allerdings musste sie sich korrigieren, er sah nicht besser aus als Sean. Vielleicht war er charmanter, aber er sah nicht besser aus. Sie hatte die falsche Valentinskarte für Sean ausgewählt: Wattierte blaue Seide, und innen stand: Ich liebe dich. Sie hatte sie heute früh aus einem plötzlichen Impuls heraus gekauft. Eine derart freimütige Gefühlsäußerung passte gar nicht zu ihr, aber sie empfand wirklich so. Er rief sie ohnehin nicht an. Sie hätte genauso kühl reagieren und sich ihre Würde bewahren sollen. Sie hoffte nur, dass er die Karte nicht Mimi zeigte.

Durch eine der geschlossenen Türen kamen Stimmen näher, sie wandte sich um, und die Tür ging auf. Ein glatzköpfiger Polizist begleitete eine Frau aus der Personalabteilung, der hinter den dicken Brillengläsern Tränen in den Augen standen und deren abwesender Blick voller Bedauern war. Der Beamte tätschelte ihren Ellbogen und murmelte allgemeine Trostworte.

»Ich will nicht …« Sie verstummte, zog ihr Stofftaschentuch zurecht und schneuzte sich.

Der ungeduldige Beamte nahm die weinende Frau am Oberarm, führte sie auf den Flur um die Ecke zu den Aufzügen. Aber die Frau drehte sich um und steuerte auf die hintere Treppe zu, wobei sie weiterschniefte und sich das Taschentuch vor den Mund hielt. Verwirrt blickte er ihr nach.

»Wir dürfen die Aufzüge nicht benutzen«, erklärte Paddy.

Er schüttelte den Kopf und sah sie zum ersten Mal an. »Wer sind Sie?«

»Paddy Meehan.« Sie hatte das Gefühl, einen Fehler gemacht zu haben, konnte sich aber nicht vorstellen, was es sein mochte. »Sie haben nach mir gefragt? Ich bin gerade gekommen.«
Er schien nicht erfreut, sie zu sehen, und warf einen Blick hinter sich auf jemanden, der am Tisch saß. Es war Patterson, der Grobian mit dem zerquetschten Gesicht von gestern. Patterson stieg eine leichte Röte ins Gesicht, als er sah, dass sie es war.
»Haben Sie noch mehr tolle Ideen für uns?«
»Ich kann gehen, wenn Sie möchten.«
Der Glatzkopf trat zur Seite und ließ sie eintreten, wobei er noch einmal auf dem Flur nachsah, ob sich auch keine Schlange bildete.
Die Beamten waren offenbar schon den ganzen Vormittag da. Vier große weiße Teebecher aus der Kantine standen leer und bekleckert da, rotgoldene Papierchen von Karamellkeksen lagen, in interessante geometrische Formen gefaltet, auf der einen Seite des Tisches, die auf der anderen Seite waren zu kleinen Kügelchen zusammengerollt.
Als Paddy näher kam, stand Patterson auf, zog einen Stuhl für sie heraus und schaffte es, ihr schon dadurch, dass sie noch nicht auf dem Stuhl saß, das Gefühl zu geben, sie habe versagt. Auf das Blatt Papier vor seinem Platz hatte er mit Kugelschreiber diverse Figuren gezeichnet, Kreise, die sich trafen und überschnitten, mit Verbindungslinien dazwischen, die immer wieder nachgezogen waren. Auf einem anderen Blatt stand eine lange Namensliste in unleserlicher Handschrift, manche Namen waren abgehakt, hinter einigen stand ein Kreuzchen.

»Also …« Patterson ließ sich auf seinen Stuhl fallen und musterte sie, als sei ihm etwas über sie zu Ohren gekommen. Er schwieg und erhöhte die Spannung zwischen ihnen.
»Warum wollten Sie mich sehen?«, fragte sie entschieden, denn sie war entschlossen, diesmal raffinierter zu sein als gestern.
»Wir wollen Sie zu dem Reporterwagen befragen und zu dem Abend, an dem Sie und Heather mitfahren sollten. Was ist da passiert?«
»Was meinen Sie damit?«
»Sollten Sie nicht beide mitfahren?«
»Sie hat sich's anders überlegt.«
»Warum?«
Paddy dachte einen Moment nach. Sie waren hinter McVie her. »Weiß nich. Sie hatte keine Lust. Sie glaubte nicht, dass es Material für einen Artikel hergeben würde.«
Patterson nickte, summte und tippte mit seinem Kugelschreiber auf sein Gekritzel. »Ach ja?« Er schob die Unterlippe vor und nickte bedächtig, als überdenke er diese Möglichkeit. »Wissen Sie, ich hab gehört, dass Heather meinte, McVie hätte es auf sie abgesehen.«
Paddy sagte: »Ach was!« und schüttelte den Kopf. »Wissen Sie, wie viele Männer es Heathers Meinung nach auf sie abgesehen hatten? Jeder Mann hier drin, und bei den meisten hatte sie recht. McVie ist harmlos. Er hat's nicht ernst gemeint.«
»Ist er ein geiler Bock?«
Paddy lachte einen Moment als Einzige. »Wie lange sind Sie schon hier? Das sind sie doch alle. In der Druckerei sind die Wände mit pornografischen Bildern tapeziert.

Die meisten Männer hier können sich mit keiner Frau unterhalten, ohne auf ihren Busen zu starren. Wenn es darum ginge, wer geil ist, müssten Sie die ganze Zeitung internieren.«

Die Polizisten sahen sie einen Moment bedeutsam an. Nur jemand mit einem irisch-republikanischen Hintergrund nahm ein so bedeutungsschweres Wort wie »internieren« in den Mund. Sie wusste, dass es noch immer eine Seltenheit für Katholiken war, in einem Mittelklasseberuf wie bei einer Zeitung oder auch der Polizei zu arbeiten. Paddy gehörte zu einer neuen Generation und hatte nie bewusst unter antikatholischer Diskriminierung zu leiden gehabt, aber sie kostete trotzdem ihren Status als politisch Benachteiligte aus. Sie straffte die Schultern und sah Patterson direkt in die Augen, hob eine Augenbraue und machte ihn so verlegen, dass er schnell weitermachte.

»Sie sind also im Reporterwagen mitgefahren«, sagte er und überging damit das Blutvergießen von vierhundert Jahren. »Und was ist geschehen?«

Sie zuckte mit der Achsel. »Nichts. Wir sind zu zwei Vorfällen gefahren, ein Selbstmord und ein Streit zwischen Gangs in Govan. Es war interessant.«

»An welchem Wochentag war das?«

»Montag letzter Woche.«

Er trug es in einen seiner sich überschneidenden Kreise ein. »Jetzt denken Sie mal gut nach. Kannte Heather jemanden, der in Townhead wohnt?«

»Townhead? Ich glaube nicht. Sie war ja etwas Besseres.«

»Sie hat Ihnen gegenüber nie jemanden erwähnt? Einen Freund, jemanden, den sie dort besuchen würde?«

»Nein. Warum?«
»Haben Sie irgendeine Ahnung, warum sie letzten Donnerstag dort gewesen sein könnte?«
Es war der gleiche Abend, an dem Paddy nach dem Besuch bei Tracy Dempsie dort gewesen war. Sie war froh, dass sie Heather nicht begegnet war, sie hätte nicht gewusst, was sie hätte sagen sollen.
»Ich weiß nicht, warum sie da oben war«, sagte sie zu Patterson. »Es muss etwas mit Baby Brian zu tun haben.«
»›Muss?‹ Sie scheinen ja sehr genau zu wissen, was ihre Motive waren.«
Er hatte wieder diesen Glanz in den Augen. Er griff sie wieder an, aber diesmal war sie bereit.
»Was haben Sie gegen mich?«, sagte sie zornig. »Warum hacken Sie immer auf mir rum?«
Patterson schien etwas erschrocken. »Ich stelle lediglich eine Frage.«
»Und ich antworte lediglich.« Sie hatte ihm einen Schrecken eingejagt, und das gefiel ihr.
»Gut.« Patterson stand auf und zog ihren Stuhl zurück. »Das war's. Gehen Sie.«
Sie stand auf. »Sie sind ein unverschämter Kerl.«
»Raus, oder ich nehme Sie wegen Beamtenbeleidigung fest.«
Paddy sah seinen kahlen Kollegen an, der mit einem Kopfnicken bestätigte, dass Patterson wütend genug war, es tatsächlich zu tun, und dass sie gehen solle, solange sie konnte.
Patterson zeigte auf die Tür. »Wir werden Sie wieder rufen, wenn wir Sie brauchen.« Er wies mit einer Handbe-

wegung auf den Flur hinaus und machte die Tür mit einem kurzen Ruck fest hinter ihr zu, wie um zu verhindern, dass sie wieder hereinkam.
Sie beschimpfte die Tür mit »Arschloch«, was ihr aber keine Erleichterung verschaffte.
Auf der Hintertreppe nahm sie sich von einem Stapel die neue Ausgabe der Zeitung und schloss sich in eine Toilette ein. Zehn Minuten saß sie da, starrte auf die Tür und schwitzte leicht. Heather war also wirklich tot. Sie hätten sich in jener Nacht begegnen können. Vielleicht war Heather sogar dort gewesen, wo Thomas Dempsie wohnte, sie hatte möglicherweise die Artikel selbst gefunden, manchmal war sie schlauer, als es den Anschein hatte.
Paddy zündete sich eine Zigarette an und inhalierte tief, um sich wachzurütteln. Ihr Körper sprach auf das Nikotin an, es regte ihre Nerven an und pochte in ihrem Hinterkopf.
Sie sah auf die Zeitung. Das schwarz umrandete Bild von Heather auf der Titelseite war ein unpersönliches, offizielles Foto. Sie war sehr hübsch mit dem niedlichen runden Näschen, den schönen Zähnen und ihrem dicken, aber nicht zu kräftigen Haar. Paddy erinnerte sich daran, wie sie vor dem Büro eine lange goldene Strähne von ihren Fingern gewickelt hatte. Es kam ihr in den Sinn, dass man sich in der Redaktion wahrscheinlich ärgerte, Baby Brian so für sich vereinnahmt zu haben, wo dies in Heathers Fall doch fast gerechtfertigt wäre. In weniger als einer Woche hatte Heather die Wandlung von einer Ausgestoßenen zum Hätschelkind der *Daily News* vollzogen.

Im Inneren der Zeitung ließ sich Heathers Mutter über ihren Schmerz aus und hob alle positiven Aspekte von Heathers Leben besonders hervor: ihre Begabung, ihre Liebenswürdigkeit, ihren Humor und ihre Beteiligung in Wohlfahrtsverbänden. Sie fragte, warum jemand dieses Leben habe auslöschen wollen, als hätte der Mörder wie der liebe Gott jede Tat Heathers auf die Waagschale gelegt, sein Urteil über sie gefällt und beschlossen, sie trotzdem zu töten. Die Mutter war erschöpft und zornig vor dem riesigen georgianischen Anwesen der Familie Allen aufgenommen worden.
Auf der nächsten Seite ging es um eine Patientin (31) mit Nierenproblemen, die versuchte, auf einem Teenachmittag Sponsoren für eine Dialysebehandlung zusammenzubekommen. Man ermittelte immer noch gegen die bösen Baby-Brian-Boys. Ihre Schule war in düsterem Licht mit einem leeren Spielplatz abgebildet, der mit Bonbonpapierchen und herumfliegenden Chipstüten, den Überbleibseln unzähliger Pausenmahlzeiten, übersät war. Sowohl im anschließenden Text als auch unter dem Bild wurde erwähnt, dass es eine katholische Schule war.
Paddy betrachtete noch einmal das Bild von Heather. Sie hatten sich am gleichen Abend in Townhead aufgehalten. Wenn Paddy sie getroffen hätte, wäre sie vielleicht noch am Leben. Vielleicht hätten sie sich gestritten und wieder versöhnt und Heather hätte sie eingeladen, mit zum Pancake Place zu kommen und einen Kontaktmann kennenzulernen. Aber in Wirklichkeit hätten sie sich nicht versöhnt, und Heather hätte niemals einen Informanten oder einen Wissensvorsprung mit ihr geteilt, wenn es sich vermeiden ließ.

Paddy ließ die Zigarette zwischen ihren Beinen in die Toilettenschüssel fallen, faltete die Zeitung ordentlich zusammen und ging hinauf ins Archiv.

2

Helen sei nicht da, sagte man ihr, weil sie eine Erkältung hätte, und Paddy war froh darüber. Die anderen Bibliothekarinnen waren zwar schwierig und unhöflich, aber Paddy wusste, dass sie ihr geben würden, was sie haben wollte. Die Frau, mit der sie zu tun hatte, war Sandy, Helens rechte Hand. Sie war eigentlich sehr nett und hilfsbereit, aber diese Seite ihres Charakters konnte sie nur zeigen, wenn Helen nicht da war und sich abfällig darüber äußerte.

Paddy sagte ihr, dass die Polizei die grauen Zettel sehen wolle, die in den letzten eineinhalb Wochen von Heather Allen ausgefüllt worden waren.

»Zettel?«

»Ja, welche Zeitungsartikel sie in der letzten Woche oder so angefordert hat. Ich soll sie ihnen runterbringen.«

Sandy biss sich auf die Lippe. »O Gott, ist das nicht furchtbar traurig?«

»Mir tut ihre Familie leid«, sagte Paddy.

»Ich weiß, ich weiß.« Sie zog eine Schublade unter dem Tisch auf, holte eine großformatige Mappe heraus, auf der <A> stand, und blätterte sie mit geübten Fingern rasch durch. »In der letzten Woche nichts. Aber vor zwei Wochen hatte sie 'ne Menge.« Sie zog die Blätter heraus und sah sie durch. »Ja, an die erinnere ich mich. Alles über Sheena Easton und Bellshill.« Sie zog sie aus der Mappe heraus und legte sie auf den Schaltertisch. »Sie schrieb an einem Artikel.«

»Aber in der letzten Woche nichts?«

»In den letzten zwei Wochen nichts mehr.«

»Ach ja, und Farquarson möchte Artikel zu einem alten Fall.« Paddy gab sich Mühe, unbefangen zu wirken. »Thomas Dempsie. Ein alter Mordfall. Manche Ausschnitte könnten unter Alfred Dempsie abgelegt sein.«

Am Nachmittag gab es viel zu tun, und Paddy hatte keine Gelegenheit, die Ausschnitte zu lesen, bevor sie nach Hause ging. Sie versteckte sie in einer Schublade im Zimmer der Fotografen unter der Mappe des Bildredakteurs, weil sie wusste, dass sie dort in Sicherheit sein würden. Im Zug auf dem Weg nach Hause legte sie den Kopf gegen die Fensterscheibe und stellte sich Heather in Townhead vor, wie sie an dem gleichen Abend wie Paddy selbst dort gewesen war, Fragen gestellt und an Türen geklopft hatte. Vielleicht hatte auch sie Kevin McConnell getroffen, doch Paddy hielt es für unwahrscheinlich. Er hätte seine Zeit nicht damit verschwendet, mit Paddy zu flirten, wenn Heather in der Nähe gewesen wäre.

Das Haus war wie tot. Man schnitt sie jetzt schon seit fast einer Woche, und Mary Ann konnte nicht sagen, wann es zu Ende sein würde. Die Kluft war tiefer und aus dem wortlosen Übergehen war bittere Geringschätzung geworden. Marty grinste sie fies an, wenn sie einander auf der Treppe begegneten. Trisha stellte ihr kein sorgfältig zubereitetes Essen mehr hin, sondern achtlos verkochte Kartoffeln und Suppe ohne Salz. Und ihr Vater und die Brüder blieben so viel wie möglich weg.

Es wurde alles immer schlimmer, aber Paddy hatte angefangen, die Einsamkeit und Stille zu genießen. Sie bot Platz für Freiräume in ihrem Kopf, und sie stolperte durch diese großen Gefilde von Thomas Dempsie zum Straßenplan von Townhead und den Gleisen in Steps, an denen Baby Brian gefunden worden war. Alle Teilstücke waren vorhanden, dessen war sie sicher, aber ihr ungeübter Verstand konnte sie nicht zu einem sinnvollen Ganzen zusammenfügen.

Sie saß in ihrem Zimmer, schaute aus dem Fenster auf den Garten hinaus und sah den Dampf der Waschmaschine an der Wand hochsteigen. Sie stellte sich vor, dass Sean neben ihr säße, knapp außerhalb ihres Blickfeldes. In Gedanken streckte sie die Hand aus, berührte ihn und fand Trost darin. Er küsste sie auf den Hals, schwebte in einen anderen Raum davon und ließ sie warm und glücklich zurück. Sie fing an, sich an das Alleinsein zu gewöhnen.

23
Das wäre schön

1968

1

Es war ein ruhiger Dienstag vor Weihnachten, und das Kaufhaus war halb leer. Meehan wischte mit einem gelben Tuch über die Glasvitrine und konzentrierte sich auf seine Hände, um nicht einzudösen. Er könnte die Schachteln unter dem Tisch hervorholen und sie anders anordnen, das würde ihm etwas zu tun geben. Er war dreiunddreißig und lernte erst jetzt die grundlegenden Tricks der Drückebergerei, die alle anderen schon mit fünfzehn kannten.

Er hatte während der Bewährung eine Stelle, um das Amt zufriedenzustellen. Es nervte ihn, von Klein-Jonny angewiesen zu werden, einer Schwuchtel, die Haarspray benutzte und schon seit zwanzig Jahren hier angestellt war. Aber Meehans Vater hatte Krebs und lag im Sterben, und er durfte nicht die Bewährung riskieren. Er hatte dem alten Mann nie viel bedeutet, aber er war entschlossen, jetzt für ihn da zu sein. Der alte Mann hatte ihm allerdings auch nie viel bedeutet. Er konnte sich nicht erinnern, dass sein Vater ihn jemals glücklich gemacht oder ihm Zeit geschenkt hätte. In der Familie war er vor allem wegen seiner unberechenbaren Gewaltausbrüche gefürchtet. Es graute Meehan davor, sich vorzustellen, wie seine eigenen Kinder ihn im Gedächtnis behalten würden.

Jonny trippelte auf den Ladentisch zu. »Darf ich helfen?«

»Ich suche einen Stift, den ich meinem Freund in Deutschland schenken kann.«

Meehan hatte diesen Akzent nicht mehr gehört, seit Rolf ihn dem britischen Konsulat übergeben hatte. Er wandte sich um und platzte auf Deutsch heraus: »Sind Sie Deutsche?«

Die Frau sah überrascht und erfreut auf und trat sofort zu ihm an den Ladentisch.

»Sind Sie aus Ostdeutschland?«, fragte Meehan.

»Ja«, antwortete sie in bestem Englisch. »Ich bin aus Dresden.«

Meehan sah ihr in die meergrünen Augen, registrierte aber auch alles andere. Sie war groß und blond, trug einen eleganten Leopardenfellmantel mit Lederbesatz und einen passenden Gürtel, der fest zugezogen war und ihre schmale Taille betonte. Ihre Nägel waren beige lackiert, und sie hielt ein Paar beige Glacéhandschuhe, die zu ihrer Handtasche passten. Immer wieder ließ sie die Handschuhe sachte durch die freie Hand gleiten. Sie sah zu gut aus für Glasgow, zu gut für die Schreibwarenabteilung bei Lewis, und das machte ihn misstrauisch.

Meehan hatte sie schon erwartet. Nachdem George Blake ausgebrochen war und sie das im Radio eingebaute Funkgerät in seiner Zelle entdeckt hatten, hatte ihn der Secret Service aufgegriffen und ihn nach den Informationen gefragt, die er ihnen in Westberlin bereitwillig gegeben hatte, nachdem Rolf ihn überstellt hatte. Sie sperrten ihn drei Monate in Einzelhaft, wo das Essen durch die Tür hereingereicht wurde und der einzige Kontakt mit Menschen aus gelegentlichen Besuchen vom Secret Service bestand, dessen Taktik mal zornig, mal gelassen war, dann wieder aus gutem Zureden oder Drohungen bestand. Man war überzeugt, dass er Wissen zurückhielt. Er konnte ihnen nicht sagen, dass er weder ihnen gegenüber loyal war noch dem Osten, wo die Wachen einem nicht die Hand gaben und Rolf anderthalb Jahre lang so hatte tun können, als möge er ihn. Die einzige Loyalität, die es für Meehan gab, war gegenüber seinen Kumpeln und seiner Familie, und er mochte die meisten von denen nicht mal besonders.

Schließlich ließen sie ihn auf Bewährung frei, beschatteten ihn aber die ganze Zeit. Er stellte oft fest, dass gutangezogene Männer ihre Wohnung in der Hochhaussiedlung in den Gorbals beobachteten. Ein Fremder wurde beobachtet, der eines Tages, als alle bei der Arbeit waren, die Wohnung seiner Mutter aufschloss und hineinging. Das Telefon klickte laut, wenn sie abnahmen. Wenn Meehan eine telefonische Verabredung traf, saß bei seinem Eintreffen ein untadelig gekleideter Fremder mit einem kurzen Polizistenhaarschnitt im Pub oder Club oder Café, der immer eine Zeitung las, aber nie eine Seite umblätterte.

Aber die Frau war sehr schön. Nicht von der Polizei. Bestimmt vom Secret Service.

»Und wie kommt es, dass Sie in Glasgow sind?«, fragte er sie.

»Mein Mann ist Engländer, im diplomatischen Dienst, und wir wurden hierher versetzt.« Sie senkte den Blick, sah auf die Glasvitrine und fügte schnell hinzu: »Seine Arbeit ist sehr geheim.«

Es war ungeschickt und nicht gerade raffiniert, aber sie wurde nicht verlegen, genau wie Rolf, als Meehan merkte, dass er ihn verachtete, kein Hauch von Scham. Sie hielten ihn alle für einen Idioten. Er wollte ihr zeigen, dass er wusste, wer sie war und wieso sie hier war, aber sie sah so großartig aus, und vielleicht gab es eine geringe Chance, sie zu berühren.

Er zeigte auf den Füllhalter vor ihr. »Würden Sie sich gern einen von diesen hier ansehen?«

»Nein, danke, ich wollte mich nur mal umsehen. Wie kommt es, dass Sie Deutsch sprechen?«

Meehan zuckte die Schultern. »Ich habe eine Weile dort gelebt.« Er hätte sagen können, er sei im Osten gewesen, um ihnen mehr Gesprächsstoff zu geben, aber er wusste nicht, wo Rolf und seine Freunde ihn eingesperrt hatten. »In Frankfurt.«

»Aber Ihr Akzent klingt nach dem Osten.« Sie hob ihre perfekte Augenbraue.

Meehan bemühte sich, ein Lächeln zu unterdrücken. Er hatte noch nicht genug gesagt, dass sie daran den Akzent hätte erkennen können.

»Ich kenne nicht viele Leute hier, die Deutsch sprechen.« Sie strich ihr weißblondes Haar leicht zurück und lenkte seinen Blick auf die raffinierte Tönung. »Ich fühle mich ziemlich einsam.«

Jonny sah Meehan an und schob beifällig die Lippen vor. Er trat ans andere Ende des Ladentischs, um sie allein zu lassen. Meehan nahm einige Füllfederhalter aus der Vitrine, damit sie sie betrachten konnte, hob sie hoch und legte sie wieder hin, fuhr bei einem über die Kappe aus Schildpatt und lächelte über den besonders großen Tintenbehälter eines anderen. Einmal, als er ihr einen Stift mit einer Schönschreibfeder reichte, berührten sich ihre Finger, seine Fingerspitze strich leicht über die Innenfläche ihres Handgelenks. Ihre Hand war so weich und warm wie Butter, und er hätte seine Stelle aufgegeben, nur um sie mit den Lippen berühren zu dürfen. Er fing an zu schwitzen.

Sie war eine wunderschöne, fünfundzwanzigjährige Blondine, gebaut wie Miss World. Meehan wusste, wie er aussah. Er war eins zweiundsiebzig groß, hatte Aknenarben und war nicht in Form. Selbst zurechtgemacht war er kein Glanzstück, aber hinter dem Ladentisch in einem billigen Blazer musste er kläglich aussehen.

»Also, es war nett, Sie kennenzulernen«, sagte sie und streckte ihm die Hand hin. »Vielleicht darf ich mal wiederkommen und mich auf Deutsch mit Ihnen unterhalten?«

»*Das wäre schön*«, sagte er und nahm ihre Hand in der Absicht, sie fest aber routiniert zu drücken. Sie legte ihre hübsche Hand in seine, und beim Wegziehen krümmte sie leicht die Fingerspitzen und strich über seine Handfläche, so dass ihm ganz anders wurde. Sie wandte sich auf ihren perfekten Stöckelschuhen um und klapperte davon.

Jonny war sofort an seiner Seite. »Patrick, Sie sind ja ein Riesenerfolg bei den Damen. Das wusste ich gar nicht. Kommt sie wieder? Was haben Sie zu ihr gesagt?«

»Sie sagte, sie würde wiederkommen.« Meehan hielt die Luft an. »Und ich sagte, das wäre schön.«
»Der Mantel ...«, sagte Jonny und erhaschte noch einen letzten Blick, als sie auf die Treppe zuging. »Aus Paris wahrscheinlich.«

2

Meehan gab zwei Monate später seine Stelle auf, ohne Jonny jemals die Wahrheit über die Frau gesagt zu haben. Die schöne Deutsche tauchte nur noch einmal in dem Pub auf, wo er Griffiths vor ihrer Erkundungsfahrt nach Stranraer traf – an dem Abend, den er nie vergessen würde.
Sie hatten telefonisch vereinbart sich zu treffen, und Griffiths hatte voreilig den Namen des Pubs genannt. Er war sowieso nicht der Schlauste und konnte sich nie an das Codewort erinnern. Paddy war einfach froh, dass er am Telefon nicht auch noch gesagt hatte »Einbruch im Amt für Steuerplaketten« und »Stranraer«.
Die Frau war alleine da, als er eintraf. Sie trank eine kleine Limonade und stand an der Bar. Sie plauderte mit Meehan, brachte ihre Überraschung über ihr neuerliches Zusammentreffen zum Ausdruck und wusste noch genau, wo sie sich zuvor begegnet waren.
Meehan ging die Sache nicht gut an. Er wusste, dass sie wegen Griffiths' Fehler da war, benahm sich argwöhnisch und ängstlich und war etwas unhöflich zu ihr. Sie trug wieder den Mantel, aber diesmal hatte sie höhere Schuhe an, beige Pumps, und um den Hals einen blassblauen

Schal. Als sie ging, drehten sich alle Gäste im Pub nach ihr um, sahen ihr nach und starrten auf die Tür, die sich schloss und noch einmal aufschwang, so dass sie einen weiteren Blick auf ihre perfekte Fessel werfen konnten.

Später, nachdem Rachel Ross gestorben war, während der sieben langen Jahre Einzelhaft, erinnerte sich Meehan an die Frau und an die Art und Weise, wie sie ihre Hand über seine hatte gleiten lassen, wie sie ihre Hüften unter dem Mantel schwang und wie ihre geschminkten Lippen sich berührten. Außer im Kino hatte er noch nie eine so schöne Frau gesehen. Er fragte sich, ob sie in einem anderen Leben ihm hätte gehören können. Wenn er eine Ausbildung gehabt hätte und drei Meilen weiter westlich oder südlich von den Gorbals zur Welt gekommen wäre, wäre er vielleicht charmant und reich gewesen, ein kultivierter Sprachwissenschaftler, ein Dichter oder Maler, der gut genug für eine Frau wie sie war.

Er erfand eine Geschichte für sie: Sie war Spionin, ja, war aber dazu gezwungen worden, nachdem sie aus dem Osten geflohen war. Die Briten hatten ihr angedroht, sie zurückzuschicken, wenn sie nicht für sie arbeitete. Sie hatte einen Mann, einen gutaussehenden Mann, der als Wissenschaftler arbeitete, aber er war früh gestorben und hatte sie allein zurückgelassen.

Meehan dachte sich aus, dass der tote Mann zwar gutaussehend, aber möglicherweise von kleiner Statur mit schlechter Haut war, und dass Meehan sie irgendwie an ihn erinnerte. Sie wurde ein leuchtendes Licht in den dunklen Jahren, die vor ihm lagen. Das einzig Gute an den Konsequenzen aus der Zeit im Osten und Stranraer und den folgenden höllischen Jahren war, dass die Verwicklung in all diese Dinge diese Bekanntschaft mit sich gebracht hatte.

3

Sieben Jahre später war Meehan beim Hofgang und drehte auf dem betonierten Viereck unter einem dunklen Platzregen seine Runden. Das Wasser platschte auf den Beton, spritzte an seinen Hosenbeinen hoch und machte seine Beine nass. Er ging langsam im Kreis und zog den Kragen hoch, während die Wachen ihn vom schützenden Ausgang her beobachteten. Er durfte nur alle zwei Wochen einmal ins Freie. Weil er sich weigerte zu arbeiten, hatte er, außer einmal für zwei Monate, immer in Einzelhaft gesessen.

Er wünschte, er könnte zeichnen. Er würde ein Bild vom Hof machen, es an die Wand seiner Zelle hängen und sich, wann immer er Lust hatte, vorstellen, er sei draußen. Er würde das Tapp Inn in den Gorbals zeichnen, wo all seine alten Freunde zum Trinken hingingen. Im Tapp Inn hatte Meehan lauter und länger als irgendwo sonst gelacht. Er würde es von außen zeichnen, die bunten Glasfenster und die hohen weißen Wände, und würde die Tür offen stehen lassen, damit man die Bar und die dicke Hannah Sweeny beim Gläserspülen sehen könnte.

Im Lauf der Jahre hatte er die meiste Zeit im Peterhead-Gefängnis an der grauen windigen Küste von Aberdeen verbracht, und in seiner gegenwärtigen Zelle war er seit acht Monaten, aber wo immer er auch einsaß, die Zellen waren alle gleich. Die Wände waren mit dicker Farbe gestrichen, einem Glanzlack, von dem sich alles abwaschen ließ, was immer passieren mochte, selbst wenn einem die Kehle durchgeschnitten wurde und überallhin Blut spritzte.

Auf der dicken Farbe ließen sich mit relativ weichen Gegenständen Botschaften einritzen, mit einem geschärften Löffel oder einem Nagel vom Bett, manchmal sogar mit einem kleinen Stückchen Feuerstein, den man beim Hofgang fand. Paddy hatte jedes einzelne Wort an diesen Wänden gelesen. Er hatte Geschichten zu den Kritzeleien erfunden, um sich die Zeit zu vertreiben. J. McC, zwei Jahre + fünf Tage, war ein Schläger aus Edinburgh, der einen Raubüberfall auf ein Postamt gemacht hatte. SHITEBALLS war ein Kleinkrimineller, ein Gauner, der es zu nichts brachte und seine Frau mit einem Schuh erschlagen hatte. Die Geschichten waren ihm so vertraut, dass Paddy mit manchen aneinandergeriet. Er war sicher, ein Kinderschänder hatte LECK MICH AM ARSCH geschrieben, und die Rangers-Graffiti regten ihn auf, weshalb er seine Bilder darübergeklebt hatte. Botschaften eines Schwulen an einen anderen verstimmten ihn. Er fühlte sich belästigt von ihren Anzüglichkeiten und zärtlichen Worten, deshalb verdeckte er auch sie mit Bildern. Was er an den Wänden aufhängte, bildete sinnlose Muster, manches hing hoch oben, manches tief unten – als Endpunkte fiktiver Streitgespräche.

Man erlaubte den Gefangenen in Einzelhaft normalerweise nicht, Bilder aufzuhängen, aber Meehan erhielt die Erlaubnis, weil er schon so lange da war. Er hatte sieben Blätter an der Wand, eines für jedes Jahr, das er für Rachel Ross' Ermordung abgesessen hatte. Er verstand es als wichtige Aussage, dass er keine schmuddeligen Bilder von Mädchen ausgewählt hatte wie die Typen, die nur das Ende ihrer Strafe abwarteten. Stattdessen hatte er sich für wichtige Briefe entschieden, die mit seinem Fall zu tun hatten, einschließlich eines Briefs vom obersten Gerichtshof, der bestätigte, dass sein Antrag, die Polizei wegen Meineids zu belangen, eingegangen sei. Es wurde ihm nicht erlaubt, den Fall vor Gericht zu bringen, aber er war stolz, es versucht zu haben. Den unbekannten Paragraphen im schottischen Gesetz hatte er selbst entdeckt. Auch die Recherchen, die die *Sunday Times* zu seinem Fall angestellt hatte, waren an die Wand geheftet und daneben eine Titelseite der *Scottish Daily News*: Ein Geständnis von Ian Waddell, Rachel Ross ermordet zu haben. Aber Waddell weigerte sich, den zweiten Mann zu nennen, der als einziger Mensch auf der Welt seine Version bezeugen und die Freilassung Paddy Meehans bewirken konnte.

Das einzige Farbbild an der Wand war der rot-schwarze Umschlag des Buches, das Ludovic Kennedy über seine Verurteilung geschrieben hatte. Daneben hing eine Widerlegung aller Anklagepunkte, von den umstrittenen Blutspuren von Rachel Ross auf Meehans Hose bis zu dem Papierfetzen aus Abrahams Safe, der sich in Griffiths' Tasche fand.

Er arbeitete hart daran, sein inneres Gleichgewicht nicht zu verlieren. Immer wieder zählte er verschiedene Gegenstände: die Gitterstäbe, die Quadrate des Maschengeflechts vor dem Fenster, wie oft die Rohre knackten, wenn sie morgens warm wurden und abends abkühlten. Er hatte versucht, alle Risse an der Wand zu zählen, jeden

Kratzer, aber es wurde zu schwierig, zwischen fortlaufenden Linien, die die Richtung änderten, und einzelnen Einkerbungen zu unterscheiden. Er führte in normaler Lautstärke Selbstgespräche – ohne Scham oder Verlegenheit und ohne sich Gedanken zu machen, wer ihn hören könnte. Er wiederholte immer die gleichen Dinge. Scheißkerle. Arschlöcher. Ich nicht, nein, ich war's nicht, mein Freund. *Das wäre schön. Das wäre schön. Meine Liebe.* Oft schlenderte sie abends durch seine Zelle, hundertmal in einer Nacht, und erkundigte sich nach Füllhaltern, sagte, sie sei einsam, und bewegte ihre geschmeidigen Hüften wie eine Tänzerin. Manchmal tanzte sie für ihn, machte winzige Schritte, hob einen Fuß und dann den anderen, wobei der Gürtel ihres Leopardenfellmantels hin und her baumelte. Ein südliches Sommerlicht umgab sie. Sie sah ihn selten an, hielt den Blick ihrer grasgrünen Augen auf ihre Füße gerichtet, wenn sie tanzte, und starrte geradeaus, wenn sie ging. Er sah sie nicht nur, wenn er sich befriedigen wollte, sondern auch, wenn er niedergeschlagen war, wenn er sich selbst in seiner schmutzigen Umgebung betrachtete und die Kritzeleien der Männer las, die vor ihm hier drin gesessen hatten. Und wenn er den Verdacht hatte, dass er genauso war wie diese Männer, nicht besser, bestimmt nicht. Dann kam sie und brachte das Licht mit und sprach in gebrochenem Deutsch mit ihm. Als sein Einspruch niedergeschlagen wurde und das Innenministerium sich gegen eine Wiederaufnahme des Falls entschied, da kam sie zu ihm. Manchmal saß sie auf der Rosshaarmatratze und hielt seine Hand. Ihre Haut war so weich wie die Luft. Manchmal sah er sie nicht, sondern wusste nur, dass sie da war, knapp außerhalb seines Blickfeldes. Manchmal griff er hinter sich, um sie zu berühren, und sie strich dann mit ihren gepflegten Fingerspitzen über seinen Nacken, bevor sie davonschwebte und ihn warm und glücklich zurückließ.

Er musste die Zeit mit ihr gut einteilen, damit sie etwas Besonderes blieb. Während der schlimmsten Phasen versuchte er sie ganz aus seinen Gedanken zu verbannen, weil er befürchtete, dass sie durch die negative Assoziation an Wert verlieren könnte.

Meehan kam vom Hofgang zurück, trat durch die offene Tür in seine Zelle und stand tropfend mit dem Rücken zur Tür da, damit der Wärter nicht sehen konnte, dass er lächelte. Er liebte den Regen.

24

Eine unglaublich kultivierte Suppe

1981

Die Bedienung brachte ihr einen Becher Tee und zwei pochierte Eier auf Toast. Es war ein Café, in das niemand von der *News* jemals kam, weil es am oberen Ende eines sehr steilen Hügels lag, neben der Entbindungsklinik von Rotten Row. Die Teller waren angeschlagen, die Tassen fleckig, aber das Lokal war auch in den Ecken sauber geputzt und die Muster auf den Resopalflächen des Tresens waren schon ganz abgeschabt vom vielen Schrubben. Paddy mochte den warmen Raum, es gefiel ihr, dass sie Butter statt Margarine servierten und die Eier für jede Bestellung frisch zubereitet wurden. Das große Fenster zur Straße war immer beschlagen, und in der Welt draußen schienen geisterhafte Gestalten vorbeizuziehen. Paddy hatte pochierte Eier auf Toast bestellt, weil es der Diät der Mayo Clinic ähnelte. Eier blieben schließlich Eier.
Sie nahm das Kuvert mit den Artikeln aus ihrer Tasche und zog mit zwei Fingern die gefalteten, vergilbten Zeitungsartikel heraus, um sie beim Essen zu lesen. Die Ar-

tikel waren schon jahrelang nicht mehr auseinandergefaltet worden und hafteten trocken als ordentliches, kleines Päckchen aneinander. Sie strich sie vorsichtig glatt, blätterte sie durch und fand ein Interview mit Tracy Dempsie aus der Zeit gleich nachdem Thomas tot aufgefunden worden war, aber bevor Alfred angeklagt wurde. Tracy sagte, wer immer ihrem Jungen das angetan hatte, solle gehängt werden, und es sei schade, dass Verbrecher nicht mehr aufgeknüpft würden, das würde sie sich nämlich wünschen. Selbst in abgemilderten Zitaten klang sie etwas verrückt.

Aus den Anspielungen eines anderen Artikels konnte man schließen, dass Tracy sich von ihrem ersten Mann abgesetzt hatte, damit sie mit Alfred zusammen sein konnte. Sie hatten sich wohl beim Tanzen getroffen, was eine beschönigende Beschreibung der Tatsache war, dass Tracy, obwohl verheiratet, sich in einem Umfeld aufhielt, wo Frauen sich einen Mann suchten. Auf den Fotos sah sie keine Minute jünger aus als bei Paddys Besuch. Ihr Haar war genauso hochfrisiert, nur die Gesichtshaut war noch straffer. Sie saß in einem Wohnzimmer, in dem überall Spielzeug herumlag, und hielt ein Foto ihres kleinen Sohnes in der Hand. Thomas hatte große blaue Augen und blonde Haare, die sich an den Enden lockten. Er grinste die Person an, die die Kamera hielt, und jeder Muskel seines Gesichtchens war angespannt.

Als sie die langen Artikel noch einmal las, fiel ihr auf, wie schön sie geschrieben waren. Die Sprache war so klar, dass der Blick ohne Anstrengung ans Ende des Absatzes glitt. Sie suchte die Zeile mit dem Verfasser und sah, dass sie alle von Peter McIltchie waren. Es warf sie um, sie hatte noch nie gehört, dass Dr. Pete überhaupt einen brauchbaren Text schrieb. Man traute ihm nicht einmal zu, in der Urlaubszeit vertretungsweise etwas für die Spalte »Offene Worte« zu produzieren, eine ungeliebte, wöchentliche Kolumne, die zynischerweise so angelegt war, dass sie mit den beschränktesten Vorurteilen der Leser übereinstimmte. Wenn jemandem diese Kolumne aufgehalst wurde, war das ein deutliches Zeichen, dass der Stern des betreffenden Journalisten am Sinken war, im Berufsleben hatte es die gleiche Bedeutung wie das Totenglöckchen.

Paddy wischte gründlich mit einer Serviette das Fett von ihren Fingern, bevor sie die Ausschnitte an den alten Faltstellen zusammenlegte und sie behutsam in das steife braune Kuvert zurückschob. Sie aß das letzte Stück Buttertoast und stand auf, um ihren Mantel anzuziehen.

In seiner schwarzen Lederjacke mit den roten Schulterstücken stand plötzlich Terry Hewitt vor ihr. Wenn Sean korrekt wie mit dem Lineal gezeichnet wirkte, war Terry eher flüchtig skizziert, mit zerknittertem Hemd und rauher Haut. Nervös stützte er sich mit den Fingerspitzen auf eine Stuhllehne. Er wandte den Blick ab, runzelte die Stirn, als seien sie am Ende eines Gesprächs statt am Anfang, und zeigte ein knappes Lächeln.

»Was machen Sie hier?«

»Ich esse zu Mittag.« Sie wollte gerade zu einem Witz oder einer spöttischen Bemerkung darüber ansetzen, wie dick sie sei, hielt sich aber zurück, als sie sich erinnerte, dass er sie in der Press Bar Dicke genannt hatte. Sie nahm ihre Tasche und zog ihren Mantel an. »Sie können meinen Tisch haben.«

Sie wandte sich zum Gehen, aber Terry fasste sie am Ärmel. »Warten Sie, Meehan.« Er wurde blass, offenbar verlegen, weil er sich die Intimität erlaubt hatte, sie beim Namen zu nennen. »Ich möchte mit Ihnen reden.«

Paddy fuhr herum. »Worüber?«

Er lächelte ihr zu, seine Lippen gaben wieder die Zähne frei. Es gefiel ihr. Es ließ ihn so zögerlich aussehen. »Baby Brian. Ich habe gehört, dass Sie mit Farquarson gesprochen haben.«

Sie blieb stehen und verschränkte die Arme. »Sie werden doch nicht versuchen, mir die Story zu klauen, oder? Davon hab ich nämlich für eine Woche genug.«

»Wenn ich sie klauen wollte, wäre ich wohl kaum hier, oder? Ich interessiere mich nur.«

Er hob die Augenbrauen, sah auf ihren Stuhl und lud sie damit ein, sich mit ihm hinzusetzen. Sie ließ ihren Unwillen einen Moment beiseite und stellte sich vor, dass ihre Verliebtheit vielleicht erwidert werden könnte, nur ein bisschen. Aber Jungs wie Terry Hewitt mochten Mädchen aus gutem Hause, Mädchen mit schlanken Hälsen und dickem Haar, die zur Uni gingen und Theaterwissenschaft studierten.

Ihre Gereiztheit ging wieder mit ihr durch. »Ich habe gehört, wie Sie Dr. Pete gefragt haben, wer ich sei.«

Er war verdattert. »Daran erinnere ich mich nicht.«

»In der Press Bar. Ich habe gehört, wie Sie fragten, wer die Dicke sei.«

Er wurde bis zum Kragen hinunter rot. »Oh«, sagte er verlegen. »Ich hab nicht Sie gemeint.«

»Tatsächlich? War Hattie Jacques in der Bar an dem Tag?«

Er wandte das Gesicht ab. »Ich wollte nur wissen, wer Sie sind. Tut mir leid.« Er wand sich etwas. »Da waren doch die Jungs von der Frühschicht, wissen Sie? Ich konnte ja nicht …«
»Das ist kein Grund, so verdammt rüpelig zu sein.« Sie klang wütender, als sie beabsichtigt hatte.
Er hob beschwörend die Hand. »Wenn Sie wissen wollten, wer ich bin, wie würden Sie da nachfragen? Wer ist der gutaussehende Typ mit dem perfekten Körperbau?« Er sah, dass sie weich wurde. »Wenn Sie mir zehn Minuten Zeit geben, könnte ich Ihnen ein Blue Riband anbieten.«
Das war einer der billigsten Schokoladenkekse. Sie lächelte und erhöhte den Einsatz. »Plus eine Tasse Tee.«
Er fuhr sich übers Kinn. »Sie sind eine anspruchsvolle Frau, aber geht in Ordnung.«
Sie tat so, als zögere sie, ließ aber ihren Dufflecoat von den Schultern gleiten und nahm ihren Platz wieder ein. Terry setzte sich ihr gegenüber und legte eine Hand flach auf den Tisch, als wolle er sie ausstrecken und ihre Hand in seine nehmen. Die Bedienung nahm die Bestellung entgegen: zwei Tassen Tee, einen Teller Suppe und einen Schokoladenkeks.
Paddy glaubte, er wolle ein komplettes Essen mit drei Gängen einnehmen.
»Ich hab nicht so lange Zeit.«
»Es ist ja nur ein Teller Suppe.«
Er aß nur Suppe. Sie hatte noch nie erlebt, dass man sich hinsetzte und als Mahlzeit eine Suppe aß. Suppe war ein wässeriger Vorspann, etwas Sättigendes, das es bei armen Leuten gab, damit die Kinder nicht alle Kartoffeln

aufaßen. Sie betrachtete Terry mit neuer Bewunderung. Er schien wahnsinnig kultiviert zu sein.
Er setzte wieder das zögerliche Lächeln auf, und ihr wurde klar, dass er sie zu manipulieren versuchte. Sie fragte sich, ob andere Frauen auch eine Schwäche für schöne Männer hatten. Sie sprachen nie darüber.
»Habe ich da gehört, dass Sie mit jemandem von dem Fall verwandt sind?«
Jetzt wäre der richtige Zeitpunkt, ihren Verlobten zu erwähnen, aber sie war ja nicht sicher, ob sie noch einen hatte. »Wie soll ich wissen, was Sie gehört haben? Wir haben noch nie miteinander geredet.«
»Ich weiß, und das ist verdammt schade«, sagte er und brachte sie damit zum Lächeln.
Die Bedienung kam schon mit zwei Tassen starkem Tee und der Suppe. Terry nahm seinen Löffel und führte ihn vornehm vom Teller zum Mund, er hatte untadelige Umgangsformen.
»Ich wollte fragen, ob wir zusammen an dem Artikel über den zurückliegenden Fall arbeiten könnten.«
»Es ist meine Idee. Wieso meinen Sie, dass ich Sie dabeihaben wollte?«
»Na ja, ich dachte, ich könnte Ihnen beim Schreiben helfen. Wenn Sie aufsteigen wollen, dann möchten Sie doch bestimmt, dass Farquarson einen großen Teil Ihres Textes unverändert übernimmt, andernfalls wird man denken, Sie taugen nur zur Recherche. Es ist schwerer als Sie denken, und ich habe Erfahrung im Schreiben von langen Artikeln.«
Sie wusste, dass er das mit der Erfahrung etwas übertrieb. Sie hatte seine Texte ein- oder zweimal in die Dru-

ckerei gebracht und auf der Treppe gelesen. Sie waren gut, aber nicht überragend. Trotzdem würde er zumindest die Gedanken sinnvoll aneinanderreihen und ihr zeigen können, wie man einen Absatz mit dem nächsten verknüpfte, und er konnte ihr helfen, möglichst objektiv zu bleiben. Es war eine Chance, etwas unter ihrem Namen zu veröffentlichen.

»Ich könnte Samantha sein, Ihre reizende Assistentin.« Er fuhr sich mit einer affektierten Handbewegung über die Haare. »Würde dem Ganzen ein bisschen Glamour geben.«

Paddy lächelte wider Willen. Terry war arrogant. Sie wusste, dass er sich mit gewissen Leuten im Büro zusammentat, mit den cleveren Typen, die sich die richtigen Storys aussuchten und immer vorn dabei waren. Er war offenkundig ehrgeizig und darauf erpicht, sich einen Platz in der Welt zu ergattern. Wenn er ein Mädchen küsste, würde er dabei bestimmt nicht zimperlich vorgehen. Er würde sich nicht selbstlos mit ehrenamtlicher Arbeit für die Armen zufriedengeben oder den Sex bis zur Hochzeitsnacht aufschieben. Er war in allem das Gegenteil von Sean.

»Ich weiß, wo einer der beiden Jungen wohnt. Ich war bei ihm zu Hause.«

»Er ist also mit Ihnen verwandt?«

Paddy wollte Sean ihm gegenüber nicht erwähnen. Sie wollte die beiden fein säuberlich getrennt halten. »Weitläufig.«

»Interessieren Sie sich deshalb für den Fall?«

»Nein, ich interessiere mich dafür, weil die Polizei zu einigen merkwürdigen Folgerungen gekommen ist. Die

Jungen waren stundenlang verschwunden. Dann fuhren sie mit dem Kleinen an Barnhill vorbei, wo sie wohnen. Es gibt dort große, leere, überwucherte Flächen, aber sie sind mit ihm einige Kilometer weiter nach Steps gefahren. Dann haben sie angeblich ein befahrenes Gleis überquert, haben die Tat verübt und sind mit dem Zug in die Stadt zurückgefahren. Allerdings wurden sie weder im Zug noch auf dem Spielplatz gesehen oder wie sie nach Barnhill zurückkehrten. Sie hätten mit dem Hubschrauber eingeflogen worden sein können, soweit wir wissen.«

»Sie wurden im Zug gesehen. Am Freitag hat sich eine Zeugin gemeldet.«

Ihre Zuversicht wurde etwas gedämpft. »Zeugen können sich irren.«

»Es scheint ziemlich stichhaltig zu sein. Es ist eine alte Frau, niemand, der auf sich aufmerksam machen will. Die Polizei muss ziemlich sicher sein, sonst hätten sie es nicht erwähnt.«

»Na gut.« Paddy nippte an ihrem Tee. »Aber nur weil sie sicher sind ...«

Sie sahen die undeutlichen Schatten der Autos und Busse an den beschlagenen Fensterscheiben vorbeifahren. Paddy hätte ihm gerne von Abraham Ross erzählt, wie die Polizei sicherstellte, dass er bei einer Gegenüberstellung Meehan auswählte. Mr. Ross war sicher, dass Meehan der Mann war. Er wurde bei der Gegenüberstellung ohnmächtig, so sicher war er, aber dann änderte er vor dem Prozess doch seine Meinung. Zeugen konnten beeinflusst werden, sie konnten ihre Aussage ändern. Die Frau konnte eine Irre sein.

»Ich habe ein Auto«, sagte Terry plötzlich, zögerte aber dann, weil es klang, als wolle er angeben.
Sie sahen einander an und lachten.
»Na prima«, sagte Paddy. »Ich kann so viele gekochte Eier essen, wie ich wiege.«
Sie hatte es einerseits als Anspielung auf ihre Wunderdiät gemeint, andererseits aber auch als banale Übertreibung. Terry verstand beides nicht, fand es aber unheimlich lustig, so lustig, dass sein vorsichtiges Lächeln verschwand und er mit offenem Mund lauthals lachte. Dafür, dass es die erste Unterhaltung mit dem Mann war, in den sie schon eine ganze Weile heimlich verknallt war, lief es erstaunlich gut.
»Nein«, sagte er. »Das Auto war nicht nur Angeberei. Ich meinte, wollen Sie mit mir nach Barnhill fahren und sich mal umsehen? Morgen hab ich keine Zeit, aber wir könnten es Freitag nach der Arbeit machen.«
Sie zögerte. Valentinstag fiel auf den Samstag, und sie hatte eigentlich am Freitag zu Hause bleiben und auf Seans versöhnlichen Anruf warten wollen.
»Ich könnte jemanden zu meinem Schutz brauchen«, fuhr er fort. »Es ist ein bisschen riskant da oben, ich bin ein Lover, kein Schläger.«
Zum ersten Mal in ihrem Leben hörte Paddy, dass ein Glasgower offen zugab, in einer Rauferei nicht jederzeit jeden schlagen zu können.
»Sie werden Schutz brauchen. Es ist schon ein bisschen gefährlich dort. Könnten Sie es auf Samstagnachmittag verschieben?«
»*Excelente*«, sagte Terry und hob die Tasse, wie um ihr zuzutrinken. »Wenn wir gut zusammenarbeiten, könnten

wir vielleicht auch ein, zwei Absätze über den Marsch für den Hungerstreik schreiben.« Der Marsch sollte am Samstag stattfinden und jeder in Glasgow wusste, dass es Zoff geben würde. Wenn sie miteinander reden würden, hätte Trisha ihr bestimmt verboten hinzugehen. »Sie könnten Ihre katholischen Augen mitbringen und mir sagen, was Sie sehen.«

»Woher wissen Sie, dass ich Katholikin bin?«

»Ist Patricia Meehan Ihr Deckname?«

»Nein, mein Deckname ist Patricia Elizabeth Mary Magdalene Meehan.«

Er grinste. »Maria Magdalena?«

»Mein Kommunionsname«, erklärte sie. »Man darf sich einen Heiligen auswählen, den man mag oder dem man nacheifern will.«

»Sie wollten einer Prostituierten nacheifern?«

Sie schüttelte den Kopf. »Ich wusste nicht, was sie beruflich machte. Sie war die einzige Frau, die einen Beruf hatte.«

Sie lächelten sich zu.

»Samstag geht in Ordnung.«

»Tagsüber«, sagte sie, falls er denken sollte, sie hätte etwas Besonderes im Sinn.

»Super«, sagte er.

Sie erfand eine komplizierte Lüge. Sie würde ihn treffen, aber am Samstag hätte sie etwas Wichtiges in der Stadt zu erledigen und könnte sich nur am Ende der King Street mit ihm verabreden, an einer Bushaltestelle, die so weit von der Zeitung entfernt war, dass sie nicht zusammen gesehen würden. Terry blickte lächelnd auf den Tisch, als sie diese Verabredung traf, wohl wissend, warum sie es

tat. Allein schon der Verdacht, in der Freizeit etwas mit einem Mann zu unternehmen, der bei der Zeitung arbeitete, würde das berufliche Aus bedeuten.
Vor dem Café rumpelten die Busse mit Müttern, Kleinkindern und Studenten von der Technischen Hochschule vorbei. Paddy blickte die Straße hinauf zu dem Café. Es war in einer Seitenstraße ohne Namensschild davor und recht unauffällig. Sie kannte es nur von damals, als Caroline im Rotten-Row-Krankenhaus Baby Con zur Welt gebracht hatte.
»Wie haben Sie mich hier oben gefunden?«, fragte sie.
»Sie kommen oft hierher, oder? Ich habe Sie gesehen.«
Die Worte wirkten schockierend wie ein unerwarteter Kuss auf die Lippen, und Terry schien plötzlich durcheinander.
Er knuffte sie am Arm. »Bis später dann«, sagte er, drehte sich um und ging schnell und mit entschiedenen Schritten den Hügel hinunter.

25
Dr. Pete

1

Am Donnerstagmorgen vergaß die Sonne aufzugehen. Vor den Fenstern der Redaktion verharrte die Stadt im Zwielicht, der Himmel wurde von einer dicken, schwarzen Wolkenbank verdunkelt. Alles Licht im Büro schien grell. Es war zwei Uhr nachmittags, aber man hatte das Gefühl, es sei eine Nachtschicht, in der viel los war, als hätte sich mitten in der Nacht eine große Katastrophe ereignet und sie hätten alle noch einmal zur Arbeit kommen müssen, um eine neue Ausgabe zu entwerfen.

Paddy suchte Dr. Pete, um ihn nach Thomas Dempsie zu fragen. Sie war schon überall im Gebäude gewesen, hatte vieles zu erledigen gehabt und übertraf sich selbst, indem sie in fünfzehn Minuten dreimal Sachen aus der Kantine geholt hatte. Keck hatte sie gewarnt, sie solle langsamer machen. Pete war nirgends, und die Jungs von der Frühschicht hielten sich in seiner Abwesenheit nicht an Regeln, sie machten sich über die Hilfskräfte lustig und tranken an ihren Tischen, wo Father Richards und die Redakteure sie sehen konnten. Es war keine gute Idee, seine Faulheit so offensichtlich zur Schau zu stellen, denn dadurch würde es für Richards schwieriger sein, sie zu unterstützen, wenn es zu der unvermeidlichen nächsten Auseinandersetzung mit der Geschäftsleitung kam.

Paddy stand auf der Hintertreppe herum und las eine Umbruchseite über ein Feuer auf einer Party in Deptford, als Dub ihr begegnete. »Wenn du immer noch Dr. Pete suchst, ich war unten und habe Kevin Hatchers Allheilmittel geholt. Er sitzt allein in der Press Bar. Hat sich offenbar krankgemeldet.«

»Hat sich krankgemeldet, aber sitzt in der Bar?«

»Mhm.«

»Das ist aber 'n bisschen unverschämt, oder?«

»Ja, schon.«

Sie fand Keck, der in der Sportredaktion herumhing, und fragte, ob sie früher gehen könnte, weil sie am Montag länger geblieben sei.

Er sagte ihr, sie solle nur gehen; er war froh, sie loszuwerden, denn sie arbeitete so hart, dass er und Dub neben ihr nicht gut aussahen.

In der Press Bar roch es nach Katzenjammer. McGrade spülte die Gläser von der Mittagspause, und das Klirren hallte traurig im leeren Raum wider. Dr. Pete saß hinten allein an dem Tisch, den normalerweise die Männer von der Frühschicht für sich einnahmen, und hatte einen frischen Whisky und zwei Gläser Bier vor sich stehen. Auf dem Stuhl neben ihm lag eine gelesene Zeitung wie ein zerknülltes Kissen. Ein vom Bier braungefärbter Untersetzer auf seinem Tisch war in faserige Streifen gerissen und wieder zu einem einfachen Puzzle zusammengefügt. Paddy konnte aus den vielen Zigarettenstummeln in seinem Aschenbecher schließen, dass er schon einige Zeit da war.

Er sah Paddy auf seinen Tisch zukommen und richtete sich etwas auf, senkte den Blick auf das Bierdeckel-Puzzle und erwartete wohl, dass sie ihm eine Botschaft überbrachte. Vielleicht eine Warnung oder einen Hinweis, sich nie wieder in der Redaktion blickenzulassen.

Paddy blieb neben dem Tisch stehen und nahm Deckung hinter einem Stuhl. »Hallo.«

Pete sah auf, runzelte die Stirn und zog die buschigen Augenbrauen zusammen, die über seine Augen hingen. »Was wollen Sie?«

»Äh, ich wollte Sie etwas fragen.«

»Spucken Sie's aus und dann verschwinden Sie.«

Zwischen ihnen würde es keine Liebesgeschichte geben, das war klar. »Ich wollte Sie nach dem Mordfall Thomas Dempsie fragen. Ich habe ein paar Artikel gelesen, die Sie darüber geschrieben haben.«

Pete sah zu ihr hoch und etwas wie Wärme leuchtete in seinen gequälten Augen auf. Er drehte mit einer Hand langsam das Glas vor sich, hob es hoch und kippte den Whisky hinunter. Dabei versagte er sich sogar den üblichen genüsslichen Seufzer. Genauso gut hätte er Tee trinken können. Während er sich mit der grauen Zunge über die Zähne fuhr, stellte er das Glas ab.

»Dann setzen Sie sich.«

Paddy folgte der Aufforderung, blieb aber mit dem Stuhl ein Stück von dem schmutzigen Tisch entfernt und raffte ihren Dufflecoat über die Knie hoch. Pete drehte das leere Glas immer noch im Kreis und lächelte mit überraschend sanftmütigem Blick vor sich hin.

»Verbergen Sie Ihren Ekel, junge Frau. Sie werden noch oft mit betrunkenen alten Männern an schmutzigen Tischen sitzen müssen, wenn Sie bei der Zeitung arbeiten wollen.«

»Ich habe Angst.«

»Warum?«

Sie wusste nicht, wie sie es sagen sollte. »Sie sind manchmal ein bisschen brutal.«

»Nur wenn ich Zuhörer habe.« Er sah sie einen Moment an und ließ wieder sein Glas kreisen. »Ich bin ein Angeber. Mein Publikum findet Güte verdächtig.«

»Ja, das ist das Problem, wenn man hier arbeitet. Alle sind zynisch.«

Sein Blick wurde sanfter. »Wir alle sind gebrochene Idealisten. Niemand versteht das in Bezug auf Journalisten: Nur wirkliche Romantiker werden dickfellig. Was wollen Sie über Dempsie wissen?«

Sie stützte die Ellbogen auf ihren Knien ab und beugte sich nach vorne. »Erinnern Sie sich an den Fall?«

Pete nickte langsam.

»Baby Brian wurde an Thomas Dempsies Todestag entführt. Wer immer Thomas getötet hat, hat dabei an ihn gedacht.«

Sie ließ das einen Moment nachwirken.

»Ich weiß«, sagte Pete leise.

Diese Reaktion hatte sie nicht erwartet. »Die Jungen waren ungefähr im gleichen Alter. Und Thomas wurde in Barnhill gefunden, eine halbe Meile von der Stelle entfernt, wo die verhafteten Jungen wohnen.«

Pete seufzte schwer und lehnte sich auf seinem Stuhl zurück. »Passen Sie auf«, sagte er ernst. »Ich kann nicht einen Meter von Ihnen entfernt hier sitzen, ohne dass Sie etwas zu trinken in der Hand haben.«

»Eigentlich trinke ich keinen Alkohol.«

Pete schien skeptisch. Mit erhobenem Finger machte er McGrade ein Zeichen und deutete auf Paddy. McGrade brachte ihr ein Heineken Export, dazu einen Bierdeckel und wischte mit einem schmuddeligen Tuch den Tisch. Sie musste ihren Stuhl etwas zur Seite rücken, um dem Geruch des Lappens auszuweichen, und kam Pete damit unbeabsichtigt näher. Er nickte beifällig und wies auf ihr Glas. Sie nahm einen Schluck und fand, dass es besser schmeckte, als sie erwartet hatte, wie Ginger Ale, nur erfrischender. Pete nickte zufrieden, als er sah, dass sie ein Viertel des Glases getrunken hatte.

Paddy beugte sich über den Tisch. »Kommt es Ihnen nicht komisch vor, dass es so viele Ähnlichkeiten zwischen dem Baby-Brian-Fall und Dempsie gibt?«

Er zuckte unbekümmert mit den Schultern. »Es kommt einem alles mindestens zweimal unter, wenn man lange genug dabei ist. Alles wiederholt sich. Die gleichen Sachen immer wieder. Das heißt nicht, dass sie etwas miteinander zu tun haben.«

»Aber es ist ein zu großer Zufall.«

Pete wischte ein Krümelchen Tabak weg, das an seiner Lippe hing. »Jedes Jahr wird in Glasgow eine Frau von ihrem Mann erstochen, meistens kurz vor Weihnachten.«

»Das ist nicht so außergewöhnlich«, sagte Paddy.

»Mit einer zerbrochenen Fensterscheibe. Sie streiten sich, ein Fenster geht kaputt, und er ersticht sie mit einer Glasscherbe. Jedes Jahr passiert das Gleiche. Es macht keinen

Sinn, dass es gerade dann passiert, aber es ist so. Jedes Jahr. Es ist ein Zyklus. Unvermeidlich. Man sieht die Muster, wenn man lange genug in diesem Beruf war. Am Ende gibt es nichts Neues mehr.«

»Ich wüsste gern, was damals geschehen ist.«

Pete schob das leere Whiskyglas zur Seite und zog das erste Glas Bier zu sich heran. »Dempsie war eine kolossale Story. Es wurde sehr viel darüber berichtet. Die Serienmorde von Ian Brady und Myra Hindley waren noch relativ frisch im Gedächtnis der Leute, und das Kind war so klein, so lieb – gute Bilder, wissen Sie?«

»Wie kam es, dass Sie alle Interviews mit Tracy Dempsie machten? Waren Sie damit beauftragt worden?«

»Nein. Ich hab sie belagert. Ich fand ihre Adresse heraus und wartete drei Stunden im Regen vor ihrer Tür, bis sie mich reinließ.« Er hob eine Augenbraue. »Damals war mir so was wirklich wichtig. Das überrascht Sie wohl, was?«

Das tat es nicht, aber Paddy nickte aus Höflichkeit. »War Alfred dabei, als Sie die Interviews machten?«

»Ja, er war da. Ich sah ihn mit seinem anderen Kind, dem älteren.«

»Mit seinem Stiefsohn?«

»Ja. Er mochte den Jungen nicht, das war offensichtlich, aber er liebte seinen Sohn, den Kleinen. Er war total fertig.«

»Kann es sein, dass er es getan hat?«

»Oh, Dempsie war unschuldig.«

Petes Kinn straffte sich etwas. Er hob sein Bierglas und richtete den Blick auf die Tür, als jemand hereinkam. Sie drehte den Kopf und sah Father Richards an der Tür stehen, der wütend zu ihm herüberblickte. Dr. Pete starrte zurück, als wolle er ihn herausfordern herzukommen, aber Richards bestellte sich etwas zu trinken und setzte sich ans andere Ende des Raums.

»Niemand glaubte wirklich, dass Dempsie es getan hatte, aber es waren schon vier Monate verstrichen und noch kein Schuldiger gefunden. Sie brauchten jemanden. Er hatte kein Alibi, und diese Dinge bekommen ein Eigenleben. Der einzige Mensch, der halbwegs glaubte, dass er der Mörder sei, war Tracy. Nachdem er verurteilt worden war, versuchte sie, ihre Geschichte zu verkaufen, aber niemand wollte sie haben. Das war natürlich damals. Heute würden sie sie kaufen.«

»Ich habe gehört, die Frau des Yorkshire Rippers hätte zehntausend gekriegt.«

»Ich habe gehört, es wären zwanzig gewesen.« Er trank mit einem Zug das Bierglas aus, stellte es leer auf den Tisch und sah plötzlich jünger aus. Er leckte sich die Lippen und rollte schelmisch mit den Augen. »War 'ne andere Zeit. Damals gab es in dieser Stadt drei Reporter, die über Kriminalfälle berichteten. Wir konnten zusammen einen trinken gehen und uns einfach absprechen, auf weitere Berichte zu verzichten, wenn wir wollten. Jetzt läuft alles ganz anders. Alles dreht sich um Auflagenzahlen und junge Macker. Um ihren Namen unter einem Artikel zu sehen, würden sie ihre eigene Mutter in die Pfanne hauen. Als ich anfing, ging es darum, die Wahrheit herauszufinden und um gegenseitige Kontrolle.«

»Woodward und Bernstein und Ludovic Kennedy?«

Er zwinkerte ihr zu. »Genau, Schätzchen. Genau. Wir hatten damals noch unseren Stolz. Nicht so wie heute.«

Er wies auf den Raum. »Ein Haufen Leute, die sich verkaufen.«

Paddy lächelte. Sie unterhielt sich gut, es überraschte sie, dass es so angenehm war, mit ihm zusammenzusitzen. Er hatte kaum Schimpfwörter gebraucht und machte sich die Mühe, ihr das Gefühl zu geben, dass sie beide im gleichen Beruf arbeiteten, statt sich in der Gesellschaft einer dummen kleinen Praktikantin als großer intellektueller Journalist aufzuspielen.

»Die Frau«, sagte Paddy. »Tracy. Was hielten Sie von ihr?«

»Ach, Tracy. Sie litt pausenlos, sie gehört zu den Menschen, denen das Leben übel mitspielt. Sie hielt fest zu Alfred, bis er zum Verhör auf die Wache gebracht wurde, dann wollte sie ihn hochgehen lassen. Ich weiß nicht, wie sie vor dem Tod des Kindes war, aber als ich sie kennenlernte, war sie vollkommen durcheinander, verrückt vor Schmerz. Sie hätte alles gesagt, was die Polizei hören wollte, sie brauchten sie nur zu fragen. Sie lieferte ihnen einen Vorwand für seine Verhaftung, sagte, er sei nicht wirklich zu den Zeiten zu Hause gewesen, die er angegeben hatte, sie ließ da und dort eine Stunde weg.«

»Woher wissen Sie das? Hat die Polizei es Ihnen gesagt?«

»Ja, na ja, wir haben alle zusammen an dem Fall gearbeitet. Sie wurden gute Freunde, die von der Kripo, wir sind zusammen aufgewachsen.« Er lächelte und sah auf sein Glas. »Aber das war nicht gut. Es wird dadurch nur schwieriger, eine Anschuldigung in Frage zu stellen, wenn deine Freunde darauf gekommen sind. Das muss einer von außerhalb tun.«

»Tracy kann aber doch nicht so leicht zu beeinflussen gewesen sein. Sie hat ihren ersten Mann verlassen.«
»Ich glaube, Alfred Dempsie kam und hat sie sich genommen. Das ist etwas anderes, als wenn man weggeht.« Er hob sein Bierglas. »Noch 'ne Runde.« Er sah auf Paddys Glas und verzog die Mundwinkel. »Sie trinken ja nichts. Das Nachrichtengeschäft läuft nur mit Alkohol. Sie sollten das lernen, wenn Sie so ehrgeizig sind, wie es scheint.«
Sie hatte ihr erstes Glas noch nicht einmal halb ausgetrunken, ließ aber ihm zuliebe zu, dass McGrade ihr ein neues brachte. Sie trank einen Schluck, und Pete sah wieder nach, wie viel fehlte.
»Nicht so gut diesmal.«
Sie machte noch einen Versuch.
»Besser«, sagte er und holte das neue Glas Whisky näher zu sich heran.
»Aber wenn Sie alle wussten, dass es nicht stimmte, warum war Dempsie dann fünf Jahre im Knast, bevor er sich umbrachte? Warum hat niemand die Verurteilung hinterfragt?«
»Die erdrückende Macht der Beweise. Massives Vorgehen der Polizei. Sie hatten ihm alles untergeschoben, was sie für eine Überführung brauchten. Man kann *einen* einzelnen Beweis widerlegen, aber nicht drei oder vier. Dann sieht es nach krummen Geschäften bei der Polizei aus, und damit wollen die Gerichte nichts zu tun haben.« Er nickte ihr zu. »Sehen Sie, im Fall Meehan wurde nur ein Beweisstück untergeschoben.«
»Ich weiß.«
»Der Zettel aus dem Safe von Ross, der sich in Griffiths

Tasche fand, nachdem er erschossen wurde. Interessiert Sie Paddy Meehan?«
»Etwas.«
»Ich kenne ihn übrigens, wenn Sie ihn treffen wollen.«
Es war ein bisschen plötzlich. Paddy war unvorbereitet.
»Oh«, sagte sie, »nein danke. Eigentlich nicht.«
»Er ist heikel, der Typ. Immer schlecht gelaunt. Nicht ohne Grund, nehme ich an.«
»Das habe ich gehört.«
Pete rief plötzlich mit seinem lauten Bariton: »Willst du mit mir reden?«
Bestürzt richtete sich Paddy auf, bevor ihr klar wurde, dass er mit jemandem hinter ihr sprach. Richards kam mit grollendem Gesichtsausdruck auf sie zu.
»Du verschwendest deine Zeit, Richards. Inzwischen ist mir alles scheißegal.«
»Du hast angerufen und dich krankgemeldet«, sagte Richards höhnisch. »Und dann kommst du hier rein? Was ist denn los mit dir?«
»Leberkrebs.« Pete trank sein Bier aus und stellte das leere Glas zur Seite. »Ich habe Krebs.«
Eine schreckliche Stille legte sich über den Raum. Paddy sah, wie Richards diese Information verarbeitete, darüber nachdachte und sich fragte, ob Dr. Pete es wagen würde, in einer solchen Sache zu lügen.
»Ach, Quatsch.«
»Ich hab gestern Bescheid bekommen, und jetzt will ich hier in dieser Bar sein.«
Richards blieb einen Moment stehen und zog sich dann zurück. Langsam ging er zu seinem Platz am Tresen und blickte über die Schulter zu Pete hin, um zu sehen, ob er

es ernst gemeint hatte. Alle in der Bar taten so, als hätten sie ihn nicht gehört, blätterten in ihren Zeitungen oder stellten ihre Gläser auf die Tische und lockerten so die Stille etwas auf.

Als sich niemand mehr um sie kümmerte, dachte Paddy, sie solle wohl etwas sagen. »Das muss ein Schlag gewesen sein.«

»Eine Möglichkeit, es publik zu machen, oder?« Pete sah sein Glas an und nickte selbstvergessen. »Diese Bar«, sagte er langsam, »ich mag diese Bar.«

McGrade eilte herüber mit frischen Getränken von Richards, der sich fernhielt und ihnen beiden zunickte. Paddy betrachtete ihr neues Glas Bier. Sie hatte jetzt drei Gläser vor sich stehen und ihr erstes noch nicht ausgetrunken.

»Diese Baby-Brian-Boys«, sagte Pete und versuchte zu der Unterhaltung zurückzukehren, die sie geführt hatten, bevor er die Bombe platzen ließ. »Die Polizei wird sie überführen. Das muss ihnen gelingen.«

»Kann es sein, dass sie den Brian-Boys Beweise untergeschoben haben?«

Pete schob die Lippen vor. »Ich würde wetten, dass die Beweise stichhaltig sind. Wenn man das Muster kennt, merkt man, dass vorgetäuschte Beweise erst Wochen später auftauchen, erst wenn sie frustriert sind. In einem großen Fall fangen sie nicht mit einem falschen Beweis an. Aber vielleicht schieben sie dem Beschuldigten erhärtendes Beweismaterial unter. Es passiert öfter, als Sie denken.«

Die Bar begann sich zu füllen. Auf dem Weg zur Toilette ging ein Mann hinter Pete vorbei und fing schon an, seinen Hosenschlitz aufzumachen, bevor er an der Tür war. Sie gehörte nicht hierher und wollte gehen. Sie schob ihren Ärmel zurück und sah auf ihre Uhr, um ihren Abschied vorzubereiten.

Pete sagte leise: »Gehen Sie nicht, bitte.«

»Aber ich muss …«

»Wenn Sie gehen, wird Richards hier rüberkommen. Es war ein langer Tag, und es ist anstrengend, bedauert zu werden.«

Also saßen sie zusammen da, ein Mann, der dem Ende seines Lebens entgegenging, und ein junges Mädchen, das versuchte ihres in Gang zu bringen. Sie tranken, und dann begann Paddy auch zu rauchen. Zigaretten und Alkohol passten perfekt zusammen, entdeckte sie, wie Weißbrot und Erdnussbutter. Sie erreichte ihren absoluten persönlichen Rekord: vier Gläser Bier.

Sie sprachen über alles, was ihnen gerade einfiel, ihre Gedanken wanderten auf ähnlichen Bahnen, aber berührten sich kaum. Paddy erzählte ihm von den Sachen der Beatties in der Garage und dass sie es immer gehasst hatte, das Bild der Queen in Büros an der Wand hängen zu sehen wegen der Dinge, die sie symbolisierte. Sie sah ihr Lächeln und wie sie Orden an Soldaten verlieh, die am Bloody Sunday in die Menge schossen. Aber als sie das Porträt von den Beatties betrachtet hatte, hatte sie sich vorstellen können, dass die Queen vielleicht sogar eine recht nette Frau war, die ihr Bestes tat. Sie erzählte von ihrer Auntie Ann, die mit dem Verkauf von Tombolalosen Geld für die IRA sammelte und dann auf Demonstrationen gegen Abtreibung ging.

Dr. Pete sprach von seiner Frau, die vor Jahren nach England gegangen war, und wie sie bei besonderen Anlässen Lammkeule zubereitet hatte. Sie steckte Rosmarin aus dem eigenen Garten in das Fleisch und legte Kartoffeln unter den Braten ins Fett. Das Fleisch war so süß wie Karamell und so saftig wie Bier. Der Geschmack lag wie ein Gebet noch lange auf der Zunge. Bevor er sie kennenlernte, hatte er nie etwas gegessen, das ihm das Gefühl gab, die Welt erst richtig wahrzunehmen. Wie sie dieses Lammfleisch zubereitete, war einfach wunderbar. Sie hatte schwarze Haare und war so zierlich, dass er einen Arm um ihre Taille legen und sie über eine Pfütze schwingen konnte. Er hatte schon lange nicht mehr über sie gesprochen.

Viele Männer, deren Schicht zu Ende war, kamen herein. Wieder näherten sich zwei Journalisten dem Tisch, die auf einen Sitzplatz und etwas Spaß aus waren, aber Pete blickte an ihnen vorbei und sie gingen woandershin.

Paddy war lockerer denn je und vertraute Dr. Pete an, dass sie den Stil seiner Artikel über den Fall Dempsie sehr mochte, und fragte ihn, warum er nicht mehr schrieb.

Er schaute mit seinen von der Gelbsucht getrübten Augen auf den Boden und blinzelte träge. »Ich schreibe ein Buch. Ich arbeite an einem Buch über John McLean und Red Clydeside. Es hält einen auf … Meine Frau hat mich verlassen …«

Obwohl Paddy vom Alkohol benommen war, wusste sie, dass es ein Vorwand war. Jeder bei der *News* schrieb ein Buch. In ihrem Kopf entstand ein Buch über Meehan. Pete hatte einfach aufgegeben und sich zu den anderen trägen Zynikern gesellt. Sie konnte sich nicht vorstellen, dass er in der Lage war, eine Frau mit einem Arm über

eine Pfütze hinwegzuheben. Sie wollte etwas Freundliches sagen, aber es fiel ihr nichts ein, das man einem Mann sagen konnte, der sein Leben vertan hatte.
Als sich beide Türen zugleich öffneten, kam ein Schwall bitterkalter Luft in die Bar herein. Ein paar Männer stapften geräuschvoll auf den Tisch zu. Es waren die Jungs von der Frühschicht, die kamen, um ihren Anführer zu besuchen. Ohne Aufforderung zogen sie Stühle heran und ließen sich am Tisch nieder. Paddy stand auf und schwankte ein bisschen dabei, überrascht, wie betrunken sie war. Sie und Dr. Pete nickten einander zu. Ihre Zeit war um.
»Lassen Sie sich das eine Lehre sein«, sagte Pete, senkte den Blick und schaute auf sein Bier. Paddy nahm ihr halbvolles Glas mit und entfernte sich in die Menge.
Inzwischen war die Press Bar brechend voll. Die Luft war stickig vom Rauch und dem süßen Geruch der verschütteten Getränke. Farquarson stand an der Tür und hatte eine Meinungsverschiedenheit mit einem kleinen Mann, der vor ihm stand. Ein scharfer, ausgeprägt saurer Geruch kam aus einer Ecke. Jemand vom Sportteil hatte einen essiggetränkten Fisch hereingeschmuggelt und aß ihn verstohlen von seinen Knien. Außer Paddy waren nur drei andere Frauen da. Eine Rothaarige in einem purpurroten, paillettenbesetzten Top saß flirtend an einem Tisch voller Männer, die sie freihielten. Die anderen beiden saßen zusammen, eine davon war die mit den glänzenden Knopfaugen, die geweint hatte, als der glatzköpfige Kripobeamte sie aus dem Verhörraum herausführte. Beide Frauen starrten ausdruckslos vor sich hin auf runde Gläser mit einem kleinen roten Drink. Keck hing am Tisch

der Sportjournalisten herum, lachte, beugte sich vor und drängte sich der widerstrebenden Clique auf.

Paddy beschloss, nach Hause zu gehen. Sie versuchte, hinter Farquarson vorbeizuschlüpfen, aber er drehte sich um, damit sie vorbeikonnte, und der Augenblick, so zu tun, als hätte man sich nicht gesehen, war vorbei. Er versuchte, sie in das Gespräch mit dem kleinen Mann über Fußball einzubeziehen, aber sie konnte nichts zu dem Thema beisteuern.

»Aha!«, sagte er, »Sie sind also eher für Rugby?«

»Ich seh mir eigentlich keinen Sport an.«

»Na gut.« Farquarson nahm einen weiteren Schluck. »Ach, Margaret Mary McGuire.« Er fasste die Rothaarige am Arm, die sich gerade vorbeischlängeln wollte. »Wie geht's denn so?« Margaret Mary schien nicht besonders erfreut, Farquarson zu sehen, aber er sprach weiter. »Kennen Sie unsere Patricia Meehan? Sie ist was ganz Besonderes.« Er wandte sich abrupt ab und überließ die Frauen sich selbst.

Margaret Mary, die zu alt war, um ein glitzerndes Top zu tragen, und zu rothaarig, um rote Kleider anzuziehen, musterte Paddy. Ihre Miene wurde säuerlich. »Wie alt sind Sie?«

»Achtzehn«, sagte Paddy, die das Bier mutig gemacht hatte. »Warum, wie alt sind Sie denn?«

»Rutsch mir doch den Buckel runter«, sagte Margaret Mary und nahm ihren Abgang zur Toilette wieder auf.

»Hi.«

Keck drückte sich ein bisschen fester an sie, als es trotz der Menschenmenge nötig gewesen wäre. Ihr Hals und ihre Augen schmerzten, als sie an ihm hochsah.

»Alles klar, Keck?«

»Komm doch mit rüber, ich stell dich den Jungs vor.« Er wies auf die Sportjournalisten, die nicht einmal bemerkt hatten, dass er weggegangen war.

»Alles in Ordnung, Keck. Ich trink nur noch aus und geh gleich.«

»Du solltest rüberkommen, es ist total lustig.« Er ließ den misstrauischen Blick durch den lärmerfüllten Raum schweifen. »Frauen mögen wohl keinen Sport, was? Was mögen Frauen denn überhaupt?« Er schaute auf Margaret Marys Rücken. »Was wollen sie von den Männern? Dicke Autos? Ihr seid doch alle hinterhältig, nich?«

»Ja«, sagte sie und wollte nichts wie weg. »Wenn du so ’nen Mist redest, werden die einzigen Frauen, die sich mit dir abgeben, Irre sein, die sich selber nicht leiden können. Es gibt jede Menge nette Frauen auf der Welt.«

Er lächelte wie eine Geisel, die die Polizei nicht auf sich aufmerksam machen möchte. »Ich hab immer Angst, mit dir zu reden, weil du denken könntest: ›Was hat sich der kleine Dreckskerl wohl für mich ausgedacht?‹« Seine glasigen Augen ruhten auf ihrem Hals. Sie wusste genau, dass er an ihre Titten dachte, aber nicht wagte, sie anzustarren. »Im Bett bin ich ein Tier, weißt du.«

Paddy leerte ihr Glas und gab vor, verwirrt zu sein. »Wie funktioniert das? Hast du ’ne Zaubermatratze oder so was?«

An der Tür wandte sie sich mit einem letzten Blick zur Bar um und sah Pete, der sie schweigend anflehte, ihn da rauszuholen. Paddy winkte ihm zu, tat, als hätte sie seinen Blick nicht verstanden, und überließ ihn der Gesellschaft von Leuten seines Kalibers.

2

Auf der Rückfahrt im Zug wurde sie etwas nüchterner und lutschte eine ganze Rolle Pfefferminzdrops, um den Alkohol- und Rauchgeruch zu überdecken. Sie sah aus dem Fenster auf die vorbeiziehenden Lichter des Rathauses von Ruthterglen und dachte an die Zeugin, die die Jungen im Zug gesehen hatte. Es war immer noch möglich, dass die Zeugin unglaubwürdig war. McVie kannte alle Polizisten in Glasgow. Er würde in der Sache etwas herausfinden können.

Im Haus war es totenstill. Trisha saß steif im Wohnzimmer und sah sich die Band Adam and the Ants in einer Popsendung an, während Paddy in der Küche aß. Beide wussten, dass sie das Programm nur als Geräuschkulisse laufen ließ, damit sie nicht allein miteinander in der drückenden Stille sitzen mussten.

Paddy aß auf, sah auf den Hinterkopf ihrer Mutter und war froh über das Gefühl der Benommenheit, durch das der Alkohol nichts an sie herankommen ließ. Sie steckte sich Kekse mit Vanillefüllung in die Taschen und ging hinauf in ihr Schlafzimmer.

Dort legte sie sich auf das Federbett, starrte an die Decke und aß mechanisch die Kekse, wobei die Krümel ihr in die Haare und Ohren rieselten. Am Samstag war Valentinstag, nur noch ein einsamer Tag bis dahin. Morgen Abend würde er vielleicht noch nicht anrufen, aber sie wusste, dass sie ihn am Samstag sehen würde. Zuerst würde die Stimmung kühl sein, aber sie würden sich küssen und schmusen und alles wieder in Ordnung bringen. Manchmal, wenn sie an Sean dachte, verschmolz sein

schönes Gesicht mit dem von Terry Hewitt und dessen gepflegten Manieren und zögerndem Lächeln.
Von unten kamen jetzt deutliche Geräusche. Jemand kam herein und holte sich sein Abendessen, und dann waren noch zwei Leute im Wohnzimmer, alle sprachen leise miteinander. Gedämpfte Schritte kamen die Treppe herauf, jemand ging auf die Toilette. Die Zimmertür ging auf, und Mary Ann kam mit bedeutungsvollem Blick herein. Sorgfältig schloss sie die Tür, kroch über ihr eigenes Bett zu Paddy hin, setzte sich und stieß Paddy in die Rippen.
»Am Samstag ist es zu Ende«, flüsterte sie. »Es gibt ein Abendessen für dich, und dann ist es vorbei.« Sie küsste Paddy auf die Stirn und war so aufgeregt wie ein Kind zu Weihnachten. »Du riechst wie eine ganze Brauerei.«
Mary Ann ging hinaus, um ihren Schlafanzug im Bad anzuziehen, und ließ Paddy alleine. Sie nahm noch einen Keks aus ihrer Tasche und kaute ihn nachdenklich. Sollten sie sich doch zur Hölle scheren. Am Samstag würde sie nicht da sein. Tagsüber würde sie mit Terry ausgehen, und abends wäre sie mit Sean im Kino.

26
Dick, aber witzig

1

Paddy streifte an der Tür ihren Mantel ab und ging zu der Bank hinüber. Ein fast kahler Redaktionsassistent mit einem kleinen Haarbüschel auf der Stirn sah sie an und murmelte hallo. Es machte sie misstrauisch und besorgt, und sie reagierte nicht. Zehn Minuten später tätschelte ihr ein anderer Journalist den Arm und sagte, es täte ihm leid, als sie ihm eine Schachtel Heftklammern vorbeibrachte.

Sie saß auf der Bank und fragte sich gerade, ob sie im Pub irgendetwas getan hatte, an das sie sich nicht erinnerte, als Dub aus der Druckerei zurückkam. Sie sagte ihm, sie sorge sich, dass die Leute aus einem falschen Grund freundlich wären.

Dub streckte seine dünnen Beine vor sich aus. »Nenn mir einen falschen Grund dafür, dass jemand freundlich ist.«

»Weiß nich, ich war gestern Nachmittag ein paar Stunden in der Press Bar. Ich hoffe nur, sie denken nicht, dass ich ein leichtes Mädchen bin.«

Dub lachte. »Niemand denkt das.«

Sie sah sich nervös im Raum um und suchte nach Hinweisen. Sie wusste nicht, ob es eine Nachwirkung des Alkohols war, aber sie war heute Morgen so nervös wie eine gespannte Mausefalle.
»Keck hat mir gestern anvertraut, dass er sich sorgt, ich könnte alles Schmutzige erraten, was er über mich im Kopf hat.«
Dub lachte und sagte, Keck sei ein eselfickender Wichser mit 'nem verkümmerten Pimmel und er selbst hätte die Fotos, um das zu beweisen. Paddy gefiel diese Beschimpfung, und sie fiel in sein Lachen ein, denn die Kameradschaft mit einem, der den gleichen Feind hatte, tat ihr gut.
Sie blieben auf der Bank sitzen, ließen Keck alle Aufträge ausführen und unterhielten sich eine Weile. Dub erzählte ihr, die Polizei sei rausgeworfen worden. Zwischen Farquarson und McGuigan hätte es Zoff gegeben, weil die Polizisten den Betrieb in der Zeitung störten, Leute aus Besprechungen herausholten und alle Frauen zum Weinen brachten. Ein großer Artikel über Polen war ihnen durch die Lappen gegangen, weil die Telefonverbindung unterbrochen wurde, als die Polizei Liddel unangekündigt aus dem Büro holte.
Erst nach der Redaktionskonferenz erfuhr sie, warum alle nett zu ihr waren. Es war eines dieser kleinen Details aus dem Straßenklatsch, die niemals in der Zeitung abgedruckt werden konnten, wie zum Beispiel die Namen der Kinder oder die Einzelheiten von Brians Tod. Callum Ogilvy hatte am Abend zuvor versucht, sich umzubringen, und war ins Krankenhaus gebracht worden. Er hatte es im Speisesaal vor allen anderen unter dem Tisch mit

einem Messer versucht und sich dabei fast die Hand abgeschnitten. Es war so schlimm, dass er operiert werden musste.
Nur weil er mit Paddy so gut wie verwandt war, dachte sie plötzlich, sie sollte gehen und ihn besuchen. Der Gedanke ließ sie nicht mehr los. Sean könnte Callum wahrscheinlich in der Klinik besuchen. Wenn sie zusammen hingingen, könnte sie mit dem Jungen ein Interview für die Zeitung machen. Aber ihre Familie würde nie mehr mit ihr sprechen, wenn sie das täte. Sie würde sich etwas anderes einfallen lassen müssen.
Sie ging auf den Redaktionsassistenten zu, den Mann mit dem Haarbüschel, der ihr einen mitfühlenden Blick zugeworfen hatte, und fragte ihn, wie sie McVie erreichen könne. Er holte sich die Nummer von jemandem aus der Feature-Redaktion.
»Ich habe gehört, Sie sind mit dem Ogilvy-Jungen verwandt.«
Paddy war dabei, sich die Telefonnummer von einem Karteikärtchen abzuschreiben, und antwortete zunächst nicht.
»Die Familie kann man sich ja nicht aussuchen, oder?«
»Und seine Kollegen auch nicht«, sagte Paddy und nahm den Hörer, ohne auch nur um Erlaubnis zu bitten.
»McVie will bestimmt nicht, dass Sie ihn anrufen.«
»Es wird ihn nicht weiter stören.« Sie wählte die Nummer. »Ich kenne ihn. Ehrlich, es wird ihm nichts ausmachen. Er hat mir schon einmal seine Nummer gegeben, aber ich habe sie verloren.«
McVie klang total erschöpft. »Wieso rufen Sie mich zu Hause an, Sie blöde Kuh?«

»Ja, ganz gut.« Paddy sah den Redaktionsassistenten an, presste die Lippen aufeinander und nickte, um zu signalisieren, dass der Anruf gelegen komme.
»Wo zum Teufel haben Sie meine Nummer her?«
»Ach ja, glaub schon.« Sie wandte sich vom Tisch ab und kratzte sich an der Nase, um ihren Mund zu verdecken. »Hören Sie, tun Sie mir bitte einen Gefallen.«
»Es ist zehn Uhr morgens, verflucht noch mal. Stecken Sie sich Ihren Gefallen sonstwohin.«
»Die Polizei hat mich nach Heather und Ihnen gefragt.« Sie sprach jetzt leiser. »Sie wollten einiges über den Reporterwagen wissen und warum Sie sie eingeladen hätten.«
Er zögerte. »Was haben Sie ihnen gesagt?«
»Was hätte ich ihnen sagen sollen? Es ist nichts vorgefallen. Sie sind ein anständiger Kerl.«
Er seufzte und wurde ruhiger. »Um welchen Gefallen geht's also?«
Sie setzte zum Sprechen an, aber er unterbrach sie.
»Hoffentlich ist es nichts Großes und Sie verlangen nicht, dass ich das Haus verlasse.«
»Ich will den Namen der Zeugin, die die Baby-Brian-Boys im Zug gesehen hat.«
»Warum?«
»Ich glaube, sie waren überhaupt nicht im Zug.«
»Was für einen Unterschied macht das? Sie waren es, sie hatten überall Blutspuren. Die Frau hat sie bei einer Gegenüberstellung in einer Reihe anderer Jungen eindeutig erkannt.«
Sie wollte McVie nichts über ihren Verdacht sagen und schon gar nicht im Redaktionsbüro darüber sprechen,

wo alle es mitbekommen konnten. »Für mich macht es einen Unterschied.«

»Weil Sie mit ihm verwandt sind?«

Es war leichter, einfach zuzustimmen. »Ja.«

»Na ja, da werd ich meine Beziehungen schon massiv einsetzen müssen. Zeugen sind ja besonders geschützt. Aber wenn irgendwas daraus wird, will ich, dass mein Name genannt wird.«

»Na, kommen Sie, McVie.« Sie lächelte schwach und sah sich im Raum um. »Sie wissen doch, wie blöd ich bin. Es wird nichts daraus werden.«

Da war er plötzlich hellwach und interessiert. »Sie sind da wirklich auf einer Spur, was?«

Paddy biss sich auf die Lippe. »Ja«, sagte sie und strengte sich an, euphorisch zu klingen. »Ich glaube wirklich, dass ich hier 'ne große Story habe. Ich verspreche, Ihr Name wird druntersteben, direkt neben meinem.«

»Aha.« Er dachte einen Moment nach. »Na ja, jetzt weiß ich nicht, was ich davon halten soll.«

»Ich habe mit JT über die Zeugin gesprochen. Er sagte, es melden sich immer Frauen, und normalerweise geht es ihnen nur darum, Beachtung zu finden.«

»Ach Quatsch, das hört sich genau nach ihm an. Es ist viel komplizierter. Die Leute *wollen* etwas sehen. Manche glauben, sie hätten etwas gesehen. Andere wünschen sich, sie hätten etwas gesehen. Die Leute, die sagen, es gehe nur um Beachtung, sind Arschlöcher.«

»Herrgott noch mal, es können doch nicht alle Leute auf der Welt außer mir und Ihnen Arschlöcher sein!«

»Ich hab ja nie behauptet, dass Sie kein Arschloch sind.«

Sie hätte fast laut gelacht. »Wissen Sie, McVie, Sie sind wirklich ein Original.«
Sie hörte an seiner Stimme, dass er grinste.
»Witzig«, sagte er. »Dick, aber witzig.«

2

Farquarson hatte bemerkt, dass die halbe Belegschaft mit kleinen Stiften schrieb, die aus dem Wettbüro entwendet worden waren, und fand, es sehe unprofessionell aus. Als Paddy von Tisch zu Tisch ging und neue Kulis austeilte, dachte sie über Paddy Meehan und die Gegenüberstellung nach, bei der Abraham Ross, den man direkt vom Totenbett seiner Frau geholt hatte, ihn zu erkennen glaubte und ohnmächtig wurde.
Meehan hatte später über die Ungerechtigkeit gesprochen, aber die Journalisten der Lokalzeitungen hörten ihm nicht zu. Jeder Mann, der im Barlinnie-Gefängnis saß, behauptete, man hätte ihm das Verbrechen angehängt, und Meehan war ein durchaus bekannter Knastbruder, der weder gemocht noch respektiert wurde und nicht gerade für seinen aufrechten Charakter bekannt war. Erst als Ludovic Kennedy den Fall für sein Buch recherchierte, wurden die Einzelheiten des Tages dokumentiert.
Meehan war voller Zuversicht zur Polizei gegangen. Griffiths war tot, und das Papier aus dem Safe des Ehepaares Ross war in seiner Tasche gefunden worden, aber dafür hatte die Polizei gesorgt, und andere wirklich wichtige Hinweise sprachen für ihn. Man hatte die Mädchen

aus Kilmarnock aufgespürt, die kommen sollten, um ihn zu identifizieren, und man hatte ihm gesagt, die zwei Einbrecher hätten sich während des Überfalls mit Pat und Jim angesprochen. Die Polizei würde wissen, dass kein professioneller Krimineller jemals einen anderen bei seinem wirklichen Namen nennen würde. Außerdem suchte die Polizei zwei Typen aus Glasgow, und Griffiths hatte einen starken Lancashire-Akzent. Jeder, der ihn kannte, sagte das.

Er fand es merkwürdig, dass die Zeugen der Verteidigung und die der Anklage zur gleichen Gegenüberstellung kamen. Normalerweise gab es eine Gegenüberstellung erst für die Zeugen der Anklage und dann, oft später, eine weitere für die der Verteidigung. Aber wegen Mordes hatte er nie vor Gericht gestanden, und er fand das Verbrechen so abscheulich, dass er glaubte, selbst die Polizei würde versuchen, die Wahrheit zu ergründen. Erst ein paar Tage vor dem Prozess sah er die Namen der Mädchen auf der Zeugenliste – auf der Seite der Anklage. Die Polizei würde behaupten, dass Meehan und Griffiths die Mädchen mitgenommen hatten, um sich ein Alibi zu verschaffen. Die jungen Mädchen, deren Erinnerung vage sein würde und die vom Gericht eingeschüchtert wären, würden die Zeiten und Orte vor- und zurückverschieben, bis sie auf den Fall passten.

Von Anfang an kam ihm die Gegenüberstellung seltsam vor. Meehan hatte schon oft genug an so etwas teilgenommen, um zu wissen, dass es nicht in einem regulären Raum abgehalten wurde. Stattdessen wurden sie im Dienstraum der Kripo aufgestellt, dem Raum, in dem die Kripobeamten vor Antritt ihrer Schicht zusammenkamen. Es war ein großer quadratischer Raum mit Fenstern an der hinteren Wand und zwei Türen, eine an der linken, die andere an der rechten Seite, die beide zu verschiedenen Umkleideräumen führten. Vier andere Männer in Meehans Alter und mit ähnlicher Körpergröße standen herum und sahen auf die Schuhe der anderen hinunter, wobei jeder sich fragte, ob er selbst wirklich so aussah. Sie waren nur wegen der paar Pfund da, gutes Geld für eine halbe Stunde Arbeit.

Meehan war gelassen. Die Mädchen würden ihn auswählen, er wusste das bestimmt. Sie hatten ihn direkt von vorn gesehen, als er aus dem Auto stieg. Dieses eine Mal im Leben war er froh über die Aknenarben auf seinen Wangen, denn er wusste, dass er durch sie so gekennzeichnet war, dass man sich an ihn erinnerte, selbst wenn das Licht schlecht gewesen war.

Sie hörten, dass sich die Leute hinter einer der Türen versammelten. Die beiden diensthabenden Polizisten schoben die Männer in eine Reihe und ließen Meehan einen beliebigen Platz einnehmen. Er stellte sich in die Nähe der Tür, damit sie zuerst an ihm vorbeikämen. Als sie sich alle aufgestellt hatten, klopfte einer der Polizisten an die Tür und machte sie auf.

Irene Burns kam in Begleitung eines Polizeibeamten und eines Anwalts in einem billigen Kostüm herein. In dem Moment, als ihr Blick auf Meehan fiel, war es offensichtlich, dass sie sich erinnerte. Sie sah die anderen Männer nicht einmal an, hob nur den Finger, weniger als zwei Meter entfernt, und zeigte direkt auf seine Nase. Der Überrest religiöser Gefühle, der Meehan verblieben war, veranlasste ihn, irgendeinem höheren Wesen zu danken.

Die Polizisten führten Irene in den Umkleideraum auf der anderen Seite, und Meehan bemerkte, dass sie eine breite Laufmasche am Schienbein hatte und ihre Ferse wundgerieben war. Eigentlich war sie noch ein Kind.

Als Nächstes kam Isobel, die sehr jung und recht adrett aussah. Die Haare hatte sie zu einer ordentlichen kleinen Hochfrisur aufgetürmt und an der Seite mit einer Schleife geschmückt. Auch sie erkannte ihn sofort und warf kaum einen Blick auf die anderen. Sie stand nervös an der Wand, als wolle sie wieder in den Umkleideraum zurücklaufen.

Meehan sprach sie an. »Schon gut, Kleine, mach dir keine Sorgen. Sag's ruhig.«

Isobel stieß einen kurzen Seufzer der Erleichterung aus und zeigte auf ihn. »Der ist es«, sagte sie.

Meehan lächelte ihr zu, und sein Lächeln wurde erwidert. Isobel fuhr sich schüchtern über die Haare, als hätte er ihr ein Kompliment gemacht. Er sah ihr lächelnd nach, wie ihr üppiges Hinterteil in dem angrenzenden Umkleideraum verschwand.

Drei andere Zeugen kamen herein. Er erfuhr später, dass sie die Männer gesehen hatten, die das Haus des Ehepaares Ross am Morgen verließen. Keiner von ihnen entschied sich für Meehan. Einer war sicher, dass es Nummer vier war, einer konnte es nicht sagen, einer meinte, es hätte Nummer drei sein können.

Die aufgereiht stehenden Männer wussten, dass der letzte Zeuge, das Opfer selbst, entscheidend war, und sie blickten erwartungsvoll auf die Tür neben Meehan, da sie jetzt dem Ende ihrer Aufgabe und den zehn Pfund entgegensahen, die man ihnen versprochen hatte. Aber

die Tür auf der anderen Seite ging auf, durch die alle anderen Zeugen verschwunden waren. Die Männer feixten bei diesem offensichtlichen Trick. Die Mädchen hätten Mr. Ross leicht sagen können, wo der Betreffende stand, aber Meehan fühlte sich sicher. Die Mädchen hatten ihn ausgesucht. Er hatte sein Alibi.
Mr. Ross mit seinen wässerigen Augen schien schwach wie ein kleiner Vogel, hatte einen großen blauen Fleck auf der einen Gesichtsseite und wurde von einer stämmigen Krankenschwester gestützt. Der Detective Sergeant führte den Alten an den Männern vorbei geradewegs auf Meehan zu. Er verlangte von Meehan, eine Zeile von einem Zettel abzulesen.
Meehan war ratlos. Man hätte ihn vorher informieren müssen, dass er etwas sagen sollte. Er war sicher, dass sie gegen die Vorschriften verstießen, um ihn als Verdächtigen auszuschließen, und wiederholte die Zeile deutlich.
»Ruhe, Ruhe. Wir holen einen Krankenwagen. In Ordnung?«
Die Knie des alten Mannes gaben nach. »Mein Gott, mein Gott«, rief Mr. Ross und fiel rückwärts in die Arme der Schwester. »Das ist die Stimme. Ich kenne sie, ich kenne sie.«

3

Es war wieder kälter geworden, und Paddy spürte ihre Nasenspitze kaum. Sie rieb sie mit der behandschuhten Hand, um die Durchblutung anzuregen, bog um die Ecke und näherte sich der Adresse, die sie bekommen hatte.

Sie sah seufzend an dem roten Sandstein hoch. Es war eine schöne Wohnung nach vorn zur Straße hin in einem dreistöckigen Mietshaus der Südstadt in einer sehr anständigen Wohngegend. Der leichte Regen hatte auf dem Stein dunkle Flecken hinterlassen, alle Fenster waren sauber, jeder Sims unbeschädigt. Die Wände des Durchgangs zum Hof waren grün und cremefarben gefliest. Die Haustür jenseits von Mrs. Simnels sauberem viereckigem Vorgarten signalisierte, dass hier alles tadellos in Ordnung war. Die blassgelben Windfangtüren waren geöffnet und an die Hauswand geklappt, so dass ein glänzend polierter Messingbriefkasten mit dazu passendem Klopfer über einem makellosen Türvorleger zu sehen war. Paddy hatte gehofft, dass es ein nicht ganz so gediegenes Haus sein würde.
Als sie auf die Tür zuging, hörte sie durch die geriffelte Glasscheibe in der Entfernung ein Radio mit Unterhaltungsmusik. Die zweitönige Türglocke erklang und die undeutliche Gestalt einer Frau erschien. Paddy kauerte sich in ihrem Dufflecoat zusammen und beobachtete den Schatten der Frau, die sich die Haare zurückstrich und ein Paar Gummihandschuhe von den Händen zog, bevor sie die Tür öffnete.
Ein leichter Duft perfekter häuslicher Reinlichkeit kam Paddy auf der kalten Schwelle entgegen. Eine süßliche Version von »Fly me to the moon« spielte in der Küche. Der Flur roch nach mürben Keksen und warmem Tee.
Mrs. Simnel trug flache braune Schuhe und einen cremefarbenen Rock mit ebensolcher Bluse. Ihr Haar war zu einem losen, leicht ergrauten Chignon frisiert. Paddy erklärte, sie recherchiere für einen Artikel über die Baby-

Brian-Boys und sie hätte Mrs. Simnels Namen von einem der Polizisten auf der Wache bekommen. Mrs. Simnel schien erstaunt und lächelte freundlich.
»Aber du meine Güte, wie alt sind Sie denn? Gehen Sie ins College?«
Paddy bejahte, weil sie vermutete, das würde Mrs. Simnel gefallen, sie bereite sich gerade auf den Schulabschluss vor.
»Das ist gut«, sagte Mrs. Simnel. »Es ist so wichtig, etwas Anständiges zu lernen.«
»Das stimmt.« Paddys Aussprache wurde vornehmer, so wie sie manchmal mit Farquarson sprach. »Unheimlich wichtig.«
»Und da arbeiten Sie so spät noch, und in der Kälte.«
Paddy lächelte tapfer, griff sich wieder an die kalte Nase und zog die Schultern hoch. Sie spürte, dass Mrs. Simnel ihr noch nicht ganz traute, denn sie hielt den Griff der Tür fest und schuf damit eine Sperre zwischen ihrer warmen Wohnung und Paddy, die draußen stand.
»Hatten Sie einen weiten Weg?«
»Nicht so weit.« Paddy lehnte sich vertraulich an die Tür. »Also, eigentlich hat mich mein Daddy an der Ecke abgesetzt.«
»Aha.« Mrs. Simnels Augen weiteten sich erfreut. »So so. Also, dann kommen Sie doch rein und wärmen Sie sich auf. Ich hole Ihnen eine Tasse Tee.«
Nun war die Tür hinter Paddy geschlossen, und sie genoss die Wärme und Behaglichkeit der großzügigen Diele. Am Rand der hohen Decke zogen sich zarte blätterförmige Stuckbänder entlang. Mrs. Simnel nahm ihren Dufflecoat und hängte ihn am Firmenschildchen an einer

Garderobe hinter der Tür auf. Auf dem Boden zwischen den Mänteln standen zwei Paar schon etwas abgetragene Gummistiefel und ein Jagdstock, als lägen direkt vor der Haustür die grünen Felder von Perthshire statt der Straßen der größten Stadt Schottlands. Paddy hätte gern hier gewohnt, gern aus dieser Gegend der Stadt gestammt und sich gern von Händen helfen lassen, die sie bei ihren ehrgeizigen Plänen unterstützten.

»Jetzt trinken wir erst mal eine Tasse Tee, und dann sehen wir zu, was wir für Ihr College-Projekt tun können.«

Paddy war noch nie in einer so großen Küche gewesen. Ihre ganze Familie hätte sich um die Spüle versammeln können, und es wäre immer noch genug Platz für ein Auto da gewesen.

Als Paddy geklopft hatte, war Mrs. Simnel gerade dabei gewesen, die Schnallen am Gurt eines dekorativen Pferdegeschirrs zu polieren, und jetzt nahm sie die Zeitung mit dem verschmutzten Tuch und den Ornamenten und schob alles einfach zur Seite, damit genug Platz für Tee und Kekse war. Das schwächer werdende Sonnenlicht fiel durch das Fenster, wurde von den prächtig gedeihenden Pflanzen auf dem Fensterbrett aufgefangen und glänzte auf den Keramikfliesen auf dem Boden. Mrs. Simnel servierte den Tee und die Kekse auf einem vornehmen Service mit Blumenmuster. Sie nahm auch keine Becher, sondern Tassen mit dazu passenden Untertassen. Die Porzellantasse war selbst mit Tee so leicht, dass Paddy sie mit einem leichten Druck von Daumen und Zeigefinger hochheben konnte.

Mrs. Simnel gab einen guten Bericht über die Baby-Brian-Boys ab. Sie ließ den Blick zur Seite schweifen und erwähnte bei gewissen Dingen besondere Einzelheiten, nachdem sie einen Augenblick darüber nachgedacht hatte. Sie war Witwe und hatte acht Söhne, die alle in der Nähe wohnten und alle schon eigene Kinder hatten. Sie bekam wohl kaum zu wenig Aufmerksamkeit. Früher war sie Grundschullehrerin gewesen, und sie konnte Kinder gut voneinander unterscheiden, denn sie waren doch alle verschieden, nicht wahr? Jedes eine kleine Persönlichkeit. Paddy fand sich mit der Wahrheit ab: Mrs. Simnel war in dem Zug gewesen und hatte genau zu der Zeit, die sie angab, drei Kinder gesehen.

Sie hatte ihre Schwester besuchen wollen, die in Cumbernauld wohnte, und da sie wusste, dass sie erst bei Dunkelheit zurückkommen würde, und keine geübte Autofahrerin war, beschloss sie, den Zug zu nehmen. Sarah – so hieß ihre Schwester – erwartete sie um acht Uhr, deshalb nahm sie den Zug um sieben Uhr fünfundzwanzig, der fünf vor acht ankommen sollte. Vom Bahnhof zum Haus brauchte sie fünf Minuten.

Paddy knabberte die Kekse mit Feigenfüllung und nippte an ihrem Tee. So wollte sie leben, wenn sie später ein eigenes Haus hätte. Sie wollte nicht mehr aus Bechern trinken und Kekse aus der Packung essen.

Mrs. Simnel gewöhnte sich an ihren Gast, zeigte auf die Messingschnallen und fragte, ob es Paddy stören würde, wenn sie weitermachte. Nein, es störte sie nicht. Paddy bot sogar an, ihr zu helfen, aber unter der Spüle waren keine extra Gummihandschuhe, deshalb saß sie einfach da, aß Kekse und sah der Frau zu, die Putzmittel auf das Metall tupfte und wie durch Zauberkraft den schwarzen Belag verschwinden ließ.

Mrs. Simnel hatte noch nie als Zeugin ausgesagt, und deshalb war es ihr ein bisschen unangenehm gewesen, sich zu melden. Sie war überrascht gewesen, wie höflich die Polizei war. Sie hatte, ehrlich gesagt, erwartet, dass man dort eher ruppig sein würde, zumindest die Polizisten der unteren Dienstgrade. Bei dieser snobistischen Bemerkung fiel ihr Blick auf Paddys billigen Rollkragenpulli. Sie blinzelte, überspielte die Kränkung und verlegte die Betonung auf andere Dinge: Sie hatten ihr eine Tasse Tee gemacht, bevor sie zur Gegenüberstellung mit den Jungen hineinging, und hatten ihr eine Porzellantasse mit einem Keks gegeben, mit rosa Zuckerguss. War das nicht reizend? Einen Keks mit rosa Zuckerguss. Das würde man von den großen, kräftigen Männern wirklich nicht erwarten.

Sie war die perfekte Zeugin, erinnerte sich genau an Einzelheiten, Farben und die Zeiten, als hätte sie ihr ganzes Leben lang für diesen Moment geübt.

»Diese Jungen, die das getan haben«, sagte sie traurig, »die sind erst zehn Jahre alt. Es erschreckt mich, daran zu denken.«

»Ja, sie kommen aus unterprivilegierten Familien«, sagte Paddy und hoffte, damit wenigstens Mrs. Simnels Einstellung ihnen gegenüber etwas zu beeinflussen.

»Ich weiß. Sie sagten mir, dass der Dunkelhaarige noch nie bei einem Zahnarzt gewesen war. Noch nie in seinem ganzen Leben.« Sie legte ihr Tuch für einen Moment weg. »Es muss weh tun, solche Zähne zu haben. Was muss er gegessen haben, dass sie so schlimm geworden sind … ich konnte meinen Keks nicht aufessen.«

Es traf Paddy wie eine kalte Dusche. »Sie konnten den Keks nicht mehr essen?«

»Nein«, sagte Mrs. Simnel. »Ich hab ihn zurück auf den Teller gelegt. Ich meine, es tut doch weh, so schlechte Zähne zu haben. Selbst wenn die Eltern mit dem Kind nicht zum Zahnarzt gehen können, warum tun denn die Schulen nichts?«

Paddy gab vor, dass ihr Vater sie an der Bushaltestelle in der Clarkston Road abholen würde. Mrs. Simnel winkte ihr nach und wünschte ihr alles Gute für ihr Projekt und ihre Prüfung. Als Paddy die Straße hinunterging, hörte sie, wie die Frau die Windfangtüren fest schloss. Sie sollte sich beeilen nach Hause zu kommen, sonst würde sie Seans Anruf wegen des Valentinstags morgen verpassen, aber sie wusste nicht, wo die Busse von hier aus hinfuhren, und war von der Begegnung mit Mrs. Simnel noch ganz benommen.

Sie ging an der Bushaltestelle vorbei und weiter unter einer Eisenbahnbrücke hindurch und über den gewundenen Straßenzug von Prospecthill. Sie kam an einen grünen Hang, einen von zwei benachbarten Hügeln, von denen man die weite Ebene des Tals überblickte. Auf dem höchsten Punkt blieb sie stehen, die Hände in die Taschen gesteckt, und sah auf die Lichter der Stadt an diesem Freitagabend hinunter. Sie orientierte sich an den roten Neonlettern des *Daily-Record*-Gebäudes und ordnete die Straßen in der Ferne zu.

Letzte Woche um diese Zeit war Heather Allen noch am Leben gewesen und hatte ihren Wagen da drüben in der Union Street geparkt. Paddy war an jenem Abend zum Bahnhof in der Queen Street gegangen. Sie konnte gerade so sein beleuchtetes, fächerförmiges Dach ausmachen.

Sie hatte den Zug nach Steps genommen und an den Gleisen gestanden. Letzte Woche um diese Zeit war Mrs. Simnel zur Polizei gegangen, weil sie die Jungen im Zug gesehen hatte. Man hatte ihr Tee und Kekse angeboten, bevor sie hineinging, um sie aus einer Reihe von Jungen zu identifizieren. Dabei hatte man nebenbei Callum Ogilvys schlechte Zähne und die Tatsache erwähnt, dass er noch nie bei einem Zahnarzt gewesen war. Sie musste im ersten Augenblick gewusst haben, wer Callum war. Sie hatten sie genauso sorgfältig vorbereitet wie damals Abraham Ross. Die Polizei war entschlossen zu beweisen, dass die Jungen allein in dem Zug gewesen waren, und Paddy begriff nicht, warum.

27
Rendezvous aus Wut

1

Sean rief nicht an, und eine Karte war auch nicht gekommen. Paddy starrte so lange auf die leere Fußmatte, dass sie kleine Schmutzkörnchen und Staub zwischen den braunen Borsten ausmachen konnte. Ihre Füße waren so heiß, dass sie an der Plastikmatte festzukleben schienen. Sie verfluchte ihre beschissene, rührselige Karte. Je mehr sie daran dachte, desto größer, blauer und kitschiger kam sie ihr vor. Sie schämte sich ihrer Hoffnungen und fürchtete, sie könnte gesehen werden. Deshalb lief sie wieder in ihr Zimmer hinauf.

2

In der Stadt war es still. Die Straßen wurden unter dem wolkenverhangenen Himmel immer leerer, man versuchte, noch schnell Einkäufe zu machen und nach Hause zu kommen, bevor die Demonstration für den Hungerstreik anfing oder es wieder zu gießen begann. Sie schaute die

Straße hinunter, dem kalten Regen entgegen, widerstand aber dem Impuls, die Kapuze hochzuziehen, weil sie damit so jung und unscheinbar aussah. Beim Gedanken an Sean spürte sie einen Kloß im Hals. Sie konnte die Vorstellung nicht ertragen, von ihm verlassen zu werden. Ohne ihn war ihr angst vor sich selbst.

Ein schmutziger weißer VW-Käfer scherte aus dem Verkehr aus und fuhr auf die Bushaltestelle zu. Die Weißwandreifen waren mit grauem, verkrustetem Schlamm bedeckt, und einer der vorderen Kotflügel war verrostet und mit einem wässrigen weißen Anstrich versehen. Terry lehnte sich über den Beifahrersitz und lächelte zu ihr hoch. Sie öffnete die Tür und stieg ein.

»Ich dachte schon, Sie würden vielleicht nicht da sein.«

Sie zog die schwere, quietschende Tür zu. »Warum?«

»Wegen dem Regen.« Er zeigte auf den grauen Himmel. Auch er war nervös, und das gefiel ihr.

Sie blickte durch die Windschutzscheibe hoch. »Kommt da der Regen her?«, sagte sie, weil sie ihn aufziehen wollte, aber es klang sarkastisch.

Terry ließ den Wagen an. Der Motor klang alt und müde, von einem der Räder kam ein merkwürdig laut tickendes Geräusch und die Gänge knirschten wie Kies, aber Paddy staunte, dass jemand, der kaum älter war als sie, genug Geld hatte, sich ein Auto zu kaufen.

»Das ist das coolste Auto, in dem ich je mitgefahren bin«, sagte sie, um ihm zu schmeicheln und um wiedergutzumachen, dass sie vorher so zickig geklungen hatte.

Sie sahen sich nicht an, sondern schauten beide aus dem Fenster und lächelten.

Paddy hoffte, dass sie bei diesem Rendezvous aus Trotz

gesehen würde, damit Sean davon erfuhr und sich so aufregte und eifersüchtig wurde wie sie. Die Möglichkeit, dass Sean sich mit einem anderen Mädchen traf, hatte sie zwar in Betracht gezogen, aber wieder verworfen, denn das war nicht sein Stil. Dafür war er viel zu selbstgerecht.

Terry hielt an der roten Ampel am George Square an, und sie sahen die Stahlbarrieren, die den Platz in der Mitte für die Kundgebung nach dem Demonstrationszug freihalten sollten. Es war keine gewöhnliche Absperrung, die nur sicherstellte, dass die Teilnehmer vor dem Verkehr geschützt waren. Diese Barrieren bildeten Korridore für die Demonstranten, durch die sie von den Gehwegen weggelenkt werden sollten. Zornige Vandalen hatten es schon geschafft, auf Gebäude am Weg Sprüche aufzusprühen. Auf den Fenstern einer Bank vor ihnen stand HOCH LEBE DIE IRA; und eine andere Hand hatte in roter Farbe hinzugefügt: MUSS STERBEN. Die rivalisierenden Slogans ließen den Platz wie den Austragungsort einer Schlacht aussehen, nicht wie einen Ort, an dem eine politische Versammlung stattfinden sollte.

Terry zog skeptisch die Luft durch die Zähne. »Es wird irre zugehen hier. Sie bringen Busladungen mit englandtreuen Paramilitärs aus Larkhall her.«

Er sagte das, als kenne er die Gegend. Paddy lächelte mit einem Seitenblick auf seine teure Lederjacke und das Armaturenbrett seines Autos.

»Sind Sie aus Larkhall, Terry?«

Er sah sie an. »Nein.«

»Woher kommen Sie?«

Er zögerte. »Aus Newton Mearns.«

»Vornehm«, sagte sie und hoffte, dass sie nicht wieder bissig klang, denn sie meinte es ehrlich.

Newton Mearns war so fein, dass es sie einschüchterte. Es war ein wohlhabender Stadtteil der Mittelklasse ganz am südlichen Rand der Stadt mit schönen Häusern auf großen Grundstücken und vielen gepflegten Gärten. Selbst auf den Straßen gab es viel Grün. Paddy und Sean waren einmal dort gewesen, als sie ein nettes Pub suchten, von dem Sean durch einen seiner Kollegen gehört hatte. Sie fanden das Pub nicht und waren innerhalb von zwanzig Minuten wieder an der Bushaltestelle auf der entgegengesetzten Straßenseite. Paddy hatte ihre Kapuze aufbehalten, während Sean eine Zigarette rauchte und mit Steinchen nach den Kühen warf. Sie waren erleichtert, als der Bus kam und sie in die Stadt zurückbrachte, und fuhren nie wieder hin.

Terrys Blick glitt zu ihr hinüber. »Newton Mearns ist nicht überall schick«, sagte er, als wisse er, was sie gerade dachte. »Es gibt Teile, die sind ziemlich gefährlich.«

»Tatsächlich? Sie sind also aus dem gefährlichen Teil?«

Er gab keine Antwort. Es lief nicht gut. Sie versuchte, witzig zu sein, war aber zu nervös und klang eher geringschätzig und besserwisserisch.

»Ich möchte vorher schnell zu Hause vorbeifahren.« Er warf einen Blick auf sie. »Geht das in Ordnung?«

»Newton Mearns ist aber ewig weit weg.«

»Nein, ich habe selbst eine Wohnung. Es ist hier um die Ecke.«

Paddy war so beeindruckt, dass sie die Hand vor den Mund hielt, um keine sarkastische Bemerkung zu machen.

Er hatte ein Auto *und* eine eigene Wohnung. Seine Eltern mussten Millionäre sein.
Das alte Auto fuhr ratternd durch die Stadt zur Sauchiehall Street, Heimat besoffener Studenten, Kinos und Curry-Restaurants. Terry parkte vor einem Zeitungskiosk, zog schwungvoll den Schlüssel heraus und wandte sich ihr zu.
»Wolln Sie raufkommen?« Er sah, dass sie zögerte, und fügte hinzu: »Dauert nur 'n paar Minuten. Ich hab den ganzen Morgen gearbeitet und will ein anderes Hemd anziehen.«
Sie gab sich Mühe, nicht einfach das zu sagen, was ihr als Erstes einfiel, nämlich: Rutsch mir den Buckel runter. Mädchen aus Eastfield würden es sich genau überlegen, bevor sie mit einem Jungen ins Haus gingen, wenn dessen Eltern weg waren. Terry schien aber nicht verlegen. Vielleicht gingen in Newton Mearns die Mädchen jederzeit in den Häusern junger Männer ein und aus und waren nur gute Freunde. Sie spielten wahrscheinlich Tennis miteinander, verbrachten Zeit im Wintergarten und aßen frisches Obst. Sein Atem blies zwei Haarsträhnen von ihrer Stirn.
»O. K., gucken wir uns die Bude an.«
Sie kamen durch einen schmuddeligen Durchgang mit einer abgenutzten Holzbalustrade und einem schmutzigen Betonboden. Unten an den Wänden hatte sich Unrat gesammelt. Nach jedem Treppenabsatz wurden die Wohnungstüren unansehnlicher, und ab dem dritten Stock waren sie entweder angeschlagen und abgenutzt oder durch unbehandelte Kieferntüren ersetzt, nachdem sie bei betrunkenen Streitereien eingetreten worden waren.

Durch ein Dachfenster fiel Licht in das schmutzige Treppenhaus, so dass jeder schmuddelige Winkel deutlich sichtbar und jeder braune Schmierfleck an den Wänden so eklig war, dass man ihn fast riechen konnte.
Sie ging dicht hinter Terry, der vor ihr die Treppe hochsprang.
»Wozu brauchen Sie ein Auto?«, fragte sie und merkte, dass ihr durch das Treppensteigen bereits die Luft ausging, »wo Sie doch so nah am Arbeitsplatz wohnen?«
»Ich benutze das Auto nur, um bei Frauen Eindruck zu schinden.«
Überrascht und geschmeichelt, dass er sie als Frau angesprochen hatte und damit als jemanden, den es zu beeindrucken galt, lachte sie, holte aus und knuffte ihn am Oberschenkel.
Ganz oben im sechsten Stock gingen vom Treppenabsatz zwei Türen ab, vor denen sich ein Durcheinander von Fahrradteilen und ein brauner Cordsessel stapelten. Terry öffnete mit einem robusten Schlüsselbund eine Tür, die so dünn wie Pappe schien und bei einer steifen Brise davongeflogen wäre.
Im Flur gab es keine Lampe. Weitere Fahrräder standen hinter der Tür, und an jeder freien Fläche hingen Poster von Rockbands: Pink Floyd, Quo, Thin Lizzie.
»Mein Gott«, sagte Paddy leise. »Willkommen in den Achtzigern.«
Terry führte sie zu einer Tür im hinteren Teil, schloss ein Hängeschloss und mit einem langen Schlüssel das Steckschloss unter dem Türgriff auf. Als sich die Tür zu seinem Zimmer auftat, schlug ihr ein verführerischer Duft entgegen, eine Mischung aus würzigem Talg und Zitro-

ne, das intensive Aroma ausgewachsener, ungewaschener Männer.
Wenn Terry Millionär war, ließ er sich das jedenfalls nicht anmerken. Sein Zimmer war lang und schmal. Von dem Fenster am hinteren Ende sah man auf das oberste Stockwerk des schäbigen kleinen Mietshauses gegenüber. Zwischen seinem ungemachten schmalen Bett und dem Waschbecken stand ein Pappkoffer, der als Tisch diente. Terry hatte neben einem angebrochenen Weißbrot in Pergamentpapier und einem Becher billiger Margarine Dosen mit Bohnen und Corned Beef darauf stehen. Die Bettwäsche war orange, das Laken schmuddelig cremeweiß. Es gab keinen Kleiderschrank, deshalb waren die gebügelten Hemden sorgfältig überall im Zimmer an Bilderleisten aufgehängt. Von einer dürftigen Graslilie auf dem Bücherregal hingen die Ausläufer zu Boden, als wollten sie entkommen.
Terry ging gleich ein ganzes Stück ins Zimmer hinein, so dass Paddy ihm folgen musste. Er zog eine Schublade der Kommode auf und nahm ein sauberes weißes T-Shirt heraus, das so sorgfältig gefaltet war, als sei es neu gekauft. Er ließ die Lederjacke von den Schultern zu Boden rutschen, zog das weiße Hemd aus dem Hosenbund und knöpfte die drei oberen Knöpfe auf. Als er zum vierten Knopf kam, hielt er inne.
»Meine Güte«, sagte sie. »Ich habe zwei Brüder und hab schon andere Männer ohne Hemd gesehen.«
Terry hob eine Augenbraue. »Aber meine Brustwarzen sind außergewöhnlich schön, Patricia, und Sie sind doch auch nur aus Fleisch und Blut.«
Paddy kicherte und sah weg, als er das Hemd über den

Kopf zog, ohne es vollends aufzuknöpfen. Plötzlich war er doch in ihrem Sichtfeld und rief aufgebracht: »Nicht gucken!«

Seine Arme waren zu dünn, aber auf seiner Brust bildeten die kleinen schwarzen Haarbüschel ein schönes T, das sich bis in seinen Hosenbund hinunterzog. Seine Brustwarzen waren kräftig rosa mit Haaren wie Augenwimpern darum herum, die seine Brust wie ein erschrockenes Gesicht aussehen ließen. Sie grinste und sah zu, wie er sein frisches T-Shirt überzog. Sie wünschte, Sean könnte sie beide so sehen.

»Hat es Ihren Eltern nichts ausgemacht, dass Sie ausgezogen sind?«

»Ach«, sagte Terry und hob seine Jacke vom Boden auf, »sie sind umgekommen. Bei einem Autounfall.«

»Das tut mir leid.«

»Nein, ich bin …«, er schüttelte den Kopf, »dumm. Ich hätte es Ihnen nicht sagen sollen.«

»Warum nicht?«

Verlegen drückte er ein Auge zu und zuckte mit der Schulter. »Die Leute wollen solche Sachen eigentlich nicht hören. Es ist ihnen unangenehm.«

»Der muffige Männergeruch hier drin ist mir unangenehmer.«

Er lächelte schwach und sah dann weg.

»Es tut mir leid wegen Ihrer Eltern. Es muss ziemlich scheiße gewesen sein.«

Er nickte und sah zu Boden. »Genauso war es. Ist es. Ziemlich scheiße. Warum tragen Sie Ihren Verlobungsring nicht mehr?«

Während er abschloss und sie langsam die Treppe hinuntergingen, erzählte Paddy ihm davon, wie ihre Familie sie ausgrenzte, dass Sean ihr die Tür vor der Nase zugemacht hatte und von den mitternächtlichen Kartenspielen mit Mary Ann. Als sie am Auto ankamen, wusste Terry besser über das Bescheid, was sich in ihrer Familie tat, als Paddys eigene Mutter.

Er hielt ihr die Beifahrertür auf. »Er hat nicht zurückgerufen?«

»Nein.« Sie setzte sich und wartete, bis Terry auf dem Fahrersitz war. »Ist nicht mal ans Telefon gekommen, als ich angerufen habe. Nichts.«

»Hört sich wie ein charakterloser Scheißkerl an.« Er ließ den Motor an. »Aber es ist ja klar, dass ich so was sagen würde, oder?«

Zum ersten Mal im Leben fühlte sich Paddy wie eine erwachsene Frau.

3

Barnhill war ein hartes Pflaster. Der kleine Haufen niedriger Häuser drängte sich an den windigen Hügel und duckte sich vor den herabstoßenden Schwärmen schwarzer Krähen. Östlich und westlich davon standen Wohnblocks, die dreißig Stockwerke hoch in den grauen Himmel ragten. Die Hochhäuser waren aus Asbest, Papier und Spucke gebaut, und da sie der sich schnell ausbreitenden Feuchtigkeit zum Opfer fielen, mochte sie niemand, außer den dauerscheißenden Tauben. Im Süden, zwischen Barnhill und der Stadt, lag das Rollox-Werk, das das halbe Empire mit Eisenbahnwaggons versorgt hatte. Beide, Barnhill und die Fabrik, waren gemeinsam untergegangen, nach und nach wurde das sie umgebende Gelände aufgegeben und blieb, mit Chemierückständen und Abfall übersät, nutzlos liegen.

Barnhill selbst bestand aus kaum mehr als fünf oder sechs langen Straßen mit identischen Häusern, einer Reihe niedriger Geschäfte mit einem Türmchen an der Ecke, dazu eine Post und eine Schule. Die Rezession hatte sich in der Gegend bemerkbar gemacht. Die Einkaufstüten der Frauen stammten alle von Discountern, und die vor den Wettbüros und dem Pub versammelten Männer, deren weiße Gesichter verkniffen dem aggressiven Regen trotzten, waren alle so pleite, dass sie nicht reingehen konnten.

»Das ist ja das letzte Dreckloch hier«, sagte Paddy.

»So schlimm ist es nicht«, antwortete Terry, der dort zu wohnen niemals gezwungen sein würde.

Er bog auf die trostlose Red Road ab. Die Straße führte zwischen zwei rußgeschwärzten Mauern abwärts, und plötzlich waren sie schon an der Ecke, an der das gesuchte Haus stand. Paddy rutschte auf ihrem Sitz nach unten und stellte sich vor, dass Sean und alle Ogilvys in Gruppen auf dem Gehweg herumständen, wie es bei der Beerdigung von Callums Vater gewesen war, als sie sich in feierliche Schwarz- und Grautöne gekleidet von Callum Ogilvys Mutter verabschiedet hatten, mit leeren Versprechungen, dass sie sich bald wiedersähen.

Das Haus der Ogilvys stand an einem steilen Hang. Bröckelnde Betonstufen führten zur Haustür hinauf, und das Gras im abschüssigen Vorgarten war kniehoch. Paddy war sich nicht sicher gewesen, ob sie das Haus wieder-

erkennen würde, aber jemand hatte den hilfreichen Spruch GESINDEL RAUS an die Mauer am unteren Gartenende geschrieben.
Das Wohnzimmerfenster war mit Brettern vernagelt. Das Haus mochte leerstehen, allerdings stand die Haustür leicht offen und Teile von Plastikspielzeug lagen im Vorgarten verstreut, ein kaum erkennbares rosa Stofftier mit abgeschabten Stellen lag auf dem üppigen Kissen aus grünem Gras und war vom Regen durchtränkt. Während sie langsam an dem Haus vorbeifuhren, sah Paddy ein kleines Bein in einer weiten braunen Hose aus der Haustür herausragen und auf den Zehen wippen, als hätte ein schüchternes Kind sich an der Tür noch einmal umgedreht, um etwas zu fragen.
Paddy duckte sich auf ihrem Sitz und sah das traurige Haus vorbeiziehen. Ganz plötzlich schienen ihr der Druck, den ihre Familie ausübte, und Seans Missbilligung gerechtfertigt. Wenn Frauen sich nicht fügten, kam so etwas dabei heraus. Sie würde in einer heruntergekommenen Sozialwohnung mit einem Haufen hungriger Kinder enden, ohne Großfamilie, die ihr in schlechten Zeiten beistehen könnte. Es dauerte einen schmerzlichen Moment, bis ihr einfiel, dass sie gar nichts Schlimmes getan hatte.
Sie wandte sich ab und blickte Terry an, denn sie wollte an etwas anderes denken. Er sah nach vorn, einen Augenblick war ihm ihre Gegenwart offenbar nicht bewusst, und fuhr gedankenlos mit der Zunge im Mund umher. Dieses Geräusch erfüllte sie mit Wärme.
»Wieso lächeln Sie?«, fragte er.
»Ach, nichts.«
Sie fuhren auf einer kurzen Verbindungsstraße zwischen

zwei langen Straßen entlang und trafen auf ein Haus, von dem sie sicher waren, dass der andere Junge daher stammte. Es war das Erdgeschoss in einem kleinen Block mit vier Wohnungen. Unter dem Fenster zog sich vom Boden aus eine Rußspur an den Backsteinen hoch, wo jemand versucht hatte, Feuer zu legen. Frischer Kitt ohne Anstrich, dessen Leinöl im Licht glänzte, war noch an den kürzlich ausgetauschten Fenstern zu sehen. Paddy konnte erkennen, dass das Haus auch vor der Beschädigung kein wohlhabendes Heim gewesen war. Die Vorhänge waren verblasst und staubig, das wildwachsende Gras wucherte im Vorgarten, und die Einfahrt hatte so tiefe Löcher, dass sie wohl schon lange nicht mehr für ein Auto befahrbar war.

Terry trat aufs Gas. »Fahren wir doch mal nach Townhead und sehen uns die Lage dort an.«

Es fing an zu regnen, als sie auf der breiten vierspurigen Straße durch Sighthill fuhren. Die hohen Wohnblocks hielten dort mit ihren gigantischen Mauern auf dem Gipfel eines kleinen Hügels Wache. Sonst gab es nur noch einen großen Friedhof, aber keinen schönen viktorianischen, sondern eine Begräbnisstätte für arme Leute mit kleinen Grabsteinen, die in sauberen Reihen angeordnet waren. Der Wind trieb den Regen von der Seite her in die Gesichter der Fußgänger und an die Beine der Menschen, die geduckt in den Wartehäuschen der Bushaltestellen standen. Im Auto brauchten sie acht Minuten für die Strecke zwischen den Häusern der Baby-Brian-Boys und dem Haus der Familie Wilcox. Bis sie in Townhead waren, hatte der Regen aufgehört und die Straßen waren dunkel und nass.

Selbst bei geschlossenen Fenstern und trotz des lauten Motors hörten sie die Demonstration zur Unterstützung des Hungerstreiks schon aus drei Blocks Entfernung. Hunderte von Männerstimmen riefen ihre Slogans im Sprechchor durch die stille Stadt. Paddy war bei Demonstrationen gegen die nukleare Aufrüstung gewesen, die weniger aggressiv gewesen waren und deren Chöre, mit Frauenstimmen vermischt, gedämpfter geklungen hatten, aber dies hier war etwas anderes. Es hörte sich an wie eine zügellose Armee. Immer wieder erklang ein Ruf, der von den Massen beantwortet wurde. Wohin man sich auch wandte, der Lärm schien näher zu kommen.
Paddys Wegbeschreibung folgend fanden sie das Haus der Wilcox-Familie und hielten am Gehweg an. Ein paar kleine Sträußchen waren zu den herunterhängenden gelben Bändern am Zaun dazugekommen. Sonst sah das Haus genauso aus wie damals, als sie mit McVie hier gewesen war, aber die Straßen waren menschenleer. Obwohl es Samstag war, hatte man den Kindern aus der Siedlung wegen der erwarteten Unruhen in der Stadt verboten, auf der Straße zu spielen. Von der Demonstration rollte ein Dröhnen den Hügel hinauf.
»Ich mag das«, sagte Terry. »Das gefällt mir, mit Ihnen herumzufahren und Journalist zu spielen.«
Sie nickte. »Mir auch. Ich bin Bob Woodward.«
»Dann bin ich Bernstein, aber nur diesmal.« Er lächelte. »Fragen Sie sich jemals, wie die Typen sich abends vor dem Einschlafen fühlten? Sie haben nicht nur Justizirrtümer aufgedeckt, sondern auch korrigiert. Wenn das nicht cool ist. Das will ich machen.«
»Ich auch«, sagte Paddy, atemlos und überrascht dar-

über, wie präzise er das Ziel formulierte, das sie schon ihr ganzes Leben hatte. »Genau das hab ich immer schon machen wollen.«
Sie sahen sich direkt in die Augen, jetzt stand nichts zwischen ihnen. Sie konnte und wollte nicht wegsehen, falls er vielleicht etwas sagte, und er hielt ihrem Blick stand. So saßen sie einen Augenblick wie Hunde, die sich nicht aus den Augen ließen, bis Panik in Paddy aufkam und sie sich losrissen, räusperten und tief Atem holten. Sie glaubte, ihn leise etwas sagen zu hören, war aber zu verlegen, ihn zu fragen, was es gewesen war.
»Sehen Sie mal«, erfüllte ihre Stimme den ganzen Wagen, und sie zeigte auf Ginas Haus. »Da ist die Gasse zum Spielplatz.«
»Das da? Ja? Sind sie hier langgekommen?«
»Niemand hat sie gesehen, aber die Polizei glaubt das immer noch.« Sie wandte sich um und sah ihn an, aber der Mut verließ sie und sie starrte nur auf sein Ohr.
Sie hörten es, bevor sie etwas sahen, eigentlich keine zusammenhängende Melodie, nur hohe Töne, die von der kalten Luft herübergetragen wurden. Der Eiswagen kam. Aus den Haustüren und den Gärten liefen kleine Kinder auf den Gehweg. Paddy drehte sich auf dem Sitz um und sah die Straße hinunter, wo sie sich auf dem Parkplatz versammelten. Irgendetwas daran störte sie.
Die Schlange war für einen Samstagnachmittag nicht sehr lang. Eine junge Mutter mit einem Baby auf der Hüfte und ein Kleinkind mit schmutzigem Gesicht, das von einer älteren Schwester begleitet wurde, blickten erwartungsvoll auf die Straße. Die Kleinen waren aufgeregt, weil es gleich etwas Süßes geben würde, die Älteren

drängten sich zusammen und sahen sich um, argwöhnisch und unsicher wegen der Demonstration und wegen Brian Wilcox' Schicksal.
Terry seufzte. »Sollen wir fahren?«
Da wurde Paddy klar, was nicht stimmte. Ginas Haus war weiter oben an der Straße. Die Kinder warteten alle an einer ganz falschen Stelle. Der fahrende Lebensmittelhändler hatte ihr gesagt, der Eiswagen halte vor Ginas Haus. Die Musik wurde lauter, als der Wagen um die Ecke fuhr, die Häuserwände warfen den blechernen Klang zurück, der die Straße entlang auf sie zukam.
»Hm?«
Sie schaute Terry an, der auf eine Antwort wartete.
»Und?«, sagte sie abrupt.
»Sollen wir fahren?«
Sie sah wieder die Straße hinunter. Vielleicht hatte der Eismann seinen Haltepunkt verlegt. Möglicherweise hatte man es als gefühllos empfunden, weiterhin vor dem Haus von Gina Wilcox anzuhalten. Vielleicht wollte er nicht damit assoziiert werden und hatte sich für eine Stelle weiter unten an der Straße entschieden.
»Moment noch.«
Sie machte die Tür auf, trat auf die Straße und sah sich nach jemandem um, den sie fragen könnte. Ein kleiner blonder Junge in einem blauen Anorak strebte der kleinen Versammlung am Eiswagen zu.
»Kleiner«, sagte sie.
Er ignorierte sie und rannte weiter an ihr vorbei auf den Wagen und die sich schnell zerstreuende Menge zu.
»Hallo, Kleiner.« Sie stellte sich ihm in den Weg. »Kleiner Mann, ich geb dir auch zehn Pence.«

Der Junge sah sie an und ging langsamer. Er war dünn, und seine Oberlippe war bis an die Nase wundgescheuert.

Paddy nahm die große Münze aus ihrer Tasche. »Hält der Eismann immer dort unten?«

»Ja.« Er hielt seine Hand auf.

»Schon immer – oder erst in letzter Zeit?«

»Ja, schon immer.« Er leckte mit flinker Zunge die wunde Stelle.

»Hat er früher nicht da oben gehalten?« Sie deutete auf Gina Wilcox' Haus.

Der Junge stemmte die Hände in die Hüften, schnaufte und sagte nachdrücklich: »Ich will ihn nicht verpassen, Misses.«

Paddy gab ihm seine Münze, und er raste die Straße entlang. Terry beobachtete sie vom Auto aus mit gerunzelter Stirn. Sie hielt einen Finger hoch und ging auf den Eiswagen zu. Als sie die halbe Strecke zurückgelegt hatte, wurde der Motor angelassen, der Wagen fuhr weg und ließ die zufrieden schleckenden Kinder hinter sich. Paddy sah den Lieferwagen an Terrys Auto und Gina Wilcox' Haus vorbeifahren, verschwinden, noch einmal auf der Kreuzung erscheinen und dann in Richtung Maryhill davonbrausen. Die Musik war aus, und er hielt auch nirgendwo in der Nähe mehr an.

Sie drehte sich zu den Kindern um. Der Junge im Anorak hielt einen langen Schokoriegel umklammert und erklärte einem anderen Kind seinen plötzlichen Wohlstand, indem er auf Paddy zeigte.

»Hat der Eismann jemals dort gehalten?« Sie deutete auf das Haus von Gina Wilcox.

»Nee«, sagte der Junge, und die kleinen Mädchen, die um ihn herumstanden, bestätigten es.
»Er hält hier«, sagte ein pummeliges Mädchen mit einer Brille.
»Er hält immer hier«, sagte ein größeres Mädchen.
Paddy nickte. »Wann kommt samstags euer Lebensmittelauto?«
Die Kinder sahen einander ratlos an. Es war eine lächerliche Frage. Die meisten waren viel zu jung, um die Uhr zu kennen, und den Zeitpunkt, zu dem der Laden auf Rädern kam, wussten sie erst recht nicht.
»Ist es nachmittags? Kommt er bald?«
»Ja, bald, aber die meisten Bonbons sind Schrott«, sagte der Junge im Anorak, der den Zweck ihrer Frage missverstanden hatte.
Paddy bedankte sich, ging zum Wagen zurück, machte die Tür auf, hielt sich am Dach fest und beugte sich hinein. »Terry, passen Sie auf, ich geh von hier aus in die Stadt. Ich muss wirklich nach Hause. Geht das in Ordnung?«
Er runzelte die Stirn und nickte in Richtung Fenster. »Klar, in Ordnung. Steigen Sie ein, und ich fahre Sie zum Bahnhof.«
Sie klopfte zweimal auf das Dach und sah die Straße hoch. »Gehen Sie nicht ins Büro zurück, um weiterzumachen?«
»Was weitermachen?«
»Das, woran Sie vorher gearbeitet haben.«
»Ach so.« Er lächelte und nickte ein bisschen zu eifrig. »Ja, könnte ich. Das tu ich, ja.«
Er sah sie bittend an. Paddy konnte nicht anders. Sie

kniete sich auf den eingedellten Plastiksitz, beugte sich zu ihm hinüber, gab ihm einen ganz sanften Kuss auf die Wange und wich zurück, bevor er darauf reagieren konnte.

»Bis dann, Terry.«

Sie schlug die Tür zu und hörte seine Antwort nicht. Dann lief sie die Straße hinunter, quer über ein Rasenstück auf das Zentrum der Siedlung zu.

28
Um Haaresbreite

1

Paddy wartete fast vierzig Minuten auf dem dunklen Weg neben dem Haus von Gina Wilcox. Zwischen den beiden Häusern war ein Stück kahlen Bodens, das schlurfende Füße zu einem Trampelpfad glattgetreten hatten. Manchmal kam es Paddy vor, als bestünde die ganze Stadt nur aus vereinzelten Häusergruppen zwischen all den verlassenen öden Flächen und vom Krieg zerbombten Grundstücken. Auf beiden Seiten des Weges glänzte Gras, an dessen rasiermesserscharfen Spitzen schwarze Diamanten zitterten. Am Ende des dunklen Weges sah sie eine hellbeleuchtete Straße und gegenüber den niedrigen Lattenzaun des Spielplatzes, der jetzt leer, aber noch von den orangefarbenen Straßenlaternen beleuchtet war, die unter den Schaukelsitzen und der Rutschbahn dunkle Schatten warfen.

Sie rauchte eine Zigarette, um sich die Zeit zu vertreiben, und dachte daran, wie die arme Heather in der Toilette auf dem Eimer gesessen und sich geärgert hatte. Paddy hätte alles getan, um wieder dort zu sein. Sie ließ die

Zigarette fallen, trat sie aus und beobachtete, wie ihre Schuhspitze sie in den weichen Dreck hineinrieb, das Papier zerriss und die getüpfelten Tabakkrümel im Gras verteilte.

Sie sah, wie sich am Ende des Weges etwas bewegte. Es war der schwarze Umriss einer Frau, die ein kleines Mädchen an der Hand führte, in die Gasse hineinspähte und zögerte, als sie Paddys undefinierbar bedrohliches Profil sah.

»Ich warte nur auf das Lebensmittelauto«, rief Paddy ihr beruhigend zu.

Aber die Frau zögerte immer noch, und ihre Hand legte sich fester um die Faust des kleinen Mädchens. Paddy trat in den Lichtkegel vor Gina Wilcox' Haus hinaus, und die Frau kam auf sie zu, wobei sie dem Kind etwas zumurmelte.

»Tut mir leid«, sagte Paddy, als sie näherkam. »Ich wollte Sie nicht erschrecken.«

Aus der Nähe war die Frau jünger, als ihr beiger Regenmantel und das Kopftuch hätten vermuten lassen. Sie warf Paddy einen empörten Blick zu und zerrte das Kind über den Weg von ihr weg. Irgendwie hatte sie ja recht. Paddy sollte hier nicht auf dunklen Wegen herumstehen und Frauen und Kinder erschrecken, die ganz normal hier vorbeikamen.

»Kommt der Wagen vom alten Naismith bald?«

Die Frau sah sie nicht an, murmelte aber ja, in zehn Minuten. Es wäre vielleicht nicht Naismith. Manchmal würde sein Sohn fahren.

Paddy nahm die unaufgefordert gegebene Information als versöhnliche Geste und schaute auf den Rücken der

Frau, wie sie die Straße hinunterging. Sie war höchstens zwei Jahre älter als Paddy, schon Mutter und bereits verkniffen und zornig.

Sie stellte sich Sean vor, wie er zu Hause in der Diele seiner Mutter auf dem schwarzen Plastiksitz saß, der am Telefontischchen festgemacht war. Er würde den moosgrünen Hörer ans Ohr halten und dem Klingeln des Telefons am anderen Ende, in Trishas Diele, lauschen. Trisha würde ihm sagen, Paddy sei nicht da, und er würde sich Sorgen machen. Oder aber er machte sich gar nicht die Mühe, sie anzurufen, vielleicht hatte er beschlossen, sie nach der Bestrafung durch ihre Familie einen weiteren Monat links liegenzulassen. Sie hatte nicht mehr das Gefühl, voraussagen zu können, was er tun würde, und deshalb mochte sie ihn weniger, begehrte ihn aber umso mehr. Sie blickte auf und sah eine samtene schwarze Wolke über den Himmel jagen.

Ohne Vorwarnung setzte plötzlich heftiger Platzregen ein. Obwohl sie die hundert Meter zu einem Wohnblock rannte, war das Wasser bald so tief, dass es über die Sohlen ihrer Stiefel reichte und durch die Nähte eindrang. Sie stellte sich in einen Toreingang, hielt mit beiden Händen ihre Kapuze fest und sah zu, wie vom Himmel kalte silberne Splitter fielen und den Lärm der Autobahn und die Rufe der protestierenden Demonstranten übertönten. Die Straße war eine mit kleinen Wellen bedeckte schwarze Fläche. Der Regen sammelte sich am Fuß des Hügels und sprudelte um die Gullys. Sie hatte nasse Füße, ihre schwarze, wollene Strumpfhose saugte das Wasser wie Löschpapier auf und verteilte es gleichmäßig um ihre Fußgelenke.

Zuerst sah sie das Licht der Scheinwerfer auf die Regentropfen fallen. Hinter den beiden Lampen kam Naismiths Lieferwagen die Straße entlanggekrochen. Er beschleunigte vorsichtig unten am Hügel, damit er ohne zu spritzen durch eine tiefe Pfütze kam, und hielt am Hang. Die Hecktür ging auf, Naismith selbst blickte heraus und sein Gesicht wurde regennass, bevor er zurückwich. Aus einem Haus in der Nähe rannte mit gesenktem Kopf eine Frau und hielt dabei den Mantelkragen fest zusammen. Paddy wartete kurz am Toreingang, bis die Kundin wahrscheinlich fertig war, denn sie wollte nicht unnötig im Regen stehen.

Geduckt rannte sie über die Straße und hielt die Kapuze vor dem Mund zusammen. Kaltes Wasser gluckste zwischen ihren Zehen. Sie würde den Rest des Tages nasse Füße haben und ihre Stiefel mit Toilettenpapier ausstopfen müssen und sie ans Feuer stellen, wenn sie nach Hause kam.

Naismith musste sehr flink gewesen sein, denn die Hecktür war schon geschlossen, als sie hinkam, und das Fahrgestell bebte bereits, weil der Motor rumpelnd angelassen wurde. Sie lief zum Fenster auf der Fahrerseite und schlug daran, denn sie hatte Angst, umsonst gewartet und ihre Stiefel ruiniert zu haben.

Naismith lächelte aus dem Führerhaus auf sie herunter, seine Schmachtlocke hing ein bisschen schief vom Regen. Er drehte das Fenster ein wenig hinunter, holte dabei weit mit dem Ellbogen aus und rief auf die Straße: »Pfefferminzbonbons?«

Paddy lächelte ihm durch den Regen zu und ließ ihre Kapuze los, so dass sie ein bisschen nach hinten fiel und der

Regen an ihrem Gesicht herunterrann. »Ich hab den Eismann gesehen«, rief sie.
Er wusste nicht, was sie meinte.
»Der Wagen«, rief sie und zeigte auf den Weg. »Er hält nicht dort. Ich wollte Sie danach fragen.«
Er sah mit gerunzelter Stirn zu ihr herunter.
»Er hält nicht dort«, wiederholte sie.
Er schüttelte den Kopf, zeigte auf die Beifahrertür und sprach aus dem offenen Fenster. »Ich hör nichts. Kommen Sie kurz rein.«
Paddy nickte und rannte um den Wagen herum, das weiße Scheinwerferlicht gab dem schwarzen Strom, der den Hügel herunterfloss, Konturen. Sie öffnete die Beifahrertür, trat mit einem Fuß auf die Chromkante der Stufe an der Seite des Wagens und zog sich ins Führerhaus hoch. Drinnen war es warm und ruhig, und es roch noch nach frischen Brötchen vom Morgen. Die Sitze waren aus dickem cremefarbenem Leder.
»Oh, mein Dufflecoat ist ganz nass.« Sie zog den durchnässten Stoff unter sich weg. »Ich will Ihre Sitze nicht nass machen.«
»Bei gutem Leder macht Nässe nicht so viel aus. Nur das billige Zeug darf nicht nass werden.«
Er griff vor ihrer Brust zur Tür hinüber und zog sie zu. Dabei kam sein Ellbogen ihrem Busen unangenehm nah. Er sah, dass sie zurückwich, und legte schnell seinen Arm aufs Steuerrad, besorgt, sie erschreckt zu haben.
»Ich bin nicht … Ich hab es nicht so gemeint«, sagte er plötzlich verlegen. »Ich wollte nur die Tür zumachen.«
»Schon gut«, sagte Paddy und hatte das Gefühl, dem netten Mann etwas Falsches unterstellt zu haben. Er sah so

niedergeschlagen und beschämt aus, dass sie fast meinte, sie solle ihm anbieten, ihr an den Busen zu fassen, nur um zu zeigen, dass sie nicht den Verdacht hatte, er habe die Berührung beabsichtigt.
»Also.« Er versuchte zu lächeln, sah aber bedrückt und nervös aus. »Was kann ich für Sie tun?«
»Ja, hören Sie, ich habe auf den Eismann gewartet, und er hält nicht dort.« Sie zeigte wieder auf die Straße.
Er schien verdutzt, und plötzlich wurde ihr klar, dass er sich wohl kaum an sie erinnerte.
»Ich hab Sie neulich abends wegen der Baby-Brian-Boys gefragt, ich weiß nicht, ob Sie sich erinnern.« Er schüttelte leicht den Kopf. »Ich meinte, sie hätten doch keinen Grund gehabt, am Haus der Wilcox-Familie vorbeizugehen, und Sie sagten, der Eismann würde dort halten und sie seien wohl hingegangen, um sich ein paar Bonbons zu kaufen. Erinnern Sie sich?«
»Ich erinnere mich, dass Sie eine Rolle Pfefferminzdragees gekauft haben.«
Sie schüttelte den Kopf. »Tut mir leid, Sie reden ja jeden Tag mit so vielen Leuten. Ich hab es gesehen, der Eismann hält dort gar nicht, aber ich wollte Sie fragen, ob er früher dort gehalten hat, wissen Sie. Der Typ mit dem Eis – Hughie, sagten Sie, hieß er ? –, ob der vielleicht …«
Sie sah ihn an, und er wartete einen Moment, bevor er nickte.
»Ja, hat Hughie früher dort gehalten? Hat er seine Route geändert, weil der Kleine umgekommen ist, und es war ihm unangenehm, oder so?«
Ein großer Tropfen fiel aus Paddys Haar, rann über ihr Gesicht und tropfte von ihrem Kinn.

Naismith sah sie überrascht an, als sehe er sie zum ersten Mal. »Mein Gott, Sie sind ja triefnass. Hier.« Er knipste das Licht im Führerhaus an und suchte etwas auf dem Boden.

Das Innere der Fahrerkabine war das reinste Kunstwerk. Plattenhüllen von Singles waren von innen an den unteren Rand der Windschutzscheibe geklebt: Jerry Lee Lewis, Frankie Vaughn, Gene Vincent und die Blue Caps, nachkolorierte Bilder von jungen Männern mit lächerlich weißen Zähnen und kitschig rosa Lippen. Die Bilder wurden von zahllosen Tesafilmstreifen am Fenster gehalten, die schon gelb und durch jahrelange Sonneneinstrahlung ausgetrocknet waren. Rechts an der Windschutzscheibe, dort wo sie ständig im Blickfeld des Fahrers war, hing die Pastellzeichnung eines blonden Jesus im blauen Gewand, der liebevoll einer Schar kleiner, zu ihm aufschauender Kinder zulächelte.

»Das ist ja ein kleiner Palast«, sagte Paddy, genoss den großen Ledersitz, der sich ihrem Körper anpasste, und sah ihn unter seinen Sitz greifen.

Er richtete sich auf und lächelte. »Ja.« Er gab ihr ein braunes, muffig riechendes Handtuch, das an einer Seite wie eine Tasche zusammengenäht war.

Paddy tupfte sich damit höflich die Haare ab, sparte aber Mund und Nase aus und zeigte auf das fromme Bild. »Ich hätte sie nicht für einen Bibelfreak gehalten.«

Er nickte, sah geradeaus und beobachtete den Regen auf der Windschutzscheibe. Sein Blick huschte die Straße entlang und suchte nach Kunden.

»Wiedergeboren«, sagte er leise. »Ich habe früher ein sündiges Leben geführt, und vielleicht werd ich das auch wieder tun. Aber durch die Gnade Gottes habe ich Frieden gefunden.«

Es klang für sie wie echt protestantischer Stuss, aber er machte einen ziemlich aufrichtigen Eindruck, wenn auch etwas melancholisch. Wiedergeborene waren meistens eher von ihrem Erlebnis begeistert. Es kam ihr vor, als ob er blinzelte und eine Träne verdrückte, bevor er weitersprach.

»Hughie hat vielleicht seine Route geändert. Ich weiß nicht genau.« Er hob die Hand und fuhr mit dem Nagel des kleinen Fingers zwischen seine beiden Vorderzähne. »Ich weiß es wirklich nicht.«

Paddy lächelte und sah auf das Handtuch auf ihrem Schoß hinunter. »Ich hab mir nur überlegt, wissen Sie, wenn der Eiswagen weiter unten gehalten hat, dann wären die Jungen wahrscheinlich hintenherum gegangen und überhaupt nicht am Haus der Wilcox' vorbeigekommen.«

Dabei spielte sie mit etwas, wickelte es um den Finger, eine lange goldene Haarsträhne, die so dick war, dass sie sich fast rauh anfühlte und auch beim festen Ziehen leicht gewellt blieb. Sie fand die Berührung angenehm, bis ihr plötzlich klar wurde, was es war. Sie würde sie jederzeit wiedererkennen. Es war eine von Heather Allens Haarsträhnen.

Naismith starrte immer noch geradeaus, ließ den Blick von Tür zu Tür wandern und hob ganz langsam, um sie nicht zu erschrecken, die Hand nach oben über seinen Kopf. Er fand den Schalter ohne hinzuschauen und machte das Licht im Führerhaus aus. Ruhig nahm er den Arm herunter und legte die Hand aufs Steuerrad. Sie saßen schweigend da, und Paddy behielt sein Gesicht im Auge. Das orangefarbene Licht der Straßenlaternen drang durch den Regen auf der Windschutzscheibe, und seine Gesichtszüge schienen zu zerschmelzen.

»Vielleicht hat er ja seine Route geändert«, sagte er leise.

Ihr Gesicht war erstarrt. »Vielleicht.«

Er wandte sich ihr zu und sah sie an, und sie bemerkte, dass er traurig war. Sie sahen einander einen winzigen Moment direkt in die Augen, und Paddys Blick beschwor ihn, sie nicht anzurühren. Naismith schien voll Bedauern, war aber entschlossen zu tun, was er tun musste.

»Sie werden sich den Tod holen, wenn Sie in dem Wetter zu Fuß nach Hause gehen«, sagte er steif. »Ich nehme Sie ein Stück mit.«

Er ließ den Motor an, bevor sie etwas sagen konnte, löste die Handbremse und trat auf die Kupplung. Der Wagen war schon einen halben Meter weit auf dem Weg in eine dunkle Zukunft, als Paddys Finger plötzlich nach der Tür hinter ihr tasteten und den Griff nach unten rissen. Sie warf sich mit ihrem ganzen Gewicht dagegen und stürzte rückwärts aus dem Führerhaus in die nasse Leere. Als sie während des Falls den Kopf wandte, um zu sehen, wo sie landen würde, spürte sie Naismiths heiße Fingerspitzen ihr Ohr streifen.

Sie traf einen halben Meter früher als erwartet auf dem Boden auf, landete unglücklich auf einem verrenkten Bein und ließ das Handtuch fallen. Sie bekam keine Luft, lag in einem tiefen Fluss aus Regenwasser und spürte eine unheilvolle Taubheit in ihrem Knie, als sie hörte, wie hinter ihr die Handbremse knirschte und die Fahrertür aufflog. Ein heißer Adrenalinschub half ihr wieder auf die Beine, aber sie konnte ihr Knie nicht strecken und stürzte. Wieder versuchte sie, sich auf allen vieren aufzurichten, rutschte vorwärts, patschte mit den Händen auf den nassen Boden und lief dann, ohne auf den Verkehr zu achten, durch den weichen, schlammigen, grasbewachsenen Seitenstreifen auf die große Straße und zum verlassenen Busbahnhof hinüber.

Noch nie im Leben war sie so schnell gerannt, nie war sie so vollkommen mit ihrem Körper im Einklang gewesen. Ihre nassen Füße patschten in den Stiefeln, die Zehen stießen sie von dem nassen Boden ab und trieben sie nach unten in die Stadt. Als die Betäubung aus dem Knie wich, fühlte sie einen scharfen stechenden Schmerz bis zur Hüfte hoch. Sie wurde müde, ihre Lunge schmerzte, und sie spürte den Regen an ihrem Ohr. Bei dem Gedanken an Naismiths Finger rannte sie weiter auf das einzige menschliche Geräusch zu, das sie hören konnte, den Sprechchor auf dem George Square.

Sie schoss am Seiteneingang des Bahnhofs in der Queen Street vorbei, bog um die Ecke und hatte plötzlich eine Absperrkette von Polizisten vor sich, die die Demonstranten auf dem George Square in Schach hielten. Ihre schwarzen Wollcapes hatten den Regen aufgesogen und glänzten wie Käferflügel. Die Demonstranten waren gerade auf dem Platz angekommen, eine Mischung zorniger, militanter Republikaner und verängstigter Bürgerrechtler, die sich wie Vieh auf dem Markt an den Metallbarrieren entlangschoben, eingeschlossen von einer Reihe schwarzer Polizisten, die Arm in Arm vorrückten. Am anderen Ende des Platzes sah sie eine Reihe berittener

Polizisten die Straße blockieren, deren Regencapes wie Zelte über den Pferden hingen. Sie rannte zu der Polizistenkette und berührte einen von ihnen am Rücken.
»Bitte, helfen Sie mir.«
Er wandte sich um, sah sie an, ließ seinen Nachbarn los, fasste ihren Ellbogen und zerrte sie vor die Reihe. Seine Augen waren weit aufgerissen, er schien zugleich erschrocken und erregt.
»Ich bin angegriffen worden.«
Er beugte sich vor und rief ihr zu: »Gehen Sie vor die Absperrung.«
Sie ging in die Richtung, in die er gewiesen hatte, als er sie unnötigerweise plötzlich anstieß und sie mit ihrem lädierten Bein zur Seite kippte. Er lächelte. Paddy ging auf die erschrockene Menge zu, um die Metallbarrieren herum und entfernte sich möglichst schnell von der vordersten Linie. Das erwies sich als richtig. Als sie die Ecke des Platzes erreichte und zurückschaute, war der Krawall bereits losgegangen. Ein Teil der Menge hatte die Umzäunung gesprengt, und alle rannten vor etwas weg. Hufe klapperten auf dem Teer, und Paddy sah Scharen von Leuten, die sich kopflos aneinander festhielten, Freunde an Jacken oder Mänteln wegzogen und die Arme zum Schutz über die Köpfe erhoben hatten. Polizisten kamen um die Ecke und schwangen Knüppel vor den fliehenden Menschen, schlugen sie und drängten sie in das Chaos zurück. Paddy ging weiter, humpelte die Straße entlang Richtung Büro. Von dort aus konnte sie wenigstens zu Hause anrufen, ihrer Mutter sagen, dass sie angegriffen worden sei, und bitten, dass jemand sie abholte. Außerdem konnte sie die Polizei anrufen und irgendeinen von

den alten Kerlen bitten, sich zu ihr zu setzen, bis Hilfe käme.
Der Regen tröpfelte jetzt nur noch, und sie näherte sich dem Büro von hinten über den unbeleuchteten Teil des Parkplatzes. Sie sah, dass die Kantine dunkel und in der Nachrichtenredaktion nur auf einer Seite Licht an war. Das hellste der Blinklichter kam von der Press Bar. Ein Typ in einem sportlichen Sakko trat aus der Tür, blieb stehen und schaute in den düsteren Himmel hinauf. Und wäre er auch einer der hässlichsten, lächerlichsten Männer gewesen, sie war nie so erfreut gewesen, auf einen Menschen zu treffen. Er rümpfte die Nase beim Blick in den drohenden Himmel, überprüfte das Kleingeld in seiner Tasche, wandte sich wieder zur Tür und ging auf ein weiteres Glas hinein, bis der kalte Regen sich etwas verzogen hätte.
Paddy humpelte hinter ihm her und lächelte, als sie auf den lockeren Boden des Parkplatzes trat. Es stach in ihrem Knie, nicht nur in der Haut, sondern jetzt auch im Gelenk. Sie blieb stehen. Plötzlich wurde ihr eiskalt, als sie halb unbewusst einen dunklen Schatten in einer sonst meist leeren Ecke des Platzes wahrnahm. Der Lebensmittelwagen parkte mit abgeschalteten Scheinwerfern im entferntesten Winkel des Parkplatzes.
Sie wich in den Schatten zurück. Er saß im Führerhaus, das Gesicht im Schatten, hatte die Arme verschränkt und beobachtete die Vorderseite des Gebäudes. Er wusste, wo sie arbeitete.

2

Paddy sah den weißen Volkswagen draußen stehen und wusste, dass Terry oben in seiner Wohnung war. Die Gewissheit, gleich ein freundliches Gesicht zu sehen, trieb ihr die Tränen in die Augen, während sie am dritten Stock vorbeihumpelte. Als Terry die Tür aufmachte, war es aus mit ihrer Fassung; sie stand mit schlaff herunterhängenden Armen da und schluchzte vor Angst.
Er gab ihr einen warmen Pullover und ein trockenes Handtuch für ihre Haare. Er zog ihr die Stiefel und die Strumpfhose aus, reinigte ihr wundes Knie mit einem warmen weichen Tuch und machte ihr eine Tasse Schwarztee. Er konnte nur Tee machen, weil seine Mitbewohner ihren Kaffee in ihren Zimmern wegschlossen und er vergessen hatte, bei der Arbeit welchen mitgehen zu lassen. Er stopfte Zeitungspapier in ihre Stiefel, damit die schlimmste Nässe aufgesogen wurde, setzte sich dann neben sie aufs Bett und schaltete beide Stäbe des Heizofens an, damit ihr warm wurde. Von seinem Koffertisch gab er ihr trockenes Brot zu essen. Es füllte den leeren Magen, hatte aber wohl zufällig zu dicht neben etwas gelegen, so dass es leicht nach Fisch schmeckte.
Statt sich an diesem Abend der Abende einem Polizeirevier in der Stadtmitte zu stellen, beschlossen sie, anzurufen und telefonisch von Naismith zu erzählen, aber das Münztelefon im Korridor war defekt, und auch die Telefonzelle sechs Stockwerke tiefer funktionierte nicht. Sie fassten den Entschluss, zu Tracy Dempsie zu gehen und sie zu fragen, ob der Lebensmittelwagen in der Nähe war, als Thomas verschwand, aber dann unternahmen sie

auch in dieser Sache nichts. Sie beschlossen, einen langen Artikel über Thomas Dempsie zu schreiben, blieben aber einfach auf Terrys Bett sitzen und tranken Tee, wobei Paddys feuchter Oberschenkel gegen seinen drückte.
Terry schaltete den tragbaren Schwarzweißfernseher an, und sie sahen die Nachrichten. Ein Nachrichtensprecher mit rotem Gesicht verlas die Schlagzeilen, die Demonstration kam erst an fünfter Stelle. Einhundertfünfzig Demonstranten waren nach den Ausschreitungen, die in Glasgow bei einer Demonstration zur Unterstützung der IRA ausgebrochen waren, verhaftet worden. Die Polizei hatte den Verdacht, dass organisierte Gruppen dahintersteckten.
Der Hungerstreik wurde nicht erwähnt, genauso wenig wie die berittene Polizei, die die Menge bedrängt hatte. Selbst die Lokalnachrichten gingen darüber hinweg und zeigten nur einen sehr betrunkenen Mann, der vor einer Tür zusammengesunken war, während zwei Polizeipferde ruhig an der Kamera vorbeischritten und die Polizisten lächelnd auf die Menge hinabschauten, in deren Dienst sie stehen sollten.
»Die Wahrheit ist heutzutage ein seltenes Gut«, sagte Terry, während sein Knie sich fest an ihren Oberschenkel presste.
»Gerechtigkeit ist selten«, sagte Paddy. »Die Wahrheit ist relativ.«
Sie saßen da und taten so, als betrachteten sie eine Narbe auf seiner Hand. Dann schlug Terry vor, sich hinzulegen. Paddy hatte erraten, was er sagen würde, und unterbrach ihn nervös, um mit einer sarkastischen Bemerkung auf einen Stoß Autozeitschriften zu zeigen. Sie musste zehn

Minuten unwesentlichen Smalltalk abwarten, bevor er es noch einmal vorschlug.

Sie lagen beide auf der Seite einander gegenüber, weil das Bett so schmal war. Paddy hielt die Hände abwehrend vor die Brust, und Terry stützte seinen Kopf auf einen Arm, während der andere ausgestreckt an seiner Seite lag.

»Hallo, Maria Magdalena«, sagte er leise.

Sie reagierte auf seine durchschaubare Anmache, indem sie die Hand hob und ihm zuwinkte wie jemandem in sechs Meter Entfernung. »Hi!«, rief sie. »Hi, wie geht's?«

Sie sah den Anflug von Ärger auf seinem Gesicht, seine Hand fuhr nach vorn, packte ihr winkendes Handgelenk und zog es aufs Bett herunter. Plötzlich sah sie sich selbst ohne ihren Ring mit einem Fremden auf dessen schmuddeligem Bett liegen. Sie rollte sich nach vorn und küsste Terry auf den Mund, nicht impulsiv und provozierend wie es bei Sean gewesen wäre, sondern um ihn zu erforschen und eine vorsichtige Kostprobe zu erhaschen. Er hielt sie am Handgelenk fest, als er sie küsste, drückte seinen Mund fest und irgendwie grob auf ihren und streifte mit den Lippen ihre scharfen Zähne. Er ließ ihren Arm los, seine Hand hing zögernd über ihr und landete dann sanft so tief auf ihrer Hüfte, dass es schon nicht mehr unverfänglich war. Die Wärme seiner Hand durchfuhr sie und ergriff Brust, Nacken und Bauch. Sie erwiderte seinen Kuss, berührte ihn, griff mit der Hand unter sein T-Shirt, tastete über seine Haut und Haare und war von seinem Geruch eingehüllt wie von einer Wolke.

Er zog ihr den Pullover über den Kopf, und sie dachte dabei an Sean, wie er auf den Stufen vor Trishas Küche saß. Sie stellte sich vor, wie er von ihrem Haus durch den Garten auf den einsamen, windzerzausten Baum blickte. Sie sah, wie sich seine Hand sanft auf ihre legte. Die Haut auf seinen Knöcheln war ganz glatt, so jung war er.

Terry strich mit feuchten Fingern über ihren nackten Bauch. Ihre Fettpolster schienen sich unter seiner Hand zu vervielfältigen. Er fragte sie, was sie mochte, und sie sagte, alles sei schön, wunderbar, genau da, ja, aber sie fühlte nichts, außer ihren eigenen Bewegungen, das Kratzen der Decke und seinen Fingern in ihr. Er legte sich auf sie, und etwas Speichel fiel kühl auf ihren Hals. Sie stöhnte, wie sie es wohl sollte, atmete schneller, wenn er es tat, und spielte ihm etwas vor. Sie fragte sich, ob er es merkte. Die Decke rutschte weg, und ihre Beine und Füße wurden kalt. Sie wartete ab, bis es vorbei war. Terrys Körper spannte sich einen Moment und war plötzlich von einer dünnen Schweißschicht bedeckt, die schnell kalt wurde, aber sie hatte keine Lust, ihn zu berühren.

»Das war toll«, keuchte Terry und löste sich von ihr.

»Ja.« Sie atmete schwer, als wäre auch sie in Ekstase geraten.

Er lag neben ihr und kam langsam wieder zu Atem. Sie vermied es so gut es ging, ihn zu berühren, und starrte an die Decke. Es war nichts Besonderes. Sie war erleichtert. Ihre Jungfräulichkeit war jetzt kein riesiges, gewichtiges Geschenk mehr. Sie musste niemanden finden, dem sie sie darbringen konnte. Sie war dahin. Und mit Sean war es vorbei.

»Terry?« Sie stupste ihn an, sie brauchte jetzt jemanden. »He, Terry, wie spät ist es?«

Aber Terry war eingeschlafen. Paddy steckte prüfend

einen Finger zwischen die Beine und betrachtete ihn. Sie sah kein Blut.
Terry brauchte nicht einmal zu erfahren, was geschehen war.

3

Zwei tieforange, vibrierende Stäbe glühten in dem dunklen Zimmer. Wo sie Zigaretten zum Anzünden gegen die Stäbe gehalten hatten, sah man im Heizofen kleine leere Aschekreise. Die Vorhänge schlossen nicht richtig, und selbst vom Bett aus konnte Paddy in die Wohnungen gegenüber sehen und einen Mann beobachten, der sich zum Ausgehen am Samstagabend fertig machte, und eine Frau, die für einen dünnen Mann Essen kochte.
Terry schlief zwanzig Minuten wie ein Toter, und als er aufwachte, erzählte er jede Menge Klatsch über die Kollegen. Kevin Hatcher, der meist betrunkene Bildredakteur, war erst achtundzwanzig und hatte einmal mit einem Fotoessay über Nomadenstämme in der Wüste Gobi einen internationalen Fotowettbewerb gewonnen. Richards hatte sich als Mitglied der Kommunistischen Partei zu den Wahlen aufstellen lassen. Er hatte mit Tony Benn zusammen auf der Rednertribüne gestanden. Paddy war erstaunt.
Dann hatten sie einen langen lustigen Streit über den relativen Wert von verschiedenen Kultsendungen aus den siebziger Jahren, und vertrieben sich die Zeit, bis sie sich wieder wie Erwachsene benehmen mussten. Er streichelte ihre Schulter und sah sie mit halbgeschlossenen Augen

an, beugte sich dann hinab und ließ seine Lippen auf ihrer Haut ruhen.
»Ich bin im Moment sehr dick«, sagte sie leise, als sei ihr Gewicht ein Zustand, unter dem sie gelegentlich litt.
»Du bist wunderbar. Fraulich.« Er berührte ihre Brust, und sie errötete.
»Das war heute wirklich ein Schock«, sagte sie schnell, »mit dem Typ.«
»Wir gehen morgen zur Polizei, wenn sich alles beruhigt hat. Bis zum Mittag haben sie bestimmt die meisten Demonstranten gehenlassen, dann ist es ruhig. Da steckt gutes Material drin, weißt du. Mindestens ein Artikel.«
Sie hatte es noch nie jemandem gesagt, und die Sorge, die sie nicht mehr zurückhalten konnte, brach aus ihr heraus. »Ich glaube, ich kann gar nicht schreiben. Ich weiß nicht warum, aber ich kann nicht klar denken, wenn ich mich an den Schreibtisch setze. Ich kann Einzelheiten erkennen, sie aber nicht in einen ordentlichen Zusammenhang bringen.«
»Das ist nur handwerkliches Können«, sagte er. »Niemand kann das gleich am Anfang. Du musst das alles lernen.«
»Wirklich?«
»Du wirst es lernen. Mach dir keine Sorgen.« Seine Hand strich auf ihrem weichen Bauch auf und ab. »Es ist nur Übung.«
Sie spürte, wie er sein Glied gegen ihr Bein drückte, und wusste, er machte sich für eine weitere Runde bereit.
»Sollen wir noch eine rauchen?«
»O. K.« Terry nahm sich eine von ihren Embassy Regals, verließ das Bett und ging, ohne sich zu genieren, nackt

zum Heizofen hinüber, hockte sich davor und zündete die Zigarette an den Stäben an. »Heather Allen hat die immer geraucht.«
»Gott gebe der armen Heather Frieden.« Paddy stellte sich vor, wie sie im Brotstaub auf dem Boden des Lebensmittelwagens lag. »Was hat sie damals in der Nacht nur in Townhead gemacht?«
»Es hat sich gezeigt, dass sie gar nicht in Townhead war. Als sie es überprüft haben, kam heraus, dass sie mit ihren Eltern bei einem Onkel zum Essen war. Der Zeuge, der sich gemeldet hatte, muss sie mit jemand anderem verwechselt haben. Aber merkwürdig, dass er den richtigen Namen wusste.«
Ein plötzlicher Blutdruckabfall führte zu einem leisen Knall in Paddys Ohr. In der Nacht damals war nur eine von ihnen in Townhead gewesen. Sie hatte sich Heather Allen genannt, als sie mit dem schüchternen Mann im dunkelblauen Mantel sprach, und nicht nur ihm gegenüber. Sie hatte sich auch Naismith als Heather Allen vorgestellt, als sie ihn an dem Tag der Veröffentlichung von Heathers Artikel traf. Deshalb wusste er, wo sie arbeitete.
Er hatte das falsche Mädchen umgebracht.

29
Alltag in einem schottischen Wohnzimmer

1

Terry setzte sie an der Hauptstraße ab und versuchte sie zu küssen, aber sie duckte sich weg und stieg schnell aus. Es war schlimm genug, wenn man sie aus dem Auto eines Mannes aussteigen sähe, ganz zu schweigen davon, wenn sie ihn auch noch küsste.
»Seh ich dich also morgen?« Er zog ein beleidigtes Gesicht. »Du schläfst mit mir, aber ich darf dich nicht küssen? Das ist ja schon ziemlich wie Maria Magdalena.«
»Halt die Klappe.«
Sie lächelte, schlug die Tür zu und sah ihm nach, als er wegfuhr. Als er in der Ferne um die Ecke bog, verschwand ihr Lächeln, sie zog den Kragen fester um sich und machte sich nach Hause auf. In den Häusern war allerhand los, in allen Wohnzimmern flimmerte das blauweiße Licht der Samstagabendsendungen. Paddys Füße in den Stiefeln waren kalt und nass. Ihre nackten Zehen rieben an der Pappsohle, deren oberste Schicht sich auflöste und zwischen ihre Zehen schob. Sie ging an ihrem Haus und

an dem der Beatties vorbei und nahm einen überwucherten Weg, der aus der Siedlung hinaus auf das benachbarte Feld führte. Sie stieg zu einem windigen Fels hinauf, von dem man talwärts einen Blick über ein zwei Meilen langes Industriegebiet hatte, das sich bis zum East End erstreckte. Der Hang galt als wilder, ein wenig gefährlicher Ort, aber Paddy musste jetzt allein sein.

Es war dunkel, und der Boden war nass. Sie nahm den weniger ausgetretenen Pfad, der etwas oberhalb des matschigen breiteren Wegs verlief, und versuchte, den Schlamm und die Pfützen zu umgehen. Nach einigen Metern hatte sie die Büsche und Bäume hinter sich gelassen und war auf dem kahlen Hang. Die Geräusche von Bussen, Autos und einem einsam tuckernden Motorrad zogen aus dem Tal herauf. Sie ging um den Hügel herum auf die andere Seite, von der aus man nicht mehr auf die Stadt hinuntersehen konnte. Weiße Sterne leuchteten am tiefschwarzen Himmel.

Sie ließ den Blick über die sterbende Industrielandschaft schweifen. Es hatte dort eine Eisenhütte gegeben, von der ihr ganzes Leben lang Tag und Nacht ein Schwefelgeruch nach faulen Eiern ausgegangen war, aber jetzt lag alles dunkel da und alle Arbeiter waren entlassen. Kleinere Fabriken darum herum machten dicht, weiter unten kündigten die Werften ihren Leuten, und jeden Morgen kamen Nachrichten von weiteren Schließungen. Die stolze Stadt lag im Sterben. Paddy zündete sich die fünfte Zigarette dieses Tages an und blinzelte heftig, um die Tränen zurückzuhalten, als sie an Sean und an Naismith dachte und daran, was hätte geschehen können, wenn er sie erwischt hätte.

Sie war für Heathers Tod verantwortlich. Sie hatte ihr Böses gewünscht, als sie Naismith ihren Namen genannt hatte. Und was war ein Wunsch schon anderes als ein einfältiges Gebet, das an denjenigen gerichtet war, der es gerade zu Ohren bekam.

2

Es war halb elf, als Paddy ihren Schlüssel in die Haustür steckte. Als sie öffnete, bemerkte sie als Erstes, dass der Fernseher aus und das Wohnzimmer leer war. Ein unheimliches Licht fiel aus der Küche in den Flur. Sie hatte keine Zeit, ihren Mantel aufzuhängen, denn sie hörte schon ihren Vater, der versuchte ruhig zu klingen, als er sie zu sich rief.

Als sie an der Durchreiche zum Wohnzimmer vorbeikam, sah sie wie auf einem Schnappschuss ihre Familie am Küchentisch sitzen, Mutter und Vater mit grimmigem Gesicht, die Jungen und Mary Ann in einer Reihe eng nebeneinander. Mary Ann grinste auf die Tischplatte hinunter, verzog die Lippen und bemühte sich, nicht laut lachend herauszuplatzen. Die Jungen starrten auf den Tisch, die bevorstehende Konfrontation war ihnen schrecklich unangenehm, ganz die Männer, die ihr Vater aus ihnen gemacht hatte. Sie bemerkte bedrückt, dass Sean nicht da war und am einzigen noch freien Platz am Tisch nichts angerührt war, wo ein sauberes Glas offenbar auf sie wartete.

Auf dem Küchentisch lagen die Überreste einer nicht gefeierten Party. Dreieckige Sandwiches, die sich wie zu einem sarkastischen Grinsen bogen, ein Krug mit wässeriger Orangenlimonade und eine ungeöffnete Flasche süßer Liebfrauenmilch. In der Mitte des Tisches stand ein kleiner weißer Kuchen. Die Silberkügelchen zur Verzierung fehlten an Martys Seite des Tisches und hatten Löcher wie von kleinen Gewehrkugeln im Guss hinterlassen. Paddy hatte den Mantel über den Arm geworfen und stand an der Küchentür wie eine Besucherin, die nicht lange bleiben wollte. Sie sah sich mit den Augen der anderen: Um halb elf nach Hause gekommen, ohne ihren Verlobungsring, mit Dreck an den Schuhen und verheulten Augen.

Con war so angespannt, dass er seinen ganzen Körper drehen musste, um sie anzusehen, und sein kleiner Schnurrbart zuckte hin und her wie bei einer Witzfigur.

»Es ist spät, ich weiß«, sagte sie.

Für ihren Vater war das einfach zu viel. Es war schlimm genug, dass eines seiner Kinder ihn herausgefordert hatte, aber dass sie nicht einmal zerknirscht war und noch dazu die jüngste Tochter, das ging zu weit.

»Wie kannst du es wagen«, stotterte er, und das Weiß in seinen Augen rötete sich. »Ich lasse nicht zu, dass man so mit mir redet … Ich lasse nicht zu, dass man so …«

Trisha legte ihre Hand auf die von Con. »Wo bist du den ganzen Tag gewesen?«

»Ich war bei einem Freund.«

»Welcher Freund? Wir haben überall angerufen.«

»Es ist jemand, den ihr nicht kennt.«

Die Jungen warfen sich einen nervösen Blick zu. Mary Ann holte tief und zitternd Luft und biss sich in die Hand.

Die Familie kannte doch alle. Sie waren alle.
Ihre Mutter unterdrückte ein Schluchzen. »Patricia, wo sind deine Strümpfe?«
Paddy sah auf ihre nackten Beine hinunter. An einem ihrer dicken Knie war ein großer roter Grind. Sie konnte sich vorstellen, was ihre Mutter dachte, nämlich dass sie während einer kuriosen protestantischen Sexzeremonie von einer Horde Männer gejagt worden sei. Und irgendwie stimmte es ja auch.
Sie explodierte. »Ich wollte nicht nach Hause kommen. Ich ertrage die Stimmung hier nicht.«
»Und wer ist schuld an dieser Stimmung?«, schrie Con, stand auf und stützte sich auf den Tisch. »Du. Du hast es doch so weit gebracht.«
Trish zog ihn am Ärmel auf seinen Stuhl zurück. »Ruhig, Con, bleib ruhig.«
»Also«, rief Paddy, »ich war bei der Demonstration für die Gefangenen im Hungerstreik. Ich bin hingefallen und hab mir das Knie aufgeschlagen und musste meine Strumpfhose ausziehen, weil Dreck in der Wunde war.«
Sie nahm den schweren Mantel auf den anderen Arm und hob das Knie, damit sie es sehen konnten. Es sah in dem hellen Licht sehr wirkungsvoll aus. Am Rand der Wunde war der braune Grind angetrocknet, aber in der Mitte war er noch feucht und gelb. Sie starrten darauf, aber niemand sagte etwas. Marty betrachtete Paddy misstrauisch, als hätte sie es absichtlich getan, um sich ihre Anteilnahme zu sichern.
Ihre Mutter stand auf. »Einhundertfünfzig Personen sind heute verhaftet worden. Wir haben jede Polizeiwache der Stadt angerufen.«

»Ich bin nicht verhaftet worden, ich wurde nur umgerissen.«
»Na ja, Gott sei Dank dafür«, sagte ihr Vater laut.
»Ich bin sehr müde«, sagte Paddy. »Ich bin sehr, sehr müde.« Weil sie nicht wusste, was sie sonst sagen sollte, ging sie rückwärts aus der Küche.
Gerald antwortete impulsiv: »Gute Nacht, schlaf gut.«
Paddy hörte das zornige Murmeln ihrer Mutter, während sie ihren Mantel aufhing und die Treppe hochging.
Sie legte sich angezogen aufs Bett, starrte an die Decke und dachte an Heather Allens eingeschlagene Zähne und die Haare auf dem stinkenden Handtuch. Paddy hatte sich selbst ruiniert und ein Mädchen umgebracht. Sie hatte ganz, ganz schreckliche Dinge getan.

3

Das Bett bebte. Sie machte ihre verklebten Augen auf und sah Trisha – besorgt, angsterfüllt und klein –, die weinend am Bettrand saß und eine Hand fest gegen den Mund presste.
Paddy hatte ihre Mutter noch nie so hilflos gesehen. Sie streckten beide die Arme aus, die Hände berührten ihre Gesichter, Kopf lag an Kopf, und Trisha drückte ihr Kind mit tränenreichen Seufzern und zärtlichem Gurren an sich.
»Ich mach mir solche Sorgen um dich«, sagte sie, als sie endlich wieder zu Atem gekommen war.
Paddy schniefte heftig. »Du brauchst dich meinetwegen nicht zu sorgen.«

»Aber am Sonntag hast du doch die Messe verpasst und jetzt gestern … Ich hab Angst um dich.«

»Mach dir keine Sorgen, Mum.«

Trisha lächelte ängstlich und strich Paddy das Haar aus dem Gesicht. »Gehst du für mich mit zur Messe?«

»Mum …«

»Bitte, tu's doch – für mich, ja?«

Paddy hatte gehofft, dass die vergangene Woche einen Präzedenzfall geschaffen hätte. Sie hatte nicht vorgehabt, zur Messe zu gehen. Sie glaubte nicht daran und hatte noch nie daran geglaubt. Die ganze Gemeinde hasste sie. Sie hatte Sex mit einem Mann gehabt, mit dem sie nicht verheiratet war. Sie hatte die Unwahrheit gesagt und damit eine Frau umgebracht. Das Letzte, was sie wollte, war, eine Stunde nachzudenken und ihr Gewissen zu erforschen.

»Bitte?«

Also ging Paddy ihrer Mutter zuliebe zur Messe, die ihrerseits dem Vater zuliebe ging, und der ging, um seinen Kindern mit gutem Beispiel voranzugehen.

4

Die Gemeindemitglieder begrüßten ihre Bekannten und plauderten im Hof vor der Kirche. Die Meehans hatten das Gefühl, dass sie vom Rest der Gemeinde beobachtet wurden, als sie um die Ecke kamen und den mit einer niedrigen Mauer umgebenen Hof betraten. Gerald und Marty taten so, als mache es ihnen nichts aus. Alle dreißig Sekunden gab Mary Ann erschrockene, kurze Laute von sich, ein Lachen, das sie plötzlich überkam und für das nicht genug Atem da war. Paddy starrte geradeaus und sah niemanden an. Sie spürte eine Hand auf ihrem Arm. Ihr Vater stand da, hielt ihren Ellbogen und bot den anderen Kirchgängern den Anblick einer einträchtig vereinten Familie.

Aber die Meehans standen nicht länger auf den Stufen herum, sondern gingen direkt in die Kirche und setzten sich in eine Reihe im vorderen Drittel, wo sie immer saßen, in der Nähe der betont frommen Familien, aber nicht direkt unter ihnen.

Pater Bowen begann den Gottesdienst unter dem Geschrei kleiner Kinder im hinteren Teil der Kirche, wo sich die Eltern für einen schnellen Abgang bereithielten, falls die Kleinen zu laut wurden. Paddy wagte es nicht, zu den Bänken hinzusehen, in denen die Ogilvys saßen, erriet aber, dass der Schatten im rechten Augenwinkel Sean war, der bei seiner Mutter und zwei älteren Brüdern, deren Frauen und einer Schar zappeliger Neffen und Nichten saß.

Sie stand auf und setzte sich zu den vorgegebenen Momenten, doch ihre Gedanken kreisten zwanghaft um Heather Allen. Jemand hatte sie umgebracht, weil er sie für Paddy gehalten hatte. Aber sie konnte sich nicht vorstellen, warum irgendjemand gerade sie beseitigen wollte. Es hatte mit Townhead zu tun, mit dem Mann im Lebensmittelwagen, vielleicht sogar mit Thomas Dempsie.

Fünf kleine Schülerinnen der Trinity School brachten Brot und Wein, und von den Jungen des gleichen Jahrgangs wurden hochtrabende Fürbitten vorgelesen. Die

Kommunion wurde wie eine militärische Operation vollzogen. Die Diakone standen neben den Sitzreihen, ließen einige Kommunikanten heraus und hielten die nächsten zurück, so dass immer nur vier oder fünf im Mittelgang warteten. Die, deren Seelen nicht rein genug für das heilige Abendmahl waren, mussten auf der Bank zurückbleiben. Paddy saß allein auf ihrem Platz, fühlte sich von den Leuten hinter ihr beobachtet und stellte sich vor, von Ina Harris über den Mittelgang hinweg angespuckt zu werden.

Am Ende des Gottesdienstes, als sie alle in Frieden hingingen, um den Herrn zu lieben und ihm zu dienen, traf Paddy auf Sean, der sie am Ende der Bank erwartete. Er machte mit ihr zusammen den Kniefall, und sie gingen schweigend nebeneinander das Kirchenschiff entlang, schritten durch die Hauptür und schüttelten Pater Bowen die Hand. Paddy schaute auf die Gemeinde zurück, die aus den Türen quoll, und sah auf dem roten Gesicht ihres Vaters die Erleichterung darüber, dass Sean Ogilvy wieder auf ihrer Seite war. Sie gingen schnell die Treppe zum Hof hinunter.

»Also.« Sean bohrte mit der Fußspitze an der Ecke einer Betonplatte herum. »Willst du heute Abend ins Kino gehen? Wir haben den Film ja nicht gesehen.«

»Ich hab's nicht getan.«

Sean sah kurz auf die Leute um ihn herum. »Ich will hier nicht darüber sprechen.«

»Aber ich.«

»Paddy, du hast es dir doch selbst eingebrockt …«

»Ach, halt die Klappe, Sean.« Sie trat ein wenig zur Seite, so dass ihr Vater und ihre Mutter ihr Gesicht nicht sehen konnten. »Pass auf, sie sind dabei, deinem Cousin die Sache anzuhängen. Diese Kinder sind dorthin gefahren worden, damit sie den Kleinen umbringen, und außer mir ist das allen scheißegal. Niemand kümmert sich darum, aber wenn er aus einer besseren Familie käme, würden alle darauf bestehen zu erfahren, was schiefgegangen ist.« Er sah zornig auf sie hinunter, und sie senkte den Kopf. »Ich meinte seine engste Familie.«

Er schwieg so lange, dass ihr nichts anderes übrigblieb, als aufzuschauen. »Wo ist dein Ring?«, fragte er.

»Ich hab ihn abgenommen. Als ich nichts von dir gehört hab, wusste ich nicht, ob ich noch verlobt bin.«

»Wir sind verlobt, bis ich dir sage, dass es nicht mehr so ist.«

Sie lachte ihn fast aus. »Ach, hör auf.«

»Du hast ein Versprechen geleistet«, sagte er, »was immer kommen mag.«

»Nein, das hab ich nicht. Das hab ich noch nicht versprochen, weißt du das nicht?«

»Ich streite mich hier nicht mit dir«, sagte er bestimmt.

Paddy verlagerte ihr Gewicht von einem Bein aufs andere, so dass ihre weiche wunde Haut sich am Slip rieb und sie an die vergangene Nacht erinnerte. Sie lächelte ihm zu. Auf der anderen Seite des Hofs sprach ihr Vater lächelnd mit ihrer Mutter.

»O. K., Sean, du willst mit mir ins Kino gehen? Gehen wir also ins Kino.«

»Heute Abend?«, sagte er vorwurfsvoll.

»Das geht klar.«

»Ich hol dich um sieben ab.« Er ging weg, streifte sie dabei und stieß an ihre Schulter. »Und trag deinen Ring.«

5

Als Mary Ann Paddy von der Kirche zum Bahnhof begleitete, wartete sie, bis sie hinter der Castle Bar waren, und fragte dann, ob sie Stephen Tolpys Hose von hinten gesehen hätte. Paddy hatte sie nicht gesehen, und Mary Ann musste so sehr lachen, dass sie nicht erklären konnte, warum die Hose so komisch war. Paddy betrachtete ihr rotes Gesicht und die zuckenden Nasenflügel und lachte ohne wirklichen Grund mit. Die Mädchen lachten die ganze Zeit, während sie die Treppe zum Bahnsteig hinuntergingen, und fragten sich beide, wie etwas nur so lustig sein konnte, und lachten dann wieder über die Tatsache, dass es nun mal so war.

Der Bahnsteig bestand aus einem unbedachten Betonstreifen inmitten eines großen, überwucherten Areals. Nach Norden hatte man über ein paar niedrige Gebäude hinweg einen Blick auf die Stadt, direkt auf die Kathedrale und die Hochhäuser von Drygate. Hinter den Spitzen und Türmen der Stadt konnten sie die reinen, schneebedeckten Gipfel der Berge sehen. Der Wind raste über das flache Land, er kam von der Stadt her und veranlasste die Wartenden, sich von ihm wegzudrehen. Die Schwestern aber wandten sich gegen den Wind, schlossen fest die Augen, so dass Staub und Schmutz an den Wimpern hängen blieben, und gingen untergehakt und immer noch lachend den Bahnsteig entlang.

Mary Ann drückte Paddys Arm. »Ich bin froh, dass der Ärger vorüber ist.«

Paddy wusste, dass er eigentlich noch gar nicht vorüber war. »Ich hab's nicht getan, weißt du.«

Sie drückte wieder, diesmal fester. »Es ist mir egal, ob du's getan hast. Ich wünschte manchmal, dass jemand etwas tun würde und einfach ...« Aber sie unterbrach sich.
Der Zug kam, und Mary Ann wartete, bis er aus dem Bahnhof hinausgefahren war, und winkte Paddy lachend zu, als verreise sie für eine lange Zeit. Paddy winkte zurück und kicherte, bis Mary Ann nicht mehr zu sehen war. Sie wusste, dass der Ärger nie ein Ende haben würde. Sie würde nie wieder richtig zu ihnen gehören.

6

Als Paddy in dem ruckelnden Zug in die Stadt fuhr, dachte sie an Meehan und seine Familie und die unüberbrückbare Kluft zwischen ihnen.
Nachdem Meehan im Gefängnis sieben Jahre protestiert hatte und zwei Bücher und eine Fernsehdokumentation zu dem Fall herausgekommen waren, hatte man ihm die Unterlagen zur bedingten Haftentlassung vorgelegt.
»Unterschreiben Sie«, sagte der Beamte. »Schreiben Sie Ihren Namen dorthin, und Sie sind Ende der Woche frei.«
»Muss ich bestätigen, dass ich schuldig bin?«
»Das wissen Sie doch.«
Meehan hatte sieben Jahre in Einzelhaft gesessen und nur alle zwei Wochen zwanzig Minuten Hofgang gehabt. Sie wollten einen Vorwand, um ihn zu entlassen, aber es sollte zu ihren Bedingungen sein. Meehan ging das Risiko ein und lehnte ab. Sie wollten ihn entlassen. Ludovic Kennedys Buch über die Formfehler des Falles hatte so

viel Aufmerksamkeit erregt, dass es das Rechtswesen in Verruf gebracht hätte, wenn man ihn behielt.
Fünf Tage später stand er im Wohnzimmer seiner Frau Betty, hielt ein Glas Whisky in der einen und seine Begnadigung in der anderen Hand und hob das Glas zum Umtrunk mit seiner Familie, die ihm vollkommen fremd war. Die Farben, die sie trugen, waren so bunt, dass ihm die Augen schmerzten. Seine Tochter war dünn und grau, schwach von der Behandlung, die man ihr wegen ihres Nervenzusammenbruchs hatte angedeihen lassen. Sein ältester Sohn presste selbst beim Trinken die Kiefer zusammen, die Muskeln waren ständig angespannt. Und dann war da noch sein großer dummer Cousin Alec und dessen hässliche Frau, beide hatten Meehan nie gemocht. Es war ihnen egal, ob er schuldig oder unschuldig war. Sie waren nur gekommen, weil er im Fernsehen gewesen war.
Meehan wusste, dass er schlecht aussah. Er hatte die typisch trockene graue Haut eines Langzeitinsassen, und im Lauf der Jahre hatte er vierzig Pfund abgenommen. Jetzt war er ein dürrer alter Mann. Betty schaute als Einzige von allen gut aus. Sie hatte ihr Haar blond gefärbt, und ihre Gesichtszüge schienen weicher. Sie trug einen weißen Hosenanzug aus Baumwolle mit roten Sandalen und war wohl im Solarium gewesen, denn sie hatte von der Brille einen schwachen weißen Streifen auf dem Nasenrücken. Bevor er ins Gefängnis kam, hatte sie sich nicht gut gekleidet. Sie hatte immer Angst vor Farben gehabt. Jetzt beobachtete er sie beim Trinken über den Rand seines Glases hinweg und sah einen Funken Lebenslust in ihren Augen. Jemand hatte ihn dorthin gezau-

bert, und er wusste, er war es nicht gewesen. Er brachte es nicht einmal übers Herz, eifersüchtig zu sein. Er hatte sich sein ganzes Erwachsenenleben auf Betty verlassen – fast verachtete er sie ein wenig dafür, dass sie so verlässlich war –, aber jetzt, da sie sich von ihm entfernte, fühlte er nur Bewunderung. Er wünschte ihr Glück, wirklich. Er hatte das Gefühl, dass auch sie freigekommen war.

Dies hier war Bettys Wohnzimmer, nicht ihr gemeinsames. Dieser kleine quadratische Raum mit einem Fenster, das auf den Fluss hinausging, gehörte ihr mit vollem Recht allein. Sie hatte keinen Zweifel daran gelassen, dass er willkommen war und auf der Couch schlafen würde. Er würde sich sobald wie möglich eine eigene Bude suchen und sie in Ruhe lassen.

Cousin Alec und seine Frau verabschiedeten sich, und die Kinder gingen eine halbe Stunde zum Bummeln, damit sie allein sein konnten. Betty und Meehan saßen schweigend nebeneinander, tranken Tee und aßen langsam ihre Kekse.

30
Die beiden Pattersons

1

Terry wartete in seinem Auto, den Arm betont lässig auf der Rückenlehne, und beobachtete den Ausgang des Bahnhofs. Sie kam zwanzig Minuten zu spät, und er sah so aus, als sei er schon eine ganze Weile da. Er hatte sich die Haare gewaschen und rasiert und sah ohne den Dreitagebart jungenhaft und unternehmungslustig aus. Paddy fühlte sich bei seinem Anblick kribbelig und aufgeregt. Sie wandte den Blick ab, holte tief Luft und überquerte die Straße. Er beugte sich über den Beifahrersitz und öffnete ihr die Tür. Sie schlüpfte hinein und setzte sich neben ihn.

»Hi.«

»Hi.«

Sie sahen sich einen Moment lang direkt an, ohne den Blick abzuwenden.

»Wie geht's dem Knie heute?«

»Gut.«

Sie saßen schweigend da. Unsichtbar unter dem Armaturenbrett streckte Terry seine Hand aus und legte sie auf ihre. »Ich hatte großen Spaß gestern Abend.«

»Ich auch.«

Er drückte seine Hand fest auf ihre. »Eigentlich hatte ich viermal großen Spaß gestern Abend.«

»Du brauchst nicht damit anzugeben, Terry. Ich war ja dabei.«

»Ich weiß.« Er lächelte. »Aber für mich ist es eine persönliche Bestleistung, und sonst kann ich es niemandem erzählen. Sollen wir?«

Paddy nickte und fürchtete zugleich den Moment, da er seine Hand wegnehmen würde, denn sie genoss die Wärme seiner Handfläche. Er wandte sich der Straße zu, legte beide Hände aufs Steuerrad und seufzte zufrieden.

Sie wussten beide nicht, zu welcher Polizeiwache sie gehen sollten, und konnten sich auch nicht daran erinnern, welche Dienststelle die Befragung durchgeführt hatte. Sie fuhren zur Press Bar, die sonntags geöffnet war, was Paddy nicht erwartet hatte. Terry erklärte, dass am Nachmittag für die Angestellten aufgemacht wurde, die die Montagsausgabe zusammenstellten, und er war sicher, dass irgendjemand dort wusste, welche Polizeidienststelle sich um die Sache gekümmert hatte. Er fuhr langsam die Albion Street entlang, und Paddy saß geduckt auf ihrem Sitz und hielt nach dem Lebensmittelwagen Ausschau.

Ein paar Autos standen im vorderen Bereich des Parkplatzes, und die Lieferwagen der *News*, die die Zeitungen ausfuhren, parkten abgeschlossen in Erwartung der nächsten Ausgabe an der Albion Street. Terry war immer noch um ihre Sicherheit besorgt, hielt an der Tür zur Bar an und ließ sie auf der Beifahrerseite aussteigen und hineinlaufen, bevor er weiterfuhr und das Auto abstellte. Sie stürzte atemlos vor Aufregung hinein, mit ihrem aufgewühlten Gesicht sah sie sich einem Raum voller entspannt trinkender Männer gegenüber.

Richards saß alleine am Tresen und langweilte McGrade mit alten Witzen und Gemeinplätzen. Drei Drucker saßen an einem Tisch beisammen und unterhielten sich gemächlich über ihren Bierchen. Dr. Pete war allein an einem Tisch ganz hinten. In den drei Tagen, seit sie ihn zuletzt gesehen hatte, schien seine Haut um zehn Jahre gealtert. Beim Trinken wirkten seine Wangen eingefallen und die welke Haut verlief in strahlenförmigen Falten um seinen Mund. Es war warm in der Bar, aber er hatte sich fest in seinen Mantel gewickelt.

Paddy ging zu ihm hinüber. Sie hatte vorgehabt, die Frage nach seiner Gesundheit behutsam anzugehen, aber für einen Mann in seinem Zustand war es so offensichtlich abwegig, in einem Lokal zu sitzen, dass sie herausplatzte: »Sie sehen ja völlig fertig aus.«

Er lächelte mit leichtem Blinzeln zu ihr hoch. »Fertig, wirklich?«, sagte er schleppend. Er hatte die Hände in den Taschen und zog die Mantelschöße über seine Oberschenkel. »Ich sag Ihnen was. Thomas Dempsie, 1973 ermordet, in Barnhill am Bahnhof aufgefunden. Vater, Alfred Dempsie, für schuldig befunden, erhängte sich, ein trauriger Fall, bla, bla bla.« Er lächelte ihr wieder mit einer munteren kleinen Geste der Begrüßung zu. »Sehen Sie? Ich erinnere mich genau an Sie und wonach Sie mich gefragt haben. Ich erinnere mich an alles.«

»Sind Sie seit Donnerstag hier?«

»War das am Donnerstag?« Er schien ziemlich überrascht und zündete sich zur Feier des Augenblicks eine Zigarette an.

»So werden Sie sich innerhalb von einem Monat umbringen.«
»Die sollen mich doch alle mal«, sagte er leise.
»Hören Sie, war irgendwann mal die Rede von einem fahrenden Lebensmittelladen, der in der Gegend gesehen wurde, als Thomas Dempsie verschwand?«
Dr. Pete dachte einen Moment nach, blinzelte in sein Bierglas, bevor er es an den Mund führte und austrank.
»Nee.«
»Sind Sie sicher?«
Hinter ihr ging die Tür auf, und sie spürte den Luftzug im Nacken. Die Schritte kamen auf sie zu, und sie wusste, dass es Terry war.
»Ganz sicher.«
»Und ein Typ, der Henry Naismith heißt, haben Sie von dem schon mal gehört?«
Terry kam an den Tisch, und Pete sah zu ihm hoch.
»Wie geht's, Pete, alles klar?«
Pete nickte und lächelte vage die Wand an.
»Kann ich Ihnen einen Drink holen?«
Pete nickte wieder, und Terry sah fragend Paddy an. Sie bat um Limonade und blieb auch dabei, als die beiden Männer sie zu überreden versuchten, etwas anderes zu nehmen. Sie vertrüge es nicht, sagte sie. Einmal in der Woche, das reiche ihr.
Als Terry zur Theke ging, grinste Pete wissend und kaute einen Moment auf der Innenhaut seiner Wange herum.
»Sie sollten vorsichtig sein. In diesem Geschäft kann eine Frau es sich nicht leisten, einen gewissen Ruf zu bekommen.«
»Darf ich nicht Freunde in meinem Alter haben?«

»Man merkt es. An der Art, wie ein Mann einer Frau in die Augen sieht, so ruhig, als wäre die ganze Welt ein Geheimnis, das nur sie beide teilten.« So hatte er früher geschrieben, sie hörte den besonderen, ihm eigenen Ton, aber statt noch zehn Absätze weiterzumachen, hielt er inne und sah auf sein Glas.

Terry kam an den Tisch zurück mit einer Zehnerpackung Embassy Regal und den Getränken, einer Limonade für Paddy, einem Bier für sich selbst, und einem Bier und einem Whisky für Dr. Pete. Er legte Paddy mit den Worten »Das ist für gestern Abend« die Zigaretten hin, so dass sie wegen Pete zusammenzuckte. »Worüber habt ihr gerade gesprochen?«

»Ob es eine Verbindung zwischen Naismith und Tracy Dempsie gibt«, sagte Paddy, froh über den Themenwechsel.

Dr. Pete saß mit großen feuchten Augen und gedankenverlorenem Blick da. Er nahm seinen Whisky und kippte ihn hinunter, ob er dabei die Lippen vor Ekel oder vor Schmerz verzog, war Paddy nicht klar. Dann setzte er das Bier an, um zu sehen, ob es damit besser würde. Aber es half nicht.

»Wisst ihr, was ich jetzt gern hätte?« Pete sah dabei nur Paddy an. »Ich hätte gern einen Teller Lammbraten.« Er ließ den Kopf hängen und weinte in sein Bier.

Terry musste ihn am Ellbogen anstoßen und seinen Namen zweimal sagen, bevor Pete ihm zuhörte. Dann fragte er ihn nach dem Namen der Polizeistation, die sich mit Heathers Mord befasst hatte. Pete sagte ihnen, es sei die Anderston-Wache gewesen und sie sollten nach Davie Patterson fragen. Pete kenne seinen Vater. Paddy lächelte und dankte ihm, hatte aber nicht die Absicht, dort nach dem Polizisten mit dem platten Gesicht zu fragen. Er konnte kaum der Einzige im Ermittlerteam sein.

Als sie den Blick hob, bemerkte sie, dass Pete sie wieder ansah.

»Henry Naismith«, sagte er, »war Tracy Dempsies erster Mann.«

»Ihr Mann? Der, den sie wegen Alfred Dempsie verließ?«

Er sank in sich zusammen und nickte traurig in sein Bier. »Ja.«

2

Die Wände des Eingangsbereichs waren mit billigem, dunklem Furnier verkleidet, das nicht zu dem vergilbten türkisfarbenen Fußbodenbelag passte. In der Anderston-Wache gab es mindestens doppelt so viele Stühle wie auf der Polizeiwache, in der sie mit McVie gewesen war, drei Fünferreihen waren am Boden festgeschraubt.

Der diensthabende Beamte saß auf einem so hohen Podest, dass Paddy wie ein Kind vor einem Pommesstand gerade über den Rand sehen konnte. Ein müder junger Polizist saß in voller Montur auf einem quietschenden Holzstuhl, der laut knarrte, sobald er nur zwei Zentimeter nach links oder rechts rutschte. Es sei Sonntag, informierte er sie, heute sei niemand da. Sie könnten mit jemandem sprechen, wenn sie bereit wären zu warten, aber er wisse nicht, wann jemand zur Verfügung stehen werde. Es sei vielleicht besser, morgen telefonisch anzufragen.

»Wir haben ziemlich wichtige Informationen über Heather Allens Ermordung. Wir denken, wir sollten es gleich jemandem mitteilen«, sagte Terry von der Erwartung beflügelt, dass wichtige Leute ihm zuhören würden.
Der Polizist am Tisch sah misstrauisch drein. »Heather Allen, sagen Sie?«
Es war Paddy klar, dass er nicht wusste, von wem sie sprachen.
»Ja, Heather Allen«, sagte Terry. »Das Mädchen, das letztes Wochenende mit eingeschlagenem Schädel im Fluss gefunden wurde. Wir wissen etwas darüber und müssen es jemandem sagen.«
Der Sergeant nickte. Sein Stuhl quietschte furchtbar, als er sie ans andere Ende des Raums schickte. »Gehen Sie dort hinüber und warten Sie. Gleich kommt jemand.«
Sie gingen zu der ersten Stuhlreihe, setzten sich und sahen den Sergeant in einer Tür nach rechts verschwinden.
Zwei Minuten später kehrte er mit vor Überraschung hochgezogenen Augenbrauen zurück und deutete ihnen mit einem Fingerschnippen an, dass sie zu ihm kommen sollten. »Sie kommen gleich raus«, sagte er.
Sie warteten zehn Minuten und rauchten zusammen eine Zigarette. Terry trat sie gerade auf dem Boden aus, als sich hinter dem Tisch des Sergeants eine Tür öffnete. Patterson und McGovern kamen herausgestolpert und sahen so ausgelassen und verschmitzt aus, als hätten sie gerade herzhaft über etwas gelacht. Alle Wege im Fall Heather Allen schienen also zu Patterson zu führen. Paddy war bestürzt, und auch er war nicht erfreut, sie zu sehen. Er stutzte, hielt McGovern mit ausgestreckter

Hand zurück, sich nicht die Mühe zu machen, das Podest zu verlassen und rief ihr zu: »Ach, Sie! Was wollen Sie denn?«

Paddy stand auf. Sie wollte nicht zu ihm hinübergehen, sondern er sollte zu ihr kommen.

»Pete McIltchie schickt mich«, sagte sie und versuchte, ihm deutlich zu machen, dass sie ihn genauso wenig sehen wollte. »Ich muss jemandem etwas über Heather sagen.«

Er kam nicht auf sie zu, richtete sich aber auf und fuhr mit dem Finger über einen Fleck auf dem Schreibtisch vor ihm.

»McIltchie?«

»Er hat gesagt, ich sollte mich an Sie wenden.«

Er nickte zu ihr herüber. »Ist es eine neue Information?«

»Ja.« Und immer noch stand er zehn Meter entfernt, so dass sie über die Köpfe von Terry und dem Beamten am Schreibtisch hinweg mit ihm sprechen musste. Sie entschloss sich einfach zu schreien. »Ich bin von jemandem in Townhead im Auto mitgenommen worden und habe darin Haare von Heather auf einem Handtuch gefunden. Der Typ hat mich attackiert.«

Patterson nickte in Richtung Schreibtisch und blickte auf McGovern. Wären sie allein gewesen, wären McGovern, der Polizist am Tisch und Terry nicht dagewesen, hätte er bestimmt einfach gesagt, sie solle abhauen.

»O. K.«, murmelte er. »Kommen Sie mit in ein Büro.«

McGovern folgte Patterson, der vom Podest herunterkam. Sie wiesen ihr den Weg zu einer Doppeltür an der Seite. Patterson hielt sie fest am Oberarm, als würde sie sich zieren. Terry versuchte zu folgen, aber McGovern legte ihm energisch die Hand auf die Brust.

»Wir werden nicht lange brauchen.«
Terry sah Paddy an, als müsse er sie beschützen. »Ich würde gern bei ihr bleiben.«
Patterson schob die Unterlippe vor. »Nein«, sagte er bestimmt.
McGoverns Augen leuchteten triumphierend, dass er diesen kleinen Sieg errungen hatte, und Paddy deutete das als ein schlechtes Zeichen.
Jenseits der Türen war der breite Flur mit dem gleichen dunklen Furnier verkleidet wie der Warteraum. Auf dem türkisfarbenen Boden zog sich in der Mitte ein gelber Streifen entlang. Paddy roch den Duft von Tee und Toast. Der Sonntagsdienst schien eine eher gemütliche Angelegenheit, was aber nicht hieß, dass man ihr mit Wohlwollen entgegenkam. Als die beiden stämmigen Polizisten Schulter an Schulter vor ihr den Flur entlanggingen, würdigten sie sie keines Blickes.
Nach ein paar Metern klopfte Patterson laut an eine Tür, wartete kurz ab, öffnete sie und schaute hinein, um sicherzugehen, dass der Raum frei war. Er schnippte mit dem Finger und sagte zu ihr: »Hier rein.«
Paddy betrat den Raum und war sich plötzlich nicht sicher, ob sie jetzt nicht vielleicht die Tür schließen und weggehen würden. Sie hörte eine Stimme auf dem Flur, die nach Patterson rief und eine leise Frage stellte.
»Ich habe gerade eine Informantin hier, Sir.« Pattersons Stimme klang höher, als wenn er mit ihr sprach. »In Sachen Heather Allen.«
Der weißhaarige Mann, der sich zusammen mit McGuigan um die Aufmerksamkeit in der Redaktion bemüht hatte, schaute herein. Er hatte seine Wochenendgarde-

robe an, eine dunkelblaue Hose und einen grauen Pullover, und sah darin genauso steif und förmlich aus wie in Uniform.

»Hallo«, sagte sie.

Er blickte misstrauisch auf ihren Dufflecoat und wandte sich an Patterson. »Halten Sie sich nicht zu lange auf. Ich habe Arbeit für Sie.«

Patterson nickte und freute sich über diese stillschweigende Geringschätzung von Paddy. Er folgte ihr in das Zimmer und setzte sich an den Tisch, ohne ihr einen Platz anzubieten. Sie setzte sich trotzdem. McGovern nahm den Platz ihr gegenüber ein und zündete sich eine Zigarette an.

»Sagen Sie«, fragte er mit einem unterdrückten Lächeln, »warum nennen Sie sich Paddy Meehan?«

Patterson neben ihm grinste.

»Ich heiße so.«

»Nein«, sagte McGovern. »Ihr Name ist Patricia Meehan. Sie haben selbst beschlossen, sich Paddy Meehan zu nennen.«

Sie war sich schon immer bewusst, dass ihr Name zu Kommentaren reizte. Er verriet, dass sie Katholikin war und hob sie am Arbeitsplatz heraus, aber sie hatte nicht erwartet, dass ihr die Polizei deshalb Vorwürfe machen würde. Die beiden Männer sahen sie an und genossen ihre Verlegenheit.

»Ich heiße schon immer so. Mögen Sie mich deshalb nicht? Weil ich Paddy Meehan heiße?«

Das war ein Fehler. Sie bot ihnen damit jede Menge Angriffsfläche für Beleidigungen. Wir mögen dich nicht, weil du dick bist, wir mögen dich nicht, weil du hässlich bist. McGovern und Patterson gaben sich aber keine Mühe, sich weiter zu äußern. Sie kicherten über ihren Fehler, und McGovern lachte, als sei ihm gerade ein witziger Einfall gekommen, aber Patterson verlor das Interesse, holte tief Luft und kratzte sich mit dem Fingernagel am Mundwinkel.

»Ich bin hergekommen, um Ihnen etwas Wichtiges mitzuteilen«, sagte sie ruhig.

Patterson nickte mit Blick auf den Tisch. »Schießen Sie los mit Ihrem Knüller.«

McGovern kicherte.

Sie wusste nicht, wo anfangen, also ging sie chronologisch vor. Sie erzählte ihnen von dem Lieferwagen mit dem fahrenden Lebensmittelladen, den Haltestellen des Eismanns und von dem übelriechenden Handtuch auf dem Boden des Lieferwagens mit Heathers Haar und dem Mann, der versucht hatte, sie am Ohr zu packen und ihr danach vor ihrem Arbeitsplatz aufgelauert hatte. Sie hörte sich reden und merkte, dass sich alles zusammenhanglos und zufällig anhörte. McGovern fragte sie, ob das Handtuch noch im Lieferwagen sei, und sie musste zugeben, dass sie es zwar festgehalten, dann aber irgendwo auf der Straße verloren hatte. Er nahm seine Zigaretten vom Tisch, steckte sie zusammen mit dem Feuerzeug in die Tasche und machte sich zum Gehen bereit. Sie fing an, schneller zu reden, verschwieg aber die Tatsache, dass sie mehreren Leuten gegenüber Heathers Namen angegeben hatte. Erst als sie den Namen Henry Naismith erwähnte, sah sie etwas wie einen Funken von Interesse aufleuchten.

Patterson sah sie an. »Naismith?«

»Er betreibt den Verkauf vom Lieferwagen aus. Er war Tracy Dempsies erster Mann. Er könnte Thomas und jetzt Baby Brian umgebracht haben.«
»Er hat Baby Brian nicht umgebracht. Das war Ihr Cousin.«
»Er ist nicht mein Cousin.«
»Naismith hat Thomas Dempsie nicht getötet«, sagte Patterson mit Überzeugung.
»Wie können Sie da so sicher sein?«
»Er hatte ein Alibi. Er war eingesperrt, als der Junge ermordet wurde.«
Er sah Paddy in die Augen, und auf seinen Wangen erschien eine leichte Röte.
Er hatte die Einzelheiten des Falles genauso präsent, wie sie die Details zum Fall des alten Paddy Meehan im Kopf hatte.
»Und wieso wissen Sie das?«, fragte sie leise.
McGovern kam seinem Freund zu Hilfe, indem er eine Einzelheit erwähnte, ohne sich etwas dabei zu denken. »Zufällig hat sein Vater an dem Fall gearbeitet.«
»Am Fall Thomas Dempsie?«
McGovern nickte unschuldig. »Daher kennt er Pete McIltchie. Sein Alter kannte ihn von damals.«
Patterson errötete leicht, sah nickend auf die Tischplatte hinunter, presste die Lippen fest zusammen und hob die Augenbrauen. »Naismith war in der Nacht, als der Junge ermordet wurde, im Knast.«
»War er verhaftet worden?«
»Nur wegen einer Schlägerei. Er war damals Anführer einer Gang, die ziemlich viel Schaden angerichtet hat. Er war am Boden zerstört über den Tod des Kindes. Er wur-

de danach religiös, hat eine große Bekehrung durchgemacht.«

»Er war früher schon gewalttätig?«

»Er war Ende der sechziger und bis in die siebziger Jahre hinein ein Krimineller, der oft in Straßenkämpfe verwickelt war, aber jetzt ist er ein netter alter Typ, der niemandem was tut.«

»Na ja, er hat versucht, mir was anzutun.«

Patterson schüttelte den Kopf. »Hören Sie, wir wissen, dass Naismith niemanden umgebracht hat.«

»Aber Alfred Dempsie schon?«

Es war nur ein angedeuteter Seitenhieb, aber als sie die Reaktion sah, wusste sie, es wäre keine gute Idee, Pattersons Vater jemals offen bloßzustellen. Er kniff seine kleinen bösen Augen zusammen, und die Röte auf seinem Gesicht wurde noch intensiver.

»Sie wissen darüber gar nichts«, sagte er.

»Ich weiß genug.«

McGovern beobachtete sie mit einem kleinen, verständnislosen Lächeln auf seinem schönen Gesicht, offenbar war ihm nicht ganz klar, was hier vor sich ging. Patterson zog seine Hände vom Tisch zurück und schnalzte mit der Zunge.

»Sie glauben also, dass Heather Allen in dem Lieferwagen war, aber Sie haben das Beweisstück mitgenommen und auf der Straße verloren. Und jetzt sind Sie sicher, das hat etwas mit Thomas Dempsie zu tun? Was wollen Sie also tun?«

Er sah sie durchdringend und zornig an. Er dachte wohl, sie wollte einen Artikel schreiben, der seinen Vater anprangerte, weil er Alfred Dempsie die Tat angehängt hatte. Er musste im Lauf der Jahre über den Einzelheiten des Falls gebrütet haben und wusste, dass sein Vater Dempsie eine Falle gestellt hatte. Sie sah die Scham in seinen Augen brennen. Sie fühlte sich geschmeichelt und war froh, dass er nicht wusste, dass sie nur Hilfskraft war und man ihr gar nicht erlauben würde, einen derartigen Artikel zu schreiben.

»Ich weiß noch nicht, was ich tun werde.«

Plötzlich war Patterson auf den Füßen, riss die Tür auf, die an der Wand abprallte, während er ihren Mantel vom Stuhl zerrte und ihr entgegenhielt.

»Hören Sie«, sagte sie und versuchte es ein letztes Mal, »ich kann mir das Haar und dass er mich angreifen wollte, eingebildet haben, das weiß ich, aber er hat mir an meinem Arbeitsplatz auf dem Parkplatz aufgelauert, als ich gestern Abend dorthin zurückging. Wie sollte er wissen, wo ich arbeite?«

Patterson zog sie am Arm auf den Flur hinaus. »Leider können wir niemanden dafür verhaften, dass er an Ihrem Arbeitsplatz parkt. Diese Sache zwischen Ihnen und Naismith ist nur ein Missverständnis. Vielleicht haben Sie etwas in seinem Auto liegenlassen, das er Ihnen zurückgeben will oder so.«

»Ja. Und deshalb hat er auch bestimmt Heather Allens Haar in seinem Wagen, oder?«

McGovern blieb zurück, als Patterson Paddy durch die Tür zum Warteraum führte und so tat, als habe sie ihn gekränkt. Er zog sie weiter am Arm und übergab den Arm dann Terrys liebevoller Fürsorge.

»Machen Sie sich keine Sorgen«, sagte er zu Terry, »der Betreffende ist uns bekannt. Wir werden mit ihm reden und ihm sagen, er soll aufhören und sich von ihr und der Zeitung fernhalten.«

»He! Reden Sie mit mir, nicht mit ihm.«

Patterson wandte sich ihr zu, sein Gesicht war voller Abneigung. »Sie sollten nicht zu Männern ins Auto steigen, die Sie nicht kennen. Alte Kerle wie Naismith kommen da leicht auf falsche Gedanken, und Sie wären selbst schuld, wenn er das täte.«

Er drehte sich um, ging weg und stieß die Tür des Warteraums so fest auf, dass sie laut von der Flurwand zurückprallte. Der Sergeant am Schreibtisch hob belustigt eine Augenbraue.

Terry sah sie an. »Ich vermute, es ist nicht so gut gelaufen.«

»Da hast du recht.«

Draußen vor der Polizeistation setzten sie sich in den Wagen und starrten einen Moment durch die Windschutzscheibe, Paddy wie betäubt und Terry geduldig.

»Der Kerl mit dem roten Gesicht«, sagte sie endlich. »Sein Vater hat im Fall Thomas Dempsie ermittelt. Die Polizei wird nie im Leben den Fall noch einmal aufrollen.«

»Und wenn wir Farquarson ansprechen ...«

»Terry«, sagte sie und wandte sich ihm zu. »Hör mir zu. Wir sind doch niemand. McGuigan und Farquarson werden niemals aufgrund einer Behauptung von uns einen Artikel abdrucken, der die Polizei von Strathclyde öffentlich anprangert.«

»Sie werden ihn nicht bringen, was?«

»Sie werden keinen Artikel aufgrund von Spekulationen bringen. Wir brauchen eindeutige Beweise. Und bis dahin hat niemand auch nur das geringste Interesse daran, Naismiths Wagen zu durchsuchen. Man wird den kleinen Jungs die Schuld geben.«

»Wir können das nicht zulassen.«

»Ich weiß.« Sie sah durchs Fenster hinaus und verfolgte den Weg einer Chipstüte auf der windigen Straße. »Ich weiß.«

3

Es war immer ruhig in der Chefredaktion, aber dadurch, dass keine Türen auf- und zugingen und niemand den Flur entlangging, bekam die ganze Atmosphäre eine besonders gewichtige Note. Paddy ging eng an der Wand entlang und hielt sich von den Fenstern fern, als sie zur letzten Tür vor der Hintertreppe schlich. Ihre Finger waren schon auf dem Türgriff, als ihr einfiel, dass die Toiletten übers Wochenende abgeschlossen sein könnten.

Aber der Griff gab nach, sie spürte ein leichtes Knacken, und die Tür zur Damentoilette ging auf. Mit einem letzten Blick auf den Flur trat sie ein. Ob sie es roch oder sich nur daran erinnerte, wusste sie nicht genau, aber der Duft von Heathers Anaïs-Anaïs-Parfüm stieg ihr in die Nase, sie musste die Augen zumachen und tief Luft holen, bevor sie weitergehen konnte.

Die Putzfrauen waren da gewesen. Das Waschbecken war sauber gemacht, der Drahtkorb mit den schmutzigen Handtüchern geleert, und der Eimer für Damenbinden, der von Heathers Gewicht noch an der Seite eingedrückt war, in die Ecke der letzten Kabine zurückgeschoben worden. Naismith würde in Freiheit sein und Callum Ogilvy und der andere Junge würden jahrelang eingesperrt werden, weil die Putzfrauen da gewesen waren. Sie wandte sich um und erblickte sich im großen Spiegel an der Tür. Ihr Kinn ging direkt in den Brustkorb über. Sie war dabei zuzunehmen. Sie drehte sich vom Spiegel weg, und ihr Blick fiel auf den Boden der Toilette, wo sie etwas glänzen sah, das sie innehalten ließ. Sie lächelte. Die Putzfrau war eine faule Schlampe. Sie hatte den Boden gewischt, ohne vorher zu fegen, und den Dreck an die Wand unter den niedrigen Wasserkasten gekehrt, weil sie dachte, niemand würde zwischen zwei Putzschichten dort nachsehen.

Paddy bückte sich ein wenig und lächelte. Zwar hafteten an den feinen Fäden Staubflocken, aber da war unverkennbar ein kleines Büschel goldener Haare von Heather Allen.

4

Terry saß auf seinem Bett, hatte den Kopf übers Telefonbuch gebeugt und fuhr mit dem Finger an einer Reihe Namen entlang, während Paddy an der Wand lehnte und ihm zusah. Das Bettzeug war von der gestrigen Nacht in der Mitte zusammengeschoben. Sie wollte nicht neben ihm sitzen, sich nicht dem Bett nähern oder das Bettzeug berühren. Beim Licht der Deckenlampe sah sie in der Mitte, wo Terry schlief, eine schmutziggraue, ovale Kuhle. Sie konnte es kaum fassen, dass sie letzte Nacht dort gelegen, mit ihrer nackten Haut das schmuddelige Laken berührt, ihn gestreichelt und ihm Lustgefühle vorgespielt hatte.

Sie forschte in ihrem Inneren nach dem Gefühl lähmender Scham, vor dem sie gewarnt worden war, fand es aber nicht. Sie war keine Jungfrau mehr, und niemand außer ihr selbst wusste es. Sie verschränkte die Arme und musste sich Mühe geben, nicht zu lächeln.

»Es gibt einige Naismiths in Baillieston«, sagte er. »Drei in Cumbernauld.«

»Muss wohl eine Familie sein.«

»Ja, bestimmt.« Sein Blick folgte seinem Finger bis zum unteren Rand der Seite, dann blätterte er um. »Hier. H. Naismith.«

Paddy ging schnell zu ihm hinüber. »Gibt es da einen?«

»Ja, H. Naismith, Dykemuir Street.«

Sie erinnerte sich an die Adresse von der Einladung zur Trauerfeier, die sie nach dem Tod von Callum Ogilvys Vater bekommen hatten.

»Das ist Callum Ogilvys Straße«, sagte sie. »Naismith wohnt in Barnhill, verdammt noch mal.«

5

Es war das unspektakulärste Haus der ganzen Straße. Naismiths Heim war bescheiden und sauber, mit ordentlichen Gardinen. Der kurze Vorgarten war mit roten Steinplatten ausgelegt, die verschieden tief in den Sand eingesunken waren und deren Ecken hier und da hochstanden. Eine leere Blumenampel neben der Haustür schaukelte langsam und gleichmäßig wie ein Metronom im Wind. Der Lieferwagen war stolz vor dem Haus geparkt.

Zwanzig Meter davon entfernt am Hang stand das Haus der Ogilvys. Paddy schaute beim Vorbeifahren aus dem Fenster und sah, dass Unkraut und Wettereinflüsse die Backsteinmauer beschädigt und die Aufschrift GESINDEL RAUS angegriffen hatten. Der Druck des Erdreichs hatte die Steine vom Garten auf den Gehweg hinausgeschoben.

Barnhill war keine Gegend, in der es viele Autos gab. Terry hatte in der Nähe der Ogilvys geparkt, aber der weiße Volkswagen war das einzige Auto auf der Straße außer Naismiths Lieferwagen.

Sie fielen hier zu sehr auf.

»Scheiße. Da hätten wir geradeso gut vorher anrufen und ankündigen können, dass wir kommen.«

»Ich weiß«, sagte Terry und spähte durch die Windschutzscheibe auf die verlassene Straße. Er ließ den Motor wieder an und fuhr schnell weiter, als wollten sie woanders hinfahren.

»Vielleicht hier«, sagte Paddy, als sie zwei Straßen weiter an dem leeren Parkplatz eines Pubs vorbeikamen.

Terry schüttelte den Kopf. »Das ist auch nicht sicherer, da gibt es mehr Zeugen.«

Sie fuhren vorbei, und Paddy sah am Fenster die Rücken eines Mannes und einer Frau, die in dem warmen gelben Licht nah beieinandersaßen und die Köpfe zusammensteckten. Sie fuhren weiter und folgten einer breiten Straße zur Umgehungsstraße nach Springburn. Eine unbebaute Fläche erstreckte sich dunkel und leer an der Straße, dahinter stand nur ein verlassener, vernagelter

Wohnblock mit einem Gehweg. Terry fuhr etwas langsamer und sah sie fragend an.

»Nee, das ist zu offensichtlich.«

Er beschleunigte und wollte weiterfahren.

»Aber Terry, je mehr wir uns von dem Lieferwagen entfernen, desto weiter müssen wir zurückgehen. Dabei werden wir erst recht gesehen.«

»Ach ja, du hast recht.« Er bremste, fuhr auf die Seite und wendete scharf. »Tun wir's doch einfach.«

Er fuhr Callum Ogilvys Straße hinunter, parkte den Wagen ein paar Meter hinter dem Lieferwagen und stellte den Motor ab. Dann schloss er den Reißverschluss an seiner Jacke und zog noch zweimal daran, um sicherzugehen, dass er auch richtig zu war. Paddy beobachtete ihn. Terry schwitzte vor Aufregung. Sie hatten sich geeinigt, dass dies seine Aufgabe sein sollte, da sie wussten, dass Naismith hinter Paddy her sein würde, aber Terry bibberte vor Nervosität. Sie wusste nicht, ob er es schaffen würde.

»Sind wir uns wirklich sicher?«, sagte er so schnell, als habe er Angst auszuatmen.

»Ich schon. Und du?«

Er nickte, sah jedoch ängstlich aus dem Fenster. »Aber er war im Knast, als Thomas Dempsie verschwand.«

»Er hätte ihn leicht vorher mitnehmen und verstecken können. Tracy Dempsie dürfte kaum die zuverlässigste Quelle sein, was Zeitangaben angeht. Dr. Pete hat gesagt, sie hätte bei der Befragung immer wieder andere Zeiten angegeben.«

»Stimmt.« Er zeigte wieder mit dem Kinn in Richtung Fenster. »Du bist also sicher?«

»Terry, sieh dir doch an, wo er wohnt. Er kennt Callum Ogilvy, Thomas Dempsie war das Kind seiner Exfrau von einem anderen Mann, und er fährt seine Runden in Townhead. Er muss jeden Tag an Baby Brian vorbeigekommen sein. Es passt alles.«

»Ja«, sagte er, sah aber immer noch stirnrunzelnd auf die Straße.

»Wir bringen sie ja nur dazu, seinen Lieferwagen zu durchsuchen. Wenn sie keine anderen Beweise finden, wird er davonkommen.«

»Er wird davonkommen.« Terry nickte. »Er wird davonkommen.«

»Aber sie werden Beweise finden. Ich bin ganz sicher. Sie werden Beweise zu dem Wilcox-Jungen und auch zu Heather finden, bestimmt.«

»Du bist sicher.« Sein nervöses Nicken wurde immer hektischer, und er fing an, auf seinem Sitz leicht nach vorn zu rutschen. »Bestimmt.«

Er riss die Tür auf, trat mit dem gleichen Schwung auf die Straße hinaus und ging mit gesenktem Kopf auf den Lieferwagen zu. Er blieb auf der Straße und achtete darauf, dass ihm der Wagen Naismiths Haustür gegenüber Deckung bot. Er trat auf die chromumrahmte Stufe auf der Fahrerseite und drückte sich eng an die Tür, um das Gleichgewicht zu halten.

Paddy starrte direkt auf den Lieferwagen, aber wenn sie nicht gewusst hätte, dass Terry dort war, hätte sie ihn nicht gesehen. Er hob den Ellbogen, und sie sah etwas aufblitzen, als er den Schraubenzieher aus der Tasche zog. Er drückte die Fensterscheibe auf und kurbelte sie herunter, schüttete den Inhalt des grünen Papierhand-

tuchs durchs Fenster hinein und trat vom Führerhaus zurück.
Dann kam er auf sie zu, die Schultern immer noch hochgezogen und den Blick auf den Boden geheftet. Paddy schaute in sein Gesicht und sah, dass er grinste.

6

Sie drückte den Hörer fest ans Ohr und überlegte. Terry beobachtete sie vom Auto aus. Solange sie bei ihm war, war sie sicher, dass sie das Richtige taten, aber als sie allein in der Telefonzelle war und die Nummer der Polizeiwache in Anderston wählte, fragte sie sich, ob das Ganze eine vernünftige Idee war, oder ob sie vor ihm angeben wollte und nur vorgab, in Bezug auf die Fakten ganz sicher zu sein, ähnlich wie sie ihm letzte Nacht im Bett etwas vorgemacht hatte.
Sie spürte ihren Pulsschlag am Hals, als sie mit der Geschichte herausplatzte und dem Beamten am anderen Ende erzählte, sie hätte an jenem Freitagabend gesehen, wie Heather Allen vor dem Pancake Place in der Union Street in ein Lebensmittelauto gestiegen sei, dass sie nicht wisse, wessen Wagen es sei, aber dass er rot und alt sei und sie ihn gesehen hätte, wie er in Townhead seine Runden fuhr. Als er sie nach Namen und Adresse fragte, hängte sie auf.
Während sie zum Auto zurückschlenderte, hoffte sie, genauso selbstsicher auszusehen wie Terry, als er von Naismiths Wagen zurückkam.
»Das war's?«

»Erledigt«, sagte sie und holte Luft. »Erledigt und vorbei.«
Terry fuhr sie die ganze Strecke bis nach Eastfield, und es war ihr egal, ob man sie mit ihm sah. Überall in der sternförmigen Siedlung war das Licht in den vorderen Wohnzimmern an und Familien versammelten sich um die Fernseher.
Terry lächelte über die kleinen Häuser und sagte, sie gefielen ihm.
»Aber alle Häuser stehen sich direkt gegenüber. Beobachten sich da nicht die Nachbarn gegenseitig?«
»O ja«, sagte Paddy. »Alle wissen alles. Selbst die Protestanten wissen, wer nicht zur Messe geht. Danke, dass du mich heimgebracht hast.«
Sie sahen sich mit unerschrockenem, aufrichtigem Blick an, und Paddy war bestürzt, an seinem Kinn ein kleines unsicheres Zucken wahrzunehmen.
»Wir haben heute etwas Gutes getan, Terry.«
»Ich hoffe es.«
Durch das, was sie getan hatten, würden sie für alle Zeiten verbunden sein, und sie wussten es beide.
Sie stieg aus dem niedrigen Auto und bedauerte, dass ihr dicker Hintern das Letzte war, was er zu sehen bekam. Deshalb beugte sie sich noch einmal hinunter und blickte ihn an. Sie sah, wie er mit seinem flachen Bauch unter dem engen T-Shirt auf dem durchgesessenen Sitz saß, und war sich bewusst, dass sie viel zu lange dastand, ohne etwas zu sagen; sie zögerte, sich von ihm zu trennen. Wenn Pete sah, dass etwas zwischen ihnen war, konnten das andere Leute auch sehen. Sean würde zutiefst gekränkt sein.

»Morgen früh werden wir's jedenfalls erfahren. Bis dann.« Sie trat zurück und schlug die Autotür zu.
Als er mit dem klapprigen Auto in den Kreisverkehr einfuhr, erblickte sie sein Gesicht. Er sah verängstigt aus, lächelte aber, als er vorbeikam. Sie winkte ihm zu und sah dem rostigen Heck des Autos nach, bis es verschwunden war.

31
Trennung

Sie behandelten sie immer noch wie einen erbärmlichen, von einer ansteckenden Krankheit befallenen, wandelnden Sack. Marty sprach nicht mit ihr und sah sie nicht an, wenn sie allein waren, und Con presste die Lippen fest zusammen, wenn sie sich auf der Treppe begegneten, und tat, als sei sie eine Fremde, über die er ungute Dinge gehört hatte. Sie hatte ja miterlebt, was sie mit Marty gemacht hatten, und sich seelenruhig daran beteiligt, aber sie würde sich nicht unterkriegen lassen.

Sie saß allein auf ihrem Bett und betrachtete den Verlobungsring an ihrem Finger. Er war zu eng und schnitt in die Haut – sie hatte in der letzten Woche zugenommen –, aber sie behielt ihn an. Sean würde ihr andernfalls vielleicht nicht helfen. Marty hörte im Zimmer nebenan Radio, John Peels monotone Ansagen und dazwischen Synthesizer und wilde Punkmelodien.

Als sie die Türglocke hörte, sprang sie auf. Sie hörte, wie ihre Mutter Sean laut und freudig und mit unzähligen Fragen über die vergangene Woche begrüßte, als sei er gerade nach zwei Jahren auf See zurückgekehrt. Die Stimmen kamen näher, und sie hörte ihre leisen Schritte auf dem Treppenläufer.

Sie waren fast oben, als Paddy plötzlich den Ring vom Finger drehte. Sie nahm das kleine, mit Samt ausgeschlagene Kästchen von der Kommode und versuchte, den Ring in den Schaumgummischlitz zu stecken, aber ihre Hände waren zu zittrig. Sie warf den Ring hinein und ließ, genau als die Zimmertür aufging, den Deckel zuklappen.

Sean schaute herein. Er hatte sich schick gemacht, trug seine neue, glänzende Bomberjacke über einem frischgebügelten orangefarbenen Airtex-Hemd, dessen Farbton eine gefährliche Ähnlichkeit mit dem von Terry Hewitts Bettbezügen hatte. Trisha stand hinter ihm. »Sean ist zu Besuch.« Ihre Stimme klang geradezu euphorisch.

»Hi.«

Paddy stand auf. »Gehen wir.«

»Wir sind ein bisschen früh dran«, sagte Sean, der darauf aus war, ins Zimmer zu kommen und ein bisschen zu schmusen.

»Aber die Busse ...«

Paddy warf einen vagen Blick auf ihre Mutter und wünschte, sie würde verschwinden. Sie wollte nicht hier mit ihm sprechen, wo ihre Mutter auf dem Treppenabsatz herumlungern und unten zu Jesus Christus um eine katholische Lösung beten und jedes Mal hoffnungsvoll lächeln würde, wenn sie auf eine Tasse Tee herunterkamen.

»Gehen wir«, sagte sie und hielt den Blick störrisch gesenkt.

Trisha half ihnen unten im Flur beim Anziehen der Mäntel. Sie tätschelte Paddys Arm als Ausdruck mütterlicher Ermahnung, Kompromisse einzugehen und den Mann ja zu halten, in etwa: »lass ihn nicht gehen« oder »sag zu allem ja«.

Draußen an der frischen Luft sah Paddy durch die geriffelte Glasscheibe die Gestalt ihrer Mutter, die mit gebeugtem Kopf dastand und betete. Am liebsten hätte sie die verdammte Tür eingetreten.

»In welches Kino möchtest du gehen?«, fragte Sean und stellte seinen Kragen hoch.

»Können wir zum Hang hochgehen?«

Sean hob vielsagend eine Augenbraue. Zwar gab es keine Beweise dafür, aber es kursierten viele Gerüchte, dass oben am Hang allerhand heiße Dinge liefen, weil es ein so dunkler, abgelegener Ort war. Paddy kicherte weder, noch ging sie irgendwie sonst in der von ihm erwarteten Weise darauf ein.

»Ich muss mit dir sprechen«, sagte sie ernst.

Sein Gesichtsausdruck wurde angespannt. Zum ersten Mal seit er ihr die Tür vor der Nase zugeschlagen hatte, spürte Paddy, dass sie die Oberhand hatte, nicht er.

»O. K.«, sagte er. »Gehen wir zum Hang hoch.«

Schweigend erreichten sie das Ende der Straße und kamen zu dem unbefestigten, matschigen Pfad, der hügelaufwärts führte. Es war ein langer schmaler Weg, der an beiden Seiten mit Büschen gesäumt war. Sean nahm seine Zigaretten heraus, um etwas zu tun zu haben, und Paddy tippte ihm auf die Schulter.

»Gib mir auch eine, ja?«

Er war überrascht, hatte nie etwas davon gehört, dass sie

rauchte. Er hielt ihr die Packung hin, sie nahm eine, steckte sie in den Mund und neigte den Kopf zur Seite, damit er ihr mit vorgehaltener Hand Feuer geben konnte. Eigentlich machte ihr das Rauchen keinen Spaß. Es gab ihr das Gefühl, dass ihre Zähne schmutzig wurden und ihr Blutdruck stieg, aber ihr gefiel die Vorstellung, eine coole Raucherin mit zusammengekniffenen Augen zu sein.

»Wir werden nicht ins Kino gehen, was?«

Paddy atmete tief aus und schaute auf den dunklen Weg hinunter.

»Ist es, weil es ein Film übers Boxen ist? Wir brauchen nicht in den zu gehen, wir könnten uns einen Liebesfilm ansehen, wenn du möchtest.«

»Nein, der hat mir gefallen.«

»Du hast ihn schon gesehen?«

»Ja.« Er sah misstrauisch aus. »Ich bin allein reingegangen. Es war eine einsame Woche.«

Sie kratzte sich an der Nase und sah, dass sein Blick auf ihren Finger ohne Ring fiel.

»Komm.« Sie schubste ihn vorwärts und folgte ihm auf dem überwucherten Pfad, bis die Büsche aufhörten.

Sie gingen den steilen Berghang entlang, bis die Lichter von Eastfield Star durch die Büsche und Bäume hinter ihnen verdeckt waren. Paddy fand einen niedrigen Felsvorsprung und setzte sich darauf, schlug die Beine übereinander und zog ihren Mantel näher heran, damit Sean auch Platz hatte. Ungelenk durch den harten Arbeitstag, an dem er schwer geschleppt hatte, ließ er sich neben ihr nieder.

»Seit wann rauchst du?«

Paddy zuckte mit den Schultern und starrte auf die Talebene unter ihnen. Sie wollte etwas sagen, unterbrach sich aber und nahm noch einen Zug an der Zigarette, bevor sie wieder anfing zu sprechen. Sie tastete in ihrer Tasche und fand das Schächtelchen mit dem Verlobungsring. Sie hielt es ihm entgegen, hatte aber Angst davor, ihm in die Augen zu schauen und die Kränkung darin zu sehen.

»Ich muss dir das zurückgeben, Sean. Ich werde nicht heiraten.«

Er lachte, weil das so plötzlich kam, sah sie an und hoffte einen Augenblick, dass auch sie lachen würde und alles wieder gut wäre. Aber sie lachte nicht, sondern starrte auf die Straße unter ihnen und versteckte ihre Hände in den Ärmeln.

»Es ist nicht deinetwegen, du bist großartig. Wenn ich mich mit jemandem verheiraten wollte, dann mit dir, aber ich will es nicht. Ich bin noch zu jung.«

»Wir sind ja erst verlobt«, hielt er ihr entgegen.

»Sean, ich will nicht heiraten.«

»Das denkst du jetzt …«

»Ich werde vielleicht nie heiraten wollen.«

Er hielt inne, denn er begriff zum ersten Mal, welch gewaltige Veränderung sie durchgemacht hatte.

»Bist du zur Lesbe geworden, oder so was?«

Paddy betrachtete den Mann, mit dem sie ihr Leben hatte verbringen wollen.

Bestimmt wollte er nicht gehässig sein, er war gutaussehend und großmütig und anständig, Gott helfe ihm, aber eben einfach nicht besonders helle.

»Ich möchte einen Beruf haben und Karriere machen und

glaube, das kann ich nicht, wenn ich heirate, also habe ich mich für die Karriere entschieden.«

Er warf ihr einen warnenden Blick zu. »Warum musst du versuchen, wie ein Mann zu sein? Was hast du dagegen, einfach nur Frau zu sein?«

»Das ist albern, Sean.«

»Es ist gut genug für alle anderen Mädchen in der Familie.«

»Halt die Klappe.«

»Deine Mum wird ...«

»Hör auf! Lass meine Familie aus dem Spiel, Seanie. Es geht um mich und dich und um all das, was wir einander waren.« Ihre Augen wurden unwillkürlich feucht, ihre Nase war verstopft, und sie bekam kaum noch Luft. »Ich kann nicht mit dir reden, ohne dass Tausende von Verwandten mitmischen. Lass mal meine Mum und Dad und den Papst und all unsere zukünftigen Kinder außen vor, wir müssen über dich und mich reden. Nur über dich und mich.«

»Ich erwähne sie doch nur, weil wir heiraten wollen, Paddy. Ich tu das nur, weil ich ehrliche Absichten habe.«

Sie weinte jetzt ganz offen, ihr Gesicht war tränennass, sie weinte nicht nur, weil sie Sean verloren, sondern auch wegen der Angst, die sie ausgestanden hatte, und wegen Dr. Pete und Thomas Dempsie, sie weinte über den Verlust der Geborgenheit.

Sean tastete nach ihrer Hand, zog sie aus dem Ärmel ihres Dufflecoats und umschloss sie mit beiden Händen. Ihre Finger waren kalt, und als er sie rieb, um sie zu wärmen, berührte er die glatte Haut, wo der Ring hätte sein sollen, und fing selbst an zu weinen.

»Ich hab doch gar nichts Schlimmes gemacht«, sagte er.
»Aber es ist nicht das, was ich will.«
»Deinetwegen bin ich bei der Arbeit angegriffen worden.«
»Aber ich will das nicht.«
»Aber ich liebe dich doch.«
Sie hielten sich an den Händen und weinten, an solch bittere Gefühle waren sie nicht gewöhnt, und schauten aneinander vorbei in die Dunkelheit.
Als die Tränen versiegt waren, war ihre Hand rot und dick von dem vielen Rubbeln. Sean nahm wieder seine Zigaretten heraus und zündete sich eine an, ohne ihr eine anzubieten, und steckte die Packung in seine Jackentasche zurück.
»Warum hast du gesagt, du wolltest mich heiraten, wenn du es doch nicht wolltest«, sagte er enttäuscht.
Paddy beugte sich hinüber, zog seine Zigaretten heraus, nahm sich eine und brachte ihn damit zum Lächeln. Sie steckte sie in den Mund und hielt sie ihm entgegen.
»Gib mir Feuer.«
Sean beugte sich vor und hielt die glühende Spitze an ihre Zigarette. Sie atmete tief ein, so dass ihre Wangen sich nach innen wölbten.
»Ich möchte, dass du mich zu Callum Ogilvy mitnimmst.« Sie atmete aus und erwartete, dass er sie anschreien würde.
»Ich kann dich nicht mit reinnehmen«, sagte er leise.
»Doch, das kannst du. Du bist mit ihm verwandt. Du könntest ihn besuchen, jetzt wo er im Krankenhaus ist.«
Sean legte die Arme um seine Knie, zog sie an die Brust heran und berührte ein Knie mit der Stirn. »Ich kann es

kaum glauben, dass du mich um Hilfe für deine Karriere bittest.«

»Es wird mir tatsächlich bei meiner Karriere helfen«, nickte sie schuldbewusst. »Das schon, ich kann es nicht leugnen. Aber andererseits würde es für Callum einen großen Unterschied machen. Er wird irgendwann interviewt werden, und jeder andere wird ihn als bösartiges Kind hinstellen, und das kriegt er nie mehr los. Wenigstens können wir auf diese Weise Einfluss darauf nehmen, wie er dargestellt wird.«

»Und du machst einen großen Exklusivbericht daraus?«

»Wir könnten uns deswegen streiten«, sagte sie, nahm die Zigarette aus dem Mund und blies auf die glühende Spitze, um sie anzufachen, »oder wir können es so nehmen, wie es ist, und Freunde bleiben.«

»Du entscheidest dich für deine Karriere und gegen mich?«

»Sean, ich bin nicht die Art Frau, die du suchst.« Sie fühlte eine plötzliche Energie und Erregung darüber, das Joch ihrer Verlobung abgeworfen zu haben. »Ich wäre dir eine miserable Frau. Ich würde dich unglücklich machen. Ich wäre doch wirklich die schlechteste katholische Ehefrau der Geschichte.«

Er stieß sie mit dem Ellbogen an. »Aber du wärst eine gute Mama.«

»Keine katholische Mama, ich nicht.«

Er strich mit den Fingern über ihre Strumpfhose am Fußgelenk, um zu testen, ob es in Ordnung ging, dass er sie berührte. »Doch, das wärst du.«

Sie beugte sich nahe an sein Ohr. »Ich glaube nicht einmal an Jesus Christus.«

Er sah sie ungläubig an. »Ach, geh zum Teufel.«

»Ehrlich.«
»Aber du warst doch ein Jahr in der Herz-Jesu-Gebetsgruppe.«
»Ich war nur drin, weil du dabei warst.«
Mit übertriebener Überraschung schlug er auf ihren Arm, damit er einen Anlass für eine Berührung hatte. »Aber du bekreuzigst dich doch immer an der Haustür.«
»Meine Mum mag das. Ich hatte nie auch nur eine Spur von Gläubigkeit in mir. Ich wusste, dass ich log, als ich zur Erstkommunion ging.« Sie grinste erleichtert, dass dies endlich jemand erfuhr. »Ich hab's nie einer Menschenseele erzählt. Du bist der Einzige, der es weiß. Jetzt weißt du auch, warum ich die ganze Zeit versuche, von der Familie wegzukommen.«
»Verdammt noch mal.«
»Ich weiß.« Sie hob demonstrativ die Hände gen Himmel. »Ich habe mein halbes Leben auf den Knien gelegen und es für Unsinn gehalten.«
Sie lächelten sich zu. Der Wind wirbelte Seans Haare durcheinander, und ein Zug fuhr unten im Tal vorbei. Paddy hob die Schultern und kuschelte sich in ihren Mantel. Bei Terry hatte sie andere Gefühle; sie war Sean nahe, aber das Feuer fehlte.
»Nur noch eins, obwohl ich weiß, ich hab kein Recht, jetzt noch um einen Gefallen zu bitten. Das mit der Verlobung, sag davon bitte nichts zu meiner Mutter, ja?«
Er sah sie einen Moment an, und sein Blick wurde sanft. »Das geht in Ordnung, Kleines.«
Sie berührte mit ihren kalten Fingerspitzen seine Wange. »Guck dich doch mal an. Du siehst so gut aus, Sean. Ich bin nicht mal hübsch genug, um mit dir auszugehen.«

Sean zog an seiner Zigarette. »Weißt du, Paddy, ich hab dich immer solche Sachen sagen lassen, weil es mir gefiel, dass du bescheiden bist. Aber du bist ein schönes Mädchen. Du hast eine schmale Taille und große Lippen. Die Leute sagen das oft.«

Diese Worte lösten in ihrem Kopf ein überwältigendes Gefühl von Wärme aus. Sie suchte in ihrer Erinnerung nach Hinweisen, die bestätigten, dass sie gut aussah, fand aber keine. Die Jungen in der Schule waren nie verrückt nach ihr gewesen. Kein Mann sprach sie auf der Straße an. Sie konnte sich nicht einmal daran erinnern, schon einmal ein Kompliment bekommen zu haben.

Sie lachte verlegen und schlug ihm auf den Arm. »Ach, geh weg.«

»Doch, das bist du.« Er wandte den Blick ab, es war ihm unangenehm, weiter darauf einzugehen. »Du bist in meinen Augen schön.«

»Aber nur in deinen Augen?«

»Hm?«

»Bin ich nur in deinen Augen schön?«

Sean schubste sie sanft. »Nein. Du bist schön, Paddy. Einfach schön.«

Sie saßen still da, rauchten und schauten auf die Ebene hinaus. Wenn Paddy darüber nachdachte, was er gesagt hatte, wurde ihr schwindelig. Falls es stimmte, konnte das alles verändern. Sie hatte ihr Gesicht immer gehasst. Sie hasste ihr Äußeres so sehr, dass es ihr morgens manchmal peinlich war, das Haus zu verlassen. Sie saß da und empfand eine so überwältigende Dankbarkeit, dass sie ihn fast gefragt hätte, ob er sie heiraten wolle.

32
Montag

1

Sie wachte auf und dachte mehr an den vor ihr liegenden Tag als an das vergangene Wochenende. Terry würde gleich früh zur Zeitung gehen und sämtliche Artikel über Dempsie aus dem Archiv holen, um alle anderen daran zu hindern, sie zu verwenden. Er würde die Polizeireviere anrufen und dann mit McVie und Billy sprechen, Letzterer wahrscheinlich eine weniger eigennützige Informationsquelle für Hinweise, ob in der Nacht irgendetwas mit Naismith geschehen war. Dann würde er sich an Farquarson wenden und ihn fragen, ob sie den Artikel gemeinsam schreiben dürften. Sie hoffte, dass Terry als Verfasser genug hermachte. Sie alleine hätte bestimmt keine Chance.

Die Familie bemerkte beim Frühstück keine Veränderung an ihr. Trisha kochte ihr als Zeichen der Versöhnung drei Eier, und Gerald reichte ihr die Milch für ihren Kaffee, ohne dass sie ihn dazu auffordern musste. Sie saß unter ihnen und aß, sah den Korb mit Toast vom einen zum anderen wandern und Trisha Porridge austeilen. Sie benahm sich normal, war in Gedanken aber beim Wochenende und dachte an Naismiths Lieferwagen, den Krawall bei der Demonstration und Terry Hewitts Bett.

Der Frost ließ alles starrer und scharfkantiger aussehen, und die schwache Sonne konnte das Morgengrauen kaum aufhellen. Sogar Paddys Atem hing wie eine Wolke scharfer kleiner Kristalle in der Luft, als sie vorsichtig über die glatten Gehwege zum Bahnhof eilte.

Im Zug fand sie einen Platz und ließ sich schwer darauf fallen, zuckte aber sofort wegen der wunden Stelle zwischen ihren Beinen zusammen. Es erregte sie mehr als der Sex selbst es getan hatte. Sie dachte daran, wie sie in Terrys Auto vom Beifahrersitz aus zugesehen hatte, wie er von Naismiths Wagen zurückkam, und an den kalten feuchten Felsen auf dem windigen Hang. Sean konnte jetzt mit anderen Mädchen ausgehen, wenn er wollte. Er konnte deren Hände halten, sie küssen und ihnen eine rosige Zukunft versprechen. Irgendwann wäre sie nur noch eine Frau, die er von früher her kannte.

Als sie Terry Hewitt vor der Tür des *Daily-News*-Gebäudes stehen sah, die Hände in den Taschen, ein Bein angewinkelt an der Mauer hinter ihm, wusste sie, dass er hoffte, wie James Dean auszusehen. Dabei war er nur ein stämmiger kleiner Kerl, der an einer Mauer lehnte.

Sie war noch ziemlich weit weg, als er diese Pose aufgab, die Straße hinuntersah und nach ihr Ausschau hielt, denn er wusste, sie würde vom Bahnhof kommen. Als er in der Ferne eine Gestalt in Dufflecoat und knöchelhohen Stiefeln ausmachen konnte, die eilig auf ihn zukam, nahm er seine Position wieder ein. Sie war nur ein paar Meter entfernt, als er endlich aufsah. Er schien wütend.

»Du wirst im Büro des Zirkusdirektors erwartet. Sofort.«
Paddy sah auf ihre Uhr. »Aber jetzt fängt doch gleich die Redaktionskonferenz an.«
»Sofort.«
Er wandte sich ab und wollte vor ihr die Treppe hochgehen, aber sie packte ihn an der Lederjacke.
»Mist, Terry, was ist denn passiert?«
Er blieb weder stehen noch sah er sich um, sondern winkte ihr nur, sie solle ihm folgen, und ging durch die schwarze Marmorhalle voran. Das Geräusch von Terrys eisenbeschlagenen Schuhen hallte von den kalten Wänden wider. Die zwei Alisons wandten gleichzeitig den Kopf und beobachteten sie dabei, wie sie die Halle durchquerten. Paddy wusste, dass die Situation ernst war. Terry war nicht nur hinausgeschickt worden, um sie abzufangen und direkt zu Farquarson zu bringen, sondern er geleitete sie auch durch den offiziellen Besuchereingang.
Er lief vor ihr die Treppe hoch, und Paddy schlug an sein Bein. »Halt«, bat sie, aber er reagierte nicht. Er marschierte weiter, und ihr blieb nichts anderes übrig, als ihm zu folgen. »Terry, bitte.« Er beschleunigte seine Schritte, als wolle er von ihr wegkommen.
Als sie auf dem Stockwerk der Nachrichtenredaktion ankamen, war sie außer Atem. Sie wollte ihn wieder bitten, aber er überquerte mit zwei Schritten den Treppenabsatz und riss die Tür zum Redaktionsbüro auf. Kein einziges Gesicht sah sie an, keine Hand hob sich, kein Blick traf sie, als Terry sie die dreißig Meter über den Teppich zu Farquarsons Büro führte. Selbst Keck hielt den Blick gesenkt, als sie an der Bank vorbeikamen, und tat so, als

höre er ihr armseliges »Hi« nicht. Nur Dub schaute sie etwas traurig an, und sie hatte das deutliche Gefühl, er verabschiede sich von ihr.
Die schwarzen Jalousien waren heruntergezogen und die Tür zu. Terry klopfte zweimal, so dass das lockere Glas klirrte, stieß die Tür auf und trat zur Seite, um sie vorbeizulassen. Paddy trat ein.
Farquarson war allein, beugte sich über den Schreibtisch und schob zwei Leitartikel auf einer Umbruchseite hin und her. Er richtete sich mit einem kurzen Blick zu Hewitt auf und beachtete Paddy überhaupt nicht. Sie hatte noch ihren Mantel an, und plötzlich wurde ihr warm.
»Chef?«
Mit dem Ärmel tupfte sie sich die Stirn ab. Sie hatte das Gefühl, alle Augen im Redaktionsbüro seien auf sie gerichtet, und alle sähen den Schweiß in ihrem Nacken und bemerkten, wie dick sie war.
»Thomas Dempsie.« Farquarson ließ die Worte stehen, als seien sie ein Befehl.
Sie hatte fast Angst, sich zu bewegen. »Was meinen Sie damit?«
»Sie hatten recht. Es gab doch eine Verbindung zu Brian Wilcox.«
Paddy sah zu Terry zurück, der grinsend hinter ihr stand. Ein Nachrichtenredakteur an einer Schreibmaschine blickte ihr direkt in die Augen. Keck saß mit dem Rücken zu ihnen auf der Bank, lauschte, und sie erkannte an seiner Haltung, dass er deprimiert war.
»Also, folgender Plan«, fuhr Farquarson fort. »Sie schreiben einen Artikel, in dem Sie den Fall Dempsie zusammenfassen, ganz einfach, das dürfte nicht allzu schwer

sein. Und wenn es nicht totaler Mist ist, können wir es nächste Woche als Beilage bringen.«

»Nächste Woche? Werden wir nicht den Prozess abwarten müssen?«

Terry lächelte triumphierend und stieß sie mit dem Fuß leicht am Knöchel an.

»Jetzt die gute Nachricht: Es gibt keinen Prozess gegen die Jungen. Naismith hat gestanden.«

»Was hat er gestanden?«

»Alles. Er hat zugegeben, dass er Thomas Dempsie ermordet hat, dass er Brian Wilcox entführt und die Jungs gezwungen hat, ihn zu töten, dass er Heather Allen verschleppt und umgebracht hat – alles.«

Sie runzelte die Stirn. »Warum sollte er das alles gestehen?«

»Tja«, sagte Farquarson, »sie haben Beweismaterial in seinem Wagen gefunden, das ihn mit Heather in Verbindung bringt, und Blut, das von Brian Wilcox stammt.«

Paddy sah sich nach Terry um, der immer noch an der Tür stand und grinste. »Aber warum sollte er plötzlich gestehen, und warum sollte er so viele Jahre später die Sache mit Thomas Dempsie zugeben? Das würde den Typ entlasten, der ihm die Frau gestohlen hat.«

Farquarson zuckte mit der Schulter. »Vielleicht hatte er ein schlechtes Gewissen?«

Terry nickte ermutigend. »Er hatte ja überall an seinem Lieferwagen fromme Aufkleber. Vielleicht wollte er alles loswerden.«

»Die frommen Aufkleber hätten bewirken sollen, dass er keine Leute mehr umbringt, nicht dass er alles zugibt, nachdem er erwischt worden ist.« Gerne hätte sie es ge-

glaubt, konnte es aber einfach nicht. »Er wollte mich neulich umbringen, weil ich etwas wusste, und jetzt plötzlich verspürt er das Bedürfnis, sein Geheimnis loszuwerden?«
Farquarson fehlte die Zeit, sich mit dem Dunkel im Inneren menschlicher Seelen aufzuhalten. »Ach, das ist doch unwichtig. Aus der Anklage gegen die Jungen ist Verabredung zum Mord geworden. Sie sind jetzt viel besser dran, es ist eine gute Nachricht.«
Sie nickte und versuchte, sich selbst einzureden, dass er recht hatte und es tatsächlich eine gute Nachricht war.
»Wir haben mit den Verwandten abgesprochen, wann wir endlich zu ihnen können; nach der Verurteilung von Naismith.«
»Woher kennt er die Jungen?«
»Das haben sie nicht gesagt.« Farquarson schaute Terry an. »Ich glaube, sie wohnen in der gleichen Gegend wie er.«
Terry nickte. »Sie sind oft in der Nähe seines Wagens herumgelungert, haben die Nachbarn der Polizei gesagt. James O'Connor, das ist der andere Junge, dessen Eltern beide nicht da sind, er wohnt bei seinen Großeltern.«
»Nicht da?«
»Alkoholiker.«
»Ja, prima«, sagte Farquarson und kam wieder auf das Thema zurück. »Also, JT wird mit den Jungen ein Interview machen. Meehan, Sie können Kontakt mit ihm halten, ihm Hintergrundinformationen geben, all so was.«
»Ich will Callum haben«, sagte sie laut. »Ich will das Ogilvy-Interview selbst machen.«
Farquarson war verblüfft. »Kommt nicht in Frage. Die Sache ist eine Nummer zu groß.«

»Wenn JT ihn interviewt, wird er brutal vorgehen. Er wird Callum als einen bösen kleinen Mistkerl hinstellen, und das ist er nicht. Ich kann mich vor allen anderen mit dem Jungen treffen, und Terry wird mir helfen, den Artikel zu schreiben.«

Sie stritten zwanzig Minuten lang hin und her. Farquarson könnte nicht den ganzen Artikel umschreiben, sie würde etwas vorlegen müssen, das man drucken konnte. Das Problem war in Wirklichkeit, das Interview zu bekommen, solange es die Leute noch interessierte. Paddy log und sagte, sie hätte alles arrangiert und könne ihn diese Woche noch besuchen. Wenn Sean sich querstellte, war sie aufgeschmissen.

Schließlich sagte Farquarson, sie solle ihm bis Freitag einen Bericht von achthundert Wörtern über Dempsie einreichen und ihm, sobald vorhanden, das Material zum Interview geben. »Wenn ich eine private Anmerkung machen darf«, sagte er und lehnte sich auf seinem Stuhl zurück, »ich hasse vorwitzige Individuen wie euch und hoffe, ihr seid ausgebrannt, bevor ihr dreißig seid. Verschwindet.«

Als sich die Tür hinter ihnen schloss, knuffte Terry sie am Arm und sagte vor allen anderen im Redaktionsbüro, das hätte sie gut gemacht.

Verlegen, aber dankbar schaute Paddy sich um, und ein Redaktionsassistent vom Feature sah ihr in die Augen, während ein kleines anerkennendes Lächeln um seine Mundwinkel spielte, als hätte er sie zuvor noch nie bemerkt, sei aber daran interessiert zu hören, was sie zu sagen hatte. Kat Beesley hob zum Glückwunsch eine Augenbraue. Paddy sah sich nach Dr. Pete um und hoffte,

dass er von ihrer guten Arbeit gehört hatte, entdeckte ihn aber nirgends.
Sie kam sich albern vor, als sie sich wieder auf ihren Platz auf der Bank setzte. Dub sagte, er freue sich, rutschte aber etwas weiter weg, nahm alle Aufträge an, die sich ergaben, und vermied es, sie direkt anzusehen. Keck lächelte ihr zu, aber sie spürten beide, dass sie da nicht mehr hingehörte. Sie zog mit dem Daumennagel die Kerbe im Holz nach und fand es unglaublich, dass all dieser Segen nach so vielen Vertrauensbrüchen kam, die sie sich in der vergangenen Woche geleistet hatte.

2

Paddy ahnte, dass sie die Bank schon halbwegs hinter sich hatte. Die Redakteure sahen ihr in die Augen, wenn sie Tee bestellten, die Journalisten sprachen mit ihr, machten im Vorbeigehen eine Bemerkung, nahmen ihre Existenz zur Kenntnis. Keck benahm sich wie ein Kindskopf. Es war, als erlebe sie ihre Schulzeit noch einmal, wie sie im Englischunterricht vor ihrer Klasse ein leidenschaftliches Referat über den Fall Paddy Meehan gehalten hatte, in dem sie zu verstehen gab, dass Meehan zum Opfer wurde, weil er katholisch war. Der Gedanke hatte die Schüler der katholischen Trinity-Schule beeindruckt, und das Referat hatte ihren Status verändert. Aus einem dicken Niemand war eine tiefgründige Denkerin und Verteidigerin ihrer aller Freiheit geworden. Als sie älter wurde, kam sie zu der Überzeugung, man hätte ihm diese Falle gestellt, weil er ein engagierter Sozialist war. Noch später wurde ihr klar, dass sie ihn ausgewählt hatten, weil er vorbestraft und ohne Alibi war. War die Voraussetzung für ihren Erfolg bei den Klassenkameraden auch falsch gewesen, so hatte sie ihn doch genossen, und jetzt tat sie das wieder. Weder der Gedanke an Heather Allen noch der an Seans neue Freiheit konnte die in ihr aufsteigende warme Woge des Ehrgeizes zurückdrängen. Sie sah sich schon selbst abends an der Bank vorbeikommen, auf dem Weg zu aufregenden Unternehmungen, und ihr Blick würde die Kerben streifen, die ihre Fingernägel im Holz hinterlassen hatten. Und sie sah sich am Morgen bei der Ankunft am Arbeitsplatz einen Blick auf die Kerben werfen, wenn sie aus ihrer eigenen Stadtwohnung, aus dem Bett eines Liebhabers oder von der Recherche für einen wichtigen Artikel kam.

Mittags ging sie, statt sich in der Stadt herumzudrücken, direkt in die Kantine und fand Terry Hewitt, der an einem vollbesetzten Tisch am Fenster saß. Er winkte ihr zu, sie solle herüberkommen.

»Ich hab dir einen Platz freigehalten«, sagte er und war aufgeregt, sie zu sehen.

»Woher wusstest du, dass ich jetzt Mittagspause machen würde?«

»Keck sagte, du würdest gegen eins gehen.«

Dass er Keck gefragt hatte, wann sie in die Mittagspause ginge, erschien ihr ein bisschen aufdringlich und unterwürfig, aber Paddy bemühte sich, nicht kritisch dreinzublicken oder etwas Abfälliges zu sagen. Es war bei der Zeitung üblich, jede Gelegenheit zu nutzen, sich gegenseitig zu tyrannisieren, aber sie hatte sich vorgenommen, nicht so zu sein.

»Soll ich dir einen Tee holen?«, fragte sie.
Terry neigte den Kopf zur Seite, als hätte er sie nicht verstanden. »Ja, ein Tee, das wäre nett.«
Sie wartete in der Schlange wie alle anderen auch und legte ihre heißen Hände zum Abkühlen auf die kalte Metallstange, die an den Glaswänden vor den Essensauslagen entlanglief. Ein Journalist, dem sie Hunderte Male Tee gebracht hatte, drehte sich um, als er sie hinter sich stehen sah. »Ach, Sie sind's.«
Paddy nickte bescheiden.
»Ich habe mir schon gedacht, dass Sie strohdoof sind.«
Sie wusste, dass er es als Kompliment meinte, sah sich um, ob sonst noch jemand sie bewunderte, und bemerkte, dass Dub hinter ihr stand.
»Hi«, sagte sie, »ich hab dich gar nicht gesehen.«
Dub hob das Kinn zum Gruß.
»Wie läuft's bei dir?«, fügte sie hinzu und hoffte, ihn dazu zu bringen, dass er ihr die gleiche Frage stellte.
»Nichts los«, sagte Dub und sah über ihren Kopf weg auf die Pasteten, die vertrocknet auf einem Tablett lagen.
»Terry und ich sitzen an einem Tisch am Fenster – willst du dazukommen?«
Es ging hier um eine Einladung an den großen Tisch, das war ihnen beiden bewusst.
»Nee, schon gut. Muss was in der Stadt erledigen.«
»Oh.« Sie war enttäuscht.
»Aber gut gemacht.«
»Danke, Dub, ich will's feiern, deshalb wollte ich, dass du dich zu uns setzt.«
Immer noch unentschlossen zuckte Dub mit den Schultern.

Sie wollte ihn nicht als Freund verlieren, nur weil sie etwas Glück gehabt hatte. Sie zeigte auf die Schüssel mit der heißen Vanillesoße. »Ich ess heute nur Nachtisch.«
Dub fauchte sie spöttisch an: »Wer bin ich, dein Biograph? Hör auf, über dich selbst zu reden.«
Sie lachten miteinander über seine Frechheit, und Scary Mary stieß mit dem Schöpflöffel an ihr Tablett, weil Paddy an der Reihe war und nicht aufpasste. Während sie zwei Tassen Tee und eine mit Vanillesoße bestellte, drängte er sich in der Warteschlange vor sie. Sie wandte sich um, weil sie noch etwas zu ihm sagen wollte, aber da war er nicht mehr da.
Terry saß mit dem Rücken zum Fenster an einem langen Tisch und hütete eifersüchtig den Platz ihm gegenüber. Sie gab ihm seinen Tee und warf ihm einen warnenden Blick zu, als sie ihn dabei erwischte, dass er sie von oben bis unten betrachtete.
»Tut mir leid«, sagte Terry, und vor Aufregung versagte ihm fast die Stimme. »Also, wie ist jetzt unser Plan?«
»Na ja, wir müssen noch mal zu Tracy Dempsie gehen und ein Foto von Naismith beschaffen.«
»Das könnten wir heute nach der Arbeit machen.«
»Da kann ich nicht. Ich habe versprochen, etwas zu erledigen.«
Er machte große traurige Augen. »Aber wir müssen doch das Interview planen und die Reihenfolge der Fragen festlegen.«
»Ich kann nicht. Tut mir leid. Ich hab's versprochen. Morgen hab ich Spätschicht, da könnten wir am Vormittag gehen.«
»Warum kannst du heute nicht?«

»Ich kann einfach nicht.«
»Es hat was mit deinem Rowdy vom Bau zu tun, oder?« Sie bemerkte, dass es ihm leidtat, sobald er es ausgesprochen hatte.
»Du kennst Sean gar nicht«, stieß sie hervor. »Er ist kein Rowdy. Er ist ein wunderbarer Mensch.«
Terry hob die Hände, um zu signalisieren, dass er sich geschlagen gab. »O. K.«
»Er ist ein guter Mensch«, sagte sie.
Er nickte. »Klar.«
Aber seine Augen lächelten, und sie wusste, dass sie Sean verraten hatte. Es war, als sei der Sex eine Sache zwischen ihm und Terry und sie sei dabei nur ein kleines, übergewichtiges Requisit.
Die Journalisten am Tisch lächelten, als sie aufstanden.
»Übrigens«, sagte Terry auf dem Weg nach unten, »hast du das von Pete gehört?«
Sie hatte seit dem Morgen nicht mehr an Pete gedacht und machte sich Vorwürfe, als sie daran dachte, dass sie all das ihm zu verdanken hatte.
»Was ist mit ihm?«
»Er ist im Royal Hospital.« Terry runzelte die Stirn. »Ein Krankenwagen wurde gestern Abend zur Press Bar bestellt.«

33
Callum

1

Paddy spürte den starken Wind auf dem Bahnsteig, eine kurze heftige Böe. Als sie die Treppe hinaufgingen, zogen die Pendler ihre Mäntel fester um sich, denn sie wussten, was sie erwartete. Paddy ging um die Ecke und stemmte sich gegen den Windstoß. Zwei Meter weiter war es wieder still, der Wind war so plötzlich verschwunden wie ein Symptom, das man sich nur eingebildet hatte.

Der U-Bahn-Ausgang war in einer schmuddeligen Gasse zwischen zwei hohen Mietshäusern, in der Ladenbesitzer übelriechende Abfälle abluden und Männer sich auf dem Weg vom Pub nach Hause erleichterten. Am Ende der Gasse sah sie Sean warten, der in einem Lichtkegel stand und dadurch aussah, als sei er sehr weit entfernt. Ein hoffnungsvolles schwaches Lächeln lag auf seinen Lippen, als er sie kommen sah. Er hatte sich seiner Mutter widersetzt, um mit Callum Kontakt aufzunehmen, und Paddy wusste, wie schwer ihm das gefallen sein musste.

Er nahm seine braune Tasche in die linke Hand und streckte die rechte automatisch nach ihr aus, als sie auf ihn zukam, und erst zu spät fiel ihm ein, dass er sie nicht mehr berühren durfte. Stattdessen klopfte er ihr verlegen auf die Schulter. Sie erinnerte sich plötzlich an Terry Hewitts Brustwarzen, lächelte und kniff dabei die Augen zu, um die Tränen zu verbergen.

»Hi«, sagte sie und erwiderte seinen Gruß, indem sie ihm ebenfalls auf die Schulter klopfte. »Danke, Seanie.«

»Schon gut«, sagte er.

Sie gingen dicht nebeneinanderher, fühlten sich aber, als seien sie hundert Meilen voneinander entfernt, weil sie nicht Händchen halten konnten. Sean stieß an ihre Schulter, als sie an der Ampel warteten.

»Um ehrlich zu sein, ich bin froh, dass du mich gebeten hast, ihn zu besuchen«, rief er laut, um den Straßenlärm zu übertönen. »Es heißt, er will seine Mum nicht mehr sehen, und niemand anders von der Familie war bei ihm. Ich darf ihm nichts zu essen mitbringen, weil sie Angst haben, jemand könnte ihn umbringen.«

Sie rieb seinen Rücken, erlag der Versuchung, die Wärme seiner Haut zu spüren, und ließ die Hand einen Moment zwischen seinen Schulterblättern liegen. Sean wich der Berührung aus. Die Autos vor ihnen hielten an und sie überquerten die Straße, das grüne Männchen ersparte ihnen eine peinliche Szene.

Das moderne Krankenhaus stand an einem kleinen steilen Hügel in gebührendem Abstand von der vielbefahrenen Straße. Es war ein neues Gebäude, das nur aus geraden Linien und pragmatischen Kompromissen bestand und, kaum fertiggestellt, sofort mit einem Schutznetz überzogen worden war, um zu verhindern, dass es durch die Tauben zu einem Gesundheitsrisiko wurde.

Zehn Meter hinter dem neuen Krankenhaus war das leerstehende, ehemalige Krankenhausgebäude im neugotischen Stil, ein prunkvoller Komplex mit allerhand Türmchen, dessen Fenster und Türen im Erdgeschoss mit Brettern vernagelt waren. Sie betraten das neue Gebäude durch eine kleine Tür an der Rückseite, nahmen den Aufzug zum fünften Stock und schwitzten in der unerwarteten Wärme. Sean streckte die Hand aus.

»Du musst das hier tragen.« Es war das Schächtelchen mit dem Verlobungsring. »Sie werden dich nur reinlassen, wenn sie dich für meine Verlobte halten.«

Paddy warf ihm einen entschuldigenden Blick zu und nahm den vertrauten Ring aus der Schachtel. Er saß unangenehm eng. Sie spürte, wie ihr Finger unter dem Druck anschwoll. Die Türen öffneten sich auf der fünften Etage vor einer Schar von Lernschwestern, die höflich lächelnd dem Gespräch zweier Ärzte mittleren Alters lauschten.

Sean und Paddy folgten den Schildern zum Schwesternzimmer. Auf einem Tisch lagen rosa und grüne Formulare. Eine hübsche kleine Schwester mit einer blonden Lockenfrisur und blauem Eyeliner kam ihnen entgegen. Sie war so zierlich gebaut, dass sie wie ein kleines Mädchen aussah. Als Sean und die Schwester sich anlächelten, hätte Paddy sie am liebsten geohrfeigt.

»Ich soll nach Sergeant Hamilton fragen«, sagte Sean ruhig.

Das Lächeln der Schwester verlor sich. »Ich hole die Oberschwester.«

Sie verschwand in ein Büro hinter dem Schreibtisch. Die Oberschwester, eine ungefällige Frau Mitte vierzig, spielte an einer Uhr herum, die sie angesteckt hatte, und fragte noch einmal, ob sie einen Sergeant suchten, wie er hieß und ob er sie erwarte. Die Fragen waren eine überflüssige Wiederholung dessen, was Sean schon gesagt hatte, aber Paddy merkte, dass die Frau ihren Besuch aufregend fand und sich schon ausmalte, wie sie eines Tages von diesem Ereignis erzählen könnte. Sie musterte Sean in seinen staubigen Arbeitsstiefeln und seiner billigen Hose. Er hatte sich nach der Arbeit umgezogen und sah sauber, dennoch eindeutig ärmlich aus. Mimi kaufte seine Schuhe auf dem Barras-Straßenmarkt und Secondhand-Hemden bei Murphy's am Bridgate. Auch Paddy war daran gewöhnt, von allen in der Redaktion am ärmlichsten auszusehen. Sie hielt ihren Verlobungsring so, dass er deutlich zu sehen war, um zu zeigen, dass sie anständige Leute waren.

Die Oberschwester nahm den Telefonhörer auf und wählte eine vierstellige Nummer, wobei sie sich mit der Zunge an den Zähnen entlangfuhr. Sie wandte sich ab und flüsterte etwas in den Hörer, nickte und sagte mehrmals »hm, hm«, als am anderen Ende gesprochen wurde. Dann legte sie auf, hob eine Augenbraue in Richtung Telefon und kniff die Lippen zusammen.

»Er kommt gleich«, sagte sie, als geschehe das gegen ihren ausdrücklichen Rat.

Der Sergeant erschien im Flur, bevor die Oberschwester Zeit hatte, sie noch weiter zu schikanieren. Er war kräftig gebaut und breitschultrig, hatte angegrautes Haar und ein freundliches Gesicht. Er kam auf sie zu und schüttelte den Kopf, während er sich den Schweiß von der Stirn wischte.

»Puuh«, sagte er zu der Oberschwester, »viel zu heiß hier drin.« Er wandte sich Sean zu und betrachtete ihn genau. »Also, kann ich mal Ihre Ausweise sehen.«
Es war ein Befehl, keine Frage. Sean hatte sein Postsparbuch und eine Mitgliedskarte von der Gewerkschaft mitgebracht und Paddy ihren Ausweis von der Bücherei.
»Also, junge Frau, Mantel aus.«
Paddy zog ihren Dufflecoat gern aus und gab ihn dem Polizisten, der die Taschen und das Futter überprüfte. Sean übergab ihm seine Harrier-Jacke.
»Man kann nicht genug aufpassen«, sagte der Sergeant lächelnd, während er die Mäntel untersuchte und versuchte, die Sache herunterzuspielen. »Vorsicht ist hier die Parole.«
Er tastete Sean ab, schreckte aber davor zurück, das Gleiche mit Paddy zu tun, die einen engen Rock und einen einfachen Pullover trug. Er untersuchte Seans Sporttasche und sah die Sachen gründlich durch, wobei er die Stirn runzelte, als er das Celtic-Poster sah.
»All das Zeug hier ist für ihn. Geht das in Ordnung?« Sean klang ängstlich und jung.
»Ja. Ja, das ist alles in Ordnung.«
Er gab ihm den Beutel zurück und machte ihnen ein Zeichen, dass sie ihm folgen sollten.
Die Hitze im Krankenhaus war beklemmend. Sie fingen beide an zu schwitzen, als sie um Ecken herum und graue Korridore entlanggingen und von dem Hauptkorridor in einen kleinen Seitengang abbogen. Nach einer weiteren Ecke sahen sie zwei Polizisten vor einer Tür, der eine saß, der andere stand, beide hielten eine Tasse Tee, und eine zerlesene Boulevardzeitung lag auf dem Boden unter dem

Stuhl. Als der Sergeant sich näherte, richteten sie sich auf, stellten ihre Teetassen beiseite und zogen ihre Uniformen zurecht. Paddy vermutete, dass ihr Chef nicht immer so freundlich war.

»Diese jungen Leute hier machen einen Besuch bei …«, er zögerte, weil er nicht genau wusste, wie er ihn nennen sollte, »dem Kleinen.« Und er wies sie mit einer Geste an, die Tür aufzumachen.

Sie wandten sich alle zur Tür, schauten erwartungsvoll darauf, und der Sergeant trat einen Schritt vor.

»Ich setz mich eine Weile mit rein, nur um sicherzugehen, dass alles in Ordnung ist.«

Er trat zurück, alle holten Luft, und der Polizist direkt an der Tür drückte den Griff hinunter.

Das Einbettzimmer hatte einen schmalen Eingang und gleich links ein Bad. Es war dunkel und roch streng nach Bleichmittel und Kiefernholz.

Paddys erster Blick fiel auf das alte Krankenhaus, dessen neugotische Umrisse mit zackigen Zinnen und leeren schwarzen Fensterhöhlen drohend vor dem Fenster aufragten. Um die Ecke stand ein Bett mit Eisenrahmen, an dessen Fußende ein Klemmbrett hing. Callum Ogilvy saß beim grellen Licht der Leselampe, das ihn von hinten anleuchtete, auf dem Bett.

Er sah sehr klein aus. Seit dem letzten Mal vor einem Jahr, als sie ihn gesehen hatten, schien er nicht zugenommen zu haben, vielleicht lag es aber auch an seiner Körperhaltung. Die Decke lag auf seinen Knien, in der Hand hielt er ein zerfleddertes Comicheft, und seine Haltung war erstarrt, als sie die Tür geöffnet hatten. Sein Finger lag auf einer Stelle der aufgeschlagenen Seite, und sein

Mund stand offen, um laut mitzulesen. Zuerst dachte sie, es seien Handschellen, aber dann sah sie, dass eine dicke Binde um sein Handgelenk gewickelt war, wo er sich die Pulsadern aufgeschnitten hatte. Er sah erschreckend dünn aus, wie ein verschrumpelter, böser alter Gnom.

»Alles klar, kleiner Mann?«

Callum hob den Blick und starrte sie schweigend an. Sean setzte sich auf die Bettkante.

»Erinnerst du dich an mich?«

Er nickte langsam, sein Blick huschte über Seans Gesicht. »Du bist mein großer Cousin.«

»Was ist das?« Sean zeigte auf sein Armgelenk. »Hat's Probleme gegeben?«

Paddy sah die Tränen nicht gleich wegen des hellen Lichtscheins hinter dem Jungen, aber sie hörte Callum keuchend Luft holen, während sich in seinem Gesicht noch nichts regte. Eine dicke Träne tropfte auf das Bett. Sean ging näher heran, legte die Arme um den Jungen und hielt ihn fest. Der Junge saß starr da wie eine Puppe, sein Gesicht war dem kahlen Zimmer zugewandt, sein Mund ein schwarzes Loch, und er weinte.

Es dauerte zwanzig Minuten, bis er aufhörte. Nach den ersten fünf verließ der Polizist den Raum. Paddy ging zum Fenster hinüber und wandte ihnen den Rücken zu, andernfalls hätte sie ins Gesicht des Jungen sehen müssen, und das fiel ihr zu schwer. Sie konnte in die dunklen Krankenzimmer auf der gegenüberliegenden Seite des Weges sehen. Einen Stock tiefer waren alte Bettgestelle an einer Wand aufgestapelt. Als die Dunkelheit draußen vor dem Fenster zunahm, zeichnete sich der Lichtkegel

auf Callums Bett immer deutlicher ab. Seine Augen waren ganz verquollen.
»Callum?« Es war Seans Stimme, die flüsterte: »Geht's jetzt besser?«
Callum nickte. Sean klopfte dem Jungen auf den Rücken zum Zeichen, dass er ihn jetzt loslassen würde, dann drehte er sich etwas, so dass er neben ihm saß.
»Kennst du noch Paddy, meine Verlobte?«
Callum sah zu ihr hinüber. Obwohl er im Spiegelbild verschwommen war, konnte sie erkennen, dass er sie nicht mochte.
»Celtic«, sagte er erschöpft und wandte seine Aufmerksamkeit wieder Sean zu. »Du bist für die Celtics.«
»Du etwa nicht?«
Callum sah wieder auf Paddys Rücken.
»Ist ja schade, wenn du's nicht bist«, sagte Sean, »ich hab dir nämlich ein Poster zum Aufhängen mitgebracht.« Er nahm die Tasche, machte den Reißverschluss auf und zog ein kleines Poster heraus, das er auf dem Bett auseinanderrollte. Es war an den Ecken abgestoßen, aber Callum gefiel es. Er blickte Sean an und legte seine Hand darauf, wie um zu demonstrierten, dass es jetzt ihm gehörte. Sein Blick wanderte zur Tasche auf dem Bett, und Sean lachte.
»Du bist mir ja 'n echter Ogilvy. Sollen wir mal sehen, was da noch drin ist?«
Callum lächelte, und Fältchen erschienen auf seinem aufgequollenen Gesicht. Sean zog ein Puzzle des Clubs der Ersten Liga heraus, zwei Comics und ein Schreibmäppchen aus Plastik, das wie aus Jeansstoff aussah. Er legte alles nacheinander auf das Poster, bis er schließlich einen ganzen Berg Geschenke aufgebaut hatte.

Callum grinste den Haufen Ramsch auf seinem Bett gierig an.
»Gefällt es dir?«
Er nickte.
»Ich wollte dir ’ne ganze Menge Süßes mitbringen, aber sie haben es mir nicht erlaubt – deswegen.« Sean berührte den Verband an Callums Handgelenk. »Wenn du das nicht noch mal machst, darf ich dir was bringen.«
»Ich mach es nicht noch mal.« Callums Stimmchen klang belegt. »Du bist mein großer Cousin.«
»Stimmt, mein Kleiner.« Sean setzte sich so zu ihm auf das Bett, dass sie beide ins Zimmer hineinsahen. »Ja, das bin ich, Kleiner. Paddy, mach doch mal das große Licht an, ja?«
Als sie zur Tür ging und auf den Schalter drückte, bekam der ganze Raum gleich ein ganz anderes Gesicht. Callum war einfach ein kleines dünnes Kerlchen in einem Bett. Er sah sogar Sean etwas ähnlich. Sie hätten Brüder sein können.
»Magst du die *Dandy*-Comics?«
Callum nickte, und Sean zog das Comicheft unter dem Stoß hervor, fuhr mit dem Finger unter den Bildern entlang und las mit verschiedenen Stimmen den Text vor, so wie er es für seine Nichten und Neffen machte. Callum lehnte sich an seine Brust, sah auf den Finger, der über die Seite fuhr, und hörte kaum auf das, was Sean sagte. Paddy beobachtete sie in der Spiegelung auf der Fensterscheibe. Sean wäre ein phantastischer Vater, und es tat ihr etwas leid, dass er es nicht mit ihr zusammen sein würde.
Die Jungs lasen zusammen die Geschichte über Despe-

rate Dan, und Callum lachte pflichtschuldig über die Pointe. Dann legte Sean seine Hand flach auf die Seite.
»Hör mal, Callum, Paddy wollte dich etwas fragen.«
Callum sah zu ihr auf, es passte ihm weder, dass sie da war noch dass sie Sean für sich in Beschlag nahm.
Paddys Mund war plötzlich ganz trocken. Sie setzte sich ans Fußende des Betts, wobei das hohe Eisengestell sich in das Fettpolster ihrer Hüfte drückte.
»Hi, Callum. Kennst du mich noch?«
Er hielt den Blick auf das Comicheft gesenkt, nickte und hob Seans Hand hoch, blätterte eine Seite um und ließ die Hand darauf zurückfallen.
»Woher kennst du James O'Connor? Geht er in die gleiche Schule wie du?«
Callum sah Sean fragend an, der ihm zunickte. »Ja«, sagte er kurz.
»Seid ihr Freunde?«
Callum hielt den Blick auf die aufgeschlagene Seite gesenkt. »Jetzt nicht mehr.«
»Warum nicht?«
Das war genau die richtige Frage, die Callum in Fahrt brachte. »Er hat ihnen gesagt, ich hätte es getan, aber ich war's nicht. Er war's, er hat's getan.« Sean runzelte hinter dem Kopf des Jungen die Stirn.
»Sag mir mal, Callum, wie das mit Baby Brian war. Seid ihr mit dem Zug hingefahren?«
Der ganze Körper des Jungen verkrampfte sich, und er zog die Schultern langsam bis zu den Ohren hoch.
»Seid ihr mit dem Zug gefahren?«, fragte Sean.
Callum hielt den Blick auf das Comicheft gesenkt. »Die Polizei hat's gesagt.«

»Aber was sagst du selbst?«, fragte Paddy.
Callum stieß ein gezwungenes Lachen über das letzte Bild auf der Seite aus und ging zum Anfang der nächsten Seite über. Er war entschlossen, Paddy nicht zu beachten, was Sean dazu veranlasste, die Frage zu wiederholen.
»Wie seid ihr hingekommen, was sagst du dazu?«
Callum sah auf Seans Lippen, und sein eigener Mund stand einen Moment offen. Dann machte er ihn zu und schüttelte den Kopf.
»Wie seid ihr denn hingekommen?«, fragte Paddy.
Er fing an, nervös an einer Ecke der Seite herumzufummeln und mit dem Fingernagel hin und her zu fahren, bis das Papier ein Loch hatte. Sean wiederholte an ihrer Stelle die Frage noch einmal.
Aber Callum schüttelte heftig den Kopf, hörte dann plötzlich damit auf, und seine Augen waren weit aufgerissen und glänzten feucht vor Angst. Sean fuhr ihm über das Haar.
»Sagst du's uns?«
»Wir sind in einem Auto hingefahren.«
Sean sah Paddy an und wusste schon, was sie fragen wollte. »In was für einem Auto, Callum?«
Sein Gesicht war verkniffen wie eine kleine geballte Faust.
»Ein Lieferwagen. Der mit dem Laden.«
Paddy erlaubte sich ein halbes Lächeln. Sie hatte also recht gehabt.
»Wir sind überhaupt nicht mit dem Zug gefahren. Er hat uns die Fahrkarten gegeben, damit es so aussieht.« Er warf einen Blick auf das Comicheft und wünschte, sie würden weiterlesen, statt das zu machen, was sie jetzt taten.

»Hast du das der Polizei gesagt?«
»Sie haben nicht gefragt«, sagte er bestimmt. »Frauen sind dreckige Schlampen.«
Sean starrte Paddy schockiert an.
»Sie sind beschissen. Ich hab Bilder gesehen, wo sie gevögelt werden.«
Paddy antwortete mit einem Blinzeln, das heißen sollte, sie sollten es einfach übergehen.
»Wer hat den Lieferwagen gefahren?«, fragte Sean.
»Der Freund von James.«
»Mr. Naismith?«, fragte Paddy.
Callum vergaß, sie zu ignorieren. »Ja, Mr. Naismith. Der mit dem Ohrring.«
»Er hat doch keinen Ohrring, oder?«
»Doch.«
»Ich hab ihn doch gesehen, und er hatte keinen Ohrring.«
Callum zuckte mit den Schultern. »Dann hat er vielleicht keinen. Er ist der Freund von James.«
Wenn das Licht an der Decke nicht an gewesen wäre, hätte Paddy vielleicht übersehen, dass seine Augen mit einem Seitenblick verrieten, dass er noch einen anderen, versteckten Gedanken hatte.
»Er wird mir mit seinem Schwanz den Arsch aufreißen, wenn ich ihn verrate, aber er ist keine verflixte Schwuchtel, oder?«
Sean und Paddy schauderten. Seans Blick wanderte langsam über die Seite des Comichefts.
Paddy betrachtete ihr Spiegelbild im Fenster. Sie verbarg ihren Abscheu hinter einem grotesk vergnügten Lächeln, das jedoch nicht bis zu ihren Augen reichte.

Das Kind beobachtete sie im Spiegelbild am Fenster.
»Mit dir würd er sich sowieso den Arsch abwischen«, flüsterte Callum.
Sie wandte sich ihm wieder zu und streckte die Hand aus, um über sein Knie unter der Decke zu streichen, aber Callum zog widerwillig sein Bein weg. Also legte sie stattdessen ihre Hand neben ihm auf das Bett und tätschelte es.
»Danke, mein Junge. Es ist bestimmt nicht schön, nach so was gefragt zu werden.«
Callum blätterte lässig eine Seite seines Comichefts um und murmelte: »Beschissene Weiber.«

2

So wie Sean im Aufzug dastand, erinnerte er Paddy an einen alten traurigen Mann: Er ließ sich förmlich hängen. Sie lehnte an der gegenüberliegenden Wand des Aufzugs und wünschte, sie hätte Callum diese Fragen nicht gestellt. Naismith hatte keinen Ohrring. Ein Teddy Boy würde sich nie ein Loch ins Ohr stechen lassen. Wenn Callum die Wahrheit sagte, hatte sie Naismith etwas angehängt, das er nicht getan hatte, und Terry Hewitts Karriere wäre dahin.
Voller Angst versuchte sie Seans Hand zu ergreifen, aber er schüttelte sie sachte ab.
Draußen in der bitterkalten Abendluft nahm Sean seine Zigaretten heraus und gab ihr eine. Sie rauchten im Schatten des alten leeren Krankenhauses. Seans Knie gaben etwas nach, und er nahm ihre Hand, drückte sie

innig, konnte ihr aber immer noch nicht in die Augen sehen.

Sean dankte ihr pflichtbewusst dafür, dass sie ihn dazu veranlasst hatte, Callum zu besuchen. Er würde wiederkommen, sagte er, und Gott helfe dem Jungen. Sean war sicher, dass er unschuldig war. Der kleine Kerl hatte nichts Schlimmes getan.

»Aber sie haben seine Fingerabdrücke an Baby Brian gefunden und alles.«

»Vielleicht will man ihm was anhängen. Ich weiß jedenfalls, dass er es nicht getan hat.«

»Wie kannst du das wissen?«

»Ich weiß, dass er's nicht getan hat. Er hat doch gesagt: ›Ich hab's nicht getan.‹ Ich werde mich für ihn einsetzen.«

Es ging mehr um einen Akt der Loyalität als um die Frage nach der Wahrheit.

»Ich glaube nicht, dass er unschuldig ist.«

»Hast du gerade mit dem gleichen Kind geredet wie ich?«

»Sean, zwischen einer Ahnung und einem Wunsch besteht ein großer Unterschied«, sagte sie barsch, denn sie war mit ihrer eigenen Katastrophe beschäftigt.

Sean hielt weiter ihre Hand, aber sein Griff lockerte sich. Jeder ging für sich allein auf den kleinen dunklen Seitenstraßen nach Partick hinunter.

Am Bahnhof zeigten sie ihre Monatskarten und nahmen die Rolltreppe zum oberen Gleis. Der Warteraum war voller Pendler und die Luft unangenehm feucht und warm von ihrem Atem. Auf dem Gleis draußen war es dunkel. Von diesem hochgelegenen Punkt aus konnten sie den weiten Himmel über dem Fluss und die Umrisse der kurzarmigen Kräne der Werft sehen, die längst nicht mehr gebraucht wurden, sondern sich nur mehr als Dinosaurierskelette vor dem orangeroten Himmel abzeichneten. Sie hätte Sean gern gestanden, was sie getan hatte, welche Arroganz sie dazu verleitet hatte, Naismith eine solche Falle zu stellen, aber die Worte blieben ihr im Halse stecken und ließen ihr Herz rasen.

Der Zug mit seinen warmen Abteilen fuhr ein, sie fanden ganz vorn Plätze und saßen schweigend und müde eng nebeneinander, so dass sich ihre Oberschenkel berührten. Als Sean ihr eine Zigarette gab und seine schmalen Fingerspitzen ihre berührten, hätte sie ihn am liebsten mit der anderen Hand gepackt und ihm gesagt, sie hätte einem Mann etwas Unverzeihliches angetan, eine schreckliche Lüge, alles sei aus. Aber Naismith hatte alles gestanden, dass er versucht hatte, sie anzugreifen und ihr zu ihrem Arbeitsplatz gefolgt war. Sie fing an, sich zu fragen, ob er überhaupt nach ihr gegriffen hatte, ob es wirklich Heathers Haare waren, die sie auf dem braunen Handtuch gesehen hatte.

In Rutherglen stieg Sean aus, und sie begleitete ihn zur Tür, als wäre er bei ihr zu Gast gewesen.

»Ich ruf dich morgen an«, sagte er.

»Machst du das?«

Er beugte sich für eine Umarmung nach vorne, hielt aber mit dem Rest seines Körpers vorsichtig Abstand, so als würde sie sich auf ihn stürzen, sobald er sie berührte. Er hauchte einen genüsslichen Seufzer in ihr Ohr, aber die Umarmung war so herzlich wie der Hieb mit einem spitzen Ast.

Sie blieb stehen, als sich der Zug wieder in Bewegung setzte, und sah zu, wie er den kalten Bahnsteig entlangging, die Hände in den Taschen, den schweren Kopf zwischen den hochgezogenen Schultern. Als der Zug an ihm vorbeifuhr, hatte Paddy das Gefühl, er sinke in ihre wunderbare, helle Vergangenheit zurück. Vor ihr war nur das einsame graue Chaos, das sie selbst geschaffen hatte. Aber trotzdem blieb ihr noch ein Funken Hoffnung. Vielleicht gab es doch noch eine Rechtfertigung. Callum könnte sich getäuscht haben.

34
Mr. Naismith

1

Es war zehn Uhr morgens, und im Schatten der Hochhäuser lag immer noch Rauhreif. Ein schneidender Wind kam auf, fegte um die Gebäude und ließ ihre Haare und Kleider flattern, während sie vorsichtig die lange Treppe hinunterstiegen und den vereisten Stellen auswichen. Die Siedlung, in der sie unterwegs waren, war ein niedriger Ableger der Drygate-Hochhäuser mit Wohnungen für Rentner und Kranke, Kinder waren hier nicht zugelassen. Die bescheidenen Rasenflächen zwischen den Blocks wurden von riesigen hellen Sandsteinmauern unterbrochen, die noch aus der Zeit eines monumentalen Baustils stammten.

»Das ist alles, was vom Duke-Street-Gefängnis noch übrig ist. Siehst du da drüben?« Terry zeigte auf den unteren Teil einer gelben Wand. »Da war die Zelle für die Todeskandidaten. Dort auf dem Grasstück hat man sie aufgehängt.«

Paddy warf einen Blick hinüber, nickte und tat so, als höre sie zu.

»Du bist so still heute.«
Sie murmelte eine Antwort, denn sie hatte Angst, etwas zu sagen. Die Panik in ihrer Kehle erstickte sie fast. Wenn sie sprach, würde sie sich vielleicht verraten.
»Und du siehst ziemlich fertig aus.«
»Ach, lass mich in Ruh.«
Aber sie wusste, dass er recht hatte. Die Nacht vorher hatte sie kaum geschlafen. Mit offenen Augen hatte sie im Bett gelegen und Muster an der Decke ausgemacht, an Callum gedacht und daran, was er gesagt hatte. Sie hatte wachgelegen und die Sache von allen Seiten betrachtet, seine Worte auf jede mögliche Art ausgelegt und versucht, sie so zurechtzurücken, dass sie ihr recht gaben. Es war halb vier, als sie sich endlich eingestand, dass Callum ihr gesagt hatte, Naismith sei unschuldig.
»Also«, sagte Terry fröhlich. »Wolltest du mich wegen Tracy Dempsie noch auf irgendwas hinweisen?«
»Auf den Teppich im Flur. Er ist abscheulich.«
Er nickte ernst. »Danke. Wäre schlimm, wenn ich darauf nicht gefasst gewesen wäre.«
Paddy lächelte über die unerwartete Replik. Terry war immer etwas pfiffiger als sie erwartete. Sie blickte zu ihm hinüber und sah, wie sein kleiner Bauch unter seinem T-Shirt bebte, als er den Fuß auf die Stufe setzte.
»Ich seh dich«, murmelte er.
Sie blickte zu ihm hoch, doch er betrachtete den Boden vor sich. »Du siehst mich – was soll das heißen?«
»Ich seh, wie nett du mich anguckst.«
Sie lächelte, und plötzlich füllten sich ihre Augen mit Tränen. Es wäre viel leichter zu ertragen, wenn er nicht so lieb wäre.

Paddy drängte die aufkommenden Schuldgefühle zurück und führte ihn über die bröckelige Teerdecke des Parkplatzes in den Hauseingang. Beide Aufzüge waren defekt. Eine kleine Notiz in handgeschriebenen Großbuchstaben hing an der Aufzugtür.

Sie gingen zu Fuß das düstere Treppenhaus hinauf, stießen auf einem Treppenabsatz auf Klebstoffdosen und Plastiktüten und auf dem nächsten auf die verstreuten Seiten einer Pornozeitschrift. Paddy ließ Terry vorausgehen, damit er nicht auf ihren dicken Hintern schauen konnte.

Auf Tracys Etage wehte ein so heftiger Wind, dass sie sich gegen die Tür stemmen musste, um sie aufzukriegen. Donnernd drückte er ihr die Haare an den Kopf und zerrte an ihrem schweren Mantel. Terry hielt den Kragen seiner dicken Lederjacke zu, als sie sich an der Balustrade entlang vorankämpften. Paddy klopfte kräftig an Tracy Dempsies Tür.

Sie hatte die Hand erhoben, um noch einmal zu klopfen, als Tracy aufmachte. Das Make-up von gestern war auf dem ganzen Gesicht verschmiert. Sie hatte wohl eine oder zwei Tabletten zu viel genommen, und ihr Morgenrock war falsch zugeknöpft. Bei Paddys Anblick blinzelte sie etwas und führte ihre Zigarette zum Mund. Die heiße Asche flog ihr ins Haar und versengte eine dunkle Locke.

»Sie sind nicht Heather Allen.«

Paddy hoffte, dass Terry das nicht gehört hatte.

»Ich hab ihr Bild in der Zeitung gesehen. Sie sind das nicht. Sie ist tot.«

Terry sah neugierig auf, Paddy spürte seinen Blick auf ihrem Gesicht ruhen.

»Tracy, ich habe gehört, Henry Naismith ist verhaftet worden.«

Als Tracy den Namen ihres Exmannes hörte, verließ sie alle Kraft. Ihr Kopf fiel nach vorn, sie wandte sich um und ging in den Flur. Ein Windstoß drückte die Wohnungstür auf und ließ sie an die Wand knallen. Paddy streifte ihre Schuhe ab, bevor sie eintrat. Sorgfältig und leise schloss Terry die Tür hinter sich, sah von dem wildgemusterten Teppich hoch und warf Paddy einen fassungslosen Blick zu.

Sie folgten der Rauchfahne durch den Flur ins Wohnzimmer, wo Tracy auf der Couch zusammengesackt war und ausdruckslos auf ihre Knie hinunterstarrte. Der Wind vor dem Fenster fauchte zornig.

»Henry«, sagte sie leise. »Sie haben gesagt, er hätte zugegeben, auch Thomas umgebracht zu haben. Er kann es nicht getan haben. Er hätte das nie getan.«

Paddy saß auf der Kante der Couch neben ihr, ihre Knie berührten sich fast. Sie wollte unbedingt etwas Freundliches und Wohltuendes sagen, aber es gab nichts zu sagen. Als könnte sie das in ihren Augen sehen, nahm Tracy Paddys Hand, hielt sie am Daumen fest, hob sie zerstreut hoch und ließ sie wieder fallen, während sie an ihrer Zigarette zog.

»Er war aber doch ein schwieriger Mann, oder?«

Tracy inhalierte den Rauch durch die zusammengebissenen Zähne und legte den Kopf zurück. »Henry ist ein guter Mensch. Früher, als junger Mann, war er in einer Gang, ja, aber die Gangs gehen doch nur aufeinander los. Und er hat sich jetzt bekehrt, er greift doch kein Kind an.«

»Aber er hat ein Geständnis abgelegt, Tracy.«
»Na und?« Sie sah flehend zu ihnen hoch, als hätten sie in der Sache etwas zu sagen. »Das behaupten die vielleicht nur so.«
Paddy hatte fast vergessen, dass Terry hinter ihr stand, bis er wieder in ihr Blickfeld kam. Er räusperte sich behutsam, bevor er sprach.
»Mrs. Dempsie, warum sollte er gestehen, wenn er es gar nicht getan hat?«
Tracy schüttelte mit Blick auf den Teppich den Kopf und schien verwirrt.
»Vielleicht haben die ihn dazu gezwungen?« Ihre von den Beruhigungstabletten stumpfen Augen fuhren langsam die wirren Wirbel des Teppichmusters nach, während sie sich zu erinnern versuchte. Sie blinzelte träge, sah auf den Boden, blinzelte wieder, und ihre Augenbrauen formten kleine, bekümmerte Dreiecke. »Henry würde doch nicht sein eigen Fleisch und Blut umbringen so wie Alfred. Er ist doch fromm.«
Paddy beobachtete Tracy, die ihre Zigarette zum Mund führte, und hatte plötzlich die eisige Gewissheit, hier vor einem Desaster zu stehen, das sie selbst angerichtet hatte. Sie war genau wie der Polizist, der den Zettel in James Griffiths' Tasche gesteckt hatte. Nie zuvor in ihrem Leben hatte sie das Bedürfnis gehabt zu beichten, aber jetzt hatte sie es.
Sie drückte Tracys Hand ganz fest. »Es tut mir so leid, was Sie alles durchmachen.«
Verwirrt aber gerührt erwiderte Tracy den Händedruck und schüttelte ungeschickt Paddys Daumen. »Danke.«
»Ich meine es ernst.« Paddy ergriff Tracys Hand mit

beiden Händen, als die Scham sie überwältigte. »Es tut mir wirklich so leid. Ehrlich.«

Tracy Dempsie nahm schon lange Psychopharmaka und hatte sich heute eine kleine Extradosis genehmigt, aber sogar sie fand Paddys Benehmen merkwürdig. Sie lächelte unbehaglich und befreite ihre Hand aus Paddys Griff.

Terry trat an sie heran.

»Mrs. Dempsie, haben Sie vielleicht ein Bild von Henry? Wir wollen kein Polizeifoto nehmen, für die Zeitung möchten wir ein schönes Bild.«

Es war eine clevere Lüge. Die Polizei hatte kein Foto von Naismith freigegeben, und wahrscheinlich würde sie das auch nicht tun, aber Terry vermutete, dass Tracy das nicht wusste und sich wünschte, dass Henry in der Zeitung von seiner besten Seite zu sehen wäre. Paddy schniefte und wischte ihre feuchte Nasenspitze mit dem Handrücken ab, sie empfand sein professionelles Geschick wie einen Vorwurf.

»Ja.« Tracy schob ihren Hintern auf der Couch nach vorne, stand unbeholfen auf und stolperte einen Schritt zur Seite, bevor sie in den Flur hinausschlurfte.

Terry wartete, bis Tracy außer Hörweite war. »Verdammt noch mal«, murmelte er, »was ist denn los mit dir?«

Sie versuchte, Luft zu holen, aber ihr Kinn fing an zu zittern. Terry trat mit dem Fuß gegen ihren Schuh und knurrte sie an: »Geh auf die Toilette und sieh zu, dass du wieder zu dir kommst.«

Sie stand auf. »Sei nicht so unverschämt zu mir.«

»Dann benimm dich nicht wie 'ne dumme Gans.«

Sie gab ihm einen kräftigen Tritt gegen den Knöchel, dass er stöhnte und halblaut vor sich hin fluchte.

Draußen im dunklen Flur hörte sie Tracy, die hinter einer der Türen geräuschvoll in irgendwelchen Papieren herumsuchte. An der Badezimmertür hing ein kleines Keramikschild, ein Bild von einer Toilette, die mit Rosen bekränzt war. Der Raum war in der gleichen Epoche eingerichtet worden wie der Flur. Die orangefarbene Tapete löste sich an den Rändern und wäre leicht abzuziehen gewesen. Wanne und Waschbecken waren in einem Rosa gehalten, das sich mit dem Orangeton biss, und die Badewanne hatte braune Rostflecken unter dem tropfenden Kaltwasserhahn und an der Abflussöffnung. Ein orangefarbenes Stück Seife war zwischen die Wasserhähne am Waschbecken geklemmt, und der verblasste zitronengelbe Vorleger roch nach Putzmittel.

Paddy schloss die Tür, machte den Toilettendeckel zu, setzte sich darauf und beugte sich über ihre Knie. Sie überlegte, wo Terry etwas falsch gemacht hatte, damit ihr eigener Fehler in einem milderen Licht erschiene. Sie dachte an die Nacht in seinem Bett, den Morgen, sein Verhalten bei der Arbeit, aber sie konnte nichts finden. Sie wusste, dass sie die Polizei anrufen und die Verantwortung für die Haare im Lieferwagen übernehmen musste. Sie spürte es im ganzen Körper wie eine Spannung, aber jede Faser wehrte sich dagegen. Alles würde sie verlieren, aber schließlich war es nur recht, denn sie war schuld an Heathers Tod und hatte den Verdacht auf Naismith gelenkt.

Sie zwang sich, aufrecht zu sitzen. Auf der Anklagebank am Obersten Gericht hatte Paddy Meehan nach seiner Verurteilung eine würdevolle Rede gehalten. Er musste sich noch stärker in die Enge getrieben gefühlt haben als sie jetzt. Sie stand auf und betrachtete sich in dem trüben Spiegel. »Sie haben einen schrecklichen Fehler begangen«, flüsterte sie leise. »Ich trage keine Schuld an diesem Verbrechen und Jim Griffiths auch nicht.« Sie atmete durch die Nase ein, zupfte ihren Dufflecoat gerade und fuhr sich durch die schwarzen Haare, damit sie wieder hochstanden. Sie sah sich in die Augen und entdeckte darin nichts als Schuldbewusstsein, Angst und das Gefühl, zu dick zu sein. »Du hast einen schrecklichen Fehler gemacht.« Aber sie besaß Anstand. Sie würde für ihre Karriere nicht das Leben eines Menschen opfern. Darüber nachdenken mochte sie zwar, und sie wusste, dass auch das schrecklich genug war, aber sie würde es nicht tun.

Um dem Anschein zu genügen, drückte sie auf die Spülung, atmete tief durch, schloss die Tür auf und ging über den Flur ins Wohnzimmer.

Terry hatte ihren Platz neben Tracy auf der Couch eingenommen und sah lächelnd in ein offenes Fotoalbum. Es hatte einen roten Plastikeinband mit Goldlinien an den Rändern zur Verzierung. Es hatte unter etwas Schwerem gelegen, und manche der dünnen Blätter aus Seidenpapier waren falsch geknickt und standen heraus.

Tracy hatte sich eine neue Zigarette angesteckt und zeigte auf ein Bild. »Das bin ich im Urlaub. Auf der Isle of Wight. Schöne Beine, was?«

»Ja«, sagte Terry und sah mit einem versöhnlichen Lächeln auf, als Paddy hereinkam. »Sieh mal«, sagte er, »Tracy im Badeanzug.«

Paddy ging zur Couchlehne neben Tracy hinüber und schaute ihr über die Schulter. Die Tracy auf dem Foto

war jünger, recht hübsch, hatte sich an einem Ferienstrand in Pose geworfen und einen Fuß vorgestellt wie ein Model der fünfziger Jahre. Paddy nickte. »Toll.«
Auf der gegenüberliegenden Seite war Henry Naismith in einer engen Hose und einem hellblauen Mantel. An seinem Arm hing die junge Tracy mit Söckchen, einem rosa Hängerkleidchen und einem hoch auf dem Hinterkopf zusammengebundenen Pferdeschwanz. Sie hatte ihre Augen in dem Moment geschlossen, als auf den Auslöser gedrückt worden war.
Terry fing Paddys Blick auf, aber sie sah schnell weg. Er berührte das Gesicht auf dem Foto.
»Hat Henry die Kinder jemals geschlagen, als Sie zusammenlebten?«
»Ich und Henry hatten nur Garry. Thomas war Alfreds Sohn.«
Terry tat so, als hätte er das schon gewusst. »Und hat Henry Garry geschlagen?«
»Nein. Er hat uns meistens gar nicht beachtet, bis ich mit Alfred ging, und dann ist er übergeschnappt, hat Türen eingetreten und so, ist zu Alfred auf die Arbeit und hat ihm aufgelauert.« Sie schien sich bei der Erinnerung daran geschmeichelt zu fühlen. Ihr Mund zuckte, und sie lächelte unsicher. »Alfred ist einfach durch den Hintereingang aus der Fabrik gegangen. Aber gleich nachdem Thomas starb, ist Henry ja fromm geworden. Er war so traurig wegen Thomas, es war, als wär's sein eigenes Kind. Er hat versucht wiedergutzumachen, dass er vorher so gewesen war, und wollte Garry ein guter Vater sein. Seine ganze Zeit hat er mit ihm verbracht.«
Sie blätterte weiter zu einem Foto, auf dem sie in einem

Maximantel mit kniehohen Stiefeln zu sehen war und ein auf der Hüfte sitzendes Baby hielt. Das Kind starrte mit merkwürdiger Eindringlichkeit in die Kamera.

»Was für ein schönes Baby«, sagte Terry. »Wirklich niedlich. Ist es Ihres?«

»Das ist mein Garry.« Tracy bedeckte das Gesicht des Kindes mit der Fingerspitze. »Mein kleiner Bub.«

»Haben Sie noch mehr Bilder von ihm?«

Tracy hatte noch andere Fotos von Garry. Sie blätterte weiter – die erste Weihnacht mit ihm, das Hochzeitsessen einer Nachbarin, Omas Geburtstag, und vor Paddys Augen wurde der Junge immer größer. Sie hatte vermutet, dass Naismiths und Tracys Sprössling noch jung war, dass er bei Thomas' Tod nur ein paar Jahre älter gewesen war. Aber er musste schon zwölf gewesen sein, als Thomas starb. Alt genug, um sich das Kind selbst zu nehmen. Tracy drehte eine Seite um, und plötzlich war Garry erwachsen, stand im mobilen Einkaufsladen seines Vaters, und die Sommersonne glänzte auf dem Goldohrring an seinem Ohr. Paddy erkannte ihn sofort. Es war der gutaussehende junge Mann, den sie an dem Abend vor Heathers Ermordung in Townhead getroffen hatte und der sich Kevin McConnell genannt hatte.

Paddy hörte weder den Wind noch das, was Terry über die Fotos sagte. Das Einzige, was sie hörte, war ihr eigener Herzschlag, und das Einzige, was sie fühlte, war der kalte Schweiß auf ihrem Rücken. Die zweideutige sexuelle Drohung in Callum Ogilvys Worten fiel ihr ein und kam ihr nun drohend und persönlich gegen sie gerichtet vor. An dem Abend, als sie sich begegneten, musste Garry ihr von Tracys Wohnung nach Townhead gefolgt sein.

Er musste von Tracy gehört haben, dass eine Journalistin mit dem Namen Heather Allen im Haus gewesen war, hatte ihre Spur verfolgt und geduldig gewartet, bevor er sie ansprach, damit sie ihn nicht mit seiner Mutter in Verbindung brachte. Garry war nicht nur bösartig, er war auch vorsichtig. Er konnte in diesem Moment in der Wohnung sein. Sie überlegte sich den schnellsten Weg zur Haustür. Wenn er sie angriff, könnte sie auf ihn einschlagen, irgendetwas nehmen, um ihn zu treffen. Sie könnte sich verteidigen.

»Wohnt Garry manchmal hier?«, fragte sie schnell.

»Nee.« Tracy kratzte sich durch den Morgenmantel am Oberschenkel. »Er ist in Barnhill bei seinem Dad. Sie sind sich so nah wie Brüder, die zwei. Sie machen alles gemeinsam. Garry macht, was sein Vater ihm sagt. Dieses Bild …«, sie hob das raschelnde Zellophanpapier hoch und löste das Foto mit Naismith als dem Teddyboy aus den Klebeecken, »das ist das schönste.«

»Wie wär's mit dem da?« Terry blätterte zurück zu einem Foto von Naismith im Garten in Townhead.

Paddy spürte, wie ihr das Herz bis zum Hals schlug. Sie war sicher, dass Tracy das Pochen ihrer Halsader sehen konnte, wenn sie den Blick hob.

»Er würde alles für unseren Jungen tun. Er bringt ihm alles bei, damit er später den Laden übernehmen kann. Er würde einem Kind nie etwas tun …«

Paddy unterbrach sie. »Wir sollten gehen.«

Terry blieb der Mund offen stehen.

»Wir sollten wirklich«, sagte sie drängend. »Ich muss gehen.«

»Wir nehmen nur das Bild mit«, sagte Terry vorsichtig,

schnappte sich das Fotoalbum von Tracy, bevor sie Zeit hatte zu widersprechen, und zog das Bild heraus, das er wollte.

Paddy fing an zu schwitzen. »Ich geh jetzt.«

Er sah sie herausfordernd an. »Wir müssen uns doch bei Tracy für ihre Hilfe bedanken.«

Aber Paddy war schon an der Wohnzimmertür. »Wiedersehen.«

Sie eilte durch den Flur, öffnete die Tür zu dem heulenden Inferno, kniff wegen der Staubwirbel die Augen zu und rannte die Balustrade entlang zur Treppe. Obwohl sie mit ihrem vollen Gewicht die Tür aufzuziehen versuchte, gab sie nicht nach. Einen schrecklichen Moment lang dachte sie, Garry stehe dahinter und halte sie ruhig lächelnd und mühelos fest.

Terry griff über ihre Schulter und stieß die Tür mit einer Hand auf. Sie taumelte in das lauthallende Treppenhaus, in den scharfen Gestank von Lösungsmitteln und Urin.

»Spinnst du? Was ist denn los, verdammt noch mal?«

Sie fuhr herum und sah ihn an, packte ihn mit beiden Händen am Hals und schüttelte ihn. Irgendwie hielt sie Terry für die wirkliche Bedrohung, und er verlor kurz die Balance, bis er mit den Armen fuchtelnd das eiserne Treppengeländer zu fassen bekam und wieder Halt hatte.

Sie standen still, Paddy hielt seinen Hals umfasst, Terry schwankte komisch nach vorne und wieder zurück und wandte den Blick ab. Die gedämpften Schwingungen ihres Gerangels spürte man sogar in dem dicken Beton. Entsetzt ließen ihre Finger ihn los, und Terry richtete sich langsam auf. Er zog seine Jacke zurecht, ohne sie anzusehen. Sie gingen zusammen hinunter, Paddy keuchte, bis sie wieder zu Atem kam, und Terry sagte nichts. Unten gingen sie ohne ein Wort durch den Eingang in den Tag hinaus und trennten sich.

2

Dr. Pete hatte ein Kissen im Rücken, das wie ein großer Marshmallow aussah, und blickte aus dem Fenster auf ein hohes Standbild des protestantischen Reformators John Knox. Sie vermutete, dass er nicht seinen eigenen Schlafanzug trug. Er war steif wie alle Kleidung, die in Anstalten und Kliniken gewaschen wird. Durch die heiße Waschtemperatur war die blaue Farbe verblasst wie durch Sonneneinstrahlung, und der Farbton sah schrecklich zu seiner gelben Haut aus. Das frische weiße Laken auf seinem Schoß war ordentlich gefaltet, und manchmal strich er beim Sprechen gedankenverloren darüber.

»Ist absurd. Knox war ja für die Bilderstürmer. Er hätte nichts für ein Denkmal übriggehabt.« Er lächelte zerstreut. »Wenn sie keine Calvinisten gewesen wären, könnte man fast den Verdacht haben, dass das Komitee für Denkmäler Humor hatte.«

Paddy wusste nichts über die einzelnen protestantischen Splittergruppen, aber sie lächelte, um ihm einen Gefallen zu tun.

Er lag in einem modernen Anbau des alten Krankenhauses mit Fenstern, deren Glas einen Stich ins Grünliche hatte und die auf die Necropolis hinausgingen, ein zerklüftetes viktorianisches Minimanhattan aus einer Zeit, als es noch nicht tabu war, den Tod zu feiern. Um die drei

anderen Betten in Dr. Petes Zimmer herum war relativ viel Platz für alle Apparate, die eventuell gebraucht wurden. Der Patient in dem Bett auf der anderen Seite des Zimmers war bewusstlos, ein hoffnungslos abgemagerter Körper unter einem papierenen Laken. Teure Geräte standen um sein Bett, ein Monitor, auf dem die Herztätigkeit angezeigt wurde, eine zischende Pumpe, ein Tropf und ein flimmernder Bildschirm. Neben ihm saß seine rotbäckige Frau, las die *Sun* und kniff leicht die Augen zu, als müsse man sich dabei konzentrieren.
Es war ein unglücklicher Zufall, dass man von der Krebsstation auf den Friedhof hinaussah, aber einer, den Dr. Pete genoss, denn er war reichlich mit Medikamenten versorgt und zum ersten Mal seit Monaten schmerzfrei. Nüchtern, aufgemöbelt und nicht in seiner sonst so qualvoll krummen Haltung war er plötzlich ein ganz anderer Mann. Es schien plötzlich nicht mehr undenkbar, dass er Frauen über Pfützen getragen und schöne Artikel geschrieben hatte. Er hatte zehn Minuten über John Knox' Denkmal oben auf dem Hügel gesprochen und seine Worte sorgfältig gewählt, um die Geschichte seiner Errichtung zu erzählen und warum es mitten auf einem Gelände erstellt wurde, das später ein riesiger Friedhof wurde.
»Zu der Zeit kümmerte es niemanden mehr, wo er stand. Warum sind Sie gekommen?« Mit ruhigem Blick sah Pete ihr forschend in die Augen.
»Ich wollte nur wissen, wie es Ihnen geht«, log sie. »Wollte sehen, wie's geht.«
Pete sah auf seine Fingerspitzen, die über den steifen Saum des Lakens strichen. »Na ja, ich sterbe, wie Sie sehen.«

Wieder lächelte sie höflich. Sie war gekommen, um sich hier eine halbe Stunde zu verstecken. Der Besuch sollte eine unbeschwerte Zwischenstation zur Auflockerung eines sehr schlechten Tages sein, aber es funktionierte überhaupt nicht. Sie beschloss, ihr Mitbringsel zu übergeben und dann zu gehen. Das Zellophanpapier knisterte laut, als sie die Flasche aus ihrer Tasche nahm.

»Lucozade.«

Ehrlich erfreut setzte er sich auf und klopfte auf seinen Nachttisch. »Stellen Sie es da drauf.« Sie wollte das Türchen unten aufmachen, aber er hinderte sie daran. »Nein, nein, stellen Sie es obendrauf.«

Er blickte im Zimmer umher, und sie folgte seinem Blick zu den Nachttischen der anderen Patienten. Jeder hatte dort Flaschen und Tüten mit Süßigkeiten, Blumen und Karten angehäuft, nur der von Pete war leer.

»Ich wurde diesmal ganz eilig eingeliefert. Als ich das letzte Mal hier war, hab ich mir etwas mitgebracht. Ich will nicht von den verflixten Schwestern bemitleidet werden.«

Hätte er nicht Morphium intus gehabt, hätte er das wohl nicht gesagt, und sie war schockiert zu hören, wie einsam er war. Wann immer sie Verwandte im Krankenhaus besucht hatte, hatte sie auf dem Flur Schlange stehen und warten müssen, bis ein Teil der Familie gegangen war, bevor sie reingehen konnte. Es war ihr an seiner Stelle peinlich, und sie wechselte das Thema.

»Ich hab mich immer gefragt«, sagte sie, »warum man Sie Dr. Pete nennt?«

»Ich hab den Doktor. Ich bin Doktor der Theologie.«

Sie wartete, dass er über ihre Leichtgläubigkeit lachen

und zugeben würde, dass es ein Witz war, aber das tat er nicht.
»Wie kamen Sie dazu?«
»Ich wollte Pfarrer werden. Ich stamme aus einem Pfarrhaus.«
»Ihr Vater war Pfarrer?«
»Und sein Vater vor ihm auch.«
»Sie haben weniger Ähnlichkeit mit einem Pfarrer als jeder sonst, den ich kenne.«
»Ich war eine Enttäuschung. Was Sie zu Richards über den ausgetauschten Grundwortschatz gesagt haben, das hat mir gefallen. Meine Familie konnte sich ein Leben außerhalb der Kirche nicht vorstellen. Ich bin gerade dabei, den Punkt zu erreichen.«
»Ich hab meinen Glauben schon früh verloren, vor meiner Erstkommunion. Und ich kann es meiner Familie immer noch nicht sagen.«
Mit einem glückseligen Leuchten in den Augen tätschelte er ihre Hand. »Belügen Sie sie. Damit sie sich nicht sorgen. Ich habe meinen Vater gekränkt. Es war unnötig. Ich habe ihn nicht dazu gebracht, seine Denkweise zu ändern, und er hat meine nicht geändert. Wir haben uns an dem Tag, an dem er starb, noch gestritten.«
Paddy schüttelte den Kopf. »Ich kann mit meinem Vater nicht streiten. Er ist sehr sanftmütig.«
»Ah ja, die Sanftmütigen. Mit der unendlichen Geduld. Hinterhältige Kerle.«
Der Mann auf der anderen Seite des Zimmers stöhnte leise.
Seine Frau streckte die Hand aus und klopfte aufs Bett, ohne den Blick von der Zeitung zu wenden.

»Der Mann dort wird morgen früh tot sein«, sagte Pete. »Wenn er Glück hat.«
Paddy warf einen Blick auf den Mann und spürte, wie ihr Gesicht plötzlich rot wurde. Sie war nicht hierhergekommen, um sich die Unausweichlichkeit des Todes unter die Nase reiben zu lassen. Pete sah, dass ihre Augen feucht wurden und schien bestürzt.
»Nein, es ist nicht Ihretwegen«, platzte sie heraus und erkannte ihren Ausrutscher zu spät, so als würde es ihr nichts ausmachen, wenn er starb. »O mein Gott, Pete, ich hab etwas Schreckliches getan. Ich habe Henry Naismith belastendes Material untergeschoben, und jetzt hat er gestanden, Brian Wilcox ermordet zu haben. Ich war sicher, dass er es war.«
»Was haben Sie ihm untergeschoben?«
»Haare.« Sie rieb sich heftig die Augen. »Heather Allens Haare. Und er hat zugegeben, sie und auch Thomas Dempsie umgebracht zu haben.«
»Naismith hat Thomas Dempsie nicht ermordet. Er war doch im Knast in jener Nacht.«
»Ich weiß. Wenn er das also auch gesteht, wie echt kann dann das Geständnis in Bezug auf Baby Brian sein?«
Petes Augen wurden langsam größer. »Warum sollte er ein falsches Geständnis ablegen?«
»Sein Sohn war es. Er schützt seinen Jungen.«
Pete runzelte einen Moment die Stirn. »Garry Naismith.«
»Genau. Garry hat Thomas umgebracht und zugelassen, dass man Alfred beschuldigte. Ich glaube, Naismith hat es herausbekommen und hat sich verantwortlich gefühlt. Ich glaube, er deckt seinen Sohn schon seit damals.«
»Das leuchtet ein. Henry wurde gläubig, nachdem Tho-

mas starb. Er hat sein Leben verändert.« Pete klang, als unterhalte er sich über Kekse oder sonst irgendwas. »Naismith gibt sein eigenes Leben auf, um seinen Sohn zu retten. Niemand hat größere Liebe ...«

Sie nickte zu dem Bibelspruch in diesem ganz besonderen Zusammenhang. »Sie haben wirklich Theologie studiert, was?«

Ein Vorhang auf der anderen Seite des Bettes wurde plötzlich zurückgezogen und eine adrette Krankenschwester sah sie vorwurfsvoll an.

»Was machen Sie hier?«, wandte sie sich an Paddy mit einem Lächeln, auf das niemand hereingefallen wäre.

»Ich bin hier zu Besuch«, sagte Paddy.

Der Mund der Schwester zuckte, und sie machte sich an den Falten des Vorhangs zu schaffen. »Familienangehörige dürfen außerhalb der Besuchszeiten kommen, aber alle anderen leider nur zwischen drei und acht.« Sie wandte sich um und sah Paddy direkt an. »Sie müssen gehen.«

Verwirrt und verlegen griff Paddy nach ihrer Tasche.

»Iona, Iona.« Pete richtete sich auf seinem Kissen auf, die Aussicht auf Streit belebte ihn. »Seien Sie doch nicht so bescheuert, das ist meine Tochter.«

Schwester Iona warf einen Blick auf seinen Ringfinger.

»Stimmt, unehelich. Ein Kind der Liebe. Ich wollte ihre schwangere Mutter nicht heiraten, weil sie hässlich und noch minderjährig war.« Er hob seine verbundene Hand. »Es war in Texas. Noch was?«

Die Schwester starrte Paddy unfreundlich an und musterte ihren billigen schwarzen Pullover. Er hatte Fusseln unter den Armen und war unten ausgeleiert, weil sie ihn immer, wenn sie von der Bank aufstand, nach unten zog, um ihre Körperfülle zu verbergen.

»Es ist nicht der richtige Moment für Scherze, Mr. McIltchie, das wissen Sie doch genau.« Sie sah von Paddy zu Pete, konnte aber keine Ähnlichkeit in ihren Gesichtern entdecken. »Wenn sie Ihre Tochter ist, warum ist sie dann nicht als nächste Verwandte eingetragen?«

»Man kann ihr nicht trauen. Sie ist Alkoholikerin.« Petes Gesicht leuchtete in unschuldiger Freude. »Wenn ich sterbe, wird sie mir die Ringe vom Finger ziehen, bevor Sie auch nur ›Himmel, Arsch und Zwirn‹ sagen können.«

Iona sagte, sie wäre ihm dankbar, wenn er sich anders ausdrücken könnte, und stand noch etwas herum, fühlte ihm den Puls und schaute auf die Uhr, dann ließ sie die beiden in Ruhe. Pete seufzte zufrieden und strich über das Laken.

»Also, das heißt, Sie müssen mal wiederkommen und mich besuchen.«

»Die jagt einem aber einen Schrecken ein.«

Pete richtete sich auf und beugte sich vertraulich vor. Er hatte schlechten Atem. »Sie ist eine blöde Kuh. Ich sehe, wie sie alle in diesem Zimmer tyrannisiert, und versuche, ihr meinerseits Angst einzujagen. Sie kratzt mich jedes Mal, wenn sie mich wäscht. Jedes Mal.« Er legte sich aufs Kissen zurück und sah zur Tür. »Ich will nicht hier drin sterben. Ich muss weiterkämpfen.« Er runzelte die Stirn, sah kurz auf die Bettdecke und verbannte jeden Gedanken, der sich nicht mit der durch seine Medikamente garantierten Stimmung vertrug. »Es ist traurig.« Er schüttelte den Kopf. »Als hätten wir hier drin nicht

schon genug Angst. In dieser Lage würde ich sehr ungern meine Überzeugungen widerrufen.«
Paddy wusste nicht, was sie antworten sollte, deshalb sagte sie noch einmal, es tue ihr leid. Aber er bekam es gar nicht mit. »Ich sterbe«, sagte er zu dem Laken und klang fast überrascht, sich das selbst sagen zu hören. »Und ich glaube nicht an Gott. Ich hoffe, ich bekomme nicht im letzten Moment noch Angst.«
»Ich muss gehen, Pete.«
»Wohin?«
»Ich muss den Bus nach Anderston nehmen und dem Mistkerl Patterson sagen, was ich getan habe. Es geht nicht anders.« Sie hoffte fast, ihm würde etwas einfallen.
»Stimmt.«
Sie dachte an die Zukunft, doch das Beste, was sie jetzt noch erhoffen konnte, war eine Arbeit in einem Geschäft oder einer Fabrik. Sie konnte nicht einmal mehr heiraten. Die Enttäuschung war so bitter, dass es ihr bis in die Knochen wehtat.
»Ich werde nie Journalistin sein.«
»Stimmt.«
Sie sah ihn an. Er starrte zu John Knox hinauf. Sie war sich nicht sicher, ob er überhaupt zuhörte. Er hatte wohl andere Dinge im Kopf.
»Es wäre schade, jetzt Ihre Überzeugungen aufzugeben«, sagte sie leise.
Plötzlich wurde er lebendig. »Ja, es wäre doch schade, oder? Angst. Es ist die Angst. Es gibt Pfarrer und Laienprediger und schreckliche Monster, die auf den Korridoren dieses Krankenhauses auf und ab gehen und warten.

Sie können den Augenblick der Schwäche riechen. Ich will nicht schwach werden. Ich würde traurig sterben. Das hier«, er zeigte auf die Kanüle an seinem Handrücken, »das ist meine letzte Waffe gegen sie. Ich möchte mit einem Riesenstoß von dem hier abtreten.«
Sie brauchte den Rest der Besuchszeit, um zu kapieren, dass er über seine alle vier Stunden verabreichte Dosis Morphium sprach.

35
Abschied

1

Paddy stand mit den anderen Fahrgästen in einer ordentlichen Warteschlange, und im beißenden, staubigen Wind sah sie wie die anderen mit verkniffenem Gesicht die Straße hinunter, ob der Bus kam. An der Haltestelle gab es kein Wartehäuschen, sondern nur einen Pfosten am Rand einer hiroshimaähnlichen Trümmerlandschaft. Die Wohnungen im Gebiet um das Krankenhaus herum waren abgerissen und noch nicht wieder aufgebaut worden. Geisterhafte Wohnblocks waren durch ein sinnloses Netz von Gehwegen und Straßen verbunden, die nirgendwohin führten. Die Luft roch trocken und tot. Hier und da hatten Bauträger Zäune um ihre eigenen Baustellen errichtet, aber der Wind konnte trotzdem ungehindert über das Gelände fegen. Winzige Staubhaufen sammelten sich am Rinnstein.

Paddy nahm sich vor, sich hinterher eine üppige Belohnung zu gönnen. Nach dem Besuch auf der Polizeistation und dem Gespräch mit Patterson würde sie gleich zwei Marathon-Riegel auf einmal essen. Es war jetzt egal, wie viel sie zunahm, denn Sean war für sie sowieso verloren und sie würde sich nie wieder dem grellen Licht des Redaktionsbüros aussetzen. Sie würde nie wieder hingehen. Sie ließ den Kopf hängen und spürte, wie ihre entschwindende Zukunft eine Leere in ihr hinterließ. Sie würde in einem Laden arbeiten müssen, würde Dienstkleidung tragen und sich von der Geschäftsführerin herumkommandieren lassen. Wahrscheinlich würde sie vor lauter Panik einen Mann heiraten, der nicht zu ihr passte, nur weil er um sie anhielt, in der Nachbarschaft ihrer Mutter wohnen und sich den Rest ihres Lebens fragen, wie zum Teufel das alles passieren konnte.

Die Wartenden im vorderen Teil der Schlange rückten ein paar Schritte vor, eine Reflexreaktion auf den Bus, der in der Ferne um die Ecke kam, und die anderen folgten ihnen und holten aus Manteltaschen und Geldbeuteln Wochenkarten und Kleingeld für die Fahrkarten heraus. Zwei Marathon-Riegel und ein Teilchen mit Käse und Zwiebeln von der Bäckerei Greggs. Und ein Schokoladen-Doughnut. Als der Bus anhielt, plante sie, wie sie all diese Köstlichkeiten in ihr Zimmer schaffen und dafür sorgen würde, dass sie allein war.

Der Schaffner hatte eine Riesennase. Er stand da und kratzte sich gedankenverloren durch das Futter seiner Hosentasche an den Hoden, als Paddy auf die offene Plattform trat und fragte: »Fahren Sie nach Anderston?«

»Die andere Richtung. Sie müssen den eins sechs vier nehmen. Er fährt alle zwanzig Minuten.«

Sie stieg rückwärts auf den Gehweg hinunter, steckte die Hände tief in die Taschen und sah dem davonfahrenden

Bus nach. Im Nacken spürte sie, wie sich der Wind veränderte.

Mit einem Ruck stand er vor ihr, seine grünen Augen glänzten. Er trug eine schwarze Wollmütze. Der Ring in seinem linken Ohrläppchen blitzte hell in der grauen Umgebung.

»Sie sind nicht Heather Allen.«

Seine rosa Zunge hinterließ eine feuchte Spur auf seiner Unterlippe. Als Paddy in seine Augen schaute, war die Illusion, sich verteidigen zu können, schnell verpufft. Eisige Angst fuhr ihr durch die Glieder, und sie blieb unbeweglich vor ihm stehen, obwohl ihre Beine weglaufen wollten. Sie hatte Heather und Terry einschüchtern können, wusste aber, dass es bei Garry Naismith keinen Sinn hatte. Er würde schneller und weiter gehen, nicht etwa, weil er mehr zu verlieren hatte. Sondern weil er es wollte. Es machte ihm Spaß.

»Ich muss mit Ihnen reden.«

Ihre Familie dachte, sie sei bei der Arbeit. Man würde sie erst in einigen Stunden vermissen, und die Polizei hatte den gesuchten Mann bereits verhaftet. Sie würden nach niemandem sonst fahnden. Voller Panik duckte sie sich hinter seinen Rücken und sah den Bus auf der staubigen Straße davonfahren. Er legte die Hand an ihren Ellbogen, als wolle er sie höflich um Aufmerksamkeit bitten.

»Sie kennen meinen Vater.«

»Ich muss gehen«, sagte sie, blieb aber, wo sie war. »Ich muss weiter.«

Er änderte kaum seine Haltung, aber seine Hand rutschte zwei Zentimeter tiefer und klemmte zwischen Daumen und Zeigefinger die Sehne an ihrem Ellbogen ein. Vor

Schmerz drehte sich ihr der Magen um, Speichel sammelte sich in ihrem Mund, sie trat zurück und versuchte, sich aus seinem Griff zu befreien.

Garry Naismith beugte sich sanft lächelnd über ihre Lippen, als wolle er sie küssen.

»Ich gehe oft mit Frauen wie dir aus.« Er drückte wieder zu. »Und diesmal wirst du mich nicht abweisen.«

Langsam hob er die freie Hand. Neben dem stechenden Schmerz, der von ihrem Ellbogen ausging, nahm sie wahr, dass seine Finger ein stumpfes graues Ei umschlossen. Erst als der kalte, schwere Stein sie am Hinterkopf traf, begriff sie, was es war, und es wurde dunkel um sie.

Sie war nicht tot. Es war Tag, und sie bewegte sich nach vorn gebeugt langsam auf einem grauen Gehweg vorwärts, ihre dicke schwarze Strumpfhose hing faltig um die Knöchel, und sie stolperte unsicher über ihre eigenen Füße. Ein Arm hielt sie unter der Achsel fest, stützte und steuerte sie am Ellbogen in die gewünschte Richtung. Ihre Kopfhaut war heiß und feucht, und sie musste sich konzentrieren, um zu begreifen, dass das Jucken am Haaransatz von der Wollmütze kam, die er ihr übergezogen hatte.

Ein anderes Paar Füße kam ihnen entgegen. Braune, praktische Damenschuhe und eine blaue Einkaufstasche. Die Frau sagte etwas, und der sie stützende Arm antwortete ihr und machte eine witzige Bemerkung. Paddys Oberkörper sank vornüber und wurde wieder hochgezerrt. Sie gingen weiter.

Es war jetzt schon dunkler. Sie saß auf etwas Weichem, zur Seite geneigt, so dass ihr Rücken schmerzte. Vom Boden unter ihren Füßen kam ein rumpelndes Geräusch. Sie war in einem Taxi, und er saß neben ihr, hielt sie immer noch am Ellbogen, und seine flinken Finger waren bereit zuzudrücken, sobald sie etwas unternehmen sollte. Der Gedanke an das, was kommen würde, war wie durch heißen Sand zu waten, aber sie versuchte es trotzdem. Sie waren unterwegs an einen Ort, den sie nie wieder verlassen würde.

Ihre Psyche sehnte sich danach, ins warme Wasser zurückzugleiten, aber sie gab sich alle Mühe, bei Bewusstsein zu bleiben. Langsam fiel sie nach vorn, das Kinn an ihr Knie gepresst. Sie sah eine zerdrückte Kippe auf dem Boden. Meehan hatte nie aufgegeben. Er hatte sieben Jahre in Einzelhaft verbracht, war verachtet und verunglimpft worden und hatte trotzdem nie aufgegeben. Durch Anspannung der Rückenmuskulatur gelang es ihr, den Kopf ein wenig zu heben.

»Hil…«, rief sie, aber ihre Stimme war schwach und tonlos.

Seine Finger zuckten, und ihr ganzer Körper verkrampfte sich, als ein glühend heißer Schmerz sie durchfuhr.

»Ja, Kollege«, sagte er laut zu dem Fahrer. »Vollkommen besoffen, die dumme Kuh.«

»Hil…«

Garry Naismith lachte laut und lange und übertönte damit ihr Wimmern, bis sie nach vorn rutschte und aufgab.

Der stechende Schmerz in ihrem Hinterkopf schien sich ein wenig gebessert zu haben. Sie sah aus großer Höhe auf einen Gehweg hinunter, fiel mit dem Gesicht voran und wurde dann plötzlich von seinen starken ruhigen Armen aufgefangen. Hinter ihr wurde die Taxitür heftig zugeschlagen, sie hob den Blick und sah eine leere Blumenampel vor einer vertrauten Haustür hängen. Sie richtete sich auf und erblickte eine lange, leere Straße und gegenüber steile Vorgärten und eine halbzerfallene Gartenmauer mit der Aufschrift GESINDEL RAUS. Sie waren vor Naismiths Haus in Barnhill, aber der Lieferwagen stand nicht mehr da. Die Polizei musste ihn mitgenommen haben.

Die Polizei. Der Gedanke daran belebte sie, aber die Polizei war nicht hier. Die Polizei war da gewesen und kam nicht wieder. Sie hatten den gesuchten Mann. Der Fall war abgeschlossen.

Er machte das Tor auf und zerrte sie schnell über den unebenen Boden. Die roten Steinplatten waren nicht gleichmäßig verlegt, und bei jedem Schritt musste man auf die spitzen Kanten achten. Er griff ihr unter die Achseln und zog sie zur Haustür, holte dabei seinen Schlüssel heraus und schloss mit einer schnellen Bewegung auf. Bis sie daran dachte, Hilfe zu rufen, war die Tür schon hinter ihr zugefallen. Garry Naismith griff nach der Mütze und riss sie ihr herunter. Ein Rinnsal warmen Blutes lief an Paddys Hinterkopf und Nacken herunter.

Der Teppich im Flur war rosa, die Wände ein kaltes Grau, und Paddy wusste, dies würde das letzte Mal sein, dass sie dies alles sah, wenn sie nicht etwas unternahm. Sie warf den Kopf zurück.

»Callum Ogilvy!«, rief sie so laut, dass sie beide erschraken.

Garry blieb stehen.

»Er ist mein Cousin«, sagte sie. »Du hast ihn vergewaltigt und ihn dazu gebracht, den Kleinen umzubringen.«

Naismith gab ihr einen Stoß auf den Hinterkopf, der ihr wie ein Stromschlag die Wirbelsäule hinunterfuhr. Sie fiel zur Seite, und er trat mit dem Fuß auf die eine Seite ihres Gesichts. Als sie sprach, war ihre Stimme nur noch ein keuchendes Flüstern.

»Du hast ihn vergewaltigt, stimmt's?«

»Die Kinder sind zu *mir* gekommen.« Sie hörte, wie er sich mit der Faust an die Brust klopfte, und war froh, dass sie sein Gesicht nicht sehen konnte. »Sie wollten zu mir. Sie brauchten *mich*. Niemand sonst hat sich um sie gekümmert, und ich kann dir sagen, dem dreckigen kleinen Bastard James musste ich nicht einmal zureden. Er wollte Sachen, an die hatte ich noch nie gedacht. Hat sogar seinen Freund mitgebracht.«

Sie konnte sich vorstellen, dass der arme, vaterlose Callum alles tat, um Garry zu beeindrucken, Garry, der einen Job hatte, Garry mit einem coolen Ohrring, Garry mit einem sauberen Zuhause und einem Lieferwagen voller Bonbons vor der Tür. Das Haus der Naismiths, ein relativ anständiges Haus, musste wie ein sicherer Ort erschienen sein. Wäre sie Callum, dann wäre sie auch mit ihrem Freund hergekommen. Jungen in diesem Alter sehnen sich nach Helden.

»Es war aber nicht Callums Idee, den Kleinen mitzunehmen, oder? Das bist du gewesen. Hast du es wegen Thomas' Todestag gemacht?«

Er sagte nichts. Sie spürte die endlosen Sekunden vergehen und stellte sich vor, wie er die Hand hob und einen Baseballschläger oder ein Messer über ihr schwang. Da glitt sein Fuß von ihrer Wange, sie sah auf und entdeckte ein gequältes Lächeln auf seinem Gesicht.
»Denkst du an Thomas an seinem Todestag?«
»Ich denke immer an Thomas.«
»Warum hast du ihn umgebracht?«
»Ich habe nie gesagt, dass ich es getan habe.«
»Ich verlange kein Geständnis. Ich will nur wissen, warum.«
Er zuckte die Schultern. »Es war ein Unfall. Beim Spielen.«
»Und Henry hat dir geholfen, es zu vertuschen?«
»Er wollte ein guter Vater sein. Ein besserer Vater. Besser als Dempsie.«
»Und das hat er erreicht, indem er die Leiche deines kleinen Bruders auf die Gleise geworfen hat? Er wollte mich töten, um dich zu schützen, und jetzt hat er alles gestanden? Warum hat er deinetwegen solche Schuldgefühle?«
»Du«, er hatte die Augen geschlossen, und seine laute Stimme übertönte sie, »du verstehst nicht, was zwischen Männern läuft. Frauen verstehen das nicht. Es bringt nichts, es zu erklären.«
»Er hat's mit dir gemacht, und du hast es mit ihnen gemacht? Ist es so zwischen Männern? Hast du sie dazu gebracht, Brian umzubringen, damit sie sind wie du? Damit du etwas hast, mit dem du Druck auf sie ausüben kannst, so wie Henry dich mit Thomas' Tod unter Druck setzt?«
Er stand plötzlich auf, packte mit beiden Händen ihren

Unterarm und zerrte sie rückwärts die Treppe hoch, wobei sie schwerfällig wie ein großer Karton überall anstieß. Paddy wusste, dass sie im oberen Stockwerk nichts Gutes erwartete. Sie versuchte, auf die Beine zu kommen, sich irgendwo festzuhalten, ein Geländer zu finden, um ihre Füße dazwischenzustecken, aber es war nichts da als die glatte Wand.

Garry riss sie mit einem Ruck nach oben, so dass er ihr fast das Schultergelenk ausrenkte und Hüfte und Gesäß von der Treppe abprallten. Sie bekam keine Luft mehr und konnte nichts sagen, bis sie am oberen Ende der Treppe angekommen waren.

»Was war mit Heather Allen? Sie hatte dir nichts getan.«

»Wir haben einen Fehler gemacht.« Garry ließ sie los und hob eine Lampe mit sonnengelbem Schirm vom Tisch. Er schwitzte.

»Aber diesmal hab ich das richtige Mädchen erwischt, was?«

Er ließ die Lampe auf ihren Kopf herunterkrachen, und sie verlor das Bewusstsein.

2

Der Schmerz hinter ihren Augen war qualvoll. Sie öffnete sie langsam und stellte fest, dass sie neben einem Doppelbett im Schlafzimmer, eingekeilt zwischen der kalten Wand und einem Sofa, auf einem roten Acrylteppich saß. Die Vorhänge an einem kleinen Fenster über ihr waren zugezogen, aber sie konnte schwaches Tageslicht hinter dem billigen dünnen Stoff schimmern sehen. Ihre Handgelenke waren hinter ihrem Rücken zusammengebunden, ein rauher Hanfstrick schnitt ihr in die Haut. Ihre Beine waren vor ihr auf dem Boden ausgestreckt, ihre Fußgelenke mit einer unentwirrbaren Reihe von Knoten zusammengebunden.

Die Tür zu dem Zimmer war angelehnt. Er befürchtete also nicht, dass jemand nach Hause kommen könnte. Sie waren ganz unter sich. Ein weißer Einbauschrank aus Kunststoff stand an der gegenüberliegenden Wand, und eine große Bibel mit Goldschnitt lag offen auf der eingebauten Frisierkommode. Über dem Bett an der Wand sah sie ein kleines Kruzifix und wusste, sie war in Henry Naismiths Schlafzimmer. Sie konnte auf keine Hilfe hoffen.

Sie beugte sich vor, schaffte es, ihre Hände zwischen den Rahmen des Bettgestells und die Matratze zu schieben, stützte sich hoch und kam auf die Beine. Sie sah auf, taumelte rückwärts und fiel auf ihr schmerzendes Hinterteil, als sie auf der anderen Seite des Zimmers eine blutüberströmte Frau erblickte, die vorsichtig hinter dem Einbauschrank hervorzuspähen schien. Sie setzte sich gerade hin, zerrte an dem Bettzeug, zog die Beine an und sah zu der furchterregenden Frau hinüber, um auf alles gefasst zu sein. Es war ein Spiegel. Ein schwarzes Bündel blutverklebter Haare hing über ihrem Ohr. Rote Streifen liefen über ihre Wange bis zum Mund, Druckstellen, wo sie auf der Seite gelegen hatte. Ihr Gesicht war geschwollen und voller blauer Flecken.

Wenn Ludovic Kennedy diese Geschichte schreiben sollte, müsste sie warten, bis sie gerettet würde. Ihre Zähigkeit und die Bereitwilligkeit, ihre Schuld zu bekennen, würden sie retten. Aber es war keine Geschichte, und zu ihrem Entsetzen wurde ihr plötzlich klar, dass sie sterben und niemand etwas dagegen unternehmen würde. Vielleicht würde man nicht einmal ihre Leiche finden. Es gab keine Gerechtigkeit.

Jemand schlich mit leisen Schritten draußen über den Treppenabsatz. Der einzige Vorteil, den sie ihm gegenüber hatte, war die Tatsache, dass er nicht ahnte, dass sie bei Bewusstsein war. Sie rollte sich auf der Seite liegend zusammen. Er würde sie umbringen, und sie konnte tatsächlich nur an die Titelseite der *Daily News* mit der Nachricht von ihrem Tod denken. Nur die Fakten, keine Einzelheiten. Nichts darüber, dass das Zimmer nach fettigem Männerhaar roch, dass der Teppich schon ewig nicht mehr gesaugt und eine Staubschicht unter dem Bett war, und nichts darüber, wie hinter ihr die Tür aufging und die Füße ins Zimmer kamen.

Er trat sie brutal ins Kreuz. »Steh auf.«

Sie zuckte bei dem Tritt zusammen, hielt aber die Augen geschlossen. Er beugte sich herunter und kauerte über ihr. Sie konnte die Seife an seiner Haut riechen. Er berührte ihr blutverkrustetes Haar, betastete mit einer Fingerspitze die Wunde an ihrem Kopf, und sie hörte das Geräusch, wie der Finger die feuchte Stelle streifte. Er drückte darauf, um eine Reaktion hervorzurufen, aber Paddys Gesicht blieb regungslos, ihre Haut war sowieso ohne Gefühl.

»Es ist an der Zeit«, sagte er leise, »dass du lernst, wer hier das Sagen hat.«

Er schob seine Hände unter ihre Achseln und hob Paddy hoch, zerrte ihren reglosen schweren Körper halb auf die

Matratze, bevor er auf die andere Seite ging und sie vollends hochzog.

Er würde sie unter dem grellen Licht ganz ausziehen, würde sie ansehen und anfassen. Er würde sie töten, und dabei hatte sie doch noch nichts erlebt, war noch nie aus Schottland rausgekommen, war nie dünn gewesen, hatte nie eine eigene Wohnung gehabt oder irgendeine Spur in der Welt hinterlassen. Sie schaffte es nicht, das Weinen zu unterdrücken. Ihr Gesicht verzog sich, und sie schluchzte laut, hielt aber die Augen geschlossen, weil sie zu große Angst davor hatte, sie aufzumachen.

»Das ist gut«, sagte er und kletterte hinter sie auf das Bett, so dass er ausgestreckt neben ihr lag. »Mach nur weiter so, schön laut. Ich mag das.«

Er beugte sein Gesicht von hinten über sie, und seine weichen Lippen streiften ihr Ohrläppchen, sein heißer Atem kitzelte die winzigen Härchen am Ohr, als er flüsterte und sie ihre Schulter abwehrend hochzog. Er hatte oft mit Mädchen wie ihr zu tun. Sehr oft. Er wusste, dass sie es wollte, weinte sie deshalb? Weil sie es sich so sehr wünschte? Sie musste nehmen, was sie kriegen konnte, weil sie so dick war.

Als Paddy ihn das sagen hörte, stieg eine flammende Wut an ihrem Rückgrat hoch. Es war zu viel, in ihrem letzten Moment auf Erden dick genannt zu werden. Sie hielt die Augen geschlossen und drehte ihm ihr Gesicht zu, öffnete den Mund so weit sie konnte und biss fest zu. Sie kreischte wütend, ein feuchter, gurgelnder Laut, und hielt zwischen ihren Zähnen ein Stück Fleisch. Der metallisch scharfe Geschmack von Blut füllte ihren Mund. Sie machte die Augen auf. Sie hatte ihn in die Unterlippe gebissen. Garry

schrie auf und wich so weit zurück, dass sie eine Seite seines Gesichts erkennen konnte.
Ein grünes Auge war weit aufgerissen und ließ wie bei einem erschrockenen Pferd rundherum das Weiße sehen. Er schlug sie jetzt wieder, und die warme Feuchtigkeit auf ihrem Gesicht verriet ihr, dass sie blutete, aber ihre Angst, den Mund aufzumachen und ihn loszulassen, war zu groß. Sie würde es schließlich tun müssen, aber wenn sie es tat, würde er sie umbringen. Aber davor sollte er von einer so tiefen Wunde gezeichnet sein, dass sie ihn finden mussten.
Garry versetzte ihr Schlag auf Schlag auf die Seite des Kopfes, aber sie hielt weiter fest, schüttelte den Kopf, um die Wunde noch weiter aufzureißen, und als sie ausatmete, spritzte ihm sein eigenes Blut ins Auge. Sie spürte, dass ihre Zähne die letzte Hautschicht erreicht hatten. Das Stück Lippe löste sich.
Ein ohrenbetäubender Krach erschütterte die Wand, als die Tür nach innen aufflog, an die Wand knallte und eines der Scharniere abbrach. Viele Hände ergriffen ihre Beine und Arme, zogen sie am Handgelenk, während der Strick noch ihre Fußgelenke zusammenhielt. Als sie an ihr zerrten, spürte sie, wie die Spitzen ihrer Schneidezähne sich berührten und dann öffneten. Garry Naismith kniete auf dem Bett mit einem Arm um sein Genick, ein Polizist an jedem Arm, und ein Blutschwall ergoss sich auf das Bett seines Vaters. Seine Unterlippe hing herunter und ließ die untere Zahnreihe sehen.
Die Polizisten halfen ihr auf und lösten die Stricke von Hand- und Fußgelenken, alle schrien durcheinander, es herrschte plötzlich ein nervenzerreißender Lärm nach der

Stille. Paddy erbrach einen Schwall von Blut und Speichel auf ihre Stiefel.
Als sie sich wieder aufrichtete, bemerkte sie, dass Patterson sie mit verschränkten Armen und angespanntem, angeekeltem Gesicht betrachtete.
Sie sah über ihre Schulter und erblickte sich selbst im Spiegel der Frisierkommode, Blut lief wie Finger einer Hand über ihr Gesicht und rann aus dem Mund auf ihr blutrotes Kinn. Wann immer sie zufällig über ihre Schulter in einen Spiegel blicken und ihr Gesicht sehen würde, für den Rest ihres Lebens hätte sie dieses Bild vor Augen.
»Mutter Gottes«, keuchte sie, und Tröpfchen wässrigen Blutes spritzten aus ihrem Mund. »Heilige Mutter Gottes, *verdammt* noch mal.«

3

Sie hatte Angst, Fragen zu stellen, weil sie befürchtete, ihnen damit mehr sie selbst belastendes Material zu liefern, als sie ohnehin schon hatten. Sie ließen sie unten in dem spärlich möblierten Wohnzimmer sitzen. Der Teppich war ebenso rosa wie im Flur, und die Wände waren auch hier grau. Eine übertrieben große, mit Steinen verkleidete Einfassung umrahmte ein kleines künstliches Feuer mit zwei Heizstäben. Es war kalt in dem Raum. Es gab keine Couch, die zwei Sessel standen weit voneinander entfernt und waren beide auf den Fernseher ausgerichtet. Die Nippes auf dem Kaminsims waren ein Musterbeispiel spießiger Gemütlichkeit: eine Maus, die aus einem Schnapsglas kroch, und ein kleines Porzellanhaus. An der Wand hing eine Reihe Fotos von Garry als Schüler in einem senffarbenen Pullover, in seiner Schuluniform, mit und ohne Zahnlücken.

Ein dicker Constable zog einen Stuhl durch den ganzen Raum, um mit ihr zu sprechen. Jemand hatte wiederholt die *News* angerufen, nach ihr gefragt und sie als vermisst gemeldet, bis Dub die Polizei rief. Sie verfolgten ihre Spur zum Royal Hospital und fanden ihre gelbe Segeltuchtasche auf dem Gehweg. Sie hörte zu, nickte und fragte sich, woher sie gewusst hatten, dass sie im Royal gewesen war. Sie hatte sich abrupt von Terry getrennt und hatte ihm nicht gesagt, wohin sie ging. Der Constable sagte ihr, sie wüssten jetzt, dass jemand fälschlicherweise gemeldet hatte, er habe Heather in Naismiths Wagen einsteigen sehen, so dass sie es für möglich gehalten hatten, dass jemand anders für die Morde verantwortlich war. Sie wagte kaum zu fragen, woher sie das wussten, ließ sich aber auf den Sessel zurücksinken und legte die Hand auf die Wunden an ihrem Kopf, um ihr Gesicht zu verbergen.

Ein jüngerer Constable hatte sie von der Tür aus beobachtet, kam näher und berührte behutsam ihre Schulter.

»Wir sollten Sie ins Krankenhaus bringen, Miss.«

»Ist schon gut, wirklich.« Sie versuchte hochzuschauen, aber ihr Kopf tat zu weh.

»Lassen Sie mich das Blut abwaschen, dann können wir sehen, was drunter ist.«

Paddy hielt den Kopf gesenkt und folgte ihm gehorsam durch den geschäftigen Flur in die Küche, wo er einen Kessel für warmes Wasser aufsetzte. Er ließ sie sich über das Waschbecken beugen und wusch ihr sanft die Blutklumpen aus dem Haar. Dabei musste er langsam vorgehen, um den bescheidenen Warmwasservorrat gut zu nutzen, goss ihr Wasser auf den Nacken, ließ es sanft über ihre Kopfhaut rinnen und vermied dabei, die offene Wunde hinter ihrem linken Ohr zu berühren. Sie hatte weiche Knie von dem Schock, und er legte eine Hand auf ihren Rücken, damit sie sicher stehen konnte. Es war der intimste Augenblick, den sie je mit einem Mann erlebt hatte.

»So, gut.« Er legte eine Hand auf ihre Schulter, um sie aufzurichten, und gab ihr ein Handtuch, damit sie ihr Haar trocken tupfen konnte. »Ich hab einen Erste-Hilfe-Kurs gemacht, und das weiß ich ganz bestimmt: Wir müssen Sie zur Untersuchung ins Krankenhaus bringen.«

»O. K.«, sagte sie und dachte, wenn er da wäre, würde es ihr nichts ausmachen, verhaftet zu werden. »Werden Sie mich danach nach Hause gehenlassen?«

»Nein, die Ärzte werden Sie dabehalten wollen, wenn Sie bewusstlos waren«, sagte er, da er die Frage missverstanden hatte. »Waren Sie ohnmächtig?«

»Nein«, log sie, »überhaupt nicht.«

Der Polizist hielt jemanden im Flur an, um ihm zu sagen, wo sie hingingen, und bat den dicken Constable mitzukommen. Er führte sie durch die offene Haustür auf die Straße. Vier Polizeiautos standen draußen, eines noch mit Blaulicht, das gemächlich auf dem Dach blinkte. Der Wind fuhr ihr kalt durch das nasse Haar, ihre Kopfhaut zog sich schmerzhaft zusammen, und fast hatte sie schon wieder Gefühl in der Wunde hinter ihrem Ohr. Paddy richtete sich auf und atmete die Nachmittagsluft ein. Sie würde damit fertigwerden. Auch wenn sie sie verhafteten und ihre Karriere bei der *News* zu Ende wäre und Sean nicht mehr mit ihr spräche, würde sie es trotzdem irgendwie schaffen.

Da fing sie einen Blick auf und lächelte, bevor ihr klar war, wer es war.

Sie war von dem blinkenden Licht geblendet gewesen, aber zwischen den Lichtblitzen sah sie Dr. Pete hinten im Polizeiauto sitzen, von wo aus er sie ruhig durch das Fenster ansah. Er trug einen beigen Regenmantel über seinem blauen Schlafanzug. Sie winkte ihm zu, und er machte ihr mit der Hand ein Zeichen, sie solle zu ihm kommen. Ebenso deutete er an, dass er die Tür von innen nicht aufkriegen oder das Fenster herunterdrehen konnte. Der Polizist, der Erste Hilfe geleistet hatte, machte die Beifahrertür auf und ließ sie über die Rückenlehne des Sitzes mit Pete sprechen.

»Ich hab ihnen gesagt, dass ich die Haare in den Lieferwagen gelegt und den falschen Anruf gemacht habe.« Pete hielt sich mit einer Hand, an der noch die Kanüle hing, an der Kopfstütze fest. Der leise, schleppende Tonfall seiner Stimme war auffälliger als zuvor. »In der Zentrale sagte man, ich hätte wie eine Frau geklungen, als ich anrief. Finden Sie, dass ich wie eine Frau klinge?«

Sie sahen einander einen Moment in die Augen, bis der Polizist ihren Ellbogen nahm. »Wir müssen zusehen, dass Sie untersucht werden«, sagte er.

»Pete, ich bin überwältigt. Ich weiß nicht, was ich sagen soll.«

»Laden Sie mich mal auf einen Drink ein.«

Als der Polizist sie wegzog, berührte Paddy Petes gelbe Fingerspitzen.
Sie waren warm und staubtrocken.

4

Paddy spürte die Stimmung schon auf der Straße, als sie sich dem Gebäude näherte. Es war nicht so sehr die Lautstärke als vielmehr eine Art erregtes Trillern in der kalten Luft. Hinter jedem Milchglasfenster der Press Bar stand eine Menschentraube.
Paddy berührte den Verband mit den Fingerspitzen, um zu prüfen, ob die Wunde noch so empfindlich war, wie sie sie in Erinnerung hatte. Der Arzt hatte sie mit ein paar Stichen genäht, und die Schwestern hatten Mull darübergelegt und sie am Ohr und am Haar festgeklebt wie eine schiefsitzende Mütze. Der junge Polizist hatte während der Wartezeit ihre Aussage aufgenommen und ihr nach Anfrage über Funk gesagt, dass sie nach Hause gehen könne, wenn sie am nächsten Morgen sofort auf der Anderston-Polizeiwache erschiene. Er hatte ihr angeboten, sie nach Hause zu fahren, aber sie hatte abgelehnt. Sie wollte hier an diesem Ort sein.
Als sie die Tür aufmachte, zog ein Schwall warmer, verrauchter Luft auf die Straße hinaus. Sie hatte eine bacchantische Szene vor sich. Heute Abend waren ziemlich viele Frauen in der Bar, und die Menge war ausgelassen und fröhlich. Die Jungs von der Sportredaktion sangen so schräg, dass man hätte meinen können, sie sängen verschiedene Lieder durcheinander. Richards stand laut

lachend am Tresen und hatte den Kopf zurückgeworfen wie ein richtiger Bösewicht, was den Mann neben ihm furchtbar aufregte. Margaret Mary mit ihrem roten Top stand direkt neben Farquarson, lachte und stieß mit ihren Brüsten an seinen Arm. Die Nachrichtenjungs führten gerade eine Art Wettbewerb im Whiskytrinken durch, und dort, mitten unter ihnen, war Dr. Pete, seine Augen leuchteten hell wie Morgensterne und seine Haut schimmerte unter dem grellen Licht in einem tiefen vollen Gelb.

Sie hob die Hand, um zu winken, aber er sah sie nicht. Statt ihn anzusprechen ging sie an die Bar und bestellte ihm einen doppelten Malzwhisky, den besten, den McGrade da hatte.

Sie sah, wie McGrade das Glas hinüberbrachte, es vor ihm auf den Tisch stellte und flüsterte, was und von wem es war. Pete sah nicht auf, um ihr zu danken, schlürfte aber ehrfürchtig den Whisky, statt ihn hinunterzukippen, und betrachtete lächelnd das Glas, das er zwischen Daumen und Zeigefinger drehte.

Auf der Suche nach Terry ging sie durch den ganzen Raum und bemerkte, dass die Männer sie deutlich ignorierten, was ein Zeichen von Respekt war. Terry war nicht bei den Männern, die am Whisky-Wettbewerb in der Nähe der Toiletten teilnahmen, und stand auch nirgendwo am Tresen. Dub saß auf einer Bank hinter der Tür mit einer Gruppe von Druckern, die sich über deutsche Bands stritten und darüber, ob »O Superman« als Musik durchging.

»Hi.« Sie rutschte neben ihm auf die Bank, und Dub grinste und rückte zur Seite, um ihr Platz zu machen.

»Das ist wohl dein neuer Stil, was?«, sagte er und zeigte auf ihren Verband.

»Ja, ich dachte mir, ich könnte ein paar Kreationen zum Thema Gehirnchirurgie beisteuern.«

»Steht dir gut. Gibt dir den Anschein, als hättest du interessante Dinge zu sagen.«

»Zum Beispiel ›autsch‹?«

»Ja, und ›würg‹.«

Paddy zeigte auf das, was sich vor ihnen abspielte. »Bild ich mir das ein, oder geht es wirklich verrückter zu als sonst?«

»Entspann dich«, antwortete Dub und reichte ihr irgendein Bier vom Tisch, »dann erzähl ich dir was.«

So wie Dub es erzählte, hatte der Abend damit angefangen, dass Dr. Pete, der gegen Kaution von der Polizei freigelassen worden war und noch immer seinen Schlafanzug aus der Klinik trug, an der Tür des Redaktionsbüros erschien. Er verkündete, er wäre wirklich bescheuert, wenn er sich diesen Mist auch nur noch eine Minute länger bieten ließe. Er würde gehen und sein Buch über McLean schreiben. Es würde doch jeden ankotzen, wie die Belegschaft in diesem Schuppen behandelt werde – und das alles wegen McGuigan. Ein nachdenklicherer Beobachter hätte wohl angemerkt, dass McGuigan in keiner Weise für Dr. Petes Beschwerden verantwortlich war, aber in der Redaktion liebte man Zoff. Er war zur Chefredaktion hinuntermarschiert, und sie waren ihm gefolgt wie eine zornige Bauernschar. Selbst Farquarson ging halb im Scherz mit ihnen, befahl ihnen zwar, sofort an ihre Tische zurückzukehren, hatte damit allerdings nicht mehr Erfolg als der Protest eines fröhlichen achtzigjäh-

rigen Opas, der sich von seinen Lieblingsenkeln kitzeln lässt.
Pete stürzte in McGuigans Büro und verkündete laut jede Menge Unsinn, zog ihn schließlich am Revers und sagte, er hätte ein Arschgesicht. Damit quittierte er den Dienst und sagte, er würde nie mehr wiederkommen.
Petes verwegene Stimmung hatte viele andere ergriffen, und die Atmosphäre in der Press Bar glich eher der Millenniumsfeier eines einsamen Seemanns auf Landurlaub als einem feuchten Dienstag im Februar.
Paddy lachte über die Geschichte, amüsierte sich und fasste hin und wieder an ihren verwundeten Kopf, um zu sehen, ob in die Haut wieder Gefühl zurückkehrte. Zweimal hob sie das Glas, um zu trinken, konnte aber die Vorstellung von einem verschwitzten Mann, der in sein Glas sabberte, nicht loswerden.
Die Tür neben ihnen ging auf, und Terry Hewitt kam herein und sah sich im Raum um. Paddy zuckte leicht zusammen und zog an seiner Lederjacke, um ihn auf sich aufmerksam zu machen.
Er nickte, als er sah, dass sie es war, und tat so, als hätten sie verabredet, sich hier zu treffen. Er kam herüber, setzte sich neben sie und zwang Dub, auf der Bank noch weiter zur Seite zu rutschen, so dass dieser sich unbequem in eine Ecke drücken musste. Dub stand auf und bot an, eine Runde zu holen, vergaß aber Terry zu fragen, was er wollte.
»Verrückter Abend«, sagte Terry leise.
»Es tut mir so leid.«
»Schon O. K. Ich habe gerade einen Artikel für morgen aufgesetzt, über Garrys Verhaftung.«

»Nein, mir tut es leid, dass ich dir eingeredet habe, es sei Henry gewesen. Ich hatte kein Recht …«
»Dir ist bei Tracy klargeworden, dass es Garry war, oder?«
»Ja.«
»Du hättest mir Bescheid sagen sollen.«
Sie hatte sich für ihren Irrtum geschämt, versuchte aber, es zu beschönigen. »Ich wollte dich schützen«, erklärte sie, aber bei der offensichtlichen Lüge klang ihre Stimme leise und schwach.
Terry nickte, murmelte halblaut: »In Ordnung« und ließ es ihr durchgehen.
»Wird die Geschichte auf mein Konto gehen?«
Terry sah sie etwas vorwurfsvoll an. »Ich hab deinen Namen in der Morgenausgabe als ersten nennen lassen.«
»Ich bin ja schließlich fast umgekommen für die Story«, rechtfertigte sie sich.
»Ich weiß.«
»Ich habe ein Recht darauf.«
»Ich weiß.«
Vom Tresen an der anderen Seite des Raums blickte Dub finster zu ihnen herüber.
»Meinst du, Dub ist schwul?«
Terry beobachtete neugierig ihr Gesicht.
»Weißt du, eigentlich glaube ich das nicht.«
Paddy sah zur Bar hinüber. Dub blickte Terry wieder missmutig an und zog zornig an seiner Zigarette.
Pete stand hinter einer Reihe whiskytrinkender Männer, schwankte leicht und hatte die Augen geschlossen. Dub starrte wieder zu ihnen herüber. Paddy winkte ihm mit einer vergnügten Geste zu. Er hob das Kinn in ihre Rich-

tung und seine Nasenlöcher weiteten sich. Neben ihr räusperte sich Terry lautstark. Die Atmosphäre wurde immer angespannter. Plötzlich war Paddy so verwirrt von dem, was sich da tat, dass sie sich nach ihrem ruhigen Zuhause sehnte. Sie schlug sich entschlossen auf die Knie.

»Also, ich geh jetzt und sage Pete gute Nacht.«

»O. K.« Terry drückte sein Knie an ihres und flüsterte: »Seh ich dich morgen, kleine Paddy Meehan?«

Verlegen über die Vertraulichkeit lächelte Paddy in ihr Bierglas. »Vielleicht ja«, sagte sie, »oder vielleicht nein.« Sie stand auf, ging weg und lächelte ebenso sanft wie Terry selbst.

Auf halbem Wege durch die Menschentraube traf sie auf McVie. Selbst er, der missmutigste Mann der *News*, trank und freute sich über die ausgelassene Stimmung. Er kam beim Zigarettenautomaten auf sie zu und überlegte, welchen Rat er ihr geben könne; seinen Moment als Boss im Reporterwagen hatte er sehr genossen. Von dieser Überlegenheit war ihm aber nicht viel geblieben, er war ziemlich betrunken, also gab er nur ein paar genuschelte weise Sprüche aus zweiter Hand zum Besten. Lass dir nichts gefallen. Kauf nichts auf Pump. Setz nie auf ein Pferd mit dem Namen Glückspilz. Mach nie Urlaub in Blackpool, es ist total scheußlich dort.

Bis sie sich von McVie losmachen konnte, war Pete mit geschlossenen Augen und erschlafften Gesichtszügen in der Ecke zusammengesunken. Sie musste sich durch die Whiskytrinker vorwärtsdrängen, um zu ihm durchzukommen.

»Vorsicht!«, rief einer, als sie sich an ihm vorbeiquetschte, an sein Glas stieß und etwas Whisky verschüttete. Er sah sie auf Pete zugehen. »Versuchen Sie nicht, ihn aufzuwecken. Er war im Krankenhaus. Er braucht seinen Schlaf.«

Paddy setzte sich neben Pete und legte ihre Finger an sein Handgelenk. Sie konnte keinen Puls fühlen.

»Er schläft nicht«, sagte sie leise.

»Ja«, rief einer der Typen am Tisch. »Er ist der Größte, Mann, er ist verdammt noch mal der Größte. Seit fünf ist er mit uns hier drin.«

»Er schläft nicht«, flüsterte sie und nahm Petes kalte, einsame Hand in die ihre und führte sie an ihre Lippen.

Zuhause

Paddy stand in der Kälte und hatte die Hände in die Taschen geschoben. Nach einem Seufzer schwebte ihr warmer Atem wie ein weißes Wölkchen vor ihr in der Luft.

Über den Zaun und durch das Fenster sah sie nur die Köpfe im Wohnzimmer. Sean saß in einem Sessel, Con in dem anderen, und beide schauten zusammen die Nachrichten an. Das Licht in Martys Zimmer war an, und sie hörte das leise Summen eines Radios. Mary Ann nahm wohl gerade ein Bad. Trisha war in der Küche, kümmerte sich um das Essen und wärmte Teller für ihre Rückkehr an.

Sie befahl ihren Füßen, sie zur Tür zu tragen, blieb aber stehen und beobachtete ihre Familie über die Hecke. Sean sagte etwas, und Con nickte. Ihre Eltern wussten nicht, dass sie sich getrennt hatten. Und sie war auch nicht sicher, ob Sean es begriffen hatte. Aber es war schön, dass er da war. Jedenfalls war er ihr nicht böse.

Sie würden durchdrehen, wenn sie den Verband um ihren Kopf sahen, und jetzt waren auch noch ihre Augen vom Weinen gerötet.
Sie konnte ihnen nicht sagen, dass ihr Freund im Pub gestorben war.
Und sie konnte ihnen auf keinen Fall von Garry Naismith erzählen.
Sie versuchte, sich eine glaubhafte Erklärung auszudenken, damit ihre Mutter ihr nicht verbat, zur Arbeit zu gehen. Sie sei überfallen worden. Nein, das hieße, dass es in der Stadt zu gefährlich war. Es hätte eine Schlägerei im Zug gegeben – den Zug nahmen ja alle. Sie sei bei einer Schlägerei im Zug besonders vorsichtig gewesen und aufgestanden, um auszusteigen, aber dabei sei sie von einer durch die Luft fliegenden Flasche am Kopf getroffen worden. Das Zugpersonal habe sie ins Krankenhaus gebracht, aber alles sei in Ordnung. Die streitenden Männer seien verhaftet worden. Einer von ihnen sei dick gewesen. Solche Einzelheiten würden die Sache glaubhaft machen. Er habe ein Rangers-T-Shirt angehabt. Das würden sie bestimmt glauben.
Die schneidende Nachtkälte schmerzte im Gesicht. Paddy sah, wie sich gezackte Rauhreifränder an den Blättern der Hecke bildeten. Kekskrumen im Futter ihrer Manteltasche blieben unter ihren Fingernägeln hängen. Sie spürte wieder Petes Hände in den ihren und gelobte, dass sie weder ihn noch das, was er für sie getan hatte, jemals vergessen würde.
Es wurde langsam spät.
Sie ging zögernd durch das Gartentor und blieb an dem Stoß Backsteine stehen, kniete nieder und tastete in dem

weichen, feuchten Boden nach dem Schlüssel für die Garage der Beatties.
Sie würde noch eine Weile mit der Queen verbringen, eine Zigarette rauchen und ein wenig an ihren Freund Pete denken, bevor sie in das warme Haus hineinginge.

Anmerkungen der Autorin

Die Teile des Romans über Patrick Meehan beruhen auf einem authentischen Fall. Paddy Meehan war ein professioneller Safeknacker, der in einem vielbeachteten Verfahren des Einbruchs und des Mordes an einer älteren Frau schuldig gesprochen wurde. Dies war ein Justizirrtum, der in Schottland hohe Wellen schlug. Sogar nachdem die wahren Schuldigen ihre Geschichte an eine Sonntagszeitung verkauft hatten, führte erst das Buch von Ludovic Kennedy zur Wiederaufnahme des Falls und zu Meehans Begnadigung. Die Ereignisse, die hier erzählt werden, stützen sich größtenteils auf Meehans Aussagen in Interviews und Büchern und auf die Ausführungen seines Anwalts Joseph Beltrami. Einige Fakten wurden gebündelt, damit sie für den Leser ein klareres Bild ergeben. Zum Beispiel stahl Griffiths während der Schießerei, die er sich mit der Polizei lieferte, mehrere Autos. Nur die emotionalen Details sind im Wesentlichen fiktiv.

In den späten achtziger Jahren habe ich mit Paddy Meehan einige Interviews gemacht. Wir hatten beide keine besondere Lust dazu und taten es nur, um meiner Mutter Edith einen Gefallen zu tun.

Damals arbeitete Edith einen Sommer lang als Maniküre im Argyle Market, einer Reihe klapperiger, kleiner Läden im ersten Stock in der Nähe einer der großen Einkaufsstraßen mitten in Glasgow. Zur selben Zeit verkaufte unten an der Treppe zu diesen Läden Paddy Meehan sein im Selbstverlag herausgekommenes Buch *Reingelegt vom MI5*. Ediths Nagelstudio war erstklassig. Sie trug einen weißen Kittel und hatte einen Schreibtisch, ein Sofa und sogar ein funktionierendes Telefon zur Verfügung. Meehan sprach sie an und fragte, ob er dort wichtige Anrufe entgegennehmen könne, weil der Geheimdienst im Telefonhäuschen eine Wanze eingebaut hätte. Ganz Dame, erlaubte sie es ihm, bat ihn aber auch um einen Gefallen, nämlich ihrer Tochter seine Geschichte zu erzählen. Es würde sie interessieren, da sie Jura studiere, sagte Edith. Eigentlich hatte ich kein Interesse, da ich nichts über ihn oder den Fall wusste und bald Prüfungen hatte, aber meine Mum sagte, ich solle ihn zu einer Tasse Tee einladen.
Die Kaufhaus-Cafeteria war in der halben Stunde vor Ladenschluss schon ganz leer. Wir waren die einzigen Kunden, und Meehan saß der Tür gegenüber und beobachtete sie über meine Schulter. Ich war jung, arrogant, hatte es eilig und hörte nur mit halbem Ohr hin. Er hatte seine Geschichte schon so oft zum Besten gegeben, dass ich manchmal dachte, er hörte gar nicht mehr, was er sagte, aber er erzählte gut und war immer noch aufgebracht, wenn er sich an das Gefängnis und die wütende Menge in Ayr erinnerte.
Ich bat ihn dann, einen Teil davon noch einmal zu wiederholen. Er sagte, er sei von einem zwielichtigen Individuum namens Hector, der zum ersten Mal auftauchte, als

Meehan auf der Werft arbeitete, für das Netzwerk des kommunistischen Geheimdiensts angeworben worden. Er begegnete ihm unerwartet in London vor der Botschaft wieder und hielt ihn jetzt für einen Agent provocateur des Inlandsnachrichtendienstes, dem MI5. Obwohl in seiner Gefängnisakte zu lesen war, dass er fünf Jahre lang im Gefängnis von Leicester saß, war er in Wirklichkeit entkommen und in die Sowjetunion geflohen. Dort gab er den Sowjets Informationen über die Gefängnisanlagen, die sie nutzten, um George Blake herauszuholen. Aber noch alarmierender war, dass er behauptete, er hätte den MI5 darauf hingewiesen, auf welche Weise Blake zu entkommen plante. Entweder ignorierte man dort seine Hinweise oder man ließ Blake absichtlich entwischen.

Das kam mir lächerlich vor. Ich sagte ihm, ich könnte mir nicht vorstellen, dass der MI5 versucht hätte, ihn dadurch zum Schweigen zu bringen, dass man ihm einen aufsehenerregenden Mordfall anhängte. Er bestand aber darauf und regte sich furchtbar auf, so dass ihm die Röte ins Gesicht stieg und einmal fast die Tränen kamen. Ich sah mich plötzlich selbst, eine arrogante Jurastudentin, die in einem schäbigen Café saß und einen alten Kerl mit hochrotem Kopf bei der Schilderung seines eigenen Lebens eines Besseren belehren wollte.

Meehan bestand beharrlich darauf, dass sein Leben einen tieferen Sinn gehabt habe. Er weigerte sich zu akzeptieren, dass es nur eine Serie komischer Pannen und tragischer Zufälle war, die sich ohne tiefere Bedeutung aneinanderreihten, wie es in ereignisreichen Biographien meistens der Fall ist. Er behauptete, irgendjemand hätte immer gewusst, was sich abspielte, und alles gelenkt. Da er so hartnäckig nach einer geheimnisvollen, treibenden Kraft suchte, kam es mir vor, als bestehe er auf der Existenz Gottes.

Wir tranken unseren Tee aus, rauchten zu Ende und trennten uns missgestimmt. Den Rest des Sommers wich er mir aus. Jedes Mal wenn ich meine Mutter besuchte und auf dem Weg nach oben am Fuß der Treppe an ihm vorbeikam, machte er sich an Bücherstößen zu schaffen oder starrte mit zusammengekniffenen Augen in die Ferne und tat so, als hielte er nach einem imaginären Bekannten Ausschau. Ich grüßte ihn immer, aber nur um ihm die Gelegenheit zu geben, mich links liegenzulassen. Jetzt, da ich älter bin, ist mir klargeworden, dass es nichts gibt, das eine unangenehme Wahrheit leichter zum Schweigen bringt, als sie lächerlich zu machen. Aber seine Geschichte war unwahrscheinlich genug, um wahr zu sein.

Meehan erzählte seine Geschichte auch weiterhin. Er erzählte sie jedem, dem er begegnete. 1994 starb er an Kehlkopfkrebs.

Danksagung

Dieses Buch hätte ohne die Mitwirkung und das Wissen von Selina Walker nicht entstehen können, ich bedanke mich bei ihr für ihre Geduld und ihr klares Urteil. Auch Katrina Whone, Rachel Calder und Reagan Arthur gaben mir vor allem gegen Ende wertvolle Hinweise.
Viele Menschen haben mich bei den Recherchen unterstützt. Mein Dankeschön und Einladungen zum Lunch gehen an Stephen McGinty, Linda Watson-Brown und Val McDermid, die mir wichtige Einblicke in das Tagesgeschäft einer Zeitung in den frühen achtziger Jahren gewährte. Auch Kester Aspden stellte mir freundlicherweise Material zur Verfügung.
Zu der Geschichte selbst wurde ich angeregt durch die ausgezeichneten Arbeiten von Dr. Clare McDermid zur sozialen Entwicklung von kindlichen Straftätern, die hier zum größten Teil ausgespart wurden, aber bestimmt in zukünftige Projekte einfließen werden.
Dank gebührt auch Gerry Considine, der mich wie immer in juristischen Dingen beriet. Hat er das diesmal auch getan? Ich weiß es nicht mehr. Vielleicht war es Philip Considine oder auch John Considine, der mir in juristischen Fragen half. Wenn ja, dann ist alles falsch,

weil sie keine Juristen sind. Vielleicht war es Tante Betty Considine. Gibt es eine neue europäische Übereinkunft betreffs gemütlicher Tassen Tee und Kuchen?
Vor allem gilt meine grenzenlose Dankbarkeit Stevo, Monica und Edith für ihren Beistand in den schrecklichsten der wundervollen Momente.

»Unwiderstehlich, schonungslos und herrlich amoralisch. Thriller so düster und kalt wie eine Nacht in Newcastle.«
3.sat Kulturzeit

Howard Linskey
im Knaur Taschenbuch

Crime Machine

David Blake hat eine weiße Weste. Soweit man in Newcastle eine haben kann, wenn man als Berater für einen skrupellosen Gangsterboss arbeitet. Als zigtausend Pfund Schutzgeld verschwinden, kommt David jedenfalls reichlich ins Schwitzen. Er hat 72 Stunden, das Geld wieder aufzutreiben – sonst ist er ein toter Mann.

Gangland

Eigentlich könnte David Blake es sich gutgehen lassen. Er ist jetzt Newcastles Don Corleone, der oberste Pate, der Mann, der alles kontrolliert, was sich per organisierter Kriminalität zu kontrollieren lohnt. Dumm nur, dass er vorher den Vater seiner Freundin Sarah umbringen musste, um seine Haut zu retten …

Killer Instinct

Langsam wird es eng für David. Die Polizei sitzt ihm im Nacken, russische und serbische Syndikate, die vor keiner Brutalität zurückschrecken machen ihm sein Territorium streitig. Es geht ums Ganze – und vor allem ums Überleben.

Zoë Beck

Wir finden dich. Erwarte uns.

»Zoë Beck schreibt sozialkritische Kriminalromane, die nicht nur die geplanten Verbrechen aufdecken, sondern auch die Abgründe, aus denen sich die mehr oder weniger spontane Gewalt durch äußere Einwirkung speist.«
Gerwig Epkes, SWR2

978-3-453-41042